KB092556

The 5th Edition Advanced Level

THE ACTUAL PRACTICE

for Applied Property Appraisal

PLUS Previous Tests

감정평가실무연습

김사왕, 김승연, 황현아 편저

II
해답편

會經社

이 책의

차 례

Chapter 02 예시답안편

제 01 회 문제 논점 분석 및 예시답안 ·············· 7

제 02 회 문제 논점 분석 및 예시답안 ·············· 12

제 03 회 문제 논점 분석 및 예시답안 ·············· 21

제 04 회 문제 논점 분석 및 예시답안 ·············· 37

제 05 회 문제 논점 분석 및 예시답안 ·············· 44

제 06 회 문제 논점 분석 및 예시답안 ·············· 51

제 07 회 문제 논점 분석 및 예시답안 ·············· 61

제 08 회 문제 논점 분석 및 예시답안 ·············· 72

제 09 회 문제 논점 분석 및 예시답안 ·············· 82

제 10 회 문제 논점 분석 및 예시답안 ·············· 91

제 11 회 문제 논점 분석 및 예시답안 ·············· 101

제 12 회 문제 논점 분석 및 예시답안 ·············· 113

제 13 회 문제 논점 분석 및 예시답안 ·············· 127

제 14 회 문제 논점 분석 및 예시답안 ·············· 141

3

제 15 회 문제 논점 분석 및 예시답안 ·········· 153
제 16 회 문제 논점 분석 및 예시답안 ·········· 164
제 17 회 문제 논점 분석 및 예시답안 ·········· 177
제 18 회 문제 논점 분석 및 예시답안 ·········· 191
제 19 회 문제 논점 분석 및 예시답안 ·········· 201
제 20 회 문제 논점 분석 및 예시답안 ·········· 215
제 21 회 문제 논점 분석 및 예시답안 ·········· 226
제 22 회 문제 논점 분석 및 예시답안 ·········· 237
제 23 회 문제 논점 분석 및 예시답안 ·········· 248
제 24 회 문제 논점 분석 및 예시답안 ·········· 261
제 25 회 문제 논점 분석 및 예시답안 ·········· 272
제 26 회 문제 논점 분석 및 예시답안 ·········· 283
제 27 회 문제 논점 분석 및 예시답안 ·········· 300
제 28 회 문제 논점 분석 및 예시답안 ·········· 311
제 29 회 문제 논점 분석 및 예시답안 ·········· 321
제 30 회 문제 논점 분석 및 예시답안 ·········· 330
제 31 회 문제 논점 분석 및 예시답안 ·········· 341
제 32 회 문제 논점 분석 및 예시답안 ·········· 352

Chapter 02

예시답편

제01회 문제 논점 분석 및 예시답안 · 7
제02회 문제 논점 분석 및 예시답안 · 12
제03회 문제 논점 분석 및 예시답안 · 21
제04회 문제 논점 분석 및 예시답안 · 37
제05회 문제 논점 분석 및 예시답안 · 44
제06회 문제 논점 분석 및 예시답안 · 51
제07회 문제 논점 분석 및 예시답안 · 61
제08회 문제 논점 분석 및 예시답안 · 72
제09회 문제 논점 분석 및 예시답안 · 82
제10회 문제 논점 분석 및 예시답안 · 91
제11회 문제 논점 분석 및 예시답안 · 101
제12회 문제 논점 분석 및 예시답안 · 113
제13회 문제 논점 분석 및 예시답안 · 127
제14회 문제 논점 분석 및 예시답안 · 141
제15회 문제 논점 분석 및 예시답안 · 153
제16회 문제 논점 분석 및 예시답안 · 164

제17회 문제 논점 분석 및 예시답안 · 177
제18회 문제 논점 분석 및 예시답안 · 191
제19회 문제 논점 분석 및 예시답안 · 201
제20회 문제 논점 분석 및 예시답안 · 215
제21회 문제 논점 분석 및 예시답안 · 226
제22회 문제 논점 분석 및 예시답안 · 237
제23회 문제 논점 분석 및 예시답안 · 248
제24회 문제 논점 분석 및 예시답안 · 261
제25회 문제 논점 분석 및 예시답안 · 272
제26회 문제 논점 분석 및 예시답안 · 283
제27회 문제 논점 분석 및 예시답안 · 300
제28회 문제 논점 분석 및 예시답안 · 311
제29회 문제 논점 분석 및 예시답안 · 321
제30회 문제 논점 분석 및 예시답안 · 330
제31회 문제 논점 분석 및 예시답안 · 341
제32회 문제 논점 분석 및 예시답안 · 352

문제 논점 분석 및 예시답안

💡 초기 기출문제로서 전반적으로 평이한 수준이다. 제시된 목차에 따라 다섯 가지 맞춰야 좋은 점수를 기대할 수 있다. [문제1]의 특이한 논점이 없어 제시된 목차를 적용하면서, 가격결정에 관한 의견에서 점수 차이가 나게 될 것이다. [문제2]의 경우 I/S분석과 경상이익 산정부문이 논점이 될 것이다. 최대한 회계학적 접근이 필요했다.

따라서 ① 문제간이도에 따른 시간배분에 유의하고(100점), ② 전체적으로 정확성이 요구된다.

1. 문제 1 – 대상물건확정 및 3방식에 의한 토지평가

① 대상물건의 확정 : 주거지역, 현황평가(전)기준, 남향, 세로 5,000m²

② 원가법에 의한 토지가격 : 개발계획에 따른 유효택지면적 및 분양획지수 판정, 분양가격 결정시 지역요인(거리기준 – 개별요인으로 볼 수도 있음), 개별요인의 합리적 처리, 개별분석과 공제방식의 차이에 대한 이해가 필요하다.

③ 거래사례비교법에 의한 토지가격 : 지역요인에 유의한다.(거리기준 – 개별요인으로 볼 수도 있음)

④ 수익환원법에 의한 토지가격 : 사례의 '甲'도서의 가격을 산정 후 대상과 비교 과정에서 현황 '전'을 반영하였다.

사례 토지귀속 순수익을 대상 토지귀속 순수익으로 비준하는 과정에서 이용상황의 격차를 반영할 수 있을 것이나 대상은 소지로서 수익이 발생하지 않는다는 점을 고려할 때 대상토지기대 순수익의 묵시를 쓰는

것은 부담스럽다. 따라서, 사례의 토지가격을 우선 산정 후 대상의 토지가격으로 비준하는 것이 타당하다고 본다.

⑤ 공시지가에 의한 토지가격

⑥ 시산가액 조정 및 감정평가액결정 : 각 방식의 유용성 및 한계 검토, 대상부동산의 성격 및 시장상황을 기술할 필요가 있다.

2. 문제 2 – 매몰·휴업보상액 산정

① I/S자료분석(수정전)

② 매출원가 및 판관비 처리 → 회계학적 개념과 출제자 제시사항

③ 경상이익 산정 → 영업이익±영업외손익

④ 매몰, 휴업보상액 산정(휴업보상시 고정경비, 부대비용의 산정 고려)

3. 문제 3 – 일체수익가액

사례임대료구성비 적용상 유의하여야 한다.

4. 문제 4 – 노선가식평가법

깊이가격체감률, 보정률을 적용하여야 한다.

[문제 1]

I. 처리계획

택지후보지로서, 현황인 '전'을 기준으로 감정평가3방식에 의하여 평가한다.

II. 원가법에 의한 적산가액

1. 개요

기준시점 기준 공제방식에 의해 현황 소지 가격을 산정함.

2. 개발계획

① 유효택지면적 : 5,000 - (750+515)   = 3,735㎡

② 분양획지수 : 200×18+135   = 19획지

3. 분양수입

① 분양가능 가격(분양사례기준)

$$9,600,000 \times 1 \times \underset{\text{시}^{*1}}{1.2528} \times \underset{\text{지}^{*2}}{0.833} \times \underset{\text{개}}{1} \risingdotseq 10,018,000$$
(사)

*1 $\left(1 + 0.2920 \times \frac{200}{365}\right) \times 1.08$

*2 $(100-5\times10)/(100-5\times8)$: 개별요인 처리도 가능함.

(주) 분양토지 개별요인은 사례와 동일조건으로 전제함.

② 분양수입

$$10,018,000 \times 18 + 10,018,000 \times \frac{135}{200} \times (1-0.2) \risingdotseq 185,734,000$$

4. 공사비 등

① 단지설계, 토목 : (1,000+9,000)×5,000   ≒50,000,000

② 측량 : 200,000×19   ≒3,800,000

③ 합(기타 제근리는 없는 것으로 봄)   ≒53,800,000

5. 적산가액

(185,734,000 - 53,800,000)   ≒131,934,000

(26,000원/㎡)

III. 거래사례비교법에 의한 비준가액

$$51,000,000 \times \underset{\text{사}}{1} \times \underset{\text{시}^{*1}}{1.6514} \times \underset{\text{지}^{*2}}{0.909} \times \underset{\text{개}^{*3}}{1.212} \;/\; 3,000 \risingdotseq 31,000원/㎡$$

*1 $(1 + 0.2196 \times \frac{305}{365}) \times 1.2920 \times 1.08$

*2 $\frac{100-5\times10}{100-5\times9}$

*3 $\frac{100}{90} \times \frac{60}{55}$ (향, 이용상황)

IV. 수익환원법에 의한 수익가액

1. 개요

사례의 토지가격 산정 후 대상 '전'을 기준으로 가격을 산정

2. 사례토지가격

1) 총수익(성각 전 순수익으로 봄)   ≒35,000,000

2. 토지단가

$28,000 \times 1.08000 \times 0.833 \times 1.111 \times 1 ≒ 28,000원/㎡$

시 지^{*1} 개^{*2} 그

$*1 \ \dfrac{100-5\times10}{100-5\times8}$

$*2 \ \dfrac{80}{90}\times\dfrac{100}{80}$

VI. 시산가액 조정 및 감정평가액 결정

1. 각 시산가액

적산가액 : 26,000원/㎡, 비준가액 : 31,000원/㎡,

수익가액 : 18,000원/㎡ 공시지가기준 : 28,000원/㎡

2. 시산가액 조정의 주안점

각 평가방식의 한계 및 대상의 성격과 시장상황 고려

① 수익가액은 '매'의 가격을 비준한 것으로 이용상황의 차이가 커 비교가 능성이 떨어지고

② 비준가액은 거래시점이 오래되어 시점간의 괴리가 있으며,

③ 적산가액은 시점교정(할인) 또는 제 금리 등을 반영하는지 못해 적용 방식 자체의 타당성이 결여된 점을 감안하고

④ 대상부동산이 '택지후보지'로서 '소지'인 점, 공시지가가 작성시체를 반 영하는 점을 고려

3. 감정평가액 결정

감정평가법 §3, 감정평가에 관한 규칙 §14에 의하여 공시지가를 기준하여

$28,000 \times 5,000 = 140,000,000원$으로 결정함.

---

2) 사례 건물귀속 순수익

$(300,000 \times 1.08^2 \times \dfrac{48}{50} \times 500) \times 0.2 ≒ 33,592,000$

시 전 면

3) 사례 토지귀속 순수익 : 1)−2) ≒ 1,407,680

4) 사례 토지 가격 : $1,407,680 \div 700 \div 0.06 ≒ 33,520원/㎡$

3. 대상토지 가격

$33,520 \times 1 \times 1.? \times 1 \times 0.48 ≒ 18,000원/㎡$

사 시 시 개^{*1}

$*1 \ \dfrac{80}{100}\times\dfrac{60}{100}$

V. 공시지가기준법에 의한 시산가액

1. 비교표준지

1) 선정 : #2

2) 이유 : 이용상황(전)등 유사함.

[문제 2]

I. 처리계획

공익사업을 위한 토지 등의 취득 및 보상에 관한 법률(이하 법) §77 ① 및
시행규칙 §45 내지 47 등 관련규정 근거 정당보상액 산정

II. 손익계산서

1. 기말수정분개

전물감가상각 22,500 감가상각충당금 1,000,000×(1 − 0.1)×1/40
기구감가상각 12,000 감가상각충당금(200,000 − 80,000)×0.1
기계감가상각 260,000 감가상각충당금(3,000,000 − 400,000)×0.1
전·임·이자 140,000 미지급비용 140,000
대손상각 25,000 대손충당금(500,000+1,000,000)×0.03 − 20,000
법인세비용 197,960 미지급법인세 197,960

2. 제조경비배분

	제조	영업
① 전·감, 보험(22,500+18,000)	24,300	16,200
② 기계·감, 전, 임(260,000+30,000 +150,000+600,000+440,000)	940,000	
③ 기구·감(12,000)	2,400	9,600
④ 광·교(70,000+45,000)		115,000
⑤ 금(120,000)	36,000	84,000
⑥ 여·교(30,000)	15,000	15,000
⑦ 대손상각비(25,000)	0	25,000
⑧ 합	1,017,700	264,800

3. 배분(제조원가명세서)

	제료		제공품		제품	
	400,000	1,275,000	350,000	2,419,800	480,000	2,175,300
	1,400,000	525,000	1,275,000	222,900	2,419,800	724,000
			1,017,700			

4. 손익계산서

매출	3,000,000
매출원가	2,175,300
매출총이익	824,700
판매관리비	264,800
영업이익	559,900
영업외수익	2,000+65,000+50,000 = 117,000
영업외손실	90,000+50,000+130,000 = 270,000
경상이익	406,900

III. 폐업보상

1. 최근 3년간 평균 영업이익 : 상기의 경상이익으로 본다. 이는 소득표준율
   대비(3,000,000×0.12 = 360,000)에서 작정한 것으로 판단

2. 매각손실액(매각가능금액을 알 수 없어 60%적용)
   2,340,000×0.6 ≒1,404,000

3. 보상액 : 406,900×2+1,404,000 ≒2,217,800

IV. 휴업보상

1. 개요 : 휴업기간 3월 기준 이전비 고려

2. 휴업보상액 $406,900 \times \dfrac{3}{12} + 170,000 \times 6.6$ ≒ 1,223,725

(※ 공작·목공기계로 판단(고정키용, 감손상당액, 부대비용 별도 고려함))

[문제 3]

I. 대상 상각 후 순수익

$467,672,000 \times l \times 1 \times (0.4 \times 1.031 + 0.6 \times 1.021)$ ≒ 479,364,000

토귀 *1   건귀 *2

*1 $\dfrac{100}{98} \times \dfrac{100}{108} \times \dfrac{1,200}{1,100}$

*2 $\dfrac{0.7 \times \dfrac{47}{50} + 0.3 \times \dfrac{12}{15}}{0.7 \times \dfrac{49}{50} + 0.3 \times \dfrac{14}{15}} \times \dfrac{98}{100} \times \dfrac{7,400}{6,600}$

전   개   면

II. 수익가액

$479,364,000 \div 0.16$ ≒ 2,996,000,000

[문제 4]

$1,000,000 \times 0.93 \times 0.93$ ≒ 865,000원/㎡

감체   *1

*1 max [각도, 면적] ≒ max [0.93, 0.9] ≒ 0.93

2) 보상 평가액

(1) 목차의 구성

보상평가는 공시지가기준법이 원칙이므로 기타 3방식에 의한 무차를 맞둥하게 처리하는 것 보다 "보상평가" 산정하고 "합리성 검토(또는 그 밖의 보정치 결정)"의 목차 아래에 3방식에 의한 가격을 적용하는 것이 보다 자연스러운 무차가 될 수 있다. 또, 3방식에 의한 가격을 기준으로 그 밖의 요인 보정치를 먼저 결정한 후, 토지단가를 결정하는 흐름이 논리 일관이 있는 답안이 될 것으로 생각된다.

실무적으로 일반평가에서는 감칙 제12조를 준수하여 평가방식을 적용하고 있음에도 불구하고 토지의 보상평가 시 3방식 병용을 하지 않는 것은 "토지보상법 시행규칙 제18조에 어긋나는 것 아닌가?"라는 문제제기를 받고 있다.

그러나 토지의 보상평가는 표준지공시지가를 기준해야만 개발이익 배제 및 공법상제한을 받는 구정된 평가방법의 적용이 가능하며 과거의 거래사례 등은 표준지공시지가와 달리 상기의 사항들은 처리할 수 없어 주로 그 밖의 요인 보정치의 검토 수준으로만 적용된다. 또, 다른 방법의 적용은 곤란하거나 불필요한 것으로 해석하여야 한다. 다만, 토지보상법 시행규칙 제18조는 또는 지장물의 평가 등에서 구정하고 있는 별상 다른 평가방법을 설명하기 위한 것으로 해석하여야 할 것이다.

(2) 공시지가기준법

비교가능성이 있는 표준지 중 보다 유사한 표준지를 선정하는 것이 관건이다. 상생·업무용 부동산의 경우 도로조건(가로의 연속성 및 계통성)에 중점을 두어 표준지를 선정하는 것이 타당하다.

(특히, 자료2 아래 지시사항으로 "공시지가 표준지는 소재지를 고려지 않고 유사한 표준지를 활용할 것"의 내용이 기재되어 있음)

제 02회
문제 논점 분석 및 예시답안

> 초기 기출문제로서 전반적으로 평이한 수준이다. 다만 [문제1]인 토지보상에 있어 공시지가 기준법 외 타 방법 병용은 합리성 검토를 원칙으로 해야 할 것이다. [문제2]의 경우 B/S분석과 순저산7가지 선정부분이 주요 논점이다.

1. 문제1번 - 토지, 건축물, 기계 보상평가(50)

1) 사업의 종류 및 적용공시지가 선택

(1) 사업의 종류

본 문제에서는 구체적인 사업명이 주어지지 않았다. 그러나, 본건 전체가 도시계획도로에 저촉되어 있어 해당 사업이 도시계획시설사업으로 전제하였고, 도시계획회시설 저촉을 해당 사업에 따른 제한으로 판단하였다.

(2) 적용공시지가 선택

사업인정고시일(실시계획인가고시일)이 별도로 주어지지 않아 사업인정 전 협의 평가로 보는 것이 타당하다.

(3) 거래사례비교법

① 사례 선정 관련

사례 2 역시 선정이 모두 가능하나 시간save를 위해 배제할 것인지,
50점이라는 배점을 감안하여 적용할 것인지에 대한 판단이 필요하다.

② 사례 2 선정시 관련 논점(철거비 보정, 지역요인비교치 산정, 개별요인
비교)

사례 2를 선정하는 경우 사정보정이 가능한 사례로 판단하여 정상가격

1,000,000원/㎡를 기준으로

a. 철거비 보정

b. 지역요인 비교

(동시지가③, ⑤의 단가비교치 : 2,000,000/1,600,000 = 1.25)

c. 개별요인비교(정상지가보정 1/200/800×0.45 + 600/800×0.95

= 1.212)의 적용이 가능하다.

③ 관련 논점

관련 논점으로 봐서는 사례2를 우선 선정하고 시산가액 결정 단계에서
사정개입 및 유사성이 떨어짐을 근거로 배제하는 것이 보다 안정적인
답안이 될 것으로 보인다(단, 예시답안에서는 비교가능성을 우선적으로
고려하여 사례1만 선정하여 풀이했다).

(4) 수익환원법

임대사례 자료가 먼저 나와 수익가액 목차를 우선 적시하였다. 상대적으로
좋은 점수를 받기 위해서 수익가액의 정확성이 필요하다.

(5) 조성원가법

(6) 건축물

물건의 가격 범위 내 이전비 보상이 원칙이나 이전비 미제시 되
있다.

(7) 기계

물건의 가격 범위 내 이전비로 보상한다.

2. 문제2번 – 비상장주식평가(25)

① B/S자료분석(수정전)

② 순자산(총자산 – 총부채)산정

③ 비상장주식 평가 → 발행주식과 수권주식 판단

3. 문제3번 – 임대료평가(20)

임대사례비교법, 적산법을 적용한다.

4. 문제4번 - 표준지 선정원칙과 평가기준(5)

※ 표준주택 선정, 제외 기준

I. 표준주택 선정 기준

1. 일반적인 기준

(1) 토지(지특용구, 대중인화)

  1) 지가의 대표성
    지가수준을 대표, 가격의 증화를 반영

  2) 토지특성의 중용성
    토지특성빈도가 가장 높은 표준적인 토지

  3) 토지용도의 안정성
    이용상황이 안정적

  4) 토지구별의 확정성
    다른 토지와 구분이 용이, 위치를 쉽게 확인

(2) 건물(건특용외, 대중인화)

  1) 건물가격의 대표성
    건물 가격수준을 대표, 가격의 증화를 반영

  2) 건물특성의 중용성
    건물 특성빈도가 가장 높은 표준적인 건물

  3) 건물용도의 안정성
    건물 용도가 안정적

  4) 외관구별의 확정성
    다른 건물과 외관구분이 용이, 위치를 쉽게 확인

2. 행정목적상 필요한 토지

국가 및 지방자치단체에서 행정목적상 필요하여 표준주택을 선정하여 줄 것을 요청한 특정지역이나 단독주택에 대해서는 지역특성을 고려하여 타당한 경우 선정 가능

II. 표준주택 선정의 제외기준

1. 필수적 제외(공부2개)

(1) 공시지가 표준지 및 지가변동률 표본지

(2) 무허가 건물

(3) 2개동 이상의 건물을 주건물로 이용중인 주택

(4) 개, 보수, 개수 등으로 감가수정시 관찰감가를 요하는 단독주택

2. 임의적 제외(소용)

(1) 토지·건물 소유자가 상이한 주택

(2) 주택부지가 둘 이상의 용도지역으로 구분되어 있는 경우

III. 표준주택의 교체

기존의 표준주택은 특별한 사유가 없는 한 교체하지 아니한다. 다만, 표준주택이 다음 각 호의 1에 해당되는 경우에는 이를 인근의 다른 단독주택으로 교체하거나 삭제할 수 있다.

1. 도시계획사항의 변경, 단독주택의 이용상황 변경, 주택개발사업 시행

2. 개별주택가격 산정시 비교표준주택으로서 활용성이 낮아 기준성 상실

3. 해당지역의 표준주택 수가 증가 또는 감소되는 경우

(비교표준주택으로의 활용실적 분석결과, 지역분석에 의한 표준주택 분포조정 검토결과, 도시개발사업·재개발사업 등의 시행으로 인한 주택수급의 변경 등을 고려하여 교체·삭제 가능)

【문제 1】

I. 처리계획

① 공익사업을 위한 토지 등의 취득 및 보상에 관한 법률(이하 "법") 등의

관련 제 규정을 근거 ② 가격시점은 계약체결예정일 1991.2.15 기준

II. 토지

1. 개요

칙 §18①에 의하여 공시지가에 의한 가격을 다른 방법에 의해 구한 가격

으로 그 합리성을 검토

2. 적용공시지가 선택(법 §70③)

사업인정 전 협의 평가로 가격시점 당시 최근 공시된 1991.1.1 공시지가

선택

3. 비교표준지 선정

1) 비교표준지 선정 : #2

2) 선정사유

용도지역(상업지역), 이용상황(상업용건부지) 기준 #2, #3이 비교가능 하나,

도로(중로), 개별요인비교치에서 보다 유사성이 높은 비교표준지 #2를

선정

4. 토지단가

$$1,500,000 \times 1.0108 \times \frac{105}{100} \times \frac{98}{103} = 1,520,000원/\text{㎡}$$

사*²   지   개

*1 표준지공시지가는 나지상정 평가이나 전부감가 고려 않음.

*2 $[(1 + 0.025 \times \frac{46}{91}) + \frac{112}{111}] \div 2$

*3 도시계획도로 저촉은 해당 사업에 따른 제한으로 보고 고려 않음(칙 §23)

5. 그 밖의 요인 보정치 결정(또는 합리성 검토)

1) 거래사례비교법

(1) 비교사례선정 : #1

(2) 선정사유 : 사례#1 #2모두 선정 가능하나 #2는 다소 고가로 거래된 점,

사례 #1은 최유효이용으로 합리적 배분법이 적용가능하고 적용가능하고 보다 비교가

능성이 높아#1을 선정

(3) 비준가액

① 건물적산가액('90.8.1)

$$450,000 \times 1 \times 1.0233 \times (0.8 \times \frac{59}{60} + 0.2 \times \frac{14}{15}) \times \frac{95}{100} \times 3,100 = 1,319,965,000$$

사   시*¹   잔   개

*1 $\frac{132}{129}$

② 비준가액

$$(2,900,000,000 - 1,319,965,000) \times 1 \times 1.0530 \times 1 \times 0.747 \times \frac{1}{780} = 1,590,000원/\text{㎡}$$

사   시*¹   지   개*²

*1 $(1 + 0.022 \times \frac{61}{92}) \times 1.025 \times (1 + 0.025 \times \frac{46}{92})$

*2 $\frac{98}{106} \times \frac{105}{130}$

2) 수익환원법

(1) 개요

임대사례는 최유효이용 상태하의 임대사례로 대상의 최유효이용과 유사하여 이를 기준하되, 토지잔여법을 적용한다.

(2) 사례 토지 귀속 순수익('91.1.1 기준)

① 사례총수익

$3,150,000,000 \times 0.1 + 50,000,000 \times \frac{0.1}{1-1.1^{-2}} + 20,000,000 \times 12$

$= 583,810,000$

② 필요제경비

$20,000,000 \times (12 \times 0.05 + 5 + 2) + 80,000,000 + 20,000,000 + 31,413,000$*1

$= 283,413,000$

주) 종합토지세는 대상토지에 대한 것으로 보아 필요제경비에 산입한다.

*1) 감가상각비 $1,450,000 \times 1 \times 1.0388 \times \frac{105}{100} \times 2,400) \times (0.8 \times \frac{1}{60} + 0.2 \times \frac{1}{15})$

③ 상각 후 순수익 $= 300,397,000$

④ 건물귀속 순수익

i) 건물적산가액 : $450,000 \times 1 \times 1.0388 \times \frac{105}{100} \times 1 \times 2,400$

사 시*1 개 잔 면

$= 1,177,999,000$

*1 $\frac{134}{129}$

ii) 건물귀속 순수익 : $1,177,999,000 \times 0.15$ $= 176,700,000$

⑤ 사례토지귀속 순수익 $= 123,697,000$

(3) 대상 토지 수익가액

① 대상토지 기대순수익

$123,697,000 \times 1 \times 1.0076 \times \frac{105}{100} \times \frac{98}{100} \times \frac{1}{860}$ $= 150,000$원/㎡

사 시*1 지 개 면

*1 임대료지수 : $\frac{132}{131}$

② 대상토지 수익가액

$150,000 \div 0.12$ $= 1,250,000$원/㎡

4) 원가법

'87.1.1 매입 — '88.1.1 착공 — '89.1.1 — '90.1.1 준공 — '91.2.15

(1) 사례 준공당시 가격('90.1.1 기준가격)

① 소지구입비 및 이자 : $1,000,000 \times 1.1^3 \times 1,000$ $= 1,331,000,000$

② 조성비 : $180,000,000 \times (1.1^2 + 1.1)$ $= 415,800,000$

③ 이윤 : $360,000,000 \times 0.1$ $= 36,000,000$

④ 합 : 1,782,800,000(1,783,000원/㎡)

(2) 대상 가격시점 적산가액('91.2.15)

$1,783,000 \times 1 \times 1.1252 \times 1 \times 0.792$ $= 1,590,000$원/㎡

사 시*1 지 개*2

*1 $1.028 \times 1.032 \times 1.022 \times 1.025 \times \{(1 + 0.025 \times \frac{46}{92})$ *2 $\frac{98}{100} \times \frac{105}{130}$

4) 합리성 검토 및 그 밖의 요인 보정치 결정

공시지가기준 : 1,520,000원/m^2, 비준가액 : 1,590,000원/m^2

수익가액 : 1,250,000원/m^2, 적산가액 : 1,590,000원/m^2

공시지가에 의한 단가는 다른 시산가액에 적절히 지지하고 있음에 따라 합리성이 인정되고 시세를 적정히 반영한 정당보상에 해당함. 따라서 그 밖의 요인 보정치는 "1.00"으로 결정함

5. 토지 평가액

$$1,500,000 \times 1.C108 \times \frac{105}{100} \times \frac{98}{103} \times 1 = 1,520,000원/m^2$$

$1,520,000 \times 850 = 1,292,000,000$원으로 결정한다.

III. 건물

1. 개요

뱀§75①에 의하여 이전이 불가능하다고 판단되어 물건의 가격으로 보상

2. 재조달원가(건정법)

$$450,000 \times 1 \times 1.3465 \times \frac{98}{100} \times 3,650 = 1,684,499,000$$
$$\qquad\ \ 사\qquad 시\qquad 개\qquad\ \ 면$$

*1 $\frac{135}{129}$

3. 감가누계액

$$1,684,499,000 \simeq (0.8 \times \frac{3}{60} + 0.2 \times \frac{3}{15}) = 134,760,000$$

4. 적산가액 : 2 - 3. = 1,549,739,000

IV. 기계

1. 개요

뱀§75①에 의하여 물건의 가격 내 이전비 보상

2. 이전비

1) 설치, 해제비

$$32,000 \times 2.5 + 29,000 \times 1.8 + 30,000 \times 0.6 + 27,000 \times 2$$
$$\times 1.1 \times 1.5 \times 5 + 800,000 = 2,484,650원/대$$

2) 운반비 : $(80,000 + 150,000) = 230,000$

3) 합 $= 2,714,650$원/대

3. 물건가격(원가법)

$$120,000,000 \times (1 - 0.206)^3 = 60,068,000원/대$$

4. 결정

물건의 가격 내 이전비 $2,714,650 \times 2 = 5,429,300$원으로 결정

V. 보상평가액

토지	= 1,292,000,000
건물	= 1,549,739,000
기계	= 5,429,300
합계	= 2,847,168,000

[문제 2]

〈주식평가방법〉

I. 상장주식

자본시장과 금융투자업에 관한 법률 제373조의2에 따라 허가를 받은 거래소(이하 "거래소"라 한다)에서 거래가 이루어지는 등 시세가 형성된 주식은 거래시세비교법을 적용한다.

II. 비상장주식

해당 회사의 자산·부채 및 자본 항목을 평가하여 수정재무상태표를 작성한 후 기업체의 유·무형의 자산가치(이하 "기업가치"라 한다)에서 부채의 가치를 빼고 신정한 자기자본의 가치를 발행주식 수로 나누어 산정한다.
이 때 기업가치는 수익환원법을 주된 방법으로 평가한다.

〈주식평가액〉

I. 처리계획

감정평가에 관한 규칙 24조 1항 2호에 따라 "기업가치"라 한다)에서 부채의 가치를 빼고 신정한 자기자본의 가치를 발행주식 수로 나누어 평가하되, 동 구조제3항의 구성에 의해 기업가치를 감정평가할 때 수익환원법을 적용하는 것이 곤란하거나 이해 부적절한 경우에 해당하여 감정 12조 2항 단서에 따라서 원가법에 의해 평가하며, 수정재무상태표를 작성하여 순자산을 기준으로 주식가격을 평가한다.

II. 수정재무상태표

1. 기말수정분개

① 유가증권평가손실	10,000	유가증권	10,000
② 대손상각	16,000*1	대손충당금	16,000

*1 (800,000 + 1,000,000) × 0.02 − 20,000

③ 매입	200,000	기초	200,000
기말	220,000	매입	220,000
④ 대손상각	100,000	부도어음	100,000
⑤ 토지	600,000	고정자산평가이익	600,000
⑥ 건물	200,000	고정자산평가이익	200,000
⑦ 고정자산평가손	150,000	기계	150,000
⑧ 퇴직급여	100,000	퇴직급여충당금	100,000
⑨ 선급비용	1,000	보험료	1,000

주) 선급비용에는 보험료외에 다른 비용도 포함될 것으로 보아 보험료 미경과분을 선급비용으로 추가 계상한다.

⑩ 급료	45,000	미지급급여	45,000

2. 수정 후 B/S

(06.12.31. 단위 : 천원)

현금	655,000	매입채무	1,000,000
유가증권	40,000	차입	1,500,000
매출채권	1,800,000	미지급비용	175,000
재고	220,000	대손충당금	36,000
선급비용	96,000	퇴직급여충당금	250,000
토지	1,100,000		
건물	800,000		
기계	1,650,000		
합	6,361,000	합	2,961,000

III. 주식가치

$$(6,361,000,000 - 2,961,000,000) \times \frac{300,000}{400,000} = 2,550,000,000원$$

【문제3】

I. 임대사례비교법

1. 사례실질임대료

$$600,000 \times \frac{12}{82.5} = 87,273원/㎡$$
시   시

2. 비준임대료

$$87,273 \times 1 \times \frac{120}{115} \times 0.88 \times 1.027 \times 1.0207 \times 73 = 6,132,000$$
시   시   총효*1   위효*2

*1 층별효용비 : 2~4층 전유면적 집아 분양가격 기준함.
1,500,000/1460,000

*2 1,480,000/1,450,000

II. 적산법

1. 기초가액

1) 전체부동산 기초가액 $= 2,300,000,000$

2) (301호)기초가액 $= 0.205$

(1) 층별효용비

$$\frac{1,420 \times 282 + (1,550 + 1,500 + 1,460 + 1,400) \times 292}{1,500 \times 292}$$

(2) 위치별효용비

$$\frac{1,480 \times 73}{1,480 \times 73 + 1,550 \times 83 + 1,520 \times 73 + 1,450 \times 63} = 0.246$$

(3) 기초가액

$$2,300,000,000 \times 0.205 \times 0.246 = 115,989,000$$
총효   위효

3) 기대이율(시장추출법)

$$\left[\frac{9,000,000\cdot600,000}{150,000,000} + \frac{4,800,000-400,000}{80,000,000} + \frac{6,000,000-500,000}{100,000,000}\right] \div 3 = 0.0553$$

4) 적산임대료

$$115,989,000 \times 0.0553 + 550,000 = 6,964,000$$
*1

*1 감가상각비 포함된 것으로 봄

III. 감정평가액(임대료) 결정

감정평가에 관한 규칙 §22을 준수하여 비준임대료에 중점을 두되, 적산임
대료가 다소 높은 것을 고려하여 6,200,000원으로 결정함.

【문제4】

I. 표준지 선정 원칙(표준지의 선정 및 관리지침 §10)

1. 지가의 대표성 : 인근지역내 가격의 중화를 반영할 수 있을 것

2. 토지특성의 중용성 : 토지특성비중도가 가장 높을 것

3. 토지용도의 안정성 : 이용상황이 안정적일 것

4. 토지구별의 확정성 : 구분이 용이하고 위치를 실제 쉽게 확인할 수 있을 것

II. 표준지 평가 기준

1. 적정가격기준평가 : 적정가격을 감정평가 3방식 중 해당 표준지 특성에 가장 적합한 평가방식 하나를 선택하여 이를 타 방식에 의한 가격으로 적정여부 검토하여 평가한다.

2. 실제용도기준평가(현재의 이용상황 기준)

3. 나지상정평가(정착물·사권 설정 없는 상태상정)

4. 공법상 제한상태 기준평가

5. 개발이익 반영평가(현실화·구체화된 개발이익 반영)

6. 일단지 평가(용도상 불가분의 관계에 있는 2필지 이상 토지는 1필지로 봄)

2) 사업인정의제(택지개발촉진법 연혁)

출제 당시 규정	07. 7. 21 이후 최초 주민공고 공람하는 지구부터 적용	11. 5. 30 이후 적용
제안 ↓ 주민공고공람 ↓ 택지개발예정지구지정고시 [행위제한기준일] ↓ 택지개발계획승인 [사업인정의제일] ↓ 실시계획수립	제안 ↓ 주민공고공람 [행위제한기준일] ↓ 택지개발예정지구지정고시 (개발계획수립포함) [사업인정의제일] ↓ 실시계획수립	제안 ↓ 주민공고공람 [행위제한기준일] ↓ 택지개발지구지정고시 (개발계획수립포함) [사업인정의제일] ↓ 실시계획수립

따라서 해당 문제에서는 구법이 적용된다면 택지개발계획승인고시가 이전으로 사업인정 전 협의 평가의 문제다.

3) 작용공시지가 선택

(1) 「토지보상법」 제70조(07.10.17)의 개정 내용

① 제3항(사업인정 전 협의취득시)
가격시점 당시에 공시되어 있는 표준지의 공시지가 중에서 가격시점에 가장 근접한 것을 선정하도록 한다.

② 제4항(사업인정 후 취득시)
사업인정고시일전의 시점을 공시기준일로 하는 공시지가로서 해당 토지에 관한 <협의의 성립> 또는 <재결> 당시 고시된 공시지가 중 사업인정고시일에 가장 가까운 시점에 공시된 공시지가가 선정.

제 03 회

문제 논점 분석 및 예시답안

[문제1] 보상평가로서 토지는 개발이익배제를 위한 작용공시지가 선택(사업인정 전 협의취득(법 제70조)), 지가변동률(영 제37조)이 작용, 건물은 물건의 가격 범위 내 이전비 (법 제75조)오- 주거용 건축물 보상특례(시행규칙 제58조)가 주된 논점이다. 나머지 문제는 큰 논점 없이 평이하여 1번에서 당락이 좌우됲 것으로 보인다. 따라서 ① 문제논의도에 따른 시간배분에 유의하고(100점), ② 전체적으로 정확성이 요구된다.

1. 문제1번 – 토지(개발이익배제), 지장물 보상평가(40)

1) 가격시점
국토부의 업무기점 시달(유권해석 변경)에 따라 협의 평가의 가격시점은
가격조사완료일에서 계약체결예정일로 변경되었다.

(2) 지가의 현저한 변동 판단의 기준

현행 토지보상법 시행령 제38조의 2에서는 2013.5.28자로 「토지보상법」 제70조제5항의 취득할 토지의 지가의 현저한 변동 판단 기준을 비교표준지와 사업지구가 속한 시군구의 표준지의 자료를 비교하도록 하고 있다.

그러나 본 문제의 출제에는 이 기준이 없었고, 문제에서도 시군구의 모든 표준지의 평균변동률을 산정할 수 있는 자료가 제시되어 있지 않다.

그렇다면, 표준지 공시지가의 개별이의 배제를 위한 합리적인 판단은 무엇인지 고민할 필요가 있다.

작용공시지가 선택에서 개별이의 반영 여부 판단의 표본은 '표준지 공시지가'이어야 한다. 즉, 지가변동률에서 개별이의 반영 여부를 판단하면서, 해당 시군구의 지가변동률이 현저히 변동되었다고 하여 표준지 역시 개별이의이 반영되었다고 보는 것은 논리적 오류가 있다. 표준지공시지가의 최소 단위는 표준지 개개 필지가 되나 지가변동률의 최소단위는 시군구 전체의 용도지역이 동일한 표본지가 되기 때문에 그 변동률이 다를 수밖에 없었다. 따라서 본 문제의 풀이에서는 제시된 표준지공시지가 자체의 변동률을 표본으로 하여 사업 지구고시 전·후의 연도별 공시지가 변동률을 비교함으로써 지가의 현저한 변동여부를 판단하였다. 현업에서도 「토지보상평가지침」 및 령제38조의 2 판단기준이 들어오기 전에는 각 연도별 공시지가의 변동률을 검토하였다.

4) 지가변동률

① 현행 토지보상법 시행령 제37조 3항에서는 사업인정고시일부터 가격시점 까지의 지가변동률을 보상하여야 하나, 해당 문제에서는 「舊토지보상평가지침」 개정 전을 기준으로 가격시점 최근 6월만을 본 변동이었다.

② 비자지구의 지가변동률 적용 가부와 관련된 판례

③ 제5항의 신설 취지

〈조문〉

3,4항의 규정에도 불구하고 공익사업의 계획 또는 시행이 공고 또는 고시됨으로 인하여 취득하여야 할 토지의 가격이 변동되었다고 인정되는 경우에는 제1항에 따른 공시지가는 해당 공익 또는 고시일 전의 시점을 기준으로 하는 공시지가로서 해당 토지의 가격시점 당시 공시된 공시지가가 중 해당 공익사업의 공고일 또는 고시일에 가장 가까운 시점에 공시된 공시지가로 한다.

〈분석〉

개정 전에는 해당 사업으로 인한 개발이익을 배제하기 위하여 사업인정 전 협의의 경우에는 연도별 공시지가를 소급하여 적용하고, 사업인정 후 협의 또는 재결의 경우에는 연도별 공시지가를 소급하지 않고 해당 공익사업으로 인한 개발이익이 현실화되지 않은 인근지역의 표준지를 선정하거나, 공시지가에서 개발이익을 공제하는 방법으로 평가하도록 이원적으로 구성하고 있으나, '…' 개정 법률에서는 사업인정 전·후 구분없이 연도별공시지가를 소급하도록 일원화하였다.

〈작용시점〉

공포한날(07. 10. 17)부터 시행됨

제70조제3항의 경우 : '보상계획공고일'이 공포한 날 이후에 있으면 신설 적용

제70조제4항의 경우 : '사업계획공고고시일'이 공포한 날 이후에 있으면 신법 적용

〈결론〉

제70조제3항의 적용은 기준과 달리 적용될 여지는 없다.

따라서, 제70조제4항에 해당되는 경우에는 '사업계획공고고시일'을 확인하여 구법/신법의 적용여부를 검토할 필요가 있다.

따라서 해당 문제는 구 토지보상법의 적용되며 구법 제70조제3항 단서의 작용공시지가 소급적용 여부의 판단이 필요함.

II. 적용공시지가 선택 및 비교표준지 선정

(1) 토지보상법 제70조 제5항 적용

제70조(취득하는 토지의 보상) ③ 사업인정전의 협의에 의한 취득에 있어서 제1항의 공시지가는 해당 토지의 가격시점 당시 공시된 공시지가로 한다. 〈개정 2007.10.17〉

④ 사업인정후의 취득에 있어서 제1항의 규정에 의한 공시지가는 사업인정고시일전의 시점을 공시기준일로 하는 공시지가로서, 해당 토지에 관한 협의의 성립 또는 재결 당시 공시된 공시지가 중 해당 사업인정고시일에 가장 가까운 시점에 공시된 공시지가로 한다.

⑤ 제3항 및 제4항에도 불구하고 공익사업의 계획 또는 시행이 공고 또는 고시됨으로 인하여 취득하여야 할 토지의 가격이 변동되었다고 인정되는 경우에는 제1항에 따른 공시지가는 해당 공고일 또는 고시일 전의 시점을 공시기준일로 하는 공시지가로서 해당 토지의 가격시점 당시 공시된 공시지가 중 해당 공익사업의 공고일 또는 고시일에 가장 가까운 시점에 공시된 공시지가로 한다. 〈신설 2007. 10. 17〉

① 토지보상법 제70조 제5항 적용 시점

2007.10.17 이후 "공익사업의 계획 또는 시행이 공고 또는 고시"되는 사업부터 적용

② "공익사업의 계획 또는 시행이 공고 또는 고시"된 날"의 의미

"해당 공익사업의 계획 또는 시행이 공고 또는 고시"란 해당 공익사업의 사업인정고시일 전에 공익사업을 위한 관계법령 등이 국민에게 규정하는 바에 따라 해당 공익사업에 관한 제반 계획 또는 시행을 일반 국민에게 공고 또는 고시한 것을 말한다(토지보상평가지침 제10조 제2항)

※ "해당 공익사업의 계획 또는 시행이 공고 또는 고시일"로 인한 개발이익을 배제하기 위한 기준일로서 관계 법령에 의한 고시일이 아니더라도 최초 공익사업의 국민들에게 알려져 토지가격이 변동되었다면 그 날을 기준일로 함.

관련 판례(90누 189)

울산시 남구에 있는 수용대상토지의 보상액을 평가함에 있어 울산시 전체의 지가변동율을 참작함이 위법한 지의 여부(소극) : 토지수용법 제46조 제2항과 국토이용관리법 제29조 제5항, 같은법 시행령 제49조 제1항에 의한 보상액을 평가함에 있어서는 인근 지가변동율을 참작하게 되어 있으므로 이 사건 수용대상 토지 소재지인 울산시 남구의 지가변동율을 참작하지 아니하고 그와 다른 울산시 전체의 지가변 동율을 참작하여 보상액을 평가하였다면 이는 지가변동율의 참작을 잘못한 것이 되어 위법하다고 볼 수밖에 없다.

※ 지방자치법 제2조에 의하면 자치구라 함은 특별시와 광역시의 관할구역안의 구를 말함므로,

그 외의 시에 있는 구(성남시 수정구, 수원시 권선구 등)는 비자치구가 된다.(위 판례선고 당시에 울산시 남구는 비자치구 이었음.)

■ 개발이익 배제 관련

1. 적용공시지가 선택, 비교표준지 선정 및 시점수정

1. 법령의 적용기준일 검토(개정법률 부칙 검토)

적용 공시지가	07. 10. 17 이전 공익사업 계획 공고·고시된 사업	사업인정의 경우 적용공시지가 소급 규정 없음	법 §70⑥
	07. 10. 17 이후 공익사업 계획 공고·고시 된 사업	소급 기준 : 토보침	법 §70⑤
	13. 05. 28 이전 공익사업 계획 공고·고시 된 사업	소급 기준 : 령 §38의 2	법 §70⑤
시점 수정치	13. 05. 28 이전 보상계획공고 된 사업	- 대상 토지 지가변동률(령 §37②) - 소급기준 : 토보침	
	13. 05. 28 이후 보상계획공고 된 사업	- 비교표준지 용도지역별 지가변동률 (령 §37①) - 소급기준 : 령 §37③	

※ 시간적 범위
① 공고 또는 고시일 해당연도 조(1월 1일)부터 ② 사업인정 전 취득(법70 조제3항)은 가격시점 당시 최근, ③ 사업인정후 취득(법70조제4항)의 경우 사업인정의제일 이전 최근 적용공시지가의 공시기준일까지

※ 공간적 범위
① 해당 공익사업지구 안에 있는 표준지공시지가 모두의 평균변동률과 같은 기간 동안의 ② 해당 시·군·구 전체의 표준지공시지가 평균변동률과 비교
③ 선 사업 제외 ④ 사업지구 면적 20만㎡이상

※ 개발이익 반영 여부 판단 기준
1.3배 이상 높거나 낮은 경우로서 그 변동률 차이가 3퍼센트 이상 나는 경우

② 2013.05.28 이전 공익사업의 제외 공고·고시된 경우
공고 또는 고시일 해당연도 조(1월 1일)부터 사업인정 전 취득(법70조제3항)은 가격시점 당시 최근, 사업인정후 취득(법70조제4항)의 경우 사업인정의제일 이전 최근 적용공시지가의 공시기준일까지의 해당 공익사업지구 안에 있는 표준지공시지가 모두의 평균변동률과 같은 기간 동안의 해당 시·군·구 전체의 표준지공시지가 평균변동률과 비교하여 해당 시·군·구 전체의 표준지공시지가 평균변동률을 기준으로 1.3배 이상 높거나 낮은 경우로서 그 변동률 차이가 5퍼센트 이상 나는 경우를 말한다(토지보상평가지침 10조 3항).

참고법령(공공주택에 관한 특별법)
보금자리 주택사업의 경우 개발제상 법문 구성이 있어 토지보상평가지침 및 현행 토지보상법 시행령의 판단 기준과 다소 상이하니 반드시 참고바람.

법 제27조(토지의 수용등) ⑤ 제10조제1항에 따른 주민 등의 의견청취 공고로 인하여 취득하여야 할 토지가 변동되었다고 인정되는 대통령령으로 정하는 요건에 해당하는 경우에는 「공익사업을 위한 토지 등의 취득 및 보상에

---

(2) "해당 공익사업의 제외 또는 시행이 공고 또는 고시로 취득하여야 할 토지의 가격이 변동 되었다고 인정되는 경우"의 판단(개발이익 반영 여부 판단)

제38조의2(공시지가) ① 법 제70조제5항에 따른 취득하여야 할 토지의 가격이 변동되었다고 인정되는 경우는 도로, 철도 또는 하천 관련 사업을 제외한 사업으로서 다음의 각 호를 모두 충족하는 경우로 한다.

1. 해당 공익사업의 면적이 20만 제곱미터 이상일 것
2. 해당 공익사업지구 안에 있는 표준지공시지가(해당 공익사업지구 안에 표준지가 없는 경우에는 비교표준지의 공시지가를 말한다)의 평균변동률과 평가대상토지가 소재하는 시·군 또는 구 전체의 표준지공시지가 평균변동률과의 차이가 3퍼센트포인트 이상일 것
3. 해당 공익사업지구 안에 있는 표준지공시지가의 평균변동률이 평가대상토지가 소재하는 시·군 또는 구 전체의 표준지공시지가 평균변동률보다 30퍼센트 이상 높거나 낮을 것

② 제1항제2호 및 제3호에 따른 평균변동률은 해당 표준지별 변동률의 합을 표준지의 수로 나누어 산정하며, 공익사업지구가 둘 이상의 시·군 또는 구에 걸쳐 있는 경우 평가대상토지가 소재하는 시·군 또는 구별로 평균변동률을 산정한 후 이를 해당 시·군 또는 구에 속한 공익사업지구 면적 비율로 가중평균하여 산정한다. 이 경우 평균변동률의 산정기간은 해당 공익사업의 제외 또는 시행이 공고 또는 고시되거나 공고 또는 고시된 당시 공시된 표준지공시지가 중 그 공고일 또는 고시일에 가장 가까운 시점에 공시된 표준지공시지가의 공시기준일부터 법 제70조제3항 또는 제4항에 따른 표준지공시지가의 공시기준일까지의 기간으로 한다.

① 토지보상법 시행령 제38조의 2 적용
2013.05.28 이후 "공익사업의 제외 또는 시행이 공고 또는 고시"되는 사업부터 적용

속하는 특별자치도, 시·군 또는 구 전체 표준지공시지가 평균변동률 비교

※ 개발이익 반영 여부 판단 기준

평균변동률을 비교 30퍼센트 이상 높은 경우를 말한다.

(2) 사업지구 내 비교표준지 배제사유 및 사업지구 외 비교표준지 선정시 그 사유 필수 기재

(사업지구 내 비교표준지 선정을 원칙)

- 비교표준지선정에 있어 대상토지와의 이용가치가 유사해야 한다는 비교표준지의 개념에 맞게 용도지역, 이용상황, 주위환경, 지리적 접근성 등이 유사하도록 선정기준을 토지보상법 시행규칙§22③에 신설.

- 대법원 판례에 의하면 비교 표준지 선정시 공익사업지구 내·외에 대한 제한 기준을 구성할 수 없으나, 법 제70조제5항에 의하여 공익사업으로 인한 가격변동된 표준지 선정을 배제할 수 있어 해당 사업지구 내 소재한 표준지의 선정을 원칙으로 하며, 또한 보상평가의 적정성 등을 확보하기 위하여 사업지구 내 소재한 표준지를 전부 또는 일부 선정하는 것을 원칙으로 함.

III. 비교표준지 선정

1. 일반적인 기준 검토(용·이·주·지)

토지보상법 시행규칙 22조 3항

2. 추가적인 기준

① 표준지는 적합할 것 하나
② 인근에 없으면 유사지역에서 선정
③ 공법상제한은 받지 않은 것으로 선정

3. 용도지역의 결정(시행규칙 제23조)

공법상 제한을 받는 토지는 제한받는 상태로 하되 해당 사업을 시행 목적으로 가해진 경우 제한이 없는 것으로 상정하여 평가함.

이유는 법 제67조 2항에 의거 개발이익을 배제하기 위함이다.

관한 법률」 제70조제1항에 따른 공시지가는 같은 법 제70조제3항부터 제5항까지의 구성되고 공고일 전의 시점을 공시기준일로 하는 공시지가로서 해당 가격시점 당시 공시된 공시지가 중 당해 연도에 공시된 공고일에 가장 가까운 시점에 공시된 공시지가로 한다.

동법 시행령 제2조(토지등의 수용 등) ① 법 제27조제5항에서 "취득하여야 할 토지가격이 변동되었다고 인정되는 등 대통령령으로 정하는 요건에 해당하는 경우"란 주택지구에 대한 감정평가의 기준이 되는 표준지공시지가(「부동산 가격공시 및 감정평가에 관한 법률에 따른 표준지공시지가를 말한다. 이하 같다)의 평균변동률이 해당 주택지구가 속하는 특별자치도, 시·군 또는 구 전체 표준지공시지가의 평균변동률보다 30퍼센트 이상 높은 경우를 말한다.

② 제1항에 따른 평균변동률이란 법 제10조제1항에 따른 주민 등의 이전 청취 공고일 당시 공시된 공시지가 중 그 공고일에 가장 가까운 시점에 공시된 공시지가와 공시기준일부터 법 제12조제1항에 따른 주택지구 지정의 고시일 당시 공시된 공시지가 중 그 고시일에 가장 가까운 시점에 공시된 공시지가의 변동률을 말한다.

③ 제1항에 따른 평균변동률을 산정할 때 주택지구가 둘 이상의 시·군 또는 구에 속하는 경우에는 해당 주택지구가 속한 시·군 또는 구별로 평균변동률을 산정한 후 이를 해당 시·군 또는 구에 속한 주택지구 면적의 비율로 가중평균(加重平均)한다.

※ 시간적 범위

주민 등의 열람공고 공고일 당시 공시된 공시지가 중 그 공고일에 가장 가까운 시점에 공시된 공시기준일부터 법 제12조제1항에 따른 주택 지구 지정의 고시일 당시 공시된 공시지가 중 그 고시일에 가장 가까운 시점에 공시된 공시지가와 공시기준일까지의 변동률을 말한다.

※ 공간적 범위

감정평가의 기준이 되는 표준지공시지가의 평균변동률이 해당 주택지구가

※ 시간적 범위
　사업인정고시일부터 가격시점 까지

※ 공간적 범위
　① 비교표준지가 소재하는 시·군·구가 속한 시·도의 지가변동률과 비교하여
　② 비교표준지가 소재하는 시·군·구의 지가변동률을 기준

※ 개별이의 반영 여부 판단 기준
　① 상기의 기간 동안 시·군 지가변동률이 3퍼센트 이상(법 70조 5항 적용되는 경우 5%)이고
　② 시·도의 지가변동률보다 1.3배 이상 높거나 낮은 경우

② 2013.05.28 이전 보상계획공고된 경우
공고 또는 고시일 해당연도 초(1월 1일)부터 사업인정 전 취득(법70조제3항)은 가격시점 당시 최근, 사업인정후 취득(법70조제4항)의 경우 사업인정의제일 이전 최근 적용공시지가의 공시기준일까지의 기간동안에 해당 공익사업지구 안에 있는 표준지공시지가 모두의 평균변동률이 같은 기간 동안의 해당 시·군·구 전체의 표준지공시지가 평균변동률과 비교하여 해당 시·군·구 전체의 표준지 공시지가 평균변동률을 기준으로 1.3배 이상 높거나 낮은 경우로서 그 변동률 차이가 5퍼센트 이상 나는 경우를 말한다(토지보상평가지침 10조 3항).

2. 기타요인(그 밖의 요인) 보정

실무기준 [810-5.6.6] 그 밖의 요인 보정
① [610-1.5.2.5]에 따른다.
② 그 밖의 요인 보정을 할 때에는 해당 공익사업의 시행에 따른 가격의 변동은 보정하여서는 아니 된다.
③ 그 밖의 요인을 보정하는 경우에는 대상토지의 인근지역 또는 동일수급권 안의 유사지역(이하 "인근지역등"이라 한다)의 정상적인 거래사례나 보상

법 시행령 제37조(지가변동률) ① 법 제70조제1항에서 "대통령령으로 정하는 지가변동률"이란 「국토의 계획 및 이용에 관한 법률 시행령」 제125조에 따라 국토교통부장관이 조사·발표하는 지가변동률로서 비교표준지가 소재하는 시·군 또는 구의 용도지역별 지가변동률을 말한다. 다만, 비교표준지와 같은 용도지역의 지가변동률이 없는 경우에는 비교표준지와 유사한 용도지역의 지가변동률, 비교표준지와 이용상황이 같은 토지의 지가변동률 또는 해당 시·군 또는 구의 평균지가변동률 중 어느 하나의 지가변동률을 말한다.

② 제1항을 적용할 때 비교표준지가 소재하는 시·군 또는 구의 지가가 해당 공익사업으로 인하여 변동된 경우에는 해당 공익사업과 관계없는 인근 시·군 또는 구의 지가변동률을 적용한다. 다만, 비교표준지가 소재하는 시·군 또는 구의 지가변동률이 인근 시·군 또는 구의 지가변동률보다 작은 경우에는 그러하지 아니하다.

③ 제2항 본문에 따른 비교표준지가 소재하는 시·군 또는 구의 지가가 해당 공익사업으로 인하여 변동된 경우는 도로, 철도 또는 하천 관련 사업을 제외한 사업으로서 다음 각 호의 요건을 모두 충족하는 경우로 한다.
1. 해당 공익사업의 면적이 20만 제곱미터 이상일 것
2. 비교표준지가 소재하는 시·군 또는 구의 사업인정고시일부터 가격시점까지의 지가변동률이 3퍼센트 이상일 것. 다만, 해당 공익사업의 계획 또는 시행이 공고되거나 고시됨으로 인하여 비교표준지의 가격이 변동되었다고 인정되는 경우에는 그 계획 또는 시행이 공고되거나 고시된 날부터 가격시점까지의 지가변동률이 5퍼센트 이상인 경우로 한다.
3. 사업인정고시일부터 가격시점까지 비교표준지가 소재하는 시·군 또는 구의 지가변동률이 비교표준지가 소재하는 시·도의 지가변동률보다 30퍼센트 이상 높거나 낮을 것 [전문개정 2013.5.28.]

① 토지보상법 시행령 제37조 제3항 적용 시점
2013. 05. 28 이후 "보상계획공고"되는 사업부터 적용

명확하게 기재한다.

제17조(거래사례등의 요건) ① 제16조제3항의 거래사례등(보상사례의 경우 해당 공익사업에 관한 것을 제외한다. 이하 같다)은 다음 각 호의 요건을 갖추어야 한다. 다만, 해당 공익사업의 시행에 따른 가치의 변동이 반영되어 있지 아니하다고 인정되는 사례의 경우에는 제4호는 적용하지 아니한다.

1. 용도지역 등 공법상 제한사항이 같거나 비슷할 것
2. 현실적인 이용상황 등이 같거나 비슷할 것
3. 주위환경 등이 같거나 비슷할 것
4. 제10조제1항에 따른 적용공시지가의 선택기준에 적합할 것
5. 거래사례는 부동산 거래신고 등에 관한 법률에 따라 신고된 것으로서 정상적인 거래로 인정되거나 보상사례를 참작하는 경우에는 그 감정평가기준 등이 적정성을 검토하여야 한다.

② 제1항의 구성에 의하여 보상사례를 참작하는 경우에는 그 감정평가기준 등의 적정성을 검토하여야 한다.

(1) 선정된 보상사례의 분석 필수

개별인의 반영 여부 및 사업 성격이 상이한 보상사례 선택 시 이에 대한 고려

또한, 재결선례는 붙이익변경금지의 원칙이 적용되어 협의가액이보다 낮은 가액으로 재결하지 않느다는 점에서 보상사례 선정시 유의

(2) 보상사례에 해당 사업에 따른 개발이익이 반영되는 경우는 법 제70조 제3, 4,5항의 기준과 동일한 기준 적용

보상사례의 가격시점이 법 제70조 제3,4,5항의 사업인정고시일 또는 해당 공익사업의 제획 또는 시행이 공고 또는 고시일 이전의 보상사례를 선정하여야 함(단만, 해당 공익사업의 시행에 따른 가치의 변동이 반영되어 있지 않다고 인정되는 사례의 경우에는 기준 미적용)

사례(이하 이 조에서 "거래사례등"이라 한다)를 참작할 수 있다. 다만, 이 경우에도 그 밖의 보정에 대한 적정성을 검토하여야 한다.

④ 제3항의 거래사례 등은 다음 각 호의 요건을 갖추어야 한다. 다만, 제4호는 해당 공익사업의 시행에 따른 가격의 변동이 반영되어 있지 아니하다고 인정되는 사례의 경우에는 적용하지 아니한다.

1. 용도지역 등 공법상 제한사항이 같거나 비슷할 것
2. 실제 이용상황 등이 같거나 비슷할 것
3. 주위환경 등이 같거나 비슷할 것
4. [810-5 6.3]에 따른 적용공시지가의 선택기준에 적합할 것

토지보상평가지침

제16조(그 밖의 요인 보정) ① 토지 보상평가에 있어서 시점수정·지역요인 및 개별요인의 비교 외에 대상토지의 가치에 영향을 미치는 사항이 있는 경우에는 그 밖의 요인 보정을 할 수 있다.

② 그 밖의 요인 보정을 하는 경우에는 해당 공익사업의 시행에 따른 가치의 변동은 고려하지 아니한다.

③ 그 밖의 요인 보정을 하는 경우에는 대상토지의 인근지역 또는 동일수급권 안의 유사지역(이하 "인근지역등"이라 한다)의 정상적인 거래사례나 보상사례(이하 "거래사례등"이라 한다)를 참작할 수 있다.

④ 그 밖의 요인 보정은 다음 각 호의 순서에 따라 행한다.

1. 그 밖의 요인 보정의 필요성 및 근거
2. 거래사례등 기준 격차율 산정
3. 실거래가 분석 등을 통한 검증
4. 그 밖의 요인 보정치의 결정

⑤ 제4항제4호의 그 밖의 요인 보정치는 거래사례등을 기준으로 산정한 격차율과 실거래가 분석 등을 통한 검증 결과 등을 종합적으로 고려하여 적정한 공익사업의 제획 또는 시행에 따른 검증 절차까지 표시함으로 원칙으로 한다.

⑥ 그 밖의 요인 보정을 한 경우에는 그 산출근거를 감정평가서에 구체적이고

1. 리스된 기계 - [19회 4번 참조]
   매각평가에서 제외

2. 용어정리
   ① 제조국(원산지) : 해당 물품의 전부를 생산·가공·제조한 나라, 해당 물품이 2개국 이상에 걸쳐 생산·가공 또는 제조된 경우에는 그 물품의 본질적 특성을 부여하기에 충분한 정도의 생산·가공·제조 과정이 최종적으로 수행된 나라("대상 기계 제조국에 대한 연도별 기계가격지수를 적용")
   ② 적출국 : "적출국"이란 우리나라에 물품을 수출하기 위하여 최종적으로 선적되어 B/L이 발행된 국가를 말한다.
   ③ 현적국 : 경유지

3. 관세감면물품에 대한 처리

사후관리기간 경과 여부	현행감면율 여부	처리방법
X	O	현행관세율과 현행감면율
X	X	현행관세율만 적용
O	X or O	⇒ 현행감면율 적용 X

※ 관세감면, 사후관리기간 경과 X, 현행관세 적용(감면세 적용 X)
• 법원경매, 공매, 경매 후 담보평가 등 → 감면관세 포함 평가(평가기간에 명기)

※ 관세감면, 사후관리 중 양도된 경우
• 양수한 자의 새로운 용도를 기준으로 감면관세 전부 납부 : 현행관세율만
• 양수한 자의 새로운 용도를 기준으로 일부 납부 또는 납부하여 없는 경우 : 현행 관세율, 현행감면율

4. 현재의 용도로 계속 사용할 수 있는 공장용자산의 평가방법
   ① 엄종변경을 하더라도 계속사용가능하며 보수비·개선비 등을 감안하고,
   → 엄종변경을 한다면 당용도 사용시 평가방법
   유용시설 존재시 해체처분가치 등을 감안하여 평가

---

(3) 적정성 검토
그 밖의 요인 보험의 필요성, 거래사례 등 선정의 적정성, 선정된 거래사례 등에 대한 분석의 적정성, 거래사례등에 의한 보정치 산정과정 및 결정의 적정성 등을 검토한다.

2. 문제2번 - 상업지역 내 나지의 정상가격 평가(20)
① 거래사례비교법(배분법, 최유효이용)
② 수익환원법
   (잔여법, 상각후 순수익으로 조정 → 감가상각비 고려)
   ※ 환원이율부터 환수하여 순수익을 조정함.
③ 결정시 판단근거

3. 문제3번 - 휴업 손실보상(20) (영고이감부)
① 개인영업조지한도액
② 3년평균 영업이익 + 자가노력비(미제시) → Max[①, ②]
③ 고정적경비(인.제.임.감.보.광.기) → 휴업기간 고려 배분

4. 문제4번 - 수입기계(10)
① 평가목적판단 (담보)
② 제조국원가(C)
   - 도입가격대(CIF, 수입신고필, 제조국<적출>, 도입국<환>)
   - 부대비용(관세, 설치비 (자주식, 기계만 담보 : x, 사업체 : ○))

② 주거용 내지 상업용 용도로의 변경시 평가방법
→ 전환에 소요되는 제 비용을 감안하되, 기계시설 등은 해체처분가능가격으로 평가

5. 과잉유휴시설의 처리
① 처분전제(경매, 보험료산정, 기업체매매, 조세, 수용 등)
타 용도로의 전용가능여부를 참작하거나 해체처분 등을 고려하여 결정
② 계속기업전제(담보, 임대료, 자산재평가 등)
평가 제외. 단, 문제에서 조건이 주어지면 조건에 따라 평가하라고(담보는 조건이 우선), 그렇지 않은 경우는 주석을 달고 평가하거나, 평가하지 않는다.

5. 문제5번 – 토지이용계획확인서, 지적도(10)

[문제 1]

I. 감정평가 개요

공익사업을 위한 토지 등의 취득 및 보상에 관한 법률(이하 법) 등에 근거

정당보상액 산정 가격시점은 1992.5.1(계약체결예정일)

II. 토지

1. (구) 택지개발 촉진법에 의한 사업인정에 의제(택지개발계획승인고시)

   또는 처분이 없었음에 따라 사업인정 전 협의취득으로 봄(법§70③)

2. 적용공시지가 선택

   1) 지가의 현저한 변동 여부

   (1) 법§70③에 의해 가격시점('92.5.1) 이전 기존해야 할 것이나, 해당사업

   지구고시('91.7.8)로 가격변동 여부 판단

   (2) 표준지의 변동률

   (1992.1.1/1991.1.1, 전년도: 1991.1.1/1990.1.1)

   - #318 : 82,000/53,000≒1.55(55% 상승)

     (전년도는 53/48 = 1.1 10% 상승)

   - #319 : 45,000/30,000≒1.50(50% 상승)

     (전년도는 30/28 = 1.07 7% 상승)

해당 공익사업 공고로 사업구역 내 표준지 공시지가가 변동되었다고 인정

됨에 따라 공시지가 소급적용((구)법 §70③단서(현행 법§70⑤))

2) 적용공시지가 선택

개발이익 배제를 위해(구)법 §70③단서(현행 법§70⑤) 근거 사업지구 교시

이전 최근 공시된 공시지가 〈1991.1.1.〉선택

3. 지가변동률

   1) 최근 2분기(6개월) 누계

   1.0680×1.0810 ≒ 1.1545로서 5% 초과

   2) A시 대비

   1.0517×1.0635 = 1.1185

   15.45/11.85 = 1.3038로서 1.3배 초과

해당 지역 지가가 지가가 변동함에 따라 법§70① 및 법시행령 §37 ②에 의해 해

당 사업과 관계없는 인근 시·군·구 지가변동률 적용(비자치구 무관함)

① '91.1.1~6.30 : A시 갑구 : 1.0371×1.0301 = 1.0683

② '91.3.1~'92.5.1

B시 병구 : $1.0341 \times 1.0363 \times 1.0358 \times (1 + 0.0358 \times \frac{31}{90})$ = 1.1237

B시 정구 : $1.0363 \times 1.0318 \times 1.0363 \times (1 + 0.0363 \times \frac{31}{90})$ = 1.1219

C군 : $1.0287 \times 1.0412 \times 1.0352 \times (1 + 0.0352 \times \frac{31}{90})$ = 1.1222

평균 : $(1.1237 + 1.1219 + 1.1222) \div 3$ = 1.1226

③ 지가변동률

1.0683×1.1226 = 1.1993

4. 기호 1(현실이용상황 : 전)

$$30,000 \times 1.1993 \times 1 \times \frac{113}{100} \times 1 = 41,000 (\times 1,125 = 46,125,000)$$
시   지   개   그

5. 기호 2(현실이용상황 : 전)

$$30,000 \times 1.1993 \times 1 \times \frac{96}{100} \times 1 = 35,000 (\times 1,460 = 51,100,000)$$
시   지   개   그

6. 기호 3(현실이용상황 첩이나 비교표준지 田과 비교가능)

$$30,000 \times 1.1993 \times 1 \times 0.960 \times 1 = 35,000 (\times 1,855 = 64,925,000)$$
시   지   개*1   그

* 1   0.97×0.99

7. 기호 4(현실이용상황 : 대)

$$53,000 \times 1.1993 \times 1 \times \frac{105}{100} \times 1 = 67,000 (\times 360 = 24,120,000)$$
시   지   개   기

8. 기호 5(현실이용상황 : 다)

$$53,000 \times 1.1993 \times 1 \times \frac{98}{100} \times 1 = 62,000 (\times 400 = 24,800,000)$$
시   지   개   기

III. 지장물

1. 개요

이전가능한 주거용 건축물임에 따라 법 §75①에 의해 min[이전비, 물건가격] 기준.

단, 주거용건물보상특례 최하 600만원(법시행규칙 §58①)(cf. 구별상 500만원)

2. 물건의 가격

$$420,000 \times 1.3357 \times 1 \times (1 - 0.9 \times \frac{2}{50}) \times 75 = 40,560,000$$
시*1   개   잔   면   (최저 6,000,000만원 초과)

$$*1 \quad \frac{172 + 20 \times \frac{9}{12}}{118 + 24 \times \frac{11}{12}}$$

3. 이전비

$$40,560,000 \times (0.15 + 0.65) + 4,500,000 + 8,500,000 = 45,448,000$$
해   재

4. 결정

"물건의 가격 < 이전비" 인바 물건의 가격 40,560,000으로 결정

IV. 보상평가액

1. 토지

#1   = 46,125,000

#2   = 51,100,000

#3 = 64,925,000

#4 = 24,120,000

#5 = 24,800,000

2. 지장물

40,560,000

3. 전체 보상평가액

251,630,000

【문제 2】

I. 감정평가 개요

비준가액과 수익가액을 시산가액 조정하여 결정함.

II. 거래가례비교법

1. 비교사례 선정 : #2

이유 : 대상 부동산의 최유효이용(상업용 전부지)과 유사한 거래사례이며,
배분법 적용가능

단, #1-사정개입 #3-용도지역 상이하여 제외

2. 비준가액

1) 건물직산가액('89.5.1)

$$140,000 \times 1 \times 1.3187 \times 1 \times (1-0.9 \times \frac{3}{50}) \times 720 = 125,747,000$$
시　　시　　　개　　전　　　　　　　면

$$\text{*1} \quad \frac{120}{91}$$

2) 비준가액

$$(300,000,000-125,747,000) \times 1 \times 1.3140 \times \frac{100}{105} \times \frac{100}{98} \times \frac{1}{350} = 636,000원/㎡$$
시　　　시*1　　　지　　　개　　　　면

$$\text{*1} \quad \frac{163+15 \times \frac{1}{12}}{125}$$

III. 수익환원법

1. 개요

임대사례가 최유효이용상태임에 따라 이를 기준하되, 토지잔여법 활용.

2. 사례 토지 계속 순수익('91.6.1 기준)

1) 총수익

$$110,000,000 \times 0.1+4,500,000 \times 12 = 65,000,000$$

2) 필요제경비

(1) 감가상각비

① 직산가액 : $180,000 \times 1.4816 \times (1-0.9 \times \frac{3}{50}) \times 680 = 171,555,000$
*1

$$\text{*1} \quad \frac{155+29 \times \frac{1}{12}}{105+15 \times \frac{1}{12}}$$

② 감가상각비 : $171,555,000 \times (1-0.1) \times \frac{1}{47} = 3,285,000$

(2) 기타 = 9,430,000

(3) 합	= 12,715,000
3) 상각후순수익	
1) - 2)	= 52,285,000
4) 건물귀속 순수익	
171,555,000 × 0.15	= 25,733,000
5) 사례토지귀속순수익 : 3) - 4)	= 26,552,000
3. 수익가액	
1) 대상토지 기대순수익	
$26,552,000 \times 1 \times 1.1005 \times \frac{100}{105} \times \frac{100}{110} \times \frac{1}{330}$	= 77,000
시 시*1 지 계 개 면	
*1 $\dfrac{163 + 15 \times \frac{1}{12}}{148 + 15 \times \frac{1}{12}}$	
2) 수익가액	
77,000 ÷ 0.12	= 641,000

Ⅳ. 감정평가액 결정

비준가액 : 636,000원/㎡, 수익가액 : 641,000원/㎡

두 가격이 유사하기는 하나 수익가액이 다소 낮은 것에 비추어 수익성부동

산임을 고려하여 630,000 × 320=201,600,000원으로 결정함.

[문제 3]

I. 개요

> 舊 토지수용법 [시행 1991.12.31.]
> 제51조(기타 손실의 보상) 제46조, 제47조, 제49조 및 제50조의 규정에 의한 손실보상이외에 영업상의 손실, 기타 토지를 수용 또는 사용함으로 인하여 토지소유자 또는 관계인이 받은 손실, 전물의 이전으로 인한 차임의 손실은 이를 보상하여야 한다.

최근 3년간 평균영업이익 기준 3월분 이전에 소요되는 비용 등 가산.
(2014.10.22. 現 시행규칙 제47조 개정 전 휴업기간 3월분 적용)

II. 최근 3년간 평균 영업이익

개인영업이익에 따라 max[영업이익, 최저영업이익](법시행규칙 §46)

1. 영업이익

1) 기말수정분개

매입	3,000,000	상품	3,000,000
상품	5,000,000	매입	5,000,000
여비교통비	100,000	가지급금	150,000
접대비	50,000		
급료	500,000	미지급금	500,000
감가상각비	405,000	감·충	(5,000,000 − 950,000)×0.1

2) 손익계산서('91.1.1~'91.12.31)

매출		= 60,000,000
매출원가 : 3,000,000 + 50,000,000 − 5,000,000		= 48,000,000
매출총이익		= 12,000,000

판매관리비 : (5,500,000 + 500,000) + (100,000 + 100,000) + 295,000
　　　　　　 + 500,000 + 1,200,000 + (250,000 + 50,000) + 405,000 = 8,900,000

영업이익	= 3,100,000

3) 최근 3년간 평균영업이익

1,2기 소득이 낮은 점에 비추어 3,000,000원으로 결정함.

2. 최저 영업이익

12,600 × 25 × 12 = 3,780,000

※ 현행법에서는 도시근로자가구 3人 월평균가계지출비를 기준함.

3. 결정

최저 영업이익이 보다 큼에 따라 이를 기준함(법 시행규칙 §46③)

III. 이전에 소요되는 비용

1. 고정비

$$(5,500,000 + 500,000) \times \frac{3}{12} \times 0.6 + 1,200,000 \times \frac{3}{12} + 405,000 \times \frac{3}{12}$$

답 = 1,301,250

2. 이전비

$$500,000 + 2,000,000 + 200,000 + 100,000 = 2,800,000$$

3. 감손상당액

$$5,000,000 \times 0.02 = 100,000$$

Ⅳ. 보상평가액

$$3,780,000 \times \frac{3}{12} + 1,301,250 + 2,800,000 + 100,000 = 5,146,250$$

【문제 4】

Ⅰ. 개요

공장저당권 설정 따른 담보평가인바 설치비 고려함

Ⅱ. 재조달원가

1. 도입가격(CIF)

$$782,799(\$) \times 0.5169(\tfrac{£}{\$}) \times 1.1213 \times 1528.83(\tfrac{원}{£}) = 693,646,000$$

2. 부대비용

$$693,646,000 \times (0.05 + 0.03) + 150,000 \times 75 = 66,742,000$$

3. 재조달원가

$$= 760,338,000$$

Ⅲ. 감정평가액

$$760,338,000 \times 0.707 = 537,594,000$$

【문제 5】

Ⅰ. 개요

토지이용계획확인서는 토지에 대한 공법상의 규제인 도시계획 및 국토이용계획 사항을 기재한 증명서를 말한다.

Ⅱ. 확인사항 및 활용방안

1. 확인사항

1) 토지이용계획확인서에 의하여 확인할 사항은 다음과 같다.

① 국토의 계획 및 이용에 관한 법률상의 용도지역 등 도시관리계획

② 군사시설보호법 상의 군사시설 저촉 여부 등

③ 농지법 상의 농지

④ 산림법상의 보전임지 저촉 여부 등

⑤ 자연공원법상의 자연공원 저촉 여부 등

⑥ 수도법상의 상수원보호구역 저촉 여부 등

⑦ 하천법상의 하천구역 저촉 여부 등

⑧ 문화재보호법상의 문화재 보호구역 저촉 여부 등

⑨ 전원개발촉진법 상의 전원개발 사업구역 저촉 여부 등

⑩ 택지개발촉진법상의 택지개발예정지구 저촉 여부 등

2) 지적도에 의하여 확인할 사항은 다음과 같다.

　① 지번

　② 지적형태 : 접면폭 및 깊이

　③ 도로망 및 가로망 : 도로(폭)·접면도로 관계

　④ 방위 : 일조권

제 04회
문제 논점 분석 및 예시답안

🖎 초기 기출문서 전반적으로 평이한 수준이다. [문제1]복합부동산의 감정가격 산출 (담보)에 관한 것으로 각종 공부를 확인하는 능력과 판단능력이 중시되며 실제 자료 활용도 간단하다. [문제2]지가배분율에 관한 문제 [문제3]공제방식에 의한 부지매입평가 및 지역요인선정 문제로서, [문제1,3]번에서 답이 좌우될 것으로 보이며 확실한 논점 파악 후 답안을 작성하여야 한다.
초기 기출은 난이도는 쉬운 편임에도 불구하고 반드시 숙지해야 할 필요성을 강조하고 싶다. 초기 기출의 논점 및 자료제시 방법등은 최근의 기출에서 확장 또는 변형되어 출제되는 경향을 보이고 있기 때문이다.

1. 문제1번 - 복합부동산의 담보평가(35)

※ 실질적으로 감정평가서 상의 "감정평가에 선축근거 및 그 결정에 관한 의견"의 작성을 묻는 문제로 실제 감정평가서의 내용을 기준으로 답안을 구성하여야 할 것이다. 특히 기본적 처리방법을 구체적으로 제시하여야 하느는데 아는 기타 사항에서 기술하였다.

① 면적, 지번(토지대장), 지목(실제이용상황), 도시계획저촉

② 감정 제15조②의가 경제적 내용년수 기준 감가

③ 도시계획도로 저촉 : 감가율이 미제시되어 업무협약상 평가의 하는 것으로 보고 처리하였다. 다만, 사용·수익에 대한 제한 정도를 고려하여 감가 평가도 가능하다.

④ 전물의 경우 협약에서는 단가를 먼저 산정한 후 총액을 결정하기 때문에 답안 역시 단가를 우선 산정하였다.

2. 문제2번 - 지가배분율(30)

① 증별효용비율과 지가배분율의 개념과 산출절차

② 지가배분기격산정 : 토지귀속효용적수 합계 제시되나 그에 부합하게 산정

[참고] 지가배분율의 구체적 개념- 필자 주

사중이 실무문제에서 지가배분율의 풀이는 변이상 전물의 경우 증별/위치별 건자가 없이 단순 면적비율로 안분하는 것으로 가정하고 있다. 그러나 지가배분율을 적용하여 토지전체가격을 각 부분별로 배분하고, 전물의 전체가격 역시 적절한 배분비율을 사용하여 배분할 수 있는 것으로 보는 것이 논리적일 수 있다. 대상이 용도가 복합적이고, 전물 구조, 전축기별, 자재 등에 있어서 개별성이 강하다면 대상의 전물 개별성을 고려하여 토지가격을 지가배분율과 전물배분율을 통해 각각 구하는 것이 가능하다.

현재 실무적으로 지가배분율의 개념이 적용될 수 있는 평가로는 접합건물이 토지 및 전물가격의 배문 등이 있다. 다만, 주상복합아파트의 부지 평가시 주 거용과 상업용이 가치 배분 등의 경우 1동만 소재하는 경우 동일 토지에 다른 단가로 평가가 불합리할 수 있음에 유의해야 한다.
한 필지의 토지라도 용도지역, 이용상황 등이 서로 달라 들 이상의 용도로 이 용하여 가치를 달리하는 경우로서 주거부분과 상업부분이 위치적으로 구분이 가능한 경우에는(예 주거용 건물과 상업용 건물이 별개의 동으로 건축되는 경우 등) 구분감정평가를 하는 것이 타당할 것이나, 위치적으로 구분이 불가 능한 경우에는(예 동일한 건물에 주거용과 상업용이 같이 건축되는 경우 등) 토지를 용도별로 구분하여 단가로 표시할 수는 없을 것으로 사료된다.

3. 문제3번 – 공제방식 의한 부지매입평가(25)

1) 대상부동산의 확정

평가대상이 사업부지 내 매수대상 토지 250번지 400㎡ 임을 명확히 해야 한다. 사업지구 토지 38,000㎡ 전체가 평가대상이 아닌 것이다. 대상물건의 확정 연습이 강조되는 부분이다.

2) 평가방식 적용의 문제

본 문제는 택지 조성 후 가격이 아닌 소지가격을 구하는 것으로 개발법 내지 공제방식을 쓰는 문제이다. 결국 평가방식 적용은 앞서 결정한 대상부동산의 성격에 따라 달라지는 것이다. 다만, 개발법이 아닌 공제방식을 쓰는 것은 현 금흐름의 시기가 주어지지 않았고, 특히 재비용의 금흐름 따로 비용항목으로 고려하더라도 문제를 구성했다는 점에서 출제자는 공제방식을 요구한 것이다.

3) 성숙도 수정(가격상승요인의 발생 시기의 문제)

① 성숙도 수정이 고려 여부는 우선 평가대상이 소지인 점을 고려할 때 개발 후 가치에서 처감될 사항으로 파악한다.

② 다만, 본 문제에서는 성숙도 수정에 대한 고려를 어느 단계에서 할 것 인지는 고민이 된다. 예시답안에서는 편의상 "개발후 가치 – 건축비 – 조성공 사비 – 기타비용"을 선정한 후에 성숙도 수정에 대한 가치를 차감했다. 그러나 성숙도 수정은 개발 후 '토지만의 가치'에 적용될 문제로 볼 때 "개발 후 가 치 – 건축비"로 개발 후 토지가치를 선정한 후 여기에서 차감을 하는 것이 논 리적이라고 볼 수 있을 것이다. 문제에서도 부지조성공사를 완료하면 15%을 가격상승요인이 발생한다고 하고 있어, 좀 더 정확한 답안은 후 자에서 연급한 순서로 접근되어야 할 것이다.

4) 평가목적

구체적으로 평가목적을 제시하라는 양상지만, 도시 및 주거환경 정비법 상 본건의 재개발건축을 위한 부지 매입으로 봤을 때 이는 미동의자의 순실보상 내지 현금청산 대상자(분양신청을 하지 아니한 자, 분양신청을 철회한자, 분양대상자 요건에 부합되지 아니한 자)의 부동산 평가로 볼 수 있다.

재개발사업 내지 도시환경정비사업의 현금청산에 따른 평가는 개발이익이 배제 되는 보상평가를 준용하면 될 것이다. 그러나 재건축의 매도청구 또는 현금청 산에 따른 평가는 재건축사업으로 인해 발생할 것으로 예상되는 개발이익이 포함된 시가로 평가하되 기준시점에 현실화·구체화되지 아니한 개발이익이나 조합 원의 비용부담을 전제로 한 개발이익은 배제하여 감정평가하여야 한다.

5) (물음 2) 지역요인 비교치

공시지가를 활용하여 미지수로서 지역요인비교치의 산정 문제가 출제되었음을 기억하여 두자.

4. 문제4번 – 임대용 부동산의 순수익 산정시 유의사항 약술(10)

【문제 1】

Ⅰ. 평가목적

본건의 평가는 A시 B구 C동 소재 토지건물에 대한 담보평가 목적의 감정평가임.

Ⅱ. 감정평가 기준 및 방법

1. 감정평가 기준

본건의 평가는 「부동산가격공시 및 감정평가에 관한 법률」, 「감정평가에 관한 규칙」 및 제반 감정평가이론 등에 의거하여 평가하였음.

2. 감정평가 근거 및 주된 방법

1) 감정평가 방법에는 ① 대상물건의 시장성을 기준으로 하여 가격을 구하는 방법인 비교방식, ② 대상물건의 비용성을 기준으로 경제가치를 판정하여 가격을 구하는 방법인 원가방식, ③ 대상물건의 수익성을 기준으로 하여 가격을 구하는 방법인 수익방식이 있음.

2) 본건 토지는 해당 토지와 유사한 이용가치를 지닌 표준지공시지가를 기준으로 해당 토지의 용도지역, 이용상황, 주위환경, 도로조건, 위치, 규모, 지형, 지세 등 제반 가격형성요인과 공시기준일로부터 가격시점까지의 지가변동추이 및 기타사항을 종합 고려하여 평가하였음.

3) 본건 건물은 구조, 사용자재, 시공상태, 부대설비, 용도, 현상 및 관리상태 등을 참작하여 원가법으로 평가하였음.

Ⅲ. 기타사항

1. 토지, 건물 소유자는 김ㅇㅇ동씨이고 평가의뢰인은 홍길동씨인 것으로 보아 김ㅇㅇ동씨는 물상보증인 또는 소유자 본인으로 판단되어 정상평가하였음.

2. 토지

1) 면적

토지대장상의 250㎡ 기준하였음.

(물적사항은 토지등록부(260㎡)에 우선함)

2) 지목

등기부상의 지목은 임야이나 실제지목인 대(주거용) 기준하였음.

현황평가 원칙에 따라 토지등기부등본상 임야, 토지대장상 지목인 잡종지에도 불구하고 실제지목인 대(주거용) 기준함.

3) 도시계획저촉

일부 약 20㎡ 저촉되고 있어 귀 행과의 업무협의에 따라 평가외 하였음. (감가평가 가능)

3. 건물

1) 재조달원가 : 최근의 건설계례, 즉 간접법에 기준하였음.

2) 내용년수 : 감칙 §15②에 의하여 경제적 내용년수(50년) 기준하였음.

3) 사용승인일 : 건축물관리대장상의 '88.2.22 기준하였음.

IV. 토지가격 산출근거

1. 비교표준지 선정 : #④
용도지역(일반주거), 이용상황(단독주택) 등이 대상 토지와 유사한 이용가치를 지닌다고 인정되어 선정함.

2. 지가변동률
$(1 - 0.05) = 0.95$

3. 지역요인 비교
본건 토지는 비교표준지의 인근에 위치하는 바, 지역요인은 대등함.(1.00)

4. 개별요인 비교
본건 토지는 형상이 자루형으로 비교표준지의 장방형에 비해 열세함.(0.8)

5. 그 밖의 요인 보정
인근지역의 지가수준, 방매 및 호가수준을 고려한 결과 공시지가는 적정시세를 반영하고 있는바 별도의 그 밖의 요인 보정은 고려하지 않음.(1.00)

6. 토지단가 결정
$1,200,000 \times 0.95 \times 1 \times 1 \times 0.8 \times 1$ ≒912,000

시　　지　　개　　그

7. 토지 가격
$912,000 \times 230 = 209,760,000$

V. 건물가격산출

1. 재조달원가 결정
1) 지상

$2,000,000 \times \dfrac{121}{400} = 605,000$

2) 지하

$605,000 \times 0.5$ ≒302,000

※ 담보평가 목적 고려 천원 미만 절사(이하 동일)

2. 감가상각 및 적산가액
1) 지상 : $605,000 \times (1 - 0.9 \times \dfrac{5}{50})$ ≒550,000

$\langle \times 220 = 121,000,000$원$\rangle$

2) 지하 : $302,000 \times (1 - 0.9 \times \dfrac{5}{50})$ ≒274,000

$\langle \times 50 = 13,700,000$원$\rangle$

3) 합계 : 1)+2) = 134,700,000원

IV. 토지 건물의 합
$209,760,000 + 134,700,000 = 344,460,000$원

【문제 2】

(물음 가)

I. 의의

① 층별효용비율 : 건물의 층별로 파악되는 효용의 비율을 말한다.

② 지가배분율 : 대지사용권 가격의 배분비율을 말한다.

II. 차이점

① 층별효용비율은 토지와 건물을 구분하지 않고 일체로 한 효용의 차이에 대한 비율인데 반해

② 지가배분율은 상기 층별효용비율에서 건물에 귀속되는 효용분을 차감하여 토지만의 효용의 차이를 대상으로 파악하는 비율이라는데 차이점이 있다.

III. 산출절차

① 층별효용비율 : 분양가, 실질임대료, 순임대료 등을 기준하여 구한다.

② 지가배분율

  (i) 층별효용비율에서 토지귀속분으로 구하는 방법과

  (ii) 층별효용비율을 지가배분율로 구하는 방법이 있다.

(물음 나)

I. 처리계획

인근 유사아파트의 층별분양가격을 기준하여 대상 부동산의 층별효용비율 및 지가배분가격을 구한다.

II. 층별효용비율 및 지가배분율

층	전유면적	층별 효용비[*1]	건물귀속 효용비[*2]	토지귀속 효용비	토지귀속 효용적수[*3]	지가 배분율
1	455.68	97.69	66.1	31.59	143.95	
2	508.96	98.77	66.1	32.67	166.28	
3	508.96	100.00	66.1	33.90	172.54	16.17%
4	508.96	100.86	66.1	34.76	176.91	
5	381.92	101.39	66.1	35.29	134.78	12.90%
6	381.92	102.12	66.1	36.02	137.57	
7	381.92	101.39	66.1	35.29	134.78	
계	3128.32	702.22			≒1066.71	100%

*1 인근 유사아파트의 분양가격 기준하되, 층별분양면적 동일한 것으로 봄.

*2 ① 건물가격구성비 : $342,000 \times 4083.68 \div (450,000 \times 1600.2 + 342,000 \times 4083.68) = 0.6598$

  ② 건물귀속효용비 : $702.22 \times 0.6598 = 463.32$

  ③ 층별건물효용비 : $463.32 \div 7 = 66.1$

  주) 건물의 층별 바닥면적의 차이는 있으나 건물자체에 대한 건축비 차이가 없다고 제
  시되어 층별 건물총별효용비는 같은 것으로 본다.

*3 전유면적 × 토지귀속효용비

III. 3, 6층 지가배분가격

1. 3층 : $450,000 \times 1600.20 \times 0.1617$ = 116,439,000

2. 6층 : $450,000 \times 1600.20 \times 0.129$ = 92,892,000

【문제3】

(물음 가.)

I. 감정평가 개요

1. 본건은 주택 재개발사업지구에 편입되는 피동의자 또는 현금청산 대상 부동산의 평가로 공제방식에 의한 가격을 산정함.

2. 개발법을 적용한다면 가격시점으로부터 2년 후 분양예정임에 따라 시간차이에 대한 할인을 해야 할 것이나, 할인율의 구체적 미제시, 공사비 등의 지출시점 구체적으로 알 수 없는 점, 제비용의 금리를 따로 고려하는 점 등을 감안하여 공제방식에 의한 가격을 산정한다.

II. 분양수입

$216{,}000{,}000 \times 0.7 \times 210 + 312{,}000{,}000 \times 0.7 \times 190 = 73{,}248{,}000{,}000$

주) 영구임대용은 기부채납예정임에 따라 수입에서 제외함.

III. 공사비 등

1. 대지조성공사비

$200{,}000 \times 38{,}000 = 7{,}600{,}000{,}000$

2. 건축비

$1{,}310{,}000 \times 13 \times 200 + 1{,}390{,}000 \times 36 \times 210 + 1{,}570{,}000 \times 48 \times 190$
    A형   B형   C형

$= 28{,}232{,}800{,}000$

3. 이전보상비

(x : 가격상승요인 반영 전 토지가격)

$= 0.1x$

4. 제 금리

$x \times 0.1 \times 2 = 0.2x$

5. 합

$= 0.3x + 35{,}832{,}800{,}000$

IV. 토지가격

$x = [73{,}248{,}000{,}000 - (0.3x + 35{,}832{,}800{,}000)] \times \dfrac{1}{1.15}$ (주)

$x = 25{,}804{,}000{,}000 \div 38{,}000 = 679{,}000$원/㎡

주) 성숙도 수정

$\therefore$ 토지가격 $= 25{,}804{,}000{,}000 \times \dfrac{400}{38{,}000} = 271{,}621{,}000$원

(물음 나.)

I. 공시지가 기준가격

$1{,}000{,}000 \times 0.9637 \times \dfrac{x}{100} \times 0.8 \times 1 = 679{,}000$원/㎡
               시*1   지   개   그

*1 $1.0374 \times (1-0.0430) \times (1-0.0430 \times \dfrac{62}{91})$

II. 지역요인

$x = 0.880$

즉, D지역은 C지역에 비해 12% 열세이다.

【문제 4】

Ⅰ. 의의

수익이란 경제주체가 대상물건을 통하여 획득할 수익에서 그 수익을 발생시키는데 소요되는 경비를 공제한 금액을 말한다.

Ⅱ. 요건

① 통상의 이용능력과 이용방법에 의한 ② 계속적이고 규칙적으로 발생하는
③ 안전하고 확실한 순수익으로 ④ 합리적·합법적으로 발생하는 것이고
⑤ 표준적이고 객관적인 수익이어야 한다.

Ⅲ. 유의사항

① 수익가에의 기초가 되는 순수익은 대상부동산에서 장래에 발생될 순수익을 기초로 하므로 산정에 있어서는 단순히 과거의 순수익이나 수익사례를 그대로 적용하여 순수익으로 산정해서는 안된다.

② 부동산가격은 그 부동산의 현재의 가치뿐만 아니라 앞으로 어떻게 변경될 것인가의 장래에 대한 이익가능성도 기초로 하는 것이므로 수익환원법에 적용될 순수익의 산정에 있어서는 대상부동산 또는 인접부동산에 의하여 구한 수익사례를 참조로 하되, 과거의 추이와 장래의 동향을 예측하여 정확히 판단하여 산정하여야 한다.

③ 특히, 장래의 동향에 있어서는 인근지역의 변화나 도시형성, 공공시설의 정비상태 등 사용·수익에 미치는 변화도 충분히 분석하여야 한다.

[문제1]은 토지 건물 개별물건 기준평가, 토지는 한정가격의 정상화, 건물은 분해법에 의한 감가수정을 주된 논점으로 하는 문제이다. [문제2]는 지하사용료평가방법과 토지보상법에 의한 재결 평가시 유지도를 활용도를 표준지 선택능력을 묻고자한 문제이고, <문제3>은 재산모델 등이다.
기출 5회는 쉽긴 하나 기본을 다지기에 좋은 기출이라 본다.

1. 문제1번 – 토지, 건물의 정상가격 산정(40)

1) 대상물건 확정 및 평가방식의 적용

토지건물의 평가로서 제시된 자료가 공시지가, 토지의 거래사례, 건물평가, 건물평가 자료임을 감안할 때 개별물건기준이 주된 논점임을 쉽게 파악할 수 있다.
환원이율 자료는 임대수익자료가 미제시된 점을 근거로 기능직감가기에 활용되는 자료로 분석되어야 한다.

2) (토지) 공시지가, 비준가액 시산조정(결정시 의견제시 중요)

한정가격의 사정보정치 산정(증분액, 배분액, 사정보정치 묵자)

3) (건물) 분해법

분해법은 물리적·기능적 감가만 계속 출제되고 있다. 경제적 감가의 경우 토지와 배분문제에서 공시지가나 거래사례등의 경제적 감가가 반영되어 있는지 등의 개념적인 전체를 문제에서 제시하여야 하기 때문에 출제되고

있지 않는 것으로 생각된다.
본 문제에서는 건물 환원이율 산정 방법이 여러 가지일 수 있어 가장 합리적인 방법을 선택할 필요가 있다.

① 토지환원이율+대상 건물 전환년수 기준 회수율(대상 개별성 반영)

$$12\% + (0.7 \times 1/46 + 0.3 \times 1/11) \fallingdotseq 0.163$$

☞ 논리적인 모순은 없고, 시간 *save*에 유리한 풀이 방법이나, 제시된 자료를 볼 때 출제자의 의도에 부합되지는 못한 답안임.

② 시장의 종합환원이율에서 건물의 환원이율을 추출하는 방법 : 예시답안의 형식

☞ <자료6> 환원이율 등에 관한 자료에서 제시된 사례는 '신축건물의 임대사례'로 설명하고, 종합환원이율의 토지 건물 가격구성비를 제조답인가를 기초으로 추출하고, 종합환원이율의 건물환원이율을 산정가능함.
투자결합법으로 건물환원이율을 산정가능함.
단, 대상의 개별성(대상의 가격구성비, 회수율)을 반영하지 못하는 논리적 결함이 있다.

③ ②의 형태에 대상 건물의 개별성을 반영하는 방법

(다) 전물 상각 후 환원율(r)
$$0.15 = 0.363 \times 0.12 + 0.637 \times (r + 0.7 \times 1/50 + 0.3 \times 1/15)$$
$$\therefore\ r = 0.133$$
(라) 전물 상각 전 환원율
$$\underset{\text{상각률}}{0.133} + \underset{\text{대상의 회수율}}{0.7 \times 1/46 + 0.3 \times 1/11} = 0.175$$

☞ 가장 이론적이고 정확한 답안일 수 있음. 다만, 사례와 대상의 평점이 주어지지 않아 투자시장평점 절체비교를 일부히 적용하는 문제도 대상법에 예시답임.

2. 문제2번 – 구분지상권 설정을 위한 영구사용 보상평가(30)
(법71조, 규칙31조, 지침49~51)

1) 기초가액산정(적용공시지가 – 법70④, 비교표준지 선정)

비교표준지 선정시 중점사인(출제의도)

이용상황이 동일한 공시지가#2로 선정이 가능하다고 할 수 있다. 그러나, 실무적으로 성업용과 업무의 경우 크게 구별없이 쓰여지고 있다는 점, 본건은 일반상업지역의 토지로 노선의 동일성이 중요한점. 또한 문제에서 위치도를 제시하고 있어 이런 경우 위치도를 활용하여 표준지를 선정하여야하는 점을 고려할 때 본건과 동일한 노선의 방향으로 바로 인접한 표준지 #4를 선정하는 것이 타당하다.

2) 입체이용저해율(기본적사용획득 – 지하/공중, 나지/건부지, 시가지, 한계심도 등)
① 기본적 사항의 확정시 판단근거 명확히 제시
② 건부지이므로 "노후율 고려여부" 목차 → 최유효 미달로 고려X
③ 토피는 보호층 포함, 시설물 상단 기준

3. 문제3번 – 재산모델(Property Model)(10)

$R = y - \triangle \times SFF$

별해

Ⅰ. 현재 토지가격(X)

$X = 10,000,000 \times PVAF(12\%, 5년) + 1.1 \times X / 1.125$ 〈X = 95,923,000〉

Ⅱ. 5년 후 토지가격

$95,923,000 \times 1.1 = 105,515,000원$

☞ 예시답안과 동일한 풀이임. 다만 단수차이에 의해 값이 다소 달라진 것임.

4. 문제4번 – 공원구역인 토지 보상평가(10)

1) 「자연공원법」상 공원(국립, 도립, 군립공원) – 일반적 제한
2) 「도시공원 및 녹지 등에 관한 법률」
① 도시공원 및 녹지 : 개별적 제한(구체별상 도시계획시설 개념)
② 도시자연공원구역 : 일반적 제한(구체별상 용도구역)

도시자연공원구역

도시자연공원구역은 도시의 자연환경 및 경관을 보호하고 도시민에게 건전한 여가·휴식공간을 제공하기 위하여 도시지역 안에서 식생이 양호한 산지의 개발을 제한할 필요가 있다고 인정되는 지역에 대하여 시·도지사 또는 대도시 시장이 「국토의 계획 및 이용에 관한 법률」에 따라 도시관리계획으로 결정·고시한 구역을 말한다.

도시자연공원구역은 「국토의 계획 및 이용에 관한 법률」에 의한 용도구역의 한 종류이며, 종전의 도시자연공원이 공원으로 결정된 후 지방자치단체의 재원부족 등으로 인하여 장기간 미조성된 상태로 남는 경우가 많아 사유재산권 침해의 우려가 있고, 도시자연공원 내에서는 엄격한 행위제한이 수반되어 기주소 등의 민원이 다수 발생하는 문제가 있어 이를 개선하기 위하여 도시자연공원을 폐지하고 도시지역 공원구역으로 변경하여 도입된 제도이다.

5. 문제5번 – 부동산 컨설팅을 감정평가 관련지어 설명(10)
① 관련조문 – 감정평가법 제10조6, 7호, 감칙 제27조
② 감정평가 = Valuation + Evaluation(Consulting) + 평가검토

Chapter 02 예시답안편   제 05 회   문제 논점 분석 및 예시답안

[문제 1]

I. 처리계획

감정평가에 관한 규칙 §7①에 의해 물건별 평가 후 합산함

II. 토지

$=0.862$

1. 공시지가기준법에 의한 시산가액

1) 비교표준지 선정 : # 2

용도지역(일반주거), 이용상황(주상복합) 등이 유사.

단 #1은 용도지역(전용주거), 이용상황 상이하여 제외함.

2) 토지단가

$$1,316,000 \times (1-0.02) \times \frac{90}{105} \times \frac{105}{110} \times 1.064 = 1,120,000원/㎡$$

　시　　　지　　　개　　기타조건*1

*1 도시계획도로 저촉 보정 : $200/(160+40\times0.7)$

2. 거래사례비교법에 의한 비준가액

1) 개요

거래사례는 한정가격이나 거래 당사자간 경제적 합리성이 인정되고 보정치 산정이 가능한바 비교사례로 선정함.

2) 금융보정 및 철거비

$$100,000,000 \times (1+ \frac{1}{1.12} + \frac{1}{1.12^2}) + 20,000 \times 100 \times \frac{1}{2} = 270,005,000$$

3) 사정보정

① 증분가치 : $103 \times 250 - (102 \times 100 + 80 \times 150) = 3,550$

② 배분액 : $3,550 \times \frac{12,000}{10,200+12,000} = 1,919$

③ 사정보정 : $\frac{80 \times 150}{80 \times 150 + 1,919} = 0.862$

4) 비준가액

$$270,005,000 \times 0.862 \times 0.98 \times 1 \times 1 \times \frac{1}{150} = 1,520,000원/㎡$$

　사　시　지　개　면

3. 결정

비준가액을 사정보정을 하기는 했으나, 시장성이 제한되었던 점에서 그 가격이 다소 높게 평가된 점을 감안하여, 감정평가선례 §3, 감정평가에 관한 규칙 §14에 의거 공시지가를 기준하여 $1,120,000 \times 200 = 224,000,000원$ 으로 결정함.

III. 건물

1. 재조달원가

$$(360,000+180,000) \times 1 \times 1.2155 \times 600 = 393,822,000$$

　사　시*1　면

*1 1.05^4

2. 감가수정

1) 물리적감가

(1) 치유가능(타일) = 4,000,000

(2) 치유불능

① 주체설비 : $(393,822,000 \times 0.7) \times \frac{4}{50}$ = 22,054,000

② 부대설비 : $(393,822,000 \times 0.3 - 4,000,000) \times \frac{4}{15}$ = 30,439,000

(3) 누계 = 56,493,000

2) 기능적 감가

(1) 화장실

① 경제적 타당성 검토 : 임대료손실 및 충분한 공간이 있어 타당성이 있는 것으로 봄

② 감가액 : 1,200,000 − 800,000 = 400,000

(2) 승강기

① 경제적 타당성 검토 : $2,200,000 \div 0.167^{*1} = 11,976,000 > 10,000,000$

즉 경제적으로 타당성 있으나, 물리적으로 승강기설치 불가능하다고 판단

되어 치유불능으로 본다

*1) ㈎ 시장추출법에 의한 종합환원율

#1 : 70,000,000 ÷ 500,000,000 = 0.14

#2 : 64,000,000 ÷ 400,000,000 = 0.16

평균 : 0.15

㈏ 전용구성비율(제조달원가 기준함)

$$\frac{393,822,000}{(224,000,000 + 393,822,000)} ≒ 63.7\%$$

㈐ 전문환원율

$0.15 = 0.363 \times 0.12 + 0.637 \times r$ ∴ r = 0.167 〈논점 분석 참조〉

② 감가액

2,000,000 ÷ 0.167 − 10,000,000 = 1,976,000

(3) 중고(치유불능)

$12,000,000 \times 1.05^4 \times (1 - \frac{4}{50}) + 1,000,000 \div 0.167$ = 19,407,000

(4) 누계 = 29,807,000

3) 감가누계액 = 86,300,000

3. 적산가액(1−2) = 307,522,000

IV. 부동산 가격(II + III)

224,000,000 + 307,522,000 = 531,522,000

[문제 2]

I. 처리계획

공익사업을 위한 토지 등의 취득 및 보상에 관한 법률(이하 법) §71②, 법 시행규칙§31① 등 관련규정 참작함

II. 물음 가.(기초가액)

1. 적용공시지가 선택

① 선택 : '92.1.1

② 이유 : 법 §70④에 의해 사업인정고시일('92.12.31) 이전 기준함

2. 비교표준지 선정

① 선정 : #4

② 이유 : 법 §70②에 의해 가격시점에 현실적인 이용상황인 상업용 기준하고, 위치도상의 접면도로, 형상, 규모 등에 비추어볼 때 #4가 대상 토지와 비교가능성이 있어 선정함

3. 단위면적당 적정가격

$7,000,000 \times 0.9192 \times 1 \times \frac{95}{100} \times 1 = 6,110,000원/㎡$

시 지 계 그

*1) $(1-0.0283) \times (1-0.0186) \times (1-0.0286) \times (1-0.0108 \times \frac{66}{92})$

III. 물음 나.(보상평가액)

1. 개요

최유효층수 18층은 고층시가지인바 이를 기준하여 입체이용저해율을 산정 후 보상액평가함.

2. 입체이용저해율

1) 건물이용저해율

① 저해층수 : 풍화토(PD-2) 토피 15(10+5)m 는 지상 15층 지하 2층 건축 가능. 따라서 지상 16, 17, 18층 3개층 저해층수로 봄.

② 건물이용저해율

$0.8 \times \dfrac{35 \times 3}{35+44+100+58+46+40+35 \times 14} = 0.103$

2) 지하이용저해율 : 고층시가지 한계심도는 40m임

$0.15 \times 0.625 = 0.094$

3) 기타이용저해율

$0.05 \times \frac{1}{2} = 0.025$

4) 입체이용저해율

$0.103 + 0.094 + 0.025 = 0.222$

3. 보상평가액

$6,110,000 \times 0.222 \times 66.3 = 89,931,000$

임자 편

48

【문제3】

I. 개요

소득일정, 가치 상승하는 바 재산모형(property model) 중 가치변동균등 소득 모형 적용함.

II. 현금이율

$$R = 0.12 - 0.1 \times \frac{0.12}{1.12^5 - 1} = 0.1043$$

III. 수익가액

$10,000,000 \div 0.1043 = 95,877,000$

IV. 5년 후 매각예상금액

$95,877,000 \times 1.1 = 105,464,000$

【문제4】

I. 개요

토지의 보상평가를 함에 있어서는 공법상 제한이 어떠한 제한인가에 따라 달리 평가한다. 즉, 공법상제한에는 일반적 계획제한과 개별적 계획제한이 있는데 후자는 제한이 없는 상태를 기준으로 보상평가한다. 왜냐하면, 이들 제한받는 상태로 평가한다면 개별적제한은 구체적인 사업의 시행을 필요로 하는 제한으로, 제한을 가하고 이를 기준으로 보상평가한다면 헌법상의 정당보상원칙에 위배되기 때문이다. 이하에서 이 둘을 구분하여 살펴본다.

II. 일반적 계획제한으로서의 공원구역 안 토지보상평가

1. 의의

일반적 계획제한을 받는 공원으로는 자연공원법에 의하여 지정된 공원(국립, 도립, 군립 공원)을 말한다.

2. 보상평가방법

일반적 계획제한은 제한 자체로 그 목적이 완성됨에 따라 제한받는 상태 기준하여 보상평가한다.

III. 개별적 계획제한으로서의 공원구역 안 토지의 보상평가

1. 의의

국토의 계획 및 이용에 관한 법률, 도시공원법 등에 의하여 지정된 공원을 말한다.

2. 보상평가방법

이는 도시계획 시설의 설치를 목적으로 하는 개별적인 계획제한임에 따라 제한받지 않는 상태를 기준으로 평가한다.

【문제 5】

Ⅰ. 개요

부동산컨설팅이란 부동산투자, 이용, 개발, 타당성조사, 분양 및 임대 등 부동산에 관련된 다양한 분야에 대한 전문적이고 직업적인 조언을 제공하는 것을 말한다.

감정평가법 §10 등에 의해 감정평가 업무범위에 포함되는바 이하에서 살펴본다.

Ⅱ. 부동산컨설팅과 감정평가

종	부동산 컨설팅	감정평가
범위	전문지식 제공 (매매, 임대차, 권리 감정평가 등)	부동산의 객관적 가치 평가, 평가서 제공
관점	의뢰인의 입장(투자자)	제3자의 객관적 입장 (일반 시장참가자)
가치	투자가치	시장가치

제 06회
문제 논점 분석 및 예시답안

[문제1는 출제 당시 주택공약1원2연동제와 관련한 시사성 있는 문제로 보이며 곳곳에서 판단여지가 있는 부분이 있어야 할 것이라 소요될 것이라 판단된다. [문제2] 경제적 타당성분석 건으로 최초로 DCF법이 기출되어있으나 당시에는 시간조정에 실패하였을 것으로 보인다. 이러한 문제일수록 작전수립 및 논점파악, 목차 체계에 더욱 민첩을 기해야 할 것으로 보인다. [문제1.2]에서 당락이 좌우되고, 나머지는 시간 save가 요구된다. 따라서 전체적인 난이도와 시간배분이 중요하다. (100점). [문제1]에 대한 시간투자와 의견제시 등이 중요하다.

1. 문제1번 – 토지, 건물의 정상가격 산정(35)

1) (물음 1) 참고하여야 할 자료

예시답안과 별도로 「공동주택 분양가격 산정을 위한 택지평가지침」제4조 (택지평가의뢰의 접수 및 검토) 및 제5조(실지조사 등)의 규정은 다음과 같다.

제4조(택지평가의뢰의 접수 및 검토) 감정평가기관은 택지평가의뢰를 받은 때에는 다음 각 호의 사항을 검토한다.
1. 대상택지의 표시(소재지·지목·면적 등)
2. 가격시점
3. 평가조건
4. 사업승인의 내용
5. 감정평가서 제출기한
6. 그 밖에 참고할 사항

제5조(실지조사 등) 감정평가기관은 택지평가의 의뢰를 받은 때에는 다음 각 호의 사항을 실지조사한다.
1. 소재지·지번·지목·면적
2. 위치 및 주위환경
3. 토지의 이용상태·효용성
4. 교통사정 및 도로조건
5. 형상·지세·지반·지질 등의 상태
6. 편익시설의 접근성 및 편익성
7. 유해시설의 접근성 및 재해·소음 등 유해정도
8. 기타 가격형성에 영향을 미치는 요인

2) (물음 2) 택지비(조성된 아파트부지)

(1) 기본적 사항의 확정 : 기준시점, 평가대상 확정

① 대상물건 확정에 있어 택지조성이 완료되 상태를 상정하고 사업계획승인 면적 중 주택분양대상이 되는 토지(아파트 부지)의 면적만을 기준한 다는데 주의를 하여야 한다. 따라서 평가대상은 단지 내 부분이며 이 중 상가부분은 제외하고, 조성완료된 상태를 기준으로 한다는 것을 평가하여야 한다.

② 제시된 목록의 기준 면적을 비교하였을 때 기부채납 부분은 단지 외로 주정이 되며, 평가의 대상이 되지 않는다. 다만, 소기가격에서 인가로는 구성할 수 있다.

제3장 감정평가방법

제7조(택지평가의 방법) 택지의 평가는 구거 제11조의 구정에 따라 부동산가격공시 법에 의한 공시지가를 기준으로 평가한다.

제8조(적용 공시지가의 선택) 택지를 평가하는 경우의 그 적용공시지가는 대상택지의

가치시점 당시 공시지가 공시지가 중 가격시점에 가장 가까운 시점에 공시된 공시지가로 시지가로 한다.

제9조(비교표준지의 선정) 택지를 평가함에 있어 비교표준지의 선정은 토지보상평가지침 제9조의 규정을 준용하되, 인근지역 및 동일수급권 안의 유사지역에 있는 표준지를 선정함을 원칙으로 한다. 다만, 동종·유사규모의 공동주택단지안의 표준지를 선정할 경우에는 그 이용상황 등을 고려한 표준지를 선정할 수 있다.

제10조(면적 및 이용상황) ① 대상택지의 면적은 사업계획승인 면적 중 주택분양대상이 되는 토지의 면적으로 한다.
② 택지조성이 완료되지 아니한 소지상태인 토지는 택지조성이 완료된 상태를 상정하고, 이용상황은 대지를 기준으로 평가한다.

제11조(가격시점) 택지평가의 가격시점은 사업주체가 시장·군수 또는 구청장에게 택지가격의 평가를 신청한 날(국가·지방자치단체·대한주택공사 또는 지방공사인 사업주체는 해당 기준의 장이 택지평가를 의뢰한 날)로 말한다.

제12조(지가변동률 등의 적용) ① 시점수정을 위한 지가변동률의 적용은 '국토의 계획 및 이용에 관한 법률 제125조의 규정에 의하여 건설교통부장관이 월별로 조사·발표한 지가변동률로서 대상택지가 소재하는 시·군·구의 용도지역별 지가변동률을 적용한다. 다만, 대상택지와 같은 용도지역의 지가변동률이 조사·발표되지 아니한 경우에는 유사한 용도지역의 지가변동률, 이용상황별 지가변동률 또는 해당 시·군·구의 평균지가변동률을 적용할 수 있다.
② 제1항에 관한 별표 제125조의 구정에 의하여 지가변동률을 적용하는 경우에는 감정평가서에 그 내용을 기재한다.
③ 기타 지가변동률의 추정 및 산정에 대하여는 토지보상평가지침 제12조 및 제13조의 규정을 준용한다.
④ 시점수정을 위한 생산자물가상승률의 적용은 토지보상평가지침 제14조제1항 및 제2항의 규정을 준용한다.

(2) 원가법

① 소지가격 : 소지로서의 매매가격을 기준하되, 매매사례[5]는 사정개입으로

배제도 가능하다. 다만, 사정보정이 가능하여 예시답안에서는 포함하지 않았다.

② 비준가액 : 소지가격의 비준가액에서 단가만을 산정하되, 시점수정은 출제 당시 감정에 따라 대상이 속한 시군구의 지가변동률을 적용(사례 지번율은 미제시되었음. 현행 감정방식은 현행 시군구의 지번율을 기준함 수 있음. 감칙 §14의(3)근거)

③ 가부재남부의 원가 가산여부 : 개념적으로 가부재남부도 원가를 구성할 수 있다. 그러나 예시답안에서는 단가를 기준으로 선정함으로써 결과적으로 가부재남부의 소지가격은 원가에 포함시키지 않았다. 왜냐하면, 가부재남부을 원가로 포함하는 경우 아파트(주택)부분과 상가부분의 원가로 각각 안분해야 할 것인데 이를 해결하기 위한 자료가 미제시되어 가부재남부은 원가를 고려하지 않았다.

3) (물음 3) 분양가격(택지비 + 건축비)과 인근유사아파트 분양가격으로 직접 성 검토

4) (물음 4) 감정평가서 작성

현업의 실무에서는 택지자의 평가의 경우 문제에서 제시된 ( )감정평가표, 명세표를 쓰지 않고, 일반평가서와 평가조서를 쓴다. 아무튼, 문제에서 제시된 평가서 양식은 일반평가, 담보, 경매평가시 사용하는 양식으로 작성 방법도 의거뒤야 할 것으로 생각된다.

2. 문제2번 - 개발예정 소프센터의 개발비용과 투자가치고려 타당성(30)

1) 개발비용

전물 신축비용의 산정을 중간치, 보간법, 회귀분석 등을 통해 결정할 수 있다.

4. 문제4번 - 표준지공시지가, 개별공시지가 산정방법 차이점(10)

5. 문제5번 - 토지보상법상 환매토지 환매금액 결정방법(10)

※ 관련조문 : 토지보상법 제91조

> **대법원 판례(대법원 2000. 11. 28. 선고 99두3416 판결)**
>
> 공공용지의 취득 및 손실보상에 관한 특례법 및 같은법 시행령에는 환매대상토지의 가격을 취득 당시에 비하여 현저히 변경된 경우 어떠한 방법으로 정당한 환매가격을 결정할 것인지에 관하여 명시적으로 정하고 있는 규정은 없으나, 같은 법 제9조 제1항, 제3항, 같은법시행령 제7조 제1항, 제3항의 규정을 종합하여 보면, 환매권 행사 당시의 환매대상토지의 가격, 즉 환매대상토지의 소유자에게 지급된 보상금에 환매 평정기준일이 협의취득 당시 사업시행자가 취득소유자에게 지급된 보상금을 뺀 금액보다 당시까지의 해당 사업과 관계 없는 인근 유사토지의 지가변동률을 곱한 금액보다 적거나 같을 때에는 사업시행자가 취득할 때 지급한 보상금의 상당금액으로이 그 환매가격이 되는 것이 그 규정에 비추어 명백하므로, 환매권 행사 당시의 환매대상토지의 지가이 보상금에 위 보상금에 당시의 해당 사업과 관계 없는 인근 유사토지의 지가변동률을 곱한 금액을 초과할 때에도 마찬가지로 인근 유사토지의 지가상승분에 해당하는 부분은 환매가격에 포함되어서는 아니 되는 것인 만큼, 그 경우의 환매가격은 인근 유사토지의 지가변동률을 기준으로 하되면 위 보상금에다 환매대상토지의 환매당시의 감정평가에서 위 보상금에 인근 유사토지의 지가변동률을 곱한 금액을 더한 금액, 즉 '보상금+(환매당시의 감정평가액×당시의 감정평가금액의 감정평가금액기준액)'로, 지가상승률을 기준으로 하되면 환매대상토지의 환매 당시의 감정평가금액과 위 보상금의 인근 유사토지의 지가상승률을 곱한 금액을 뺀 금액, 즉 '환매당시의 감정평가금액 - (보상금×지가상승률)'로 산정하여야 한다.

중간치는 너무 주관적인 판단일 수 있고, 최귀류석은 일정한 선형관계를 형성하고 있다는 등의 표현이 없어 보간법을 적용하였었다.

2) 투자가치(DCF법) - PGI 선정

제시자료에서는 시장임대료는 연간 100만원이며 매년 5%씩 상승하는 것을 전제하였었다. 시장임대료를 지불임대료로 해석하는 것이 객관적인 분석이라고 생각된다. 이렇게 되면 매기 지불임대료를 산정하여 5% 상승을 반영하고 보증금운용이은 더해 주는 형태로 PGI를 산정하는 것이 너무 정치한 풀이일 것이다.

3) 타당성판단(NPV, PI 등) + 의견제시

3. 문제3번 - 담보목적 도입기계평가(10)

1) 제조달원가(CIF, 관세, 설치비등 유의)

- 기호1 : 적용환율

도입당시 원산지 환산에 산정은 도입당시를 기준으로 외화환산을 기준하여야 하나, 도입당시 기준일이 제시되지 아니하여 수입면장 상 환율을 적용하는 것이 타당할 것이다.

2) 관세 분할 납부 품목 미납분 처리

도입당시 수입면장 상으로는 관세 감면을 받는 품목이나, 기준시점 당시 관세 감면 여부를 알 수 없어 관세 감면율을 적용한다. 기호2의 관세미납분 1회분은 별도로 고려하지 않았으나, 이러한 사항을 주석처리 하였다. 평가목적상 관세미납분을 차감하여 자감하여 평가도 가능할 것이다.

[문제 1]

I. 감정평가 개요

아파트분양가격결정을 위한 택지평가로 일반이론 등 관련법령을 참작하여

다음 각 물음에 차례로 답한다.

II. 물음 가.

평가의뢰목록, 평가관련공부(등기부, 대장, 지적도, 토지이용계획확인원 등), 사업승인신청서, 설계도면, 택지비가산항목산출내역(간선시설비용, 간선도로편입비용, 지장물철거비용, 토목공사비, 감정평가수수료 등), 주택

분양가원가연동제시행지침 등

III. 물음 나.

1. 기본적사항의 확정

1) 기준시점 : H시장 시장에게 택지가격평가 신청일인 '94.7.20

2) 대상물건의 확정 : 택지비 산정을 위한 평가로 택지조성이 완료된 상태를 상정하고 사업계획승인 면적 중 주택분양대상인 토지의 면적만을 기준 일단지(아파트부지)로 평가하며, 평가범위는 단지 내 면적(23,460㎡), 상가부지(670㎡)는 제외함. 기부채납면적 부분은 단지 외 부분으로 보아

평가의 함.

3) 일단지 평가한다(아파트부지).

2. 공시지가 기준

1) 비교 표준지 선정 : #352

사업완료 후 아파트 이용상황 기준하고 용도지역(일반주거) 및 구(M구)가

같은 표준지 선정함.

2) 토지단가

$500,000 \times 1.0024 \times 1.150 \times 1.117 \times 1$

$= 644,000원/㎡$

시[*1]   지   계[*2]   그

*1 $1.0012 \times 1.0010 \times (1 + 0.0010 \times \frac{20}{91})$

*2 $\frac{95}{100} \times \frac{98}{100} \times \frac{120}{100}$

3. 원가법

1) 소지가격(거래사례비교법)

(1) 기준단가

$\frac{378,000,000}{540}$

$= 700,000원/㎡$

(2) 평균단가

$700,000 \times \frac{(540 + 0.9 \times 3,850 + 0.9 \times 2,950 + 0.85 \times 4,520 + \frac{100}{130} \times 420)}{(540 + 3,850 + 2,950 + 4,520 + 420)}$

$= 617,000원/㎡$

(3) 비준가액

$617,000 \times 1 \times 0.9257 \times \frac{75}{100} \times 1.46$

$= 625,000원/㎡$

사   시[*1]   지   계

*1 $(1 - 0.0765) \times 1.0012 \times 1.0010 \times (1 + 0.0010 \times \frac{20}{91})$

2) 부지 부대공사비

$45,000 \times 1.1874$ ^{*1} $= 53,430$원/㎡

*1 $(1+0.12 \times \frac{346}{365}) \times (1+0.12 \times \frac{201}{365})$

3) 적산가액

$612,000 + 53,430 = 665,000$원/㎡

4. 결정

공시지가를 기준하되 적산가액을 참작하여 650,000원/㎡로 결정함.

따라서 택지비는 $650,000 \times (23,460㎡ - 670㎡) = 14,813,500,000$원임.

Ⅳ. 물음 다.

1. 개요

상기 택지비에 건축공사비를 합산한 분양가격을 인근의 유사아파트 분양가격으로 그 적정성을 검토한다.

2. 분양가격

1) 택지비 $= 14,813,500,000$

2) 건축비

① 지상 : $1,460,000 \times 23 \times 340 + 1,690,000 \times 29 \times 140 + 1,690,000 \times 34 \times 180$ $= 28,621,400,000$

② 지하 : $1,010,000 \times (26,000 \times \frac{121}{400}) \times 0.1879$ $= 1,492,612,000$

③ 합 $= 30,114,000,000$

3) 총 분양가 $= 44,927,500,000$

4) 평당분양가

$44,927,500,000 \div (23 \times 340 + 29 \times 140 + 34 \times 180)$ $= 2,496,000$원/평평

3. 적정성 검토

최근 인근 지역 평당 분양가는 2,200,000~2,600,000원/평으로 대상 분양가가 적정한 수준으로 판단되며, 본건 토지평가액 역시 적정한 것으로 판단됨.

V. 물음 라.

(토지) 감정평가표

감정평가사	A 氏		
감정평가액	₩14,813,500,000		
의뢰인	H 시장	평가목적	택지비
채무자	-	제출처	
소유자 (대상업체명)	D 주식회사	기준가치	시장가치
		평가조건	택지조성이 완료된 상태
목록표시근거	귀 제시목록	기준시점 '94.7.20	조사기간 '94.7.25~7.29 / 작성일 '94.7.30

공부(의뢰)		사정			감정평가액
종류	면적 또는 수량	종류	면적 또는 수량	단가	금액
토지	28,100	아파트부지	22,790	650,000	14,813,500,000
		상가부지	670	-	평가외
		단지 외	4,640	-	평가외
합계					14,813,500,000

(토지) 감정평가 명세표

일련번호	소재지	지번	지목 용도	구조	면적 공부	면적 사정	단가	감정평가액 금액	비고
1	A시	253	답		4,120	22,790	650,000	14,813,500,000	아파트부지
2	M구	255-4	답		4,800				
3	D동	255-5	전		4,550				
4		256-9	전		4,600	670	-	평가외	상가부지
5		340-3	임야		2,560				
6		339-14	전		3,200	4,640	-	평가외	단지 외
7		254-1	전		3,420				
8		1119	도로		850				
합계								₩14,813,500,000	

[문제2]

I. 처리계획

개발예정인 쇼핑센터에 대한 개발비용과 수익가액을 평가한 후, 이를 기준
하여 경제적 타당성을 검토한다.

II. 개발비용

1. 부지가격 =5,000,000,000

2. 건축비
1) 건축단가
사례부동산을 검토해보면
#1 : 2,450,000,000÷2,500 =980,000
#2 : 1,845,000,000÷1,800 =1,025,000
#3 : 2,100,000,000÷2,100 =1,000,000
으로 건축면적이 커짐에 따라 낮아짐을 알 수 있다. 이를 검토해보면
임의 비준어 20,000 : 400=x : 225

x = 11,250

∴ m²당 991,000원

991,000 × 2,275 = 2,254,525,000

2) 주차장 등 = 59,000

사례를 검토해보면

#1. 117,300,000 ÷ (4,500 - 2,500) = 59,000

#2. 92,000,000 ÷ (3,250 - 1,800) = 63,000

#3. 100,000,000 ÷ (3,740 - 2,100) = 61,000

2,000 : 360 = x : 275

x = 1,527

∴ m²당 60,500원

60,500 × 1,725 = 104,363,000

3) 건축비 합 = 2,359,000,000

3. 개발비용 = 7,359,000,000

Ⅲ. 투자가치

1. 1기 가능총수익

① 임대면적 : 2,275 × 0.6 = 1,365m²

② PGI : (100 + 10 × 0.12) × 1.365 = 138,138

2. 보유기간 현금흐름표 (단위 : 만원)

기간	1	2	3	4	5
PGI*1	138,138	144,863	167,555	0	0
OE 등	55,255				69,758
NOI	82,883	86,393	90,045	93,844	97,796
TAX*2	14,322	15,024	15,754	16,514	17,305
ATCF	68,561	71,369	74,291	77,330	80,491

*1 $(100 \times 1.05t + 10 \times 0.12) \times 1.365$ (이하 같음. t=0, 1, 2, 3, 4)

*2 $(NOI - 225,453 \div 20) \times 0.2$

3. 기간말 현금흐름

1) 예상매도가격 : 97,796 ÷ 0.1 = 977,960

2) 양도소득세

[977,960 - (735,900 - 11,273 × 5)] × (1 - 0.3) × 0.4 = 83,559

3) 보증금 : 10 × 1,365 = 13,650

4) 세후현금수지 = 880,751

4. 수익가액

$68,561 \times 0.89286 + \cdots + (80,491 + 880,751) \times 0.56743 = 765,571$

IV. 경제적 타당성 검토

1. 개발비용 : $= 7,359,000,000$

2. 투자가치 : $= 7,655,710,000$

즉, 수익가액이 개발비용보다 크므로 경제적 타당성이 있는 것으로 판단된다.

[문제 3]

I. 처리계획

원가법에 의한다.

II. # 1

1. 재조달원가

1) 도입원가(CIF 기준가격)

$(296,608,000 \div 786)(\$) \times 80(\frac{¥}{\$}) \times 1.0045 \times 919.06/100(\frac{원}{¥}) = 278,704,000$

2) 부대비용

$278,704,000 \times (0.08 + 0.03 + 0.015) = 34,838,000$

판*1 L/C 설*2

*1 가장 낮은 판세율 적용한다.

*2 사업체 평가임에 따라 설치비를 고려함.

3) 재조달원가 : $= 313,543,000$

2. 감가상각 및 적산가액

$313,543,000 \times (1 - 0.142)^3 = 198,043,000$

III. # 2

1. 재조달원가

1) 도입원가

$(348,192,000 \div 786)(\$) \times 80(\frac{¥}{\$}) \times 1.0045 \times 919.06/100(\frac{원}{¥}) = 327,175,000$

2) 부대비용

$327,175,000 \times (0.08 + 0.03) + 200,000 \times 5.397(ton) = 37,069,000$

판 L/C 설

3) 재조달원가 : $= 364,244,000$

2. 감가상각 및 적산가액

$364,244,000 \times (1 - 0.142)^3 = 230,000,000$

주) 판세마다 1회분이 있음.

IV. # 3

1. 구형

$80,000 \times (1-0.109)^6 \times 25,000$ $= 1,000,682,000$

2. 신형

$100,000 \times (1-0.109)^2 \times 10,000$ $= 793,881,000$

3. 합 $= 1,794,563,000$

[문제 4]

I. 개설

적정가격을 실제용도, 나지상정, 공법상 제한사항 반영, 개발이익반영, 일단지 평가를 원칙으로 감정평가3방식을 병용하여 평가함에 비해, 개별공시지가는 표준공시지가를 기준으로 토지특성을 조사하여 토지가격비준표를 기준하여 산정한다.

II. 차이점

표준지공시지가는 감정평가3방식에 의해 평가되고 개별공시지가는 표준지공시지가를 기준으로 일정한 규정에 의해 재산정에 의해 정해지는 것이다. 그러므로 표준지공시지가와 개별공시지가는 세 가지 정도 다른 점이 있다.

첫째는 평가주체와 관리주체가 다르다. 표준지공시지가는 전교부장관의 조사평가의뢰를 받은 감정평가사가 평가한 금액을 전교부장관이 공시하나, 개별공시지가는 표준지 공시지가를 기준으로 감정평가사의 자문을 받은 관계 시·군 공무원이 비준표에 따라 산정한 금액을 시·군·구청장이 결정 공고한다.

둘째는 적용범위가 다르다. 표준지 공시지가는 모든 평가에 기준이 되며 또한, 개별공시지가 산정의 기초가 되나, 개별공시지가는 각종 조세부과의 기준이 된다.

셋째는 절차가 다르다. 표준지공시지가는 전교부장관이 감정평가기관에 조사평가의뢰하고 평가기관은 표준지선정 및 평가, 토지소유자 및 지방토지평가위원회 의견을 청취한 후, 중앙토지평가위원회 자문을 거쳐 공시하나, 개별공시지가는 전교부장관의 지도감독을 받아 개별지가를 산정하고 주민 열람 및 지방토지평가위원회 심의와 전교부장관의 확인을 거쳐 결정 공고한다.

[문제 5]

I. 개요

공익사업을 위한 토지 등의 취득 및 보상에 관한 법률(이하 '법') §91에 의한다.

Ⅱ. 환매금액 결정방법

1. 환매가격 ≤ 지급보상금×지가변동률

지급한 보상금

2. 환매가격 > 지급보상금×지가변동률

〈령 §48(환매금액의 협의요건)〉

보상금액 + [환매당시 평가시 평가가격 - 보상금액×(1 + 지가변동률)]

Ⅲ. 환매권 상실로 인한 손해배상액 산정방법

환매권 상실 당시의 감정평가액 - (환매권 상실 당시 당시의 감정평가액 - 지급
보상금×지가변동률)

가장 많은 페이지수의 문제가 출제되었다. 하지만 따지고 보면 별 별 일명이 없는 문제였다.

타선지식으로 섬아 문제분석의 중요성, 문제를 보고 무작정 당황하지 않기, 마음을 가라앉히고 차분히 분석하기 등이 요구된다. [문제1,4(일반평가)/(문2,3](보상평가)문서 자료의 맵별 선택 등 합리적인 판단능력 등 합리적인 판단능력을 요구하는 기본작성용 숙지도를 묻는 문제였다. 명확한 판단과 함께 자료를 해석하는 능력이 요구되며, [문제1)에서 좌우된 것으로 보인다.

1. 문제1번 - 표준지 공시지가 평가(40)

- 대상물건의 확정 : 미지정지역 내 공업용지, 일시적 이용의 배제
- 표준지조사평가기준 제21조, 제24조 거래사례비교법 기준, 다른 방법으로

적정성검토
- 인근 표준지 균형여부검토
- 출제자의 의도 파악 후 ≠료 선정 및 배제사유 중요

1) 거래사례비교법 기준 공시지가 선정

- 표준지 공시지가는 도시지역 내 미세분된 미지정지역을 용도지역으로 하는 표준지를 선정하고 공시지가가 공시되고 있음을 기억할 필요가 있다. 표준지 선정과 관련해서 현재 미지정지역인 경우 용도지역인 녹지지역을 용도지역을 녹지지역을 녹지지역으로 보는 보지 다는 것에 유의해야 한다. 단, 지가변동률은 도시지역 내 미지정지역에 대해서는 별도 공시하지 않고 있어 녹지지역을 적용한다.

다만 현 감석 상 평균·이용상황별 지가변동률도 작용이 가능하다.
- 인근지역 및 유사지역의 경제설정 : 광역위치도를 제시하고 인근지역의 범위를 결정하는 내용을 답안에 기술하면 가점을 받을 수 있을 것으로 생각된다. 특히, 고속도로를 기준으로 A건, B건은 비교가능성이 떨어지는 지역으로 판단할 수 있다.

표준지 조사평가기준

제9조(지역요인 및 개별요인의 비교) ① 수집·정리된 거래사례 등의 토지가 표준지의 인근지역에 있는 경우에는 개별요인만을 비교하고, 동일수급권 안의 유사지역에 있는 경우에는 지역요인 및 개별요인을 비교한다.

② 지역요인 및 개별요인의 비교는 표준지의 공법상 용도지역과 제이용상항 등을 기준으로 그 공도적 특성에 따라 다음과 같은 용도지대를 분류하고, 가로조건·접근조건·환경조건·획지조건·행정적조건·기타조건 등에 관한 사항을 비교한다.

1. 상업지대 : 고밀도상업지대·중밀도상업지대·저밀도상업지대
2. 주업지대 : 고급주택지대·보통주택지대·농어촌주택지대
3. 공업지대 : 전용공업지대·일반공업지대
4. 농업지대 : 전작농경지대·답작농경지대
5. 임야지대 : 도시근교임야지대·농촌임야지대·산간임야지대
6. 후보지지대 : 택지후보지지대·농경지후보지대

③ 각 용도지대별 지역요인 및 개별요인의 비교항목(조건·항목·세항목)은 별표 1 내지 별표 7에서 정하는 내용을 참고로 하여 정한다.

④ 지역요인 및 개별요인의 비교를 위한 인근지역의 판단은 토지의 용도적 관점에 있어서의 동질성을 기준으로 하되, 일반적으로 지형·지물 등 다음 각 호의 사항을 확인하여 인근지역의 범위를 정한다.

1. 지반·지세·지질
2. 하천·수로·철도·공원·도로·광장·구릉 등
3. 토지의 이용상황

표준지 조사평가기준

제24조(공업용지) ① 공업용지는 토지의 일반적인 조사사항 이외에 제품생산 및 수송·판매에 관한 경제성에 중점을 두고 다음 각호의 사항 등을 고려하여 평가하되, 인근지역 또는 동일수급권 안의 유사지역에 있는 토지의 거래사례 등 가격자료에 의하여 거래사례비교법으로 평가한다. 다만, 새로이 조성 또는 매립된 토지로서 거래사례비교법으로 평가하는 것이 현저히 곤란하거나 적정하지 아니하다고 인정되는 경우에는 원가법에 의할 수 있다.

1. 제품의 판매시장 및 원재료 구입시장과의 위치관계
2. 항만, 철도, 간선도로 등 수송시설의 정비상태
3. 동력자원 및 용수·배수 등 공급처리시설의 상태
4. 노동력 확보의 난이
5. 관련산업과의 위치관계
6. 수질오염, 대기오염 등 공해발생의 위험성
7. 온도, 습도, 강우 등 기상의 상태

② 산업입지 및 개발에 관한 법률에 의한 국가산업단지·지방산업단지·농공단지 등 산업단지 안에 있는 공업용지는 해당 토지의 분양가격자료를 기준으로 평가하되, 산업입지 안에 있는 토지 등의 분양가격자료를 기준으로 평가하되, 산업적 활성화 및 공장설립에 관한 법률 시행령 제52조에서 정한 이자 및 제비용상당액과 해당 산업단지의 성숙도 등을 고려한 가격으로 평가한다. 다만, 분양이 완료된 후에 현저히 곤란하거나 적정하지 아니하다고 해당 토지 등의 분양가격자료에 의한 평가가 현저히 곤란하거나 적정하지 아니하다고 인정되는 경우에는 인근지역 또는 동일수급권 안에 있는 공업용지의 분양가격자료를 기준으로 평가할 수 있다.

---

4. 공법상 용도지역·지구·구역 등
5. 역세권, 통학권 및 통작권역

2) 적정성검토(수익가액, 적산가액)

(1) 목차의 순서

제시된 자료의 순서가 수익가액이 먼저 나와 편의상 수익가액을 먼저 쓰고 이후에 적산가액을 사용하였다.

수익가액에서 사례 건물의 가격과 기계의 적산가액에 대한 기준시점 제시가 없으나 건축비 등의 지수가 제시되어 있지 않아 많아 건물 등의 가격을 임대사례비교 가격으로 추정하였다.

(2) 적산가액에서의 사례선정과 시산가액 결정에서의 유기적 답안기술 필요

사례#17이 선정도 가능하다고 본다. 사례#17은 실질적인 조성원가 자료이며, 사례#18은 분양가격 자료인 점에 착안해 볼 필요가 있다. 예시답안에서는 최근시점의 이유뿐만 아니라 「표준지 조사평가기준」제24조 ②을 근거로 사례를 선정하였으며, 원가법에 의한 가격을 시산가액 조정 및 결정시 어떻게 녹여 낼 것인가에 대한 고민도 필요하다.

다만, 문제에서는 해당 산업단지가 「산업입지 및 개발에 관한 법률」에 의한 산업단지로 명시적으로 규정하고 있지는 않으나, 이에 근거한 산업단지 사업으로 보고 답안을 작성해 보았다.

3) 가격균형여부

공시지가의 균형성 검토는 인근의 공시지가 및 전년도 공시지가와 비교가 가능하다.

제시된 공시지가자료를 활용하여 가격균형성 검토를 하면 된다. 그러나 시점수정, 요인비교까지는 필요 없이 단순 비교하여 적정수준에 느느지만 판단하면 된다고 본다.

표준지 조사평가기준

제11조(경제지역간 가격균형 여부 검토) ① 제10조의 규정에 의하여 표준지의 평가가격을 결정한 때에는 인근 시·군·구의 유사용도 표준지의 평가가격과 비교하여 그 가격의 균형여부를 검토하여야 한다.

② 제1항의 가격균형여부의 검토는 용도지역·용도지대 및 토지이용상황별 지가 수준을 비교하는 이외에 특수토지 및 경제지역 부분에 있는 유사용도 표준지에 대하여 개별필지별로 행하되, 필요한 경우에는 인근 시·군·구의 가격자료 등을 활용하여 평가가격을 조정함으로써 상호 균형이 유지되도록 하여야 한다.

---

4) 보고서작성

보고서 작성 자체에도 많은 배점이 부여된 문제이다. 보고서 작성을 가볍게 생각해서는 안된다. 최근 기출에서 감정평가서 작성 관련 사항을 요구하는 경향이 있다. 참고로 현재 표준지조사평가보고서에는 공부상 지목만을 표기하고 이용상황을 기재하고 있다.

2. 문제2번 – 보상평가(30)

1) (물음 1) 도시계획도로 협의보상(공법상제한, 기타요인(그 밖의 요인)보정)

해당 사업에 따른 공법상제한(도시계획시설 저촉)을 행정적 요인에 대한 보정을 통해 배제하는 문제였있다. 자칫 실수를 할 수 있는 문제이다. 또한 해당 사업과 무관한 개발이익은 기타요인(그 밖의 요인) 보정으로 반영하여야 한다(해당사업과 무관한 개발이익 반영).

2) (물음 2) 그 밖의 요인(기타요인) 보정

종전 보상선례의 선정기준은 '인근지역 또는 동일수급권 내 유사지역에 소재한 평가대상토지와 유사한 이용상황의 최근 2년 이내 보상선례'를 선정하였다.

그러나 비교표준지선정 기준 및 적용공시지가 선택, 지가변동률 적용 관련 조문의 개정 사항과 연계하여 보상선례 선정기준을 마련하였었다. 해당 개발이익 배제 원칙을 강화하기 위하여 비교표준지의 적용공시지가 선택 기준과 동일한 기준으로 보상선례를 선정하도록 구체화 되있다.

또, 실무적으로 최근에는 선정된 보상선례의 분석을 필수적으로 요구하고 있다. 개발이익 반영 여부 및 사업 성격이 상이한 보상선례 선택시 구체적 분석을 하고 있다.

보상선례에 해당 사업에 따른 개발이익이 반영되는 경우는 법 제70조 제3, 4, 5항의 기준과 동일한 기준 적용하여 "보상선례의 가격시점"이 법 제70조 제3, 4, 5항의 사업인정고시일 또는 해당 공익사업의 계획 또는 시행이 공고 또는 고시일 이전의 보상선례를 선정하여야 한다.

(1) 기타요인(그 밖의 요인) 보정 산출식에 대한 방법

□ 1방법

$$격차율 = (보상선례기준 \ 대상토지가격) \div (표준지기준 \ 대상토지가격)$$

$$= \frac{보상선례가 \times 지가변동률 \times 지역요인(대상/선례) \times 개별요인(대상/선례)}{표준지공시지가 \times 지가변동률 \times 지역요인(대상/표준지) \times 개별요인(대상/표준지)}$$

□ 부산지법 판결(2008구합2003, 2010.5.28)

- 기타요인(그 밖의 요인) 보정치 산정 방식(1방법)을 위법하다고 보지 않은 판결

- 기타요인(그 밖의 요인) 보정치 산정 방식에 관하여는 법령, 한국감정평가협회 발간 「토지보상평가지침」에 일반화된 기준도 마련되어 있지 않고, 제2법원감정(상기 산출식)은 현재 감정평가업계에서 가장 일반적으로 사용되는 산정 방식에 따라 보상선례 토지의 시가 기준으로 한 이 사건 토지의 가격과 비교표준지 공시지가 기준으로 한 이 사건 토지의 가격 사이에 존재하는 격차율을 구하여 기타율을 산정하는 식으로 보정치를 산정한 사실이 인정됨.

- 따라서, 현재 감정평가업계에서 널리 사용되고 있는 위와 같은 산정방식이 시가와 공시지가 사이에 존재하는 격차율을 반영한다는 점에서 합리성이 있으므로 위법하다고 볼 수 없다고 보 사항.

□ 산식으로 보자면 1방법과 2방법은 차이가 없다. 1방법은 대상을 매개로 기타요인(그 밖의 요인) 보정치를 산정할 뿐이다. 결국, 표준지공시지가와 보상선례에 의한 정당보상에의 괴리를 보정하는 방법이 된다.

기술적인 측면에서 본건 대상 토지가 표준지인 경우 2방법이 산식이 나오게 된다. 실무적으로는 LH공사에서 시행하는 사업의 경우 면적인 사업이 대부분이고, 이에 따라 본건이 표준지인 토지를 기준으로 기타요인(그 밖의 요인) 보정치를 산정하다 보니 2방법이 산식이 발생한 것으로 일부 사업시행자는 기타요인(그 밖의 요인)보정치를 2방법으로 감정한 것을 선호하는 경향도 있다. 그러나 결국 같은 산식일 것이다.

□ 2방법

격차율 = (보상선례기준 표준지가격) ÷ (표준지가격)

$$= \frac{\text{보상선례가} \times \text{지가변동률} \times \text{지역요인}(\text{표준지}/\text{선례}) \times \text{개별요인}(\text{표준지}/\text{선례})}{\text{표준지공시지가} \times \text{지가변동률} \times 1(\text{표준지}/\text{표준지})}$$

(2) 기타요인(그 밖의 요인) 보정 산출식에 대한 판례

□ 창원지법 판결(2005구합3064, 2007.10.25)

- 기타요인 보정치 산출식(1방법)에 대해 위법하다는 판결

- 인근 지역 보상선례를 기준으로 한 당해 토지 가격을 표준지공시지가를 기준으로 한 당해 토지 가격으로 나누는 방법이 산식을 사용하여 보상대상 토지에 대한 평가대상 항목 중 "기타요인 보정치"를 결정한 다음, 다시 그 기타요인 보정치를 표준지공시지가를 기준으로 한 당해 토지가격에 곱하여 평가가격을 산출한 사실이 인정되는바, 이는 결과적으로 보상선례가를 기준으로 당해 토지를 감정평가한 것으로서 표준지의 공시지가를 기준으로 당해 토지를 감정평가하도록 정한 관련 법령에 위반되어 위법하다고 판시함.

감정평가방법 : (표준지)공시지가 × 지가변동률 × 지역요인 비교 × 개별요인 비교 × 기타요인보정치

- 상기 감정평가방법에 "기타요인 보정치 산출식"을 산입하면 분모·분자에 공통된 요소들이 통분되고 보상선례 기준으로 대상토지가격을 감정한 것으로 결국 같은 산식일 것이유. 결과만 남는다는 것이 위법 판결의 사유임.

2) (물음 2) 정(3000)단(300)무(30)보(1)홉(1/10)작(1/100)평
→ m² (121/400)

최근 도량형 통일로 출제가능성이 높지 않으나 실무적으로 오래된 건물의

경우 등기부상 척관법으로 등재된 부동산을 종종 볼 수 있다.

3) (물음 3) 휴업손실 보상(법 제77조, 시행규칙 제47조)

영업보상에서 자영업에서는 자가노력비를 비용으로 보지 않으나, 여업보

상에서는 비용에 포함한다

3. 문제3번 : 보상평가 수행시 질의사항(15)

1) (물음 1) 불법형질변경(시행규칙 제25조)

2) (물음 2) 협의보상시점과 평가시점의 차이(판례 및 질의회신 검토)

대법원 판례는 토지가격은 매일 변동하는 것은 아니며 가격시점과

20일 정도 차이가 있다는 사실만으로 협의성립당사의 가격을 평가한 것이

아니라고 판정할 수는 없다고 판시한 바 있다.

그러나 최근 국토부에서는 가격시점 관련 질의회신내용을 변경하였었다.

토지보상법 제67조에 따라 협의에 의한 경우에는 협의성립 당시의 가격을

기준으로 한다고 규정하고 있는바, 보상에 산정시기인 가격시점은 제약체

결시점과 일치되는 것이 바람직하나, 공익사업 편입토지의 보상시에는 먼저

감정평가를 한 후 보상액을 산정하게 되므로 현실적으로는 "보상계약이 체

결될 것으로 예상되는 시점"을 가격시점으로 보는 것이 타당하다고 하여, 기존

"가격조사를 완료한 일자"를 가격시점으로 본다는 취지의 질의회신의 내용을 변

경하였다.

3) ③(물음 3) 조건의 구분

4. 문제4번 - 감정평가시 각종 기초자료(10)

1) (물음 1) 대지면적/건축면적/연면적/건폐율/용적률(지하, 옥탑유의)

【문제 1】

I. 감정평가 개요

1. 부동산가격공시 및 감정평가에 관한 법률 §3에 의하여 표준지 적정가격을 평가함.

2. 표준지조사·평가기준(이하 기준) §21 및 공익용산지임에 따라 §24에 의하여 거래사례비교법에 의한 가격을 다른 방법에 의한 시산가액으로 그 적정성을 검토함.

3. 기준 §10에 의하여 인근 표준지 공시지가와의 균형여부를 검토하여 결정.

4. 실제용도기준(기준 §16, 나지상정(기준 §17) 평가: 현재 포베이너 설치 장은 일시적 이용상황으로 실제용도 또는 미지정지역 내 공업용으로 판단하였음.

II. 거래사례비교법

1. 비교사례 선정

최근의 정상적인 매매사례로 합리적 배분법 적용가능하고 비교가능성 높은 #8, #9 중 거래시점 최근, 도로교통 동일한 #9선정

(용도지역상이 : #1, 이용상황상이 : #2, #5, #6, 사정개입 : #3, #4, #7)

2. 비준가액

1) 건물 작신가액(1995.4.1)

$$400,000 \times (1 - \frac{4}{50}) \times 1,080 = 397,440,000$$

2) 비준가액

$$(1,232,000,000 - 397,440,000) \times 1 \times 1.0042 \times 1 \times 1.174 \times \frac{1}{8,700} \text{ 면}$$

$$\underset{\text{시}}{} \quad \underset{\text{시}^{*1}}{} \quad \underset{\text{지}}{} \quad \underset{\text{계}^{*2}}{} = 113,000 원/㎡$$

$*1 \quad \frac{118}{113}$

$*2 \quad 1.05 \times \frac{95}{85}$

III. 적정성 검토

1. 수익환원법

1) 사례선정

최유효이용으로 판단되고 토지전여법 활용 가능한 #13 선정.

(용도지역 상이 : #11, 이용상황 상이 : #11, #14, 다만 대상 토지 포함 수익이 발생하고 있으나 이는 일시적 이용상황으로 판단되어 고려하지 않음.)

2) 사례토지귀속순수익

① 총수익 : 840,000,000 + 60,000,000 = 900,000,000

② 총비용 : 900,000,000 × (0.3 + 0.2 + 0.05) = 495,000,000

③ 상각후 순수익 : = 405,000,000

④ 건물, 기계 순수익 : (1,160,000,000 + 840,000,000) × 0.15 = 300,000,000

　　주) 건물, 기계환원이율은 상각후 환원이율로 본다.

⑤ 토지귀속 순수익 : = 105,000,000

3) 대상토지 수익가액

① 대상토지 기대순수익

$$105,000,000 \times 1 \times 1.0631 \times 1 \times \frac{1}{9,500} = 12,337원/㎡$$
　　사　시*1　지　개　면

*1 $\frac{118}{111}$

② 대상토지 수익가액

$$12,337 \div 0.12 = 103,000원/㎡$$

2. 원가법

1) 비교사례선정

최근의 분양사례로 적정한 것으로 판단되는 #18을 선정.
또, 본건은 「산업입지 및 개발에 관한 법률」에 의한 산업단지 안에 있는 공업용지로 본건과 분양가격자료가 미제시되어 「표준지」 조사평가 기준 제24조 ②에 근거하여 다른 산업단지 안에 있는 공업용지의 분양가 격자료인 #18을 우선적으로 적용함.

(이용상황 상이 : #16, 사정개입 : #15, 단 사례 #17도 적용가능하나 보다 최근의 사례 #18 선정한다.)

2) 토지단가

$$750,000,000 \times 1 \times 1 \times 1 \times \frac{95}{85} \times \frac{1}{8,500} = 99,000원/㎡$$
　　사　시　지　개　면

3. 적정성 검토

비준가액 : 113,000원/㎡

수익가액 : 103,000원/㎡

적산가액 : 99,000원/㎡

비준가액이 다른 시산가액보다 다소 높게 나타는 것은 이는 정상가동중인 공장부지를 기준하였기 때문에 성숙도 측면에서 다소 높게 나타난 것으로 판단됨에 따라, 다른 시산가액을 참작하여 110,000원/㎡으로 결정한다.
(다만, 「산업입지 및 개발에 관한 법률」에 의한 산업단지 안에 있는 공업용지인 경우 「표준지 조사평가기준」제24조 ②에 근거하여 다른 산업단지 안에 있는 공업용지의 분양가격자료를 기준한 적산가액을 기준으로 결정 할 수 있다.)

IV. 균형여부 검토

1. 비교표준지 선정

#14(#15의 선정도 가능하다)

용도지역(미지정), 이용상황(공업나지) 등에서 대상토지와 유사성 인정.

2. 선택이유

국토의 계획 및 이용에 관한 법률상의 도시계획시설사업 실시계획인가 고시일이
공익사업을 위한 토지 등의 취득 및 보상에 관한 법률(이하 법) §22의 사업
인정고시일에 의제됨에 따라, 법§70④에 의하여 사업인정고시일('95.9.18)
이전에 고시된 공시지가 기준.

II. 물음 나.

$$970,000 \times 1.0008 \times 1 \times 1.2 \times \frac{1}{0.8+0.2\times0.85} \times 1.15 = 1,380,000원/m^2$$

$$\underset{시^{*1}}{} \quad \underset{지}{} \quad \underset{계}{} \quad \underset{그^{*2}}{}$$

*1 시점수정치(1995.1.1.~1996.8.24)

① 지가변동률 : 1.0008

② 생산자물가상승률 : 1.0287

③ 결정 : 해당 공익사업과 직접 관련 없는 다른 공익사업(시장)의 계획에 따른 지가상승은 해당

*2 해당 공익사업으로 인한 지가변동상승률 보다 더 잘 반영하는 지가변동률 적용한다.
사업으로 인한 개발이익이 아님에 따라 반영한다.(판례)

III. 물음 다.

1. 평가목적

본건은 『00-00간 도시계획도로 개설사업』에 편입되는 토지에 대한 보상
(협의) 목적의 감정평가임.

2. 평가기준

본건은 「공익사업을 위한 토지 등의 취득 및 보상에 관한 법률」,「부동산
가격공시 및 감정평가에 관한 법률」등 관계 법령 및 감정평가 일반이론에
의하여 평가하였음.

---

2. 토지단가

110,000원/m²

3. 균형여부 검토

전년도 공시지가에 지가변동률(6.31%), 개별요인비교치(4.2%)를 고려하면
대상토지가격 보다 다소 높게 나타나는바, 이는 비교표준지가 소재하는
'을' 동은 이미 성숙한 공업단지임에 따라 최근에 대상표준지보다
소재지 '병' 동보다는 그 성숙도 측면에서 보다 성숙하여 대상 표준지보다
다소 높게 주계되었다는 점을 감안하여 상기 표준지 가격은 그 균형성배를
유지한다고 판단되고 판단됨에 따라 상기와 같이 결정한다.

V. 평가보고서

소재지	면적(m²)	지목 공부	지목 실제	이용상황	용도지역	도로교통	형상·지세	공시지가(m²)
K시병동 625	9,000	답	장	공업나지	미지정	중로각지	가장형·평지	110,000

【문제 2】

【문제 2-1】

I. 물음 가.

1. 적용공시지가 선택

1995.1.1.

3. 평가방법

1) 본건 토지는 해당 토지와 유사한 이용가치를 지닌 인근지역내 표준지의 공시지가를 기준으로 공시기준일로부터 가격시점까지의 지가변동률, 해당 토지의 위치, 형상, 환경, 이용상황 등 개별요인, 지역요인과 인근보상평가 가선례 등 기타 가격형성상의 제 요인을 종합 참작하여 평가하였음.

2) 본건 토지의 이용상황은 귀 제시목록에 의거하여 평가하되, 일시적인 이용상황은 고려하지 아니하고 가격시점 당시의 일반적인 이용방법에 의한 객관적 상황을 기준으로 평가하며, 토지소유자 및 관계인이 갖는 주관적 가치 및 특별한 용도에 사용할 것을 전제로 한 경우 등은 고려하지 아니하고 평가하였음.

4. 기 타

1) 본건의 소재지, 지번, 지목, 면적, 용도지역 등은 귀 제시목록에 의하였으며, 가격시점은 귀 제시일인 1996년 8월 24일임.

2) 해당 도시계획시설 저촉에 따른 제한을 반영하지 않았음.

3) 해당 사업과 관련없는 개발이익을 반영하였음.

[문제 2-2]

I. 기타요인(그 밖의 요인) 보정률

1. 대상토지 보상평가액

$$260,000 \times \underset{\text{시}^{*1}}{1.0077} \times \underset{\text{지}}{1.1} \times \underset{\text{개}}{1.1} = 317,000원/㎡$$

*1 1.0021×1.0056

2. 보상선례 기준가격

$$210,000 \times \underset{\text{시}^{*1}}{1.0092} \times \underset{\text{지}}{1.1} \times \underset{\text{개}}{1.54} = 359,000원/㎡$$

*1 $1.0015 \times 1.0021 \times 1.0056$

3. 기타요인 보정률

$$\frac{359,000 - 317,000}{317,000} = 0.133$$

II. 산출방법(※문제분석 자료 참조)

최근 2년 이내의 해당 공익사업으로 인한 보상선례가 아닌 것 중 적정한 것으로 판단되는 보상선례를 기준하여 상기와 같이(대상평가액-보상선례 기준액)÷보상선례기준액으로 하여 그 보정률을 산출한다.

[문제 3-1]

1. 이용상황 결정 : 잡

2. 결정사유

① 원칙은 법§70②에 의하여 현실의 이용상황인 '잡'을 기준해야 할 것이다.

② 하지만 해당 토지는 불법형질변경 토지이기 때문에 이를 현황평가하면 위법행위가 합리화되어 현저히 공정성을 불합리한 보상이 될 가능성이 있음에 따라 이를 배제하기 위한 법시행규칙 §24에 의하여 형질변경 당시 이용상황인 '전'을 기준한다.

③ 다만, 해당 토지는 '95.1.7 당시 보상계획의 공고('94.10.12)가 있었고 이때 토지조서 포함한 법(§15)되어 공익사업시행지구에 편입되어 법시행규칙 부칙§6에 의해 현실적인 이용상황인 '잡'을 기준한다.

[문제 3-2]

1. 가격시점은 법§67①에 의하여 협의성립당시를 기준하여 보상액을 평가하여야 한다.

2. 하지만 보상평가 의뢰당시('96.4.25)에 있어서는 미래의 협의성립당시가 정확히 언제인지를 파악하기는 어려움이 있다.

3. 따라서, 감정평가에 관한 규칙 §7에 의하여 가격조사완료일인 '96.5.3을 가격시점으로 하여 보상액을 평가한다. 토지보상평가지침 포함한 평가의

[문제 2-3]

I. 휴업손실보상액

1. 개요

법§77① 및 법시행규칙 §47 등에 의한다

2. 휴업보상액

1) 최근 3년간 평균영업이익

$$60,000,000 \div 30,000,000 = 30,000,000$$

주) 해당 기간을 최근 3년간 평균영업이익으로 본다.

1) 휴업보상액

$$30,000,000 \times \frac{3}{12} + 4,500,000 = 12,000,000$$

II. 지가노력비 처리방법

개인영업 보상을 위한 소득 주체시, 소득이란 개인의 주된 영업활동에 의하여 발생된 이익으로서 생계를 같이하는 동일세대인의 직계 존·비속 및 배우자의 것을 포함한다.

즉, 소득이란 총수입에서 필요제경비를 공제한 금액에 자가노력비를 더하는 금액이 아니다(판례). 개인영업에 있어서 자가노력비를 비용으로 보지 아니한다.

퇴자가 가격시점을 정하지 않고 의뢰한 경우 가격조사완료일을 기준하
도록 구성하고 있다.

4. 또한 매법원 판례는 토지가격은 매일 변동하는 것은 아님에 따라 가격
시점과 20일 정도 정도 차이가 있다는 사실만으로 협의성립당시의 가격을
평가한 것이 아니라고 판정할 수는 없다고 판시한 바 있다.

[문제 3-3]

1. 도로의 폭·구조 등이 상태는 가로조건에 해당한다.

2. 접면도로 상태는 획지조건에 해당한다.

[문제 4-1]

1. 대지면적 : 17×20 = 340㎡

   주) 대지의 수평투영면적

2. 건축면적 = 160.5㎡

   주) 건축물의 중심선으로 둘러싸인 부분의 수평투영면적

3. 연면적 : $145.50 \times 2 + 160.50 \times 3$ = 772.50

   주) 하나의 건축물의 각층 바닥면적의 합계

4. 건폐율 : $160.50 \div 340$ = 47.21%

   주) 건축면적 / 대지면적

5. 용적률 : $(772.50 - 145.50) \div 340 = 184.41\%$

   주) 용적률 산정시 바닥면적 중 지하면적 제외한다.

[문제 4-2]

Ⅰ. 물음 가.

$2 \times 3,000(坪) + 4 \times 300(坪) + 5 \times 30(坪) + 10$ = 7,360(坪)

$7,360 \times \dfrac{400}{121} = 24.331㎡$

   주) 축척 1/6,000의 경우 최소단위 1㎡

Ⅱ. 물음 나.

$坪 \times \dfrac{400}{121} = ㎡$

당시의 관련 법령이 정한 보상기준에 대하여 보호할 가치가 있는 신뢰를 지니게 된다라 할 것이므로, 그 고시로써 해당 토지가 공공용지의취득및손실보상에관한특례법시행규칙(1995. 1. 7. 건설교통부령 제3호로 개정된 것, 이하 '구칙'이라고만 한다) 부지 제4항이 정한 '공공사업시행지구'에 편입된다고 보아야 할 것

무허가건축물등의 부지 범위(대법원 2000두8325 판결)

[1] 소정의 '무허가건물 등의 부지' 라 함은 해당 무허가건물 등의 용도·규모 등 제반 여건과 현실적인 이용상황을 감안하여 무허가건물 등의 사용·수익에 필요한 범위 내의 토지와 무허가건물 등의 용도에 따라 불가분적으로 사용되는 범위의 토지를 의미

[2] 무허가건물에 이르는 통로, 야적장, 마당·우·천막 부지, 컨테이너·지하적 저장소, 주차장 등은 무허가건물의 부지가 아니라 불법으로 형질변경된 토지이고, 위 토지가 토지개발사업시행지구에 편입된 때로 토지개발법제법규의

승인·고시가 1995.1.7 개정된 공공용지의취득및손실보상에관한특례법시행규칙 제6조제6항의 시행 이후에 있은 경우, 그 형질변경 당시의 이용상황인 전 토지는 임야로 상정하여 평가하여야 한다.

---

2) (지장물) 지장물 보상(법 75조 "물건의 가격 범위 내 이전비")

(1) 시설개선비(칙 제2조 4호)

제2조(정의)

4. "이전비"라 함은 대상물건의 유용성을 동일하게 유지하면서 이를 해당 공익사업시행지구밖의 지역으로 이전·이설 또는 이식하는데 소요되는 비용(물건의 해체비, 건축허가에 일반적으로 소요되는 경비를 포함한 건축비와 적정거리까지의 운반비를 포함하며, 「건축법」 등 관계법령에 의하여 요구되는 시설의 개선에 필요한 비용은 제외한다)을 말한다.

제 08 회
문제 노점 분석 및 예시답안

[문제1] 토지 및 지장물의 보상평가 [문제2] 담보 목적의 토지 건물평가 [문제3] 등고선, 축척, 지세 판단 [문제4] 투자분석 관련문제로서 다양한 부분에서의 실무능력을 검정하고자 기본적인 사항의 이해와 활용을 검정하고자 한 문제들이다. 따라서 전체적인 난이도나 시간배분 측면에서 시간투자와 판단근거, 의견제시 등이 중요하며, 전체적으로 기본적인 이해와 논거 제시 등이 중요하다.

1. 문제1번 – 토지, 지장물 보상평가(40)

1) (토지) 비교표준지선정, 시점 수정치, 불법형질변경 토지 평가 등

편입시점의 판단 기준일

(대법원 2000. 12. 8. 선고 99두9957 판결)

[판시사항]

[1] 도시계획시설의 도시계획결정고시 및 지적고시도면의 승인고시로써 도시계획시설이 설치될 토지가 구 공공용지의취득및손실보상에관한특례법시행규칙 소정의 '공공사업시행지구'에 편입되느냐 여부(적극)

[이유]

도로 등 도시계획시설의 도시계획결정고시 및 지적고시도면의 승인고시로서는 도시계획시설이 설치될 토지의 위치, 면적과 그 행사가 제한되는 권리내용 등을 구체적, 개별적으로 확정하는 처분이고 이 경우 그 도시계획에 포함된 토지의 구체적, 개별적으로 확정하는 처분이고 이 경우 그 도시계획에 포함된 토지의 소유자들은

(3) 행위제한 기준일

국토의 계획 및 이용에 관한 법률

제64조(도시·군계획시설 부지에서의 개발행위) ① 특별시장·광역시장·특별자치시장·특별자치도지사·시장 또는 군수는 도시·군계획시설의 설치 장소로 결정된 지상·수상·공중·수중 또는 지하는 그 도시·군계획시설이 아닌 건축물의 건축이나 공작물의 설치를 허가하여서는 아니 된다. 다만, 대통령령으로 정하는 경우에는 그러하지 아니하다. 〈개정 2011.4.14〉

② 특별시장·광역시장·특별자치시장·특별자치도지사·시장 또는 군수는 도시·군계획시설결정의 고시일부터 2년이 지날 때까지 그 시설의 설치에 관한 사업이 시행되지 아니한 도시·군계획시설 중 제85조에 따라 단계별 집행계획이 수립되지 아니하거나 단계별 집행계획에서 제1단계 집행계획(단계별 집행계획을 변경한 경우에는 최초의 단계별 집행계획을 말한다)에 포함되지 아니한 도시·군계획시설의 부지에 대하여는 제1항에도 불구하고 다음 각 호의 개발행위를 허가할 수 있다. 〈개정 2011.4.14〉

1. 가설건축물의 건축과 이에 필요한 범위에서의 토지의 형질 변경
2. 도시·군계획시설의 설치에 지장이 없는 공작물의 설치와 이에 필요한 범위에서의 토지의 형질 변경
3. 건축물의 개축 또는 재축과 이에 필요한 범위에서의 토지의 형질 변경(제56조제4항제2호에 해당하는 경우는 제외한다)

③ 특별시장·광역시장·특별자치시장·특별자치도지사·시장 또는 군수는 제2항제1호 또는 제2호에 따라 가설건축물의 건축이나 공작물의 설치를 허가한 토지에서 도시·군계획시설사업이 시행되는 경우에는 그 시행예정일 3개월 전까지 가설건축물이나 공작물 소유자의 부담으로 그 가설건축물이나 공작물의 철거 등 원상회복에 필요한 조치를 명하여야 한다. 다만, 원상회복이 필요하지 아니하다고 인정되는 경우에는 그러하지 아니하다. 〈개정 2011.4.14〉

④ 특별시장·광역시장·특별자치시장·특별자치도지사·시장 또는 군수는 제3항에 따른 원상회복의 명령을 받은 자가 원상회복을 하지 아니하면 「행정대집행법」에 따른 행정대집행에 따라 원상회복을 할 수 있다. 〈개정 2011.4.14〉

---

(2) 잔여건물 감가보상관련

제75조의2(잔여 건축물의 손실에 대한 보상 등) ① 사업시행자는 동일한 소유자에게 속하는 일단의 건축물의 일부가 취득되거나 사용됨으로 인하여 잔여 건축물의 가격이 감소하거나 그 밖의 손실이 있을 때에는 국토해양부령으로 정하는 바에 따라 그 손실을 보상하여야 한다. 다만, 잔여 건축물의 가격 감소분과 보수비(건축물의 나머지 부분을 종래의 목적대로 사용할 수 있도록 그 유용성을 동일하게 유지하는 데에 일반적으로 필요하다고 볼 수 있는 공사에 사용되는 비용을 말한다. 「건축법」 등 관계 법령에 따라 요구되는 시설 개선에 필요한 비용은 포함하지 아니한다)를 합한 금액이 잔여 건축물의 가격보다 큰 경우에는 사업시행자는 그 잔여 건축물을 매수할 수 있다.

② 동일한 소유자에게 속하는 일단의 건축물의 일부가 협의에 의하여 매수되거나 수용됨으로 인하여 잔여 건축물의 종래의 목적에 사용하는 것이 현저히 곤란할 때에는 그 건축물소유자는 사업시행자에게 잔여 건축물을 매수하여 줄 것을 청구할 수 있으며, 사업인정 이후에는 관할 토지수용위원회에 수용을 청구할 수 있다. 이 경우 수용 청구는 매수에 관한 협의가 성립되지 아니한 경우에만 하되, 그 사업의 공사완료일까지 하여야 한다.

③ 제1항에 따른 보상 및 잔여 건축물의 취득에 관하여는 제9조제6항 및 제7항을 준용한다.

④ 제1항 본문에 따른 보상에 관하여는 제73조제1항 단서 및 제3항을, 잔여 건축물의 취득에 관하여는 제73조제3항을 준용한다.

⑤ 제1항 단서 및 제2항에 따라 취득하는 잔여 건축물에 대한 구체적인 보상액 산정 및 평가방법 등에 대하여는 제70조, 제75조, 제76조, 제77조 및 제78조제4항부터 제6항까지의 규정을 준용한다.
[전문개정 2011.8.4]

조사결과 확인되어있다는 표현은 결국 대상에 대한 것으로 대상의 건물만 리스크된 것으로 보고 각 사례들은 리스크가 아닌 것으로 풀이를 하는 것이 객관적인 분석이 될 것이다.

- 증축으로 인한 내용년수 조정의 논점은 비출되는 경향이 있어 평상시에 수답된 연습을 할 필요가 있다.

3. 문제3번 - 등고선 관련(20)

① 등고선의 의의, 성질

② 면적계산 : 축척, 피타고라스 정리

③ 지세판단(15도 이하 : 완경사, 초과 : 급경사)

4. 문제4번 - 투자분석관련(10)

① 투자판단 - 재산모델(Property Model)

② 요구수익률과 소득이득률 및 자본이득률의 관계

투자수익률 최초 기출 $r = R + g (R = r - g)$

③ 지가상승률과 임대료상승률의 관계(증명)

• 임대료상승률 미제시시 지가변동률 적용!

• 감정평가이론적 측면에서 일치여부 → NO(주거용부동산 "쾌적성"차이)

2. 문제2번 - 담보목적의 토지 건물 평가(30)

1) (토지) 공시지가기준가격 : 비교표준지 선정

위치도를 제시하면 비교표준지 선정시 동일노선, 주위환경을 고려하여 표준지를 선정하여야 한다. 향후에는 주위환경의 동일성을 표준지 선정의 주된 논점으로 출제할 가능성이 있어, 정확한 선정 연습이 필요하다.

(예) 노선상가지대, 후면상가지대, 정비된 주택지대, 미성숙지대 등)

2) (토지) 비준가액

순수건축비와 관련없는 항목(울마담대조)제의 및 제 경비항목 조정, 리스크 보일러의 처리 등

3) (토지) 적산가액 : <자료11>나.요인비교, 라.작용금리 의 처리

- 본건 대비 조성사례는 환경조건 중 상가의 전문화된 집단에서 5% 열세임을 제시하고 있다. 이 환경조건을 지역요인으로 볼 것인지, 개별요인으로 볼 것인지가 고민될 수 있으나, 이미 <자료가>에서 개별요인 비교자료 별도로 제시하고 있어 지역요인으로 처리하는 것이 출제의도로 판단된다.

- 작용금리 12%를 제시하고 있어 소지가격의 제금리비용으로 반드시 적용해야 할 것이다.

4) (건물) 리스 난방보일러(담보목적)의 처리 및 중측의 4,5층 부분 내용년수조정

- <자료 11> 기타자료 자.에서 "난방보일러는 리스된 것으로 현장조사결과 확인되었음."의 표현에 주의할 필요가 있다. 대상만 적용될 자료인지, 모든 사례들에 작용되어야할 자료인지를 결정할 필요가 있다고 말이다. 현장

【문제 1】

I. 개요

1. 편입시점 : 도시관리계획 결정 고시일 '95.12.30
2. 사업인정의제일 : 도시계획시설사업 실시계획인가고시일 '97.2.1
3. 가격시점 : 귀 제시일인 '97.8.18

II. 비교표준지 선정

1. 적용공시지가

1) 선택 : '97.1.1
2) 이유 : 법 §70④에 의해 사업인정고시일('97.2.1) 이전 공시된 가격시점 당시 최근 공시지가 기준.

2. 비교표준지 선정

1) 선정기준(법 시행규칙 §22③)
용도지역 동일, 이용상황, 주위환경 및 공법상제한등이 동일, 유사, 인근지역에 소재하는 비교표준지 선정

2) 공법상 제한
토지보상법 시행규칙 §23 근거 해당 사업에 따른 공법상제한 배제.
(도시계획시설설정은 없는 것으로 봄)

3) 기호 1
① 선정 : #360
② 이유 : 현재 이용상황 '전'은 해당 사업으로 인한 제한으로 인한 것인바 일시적 이용임.

4) 기호 2
① 선정 : #361
② 이유 : 무허가건물부지에 따라 법시행규칙 §24에 의해 건축당시 이용 상황 '전' 기준(89.1.24 이후 신축)

5) 기호 3
① 선정 : #363
② 이유 : 불법형질변경 토지이고, '95.1.7 당시 공익사업에 편입('95.12.30 도시계획시설 결정고시일)되지는 않았는바 법시행규칙 §24에 의해 형질변경 당시 이용상황 '답'기준

6) 기호 4
① 선정 : #364
② 이유 : 미불용지인바 편입당시 이용상황 '전'기준하되(법시행규칙 §25) 공법상 제한사항은 현재 '자연녹지' 기준함.

7) 4
① 선정 : #367
② 이유 : 해당 사업과 관계없이 용도지역 변경되바 상태 '일반공업'기준(판례)

8) 기호 6
① 선정 : #368, #369
② 이유 : '89.1.24 이전에 신축('88.10) 한 무허가건물 부지이바 법시행규칙 부칙 §5에 의해 법시행규칙 §24가 적용 배제되어 현실이용상황 '대' 기준함.

단, 종토위제결 및 판례의 취지에 따라 적정 면적 외 부분은 임야 기준 #369를 선정.

9) 기호 7
① 선정 : #369
② 이유 : 도시자연공원은 개별적 계획제한인바 제한받지 않는 상태 기준함.

10) 기호 8
① 선정 : #371
② 이유 : 상수원보호구역은 일반적 계획제한인바 제한받는 상태 기준함.

11) 기호 9
① 선정 : #372
② 이유 : 개별제한구역 일반적계획제한인바 제한받는 상태 기준함

Ⅲ. 시점수정('07.1.1~8.18)

1. 지가변동률
1) 기호 1-4, 6-9(자연녹지)
$1.0190 \times (1 + 0.01 \times \frac{49}{90})$

= 1.02455

2) 기호 5(공업지역)
$1.0230 \times (1 + 0.0130 \times \frac{49}{90})$ = 1.0302

2. 생산자물가상승률
$\frac{120.5}{117.2}$ = 1.0282

3. 결정
해당 지역 지가 변동상황보다 잘 반영하는 지가변동률 적용

Ⅳ. 보상평가액

1. 토지 기호(3)
$35,000 \times 1.02455 \times 1 \times 1.22 \times 1$ = 44,000원/㎡($\times 425 = 18,700,000$)
　　　　시　　　지　　　개　　　그
주) 불법형질변경 토지는 형질변경 소요비용 고려 않음.

2. 지장물(4)
1) 개요
이전 가능한 지장물이바 법 §75에 의해 min[이전비, 물건가격 기준함.

2) 이전비
$(40,000 + 30,000 + 80,000 + 30,000 + 20,000) \times 500$ = 100,000,000
주) 시설개선비 제외(법시행규칙 §2-4)

3) 물건의 가격

$$300,000×1×1×(1 - 0.9× \frac{12}{40})×1×500$$

　　시　시　간　개　면

$$= 109,500,000$$

4) 결정

이전비가 낮아 이를 기준함

3. 지장물(7)

1) 개요

이전가능한 지장물임에 따라 min[이전비, 물건가격]

2) 이전비

$$(8,700+1,500+1,700+20,000+1,500+6,500+40,000×0.1)×30$$

$$= 1,317,000$$

3) 물건가격

$$40,000×30$$

$$= 1,200,000$$

4) 결정

물건가격이 낮아 이를 기준함.

V. 기호(5)

1. 보상항목

1) 개요 : 법시행규칙 §33내지 §35에 의함. 보수하여 재사용 가능함에 따라

2) 편입부분 원가법에 의한 물건가격

3) 보수비(종전의 유용성 동일하게 유지하는데 소요되는 비용)

단, min[상기(2)+(3), 전체 물건가격]

2. 잔여부분 감가 보상

(8회 시험 시행 당시토지보상법 제75조의 2 구정이 없었음)

명문의 규정은 없으나 대법원판례 등에 의해 잔여지 손실(법시행규칙§32)

규정 등을 유추적용함. 어느 건물의 경우 각 구성부분이 서로 기능을 상호

유지하여 이를 전체 가치 증가에 기여하여 일부 소멸시 그 가치는 훨씬 크게

감소하기 때문임.

VI. 보상대상여부

1. 기호(1)

토지보상법 §25에 의하여 사업인정 고시일('97.2.1) 이전에 신축하여 보상

대상이 됨.(그러나 국계법 상 행위제한일인 도시계획결정고시일('97.12.30)을

기준으로 보상여부를 판단하는 것이 보다 타당함)

반면, 89.1.24 이후 신축된 건물로 주거용 건축물 보상특례 최소 500만원

구정은 적용되지 않느다.

2. 기호(2)

상기와 같이 법 §25에 의하더면 보상을 배제할 근거가 없는바 보상대상이 됨.

(그러나 국계법 상 행위제한일인 도시계획결정고시일('97.12.30)을 기준으

로 보상여부를 판단하는 것이 보다 타당하며, 이때는 보상대상이 아니다.)

3. 기후(3)

법 §25에 의해 사업인정 고시일 이후('97.6) 신축하여 보상대상에서 제외됨.

[문제 2]

I. 처리계획

감정평가에 관한 규칙 §7①에 의해 물건별 평가함.

II. 토지

1. 공시지가 기준법

1) 비교표준지 선정 : #1

이유는 용도지역(일반상업지역), 주위환경(노선상가지대), 이용상황(상업)
등이 유사함.

단, #2 : 용도지역(일반주거지역), #3 : 용도지역, 이용상황, #4 : 주위환경,
이용상황 상이하여 제외.

2) 토지단가

$$2,200,000 \times 0.9975 \times 1 \times \frac{101}{100} \times 1 = 2,200,000원/㎡$$
$$\qquad\qquad\;\; 시^{*1} \quad 지 \quad 개 \quad 기$$

*1 $(1 - 0.0088 \times \frac{31}{90}) \times 1.0047 \times (1 + 0.0047 \times \frac{31}{91})$

2. 거래사례비교법

1) 개요

최유효이용상태하의 거래사례이므로 배분법 적용.

2) 사례 건물 가격('97.3.1)

(1) 재조달원가(건설사례)

$$(720,000,000 - 50,000,000^{주}) + 92,000,000 \times \frac{720,000,000 - 50,000,000}{720,000,000}) \div 1,320$$
$$= 572,400원/㎡$$

주) 토지의 효용 포함 증가시키는 옹타리공사비 등 제외

(2) 사례 건물 가격

$$572,400 \times 1 \times 1 \times \frac{98}{100} \times (1 - \frac{5}{50}) \times 1,500 = 757,328,000$$
$$\qquad\qquad\qquad 사 \quad 시 \quad 개 \qquad\qquad\quad 면$$

(3) 비준가액

$$(2,200,000,000 - 757,328,000) \times 1 \times 1.0033 \times 1 \times \frac{101}{102} \times \frac{1}{550}$$
$$\qquad\qquad\qquad\qquad\qquad\qquad 사 \quad 시^{*1} \quad 개 \quad 면$$
$$= 2,610,000원/㎡$$

주) 매수자부담 양도소득세 포함.
*1 $(1 - 0.0088 \times \frac{31}{90}) \times 1.0047 \times (1 + 0.0047 \times \frac{31}{91})$

3. 원가법

1) 완료시점 기준('97.7.31)

① 소지비 및 이자비용

$$1,500,000 \times (1 + 0.12 \times \frac{6}{12}) = 1,590,000원/㎡$$

② 조성비

$$\frac{200,000,000}{420} = 476,000원/㎡$$

③ 합 $= 2,066,000원/㎡$

1) 적산가액

$$2,066,000×1×1× \frac{100}{95} × \frac{101}{98} ×1 = 2,240,000원/㎡$$
사　　시　　지　　개　　그

4. 가격결정

공시지가기준 : 2,220,000원/㎡

비준가액 : 2,610,000원/㎡

적산가액 : 2,240,000원/㎡

비준가액은 토지가 건물의 사례로 배분법 적용시 주관개입의 소지가 있고, 적산가액은 공시지가 기준가격을 적정히 지지하고 있음에 따라 평가목적을 고려하고 감정평가법 §3 및 감정평가에 관한 규칙 §14 근거하여 2,220,000× 500 = 1,110,000,000원으로 결정한다.

Ⅲ. 건물

1. 재조달원가(건설사례 기준)

$$(710,000,000 - 50,000,00C + 92,000,000× \frac{710,000,000-50,000,000}{710,000,000} ÷1,320$$

$$= 564,800원/㎡$$

주) 본건 건물의 리스된 난방보일러 담보물권의 담보물권의 효력 및 미치는바 제외

2. 적산가액

1) 지하1층 - 3층

$$564,800×1×1× \frac{105}{100} ×(1 - \frac{6}{50})×(288×4) = 601,200,000$$
사　　시　　개　　연

2) 4, 5층(증축)

$$564,800×1×1× \frac{105}{100} ×(1 - \frac{3}{47})×(288×2) = 319,787,000$$
사　　시　　개　　연

3) 합 $=920,987,000$

Ⅳ. 담보가격

토지 + 건물 $= 2,030,000,000원$

[문제 3]

Ⅰ. 처리계획

1. 의의

등고선이란 지형도에서 같은 높이를 나타내는 위치를 선으로 그은 것을 말한다.

2. 성질

① 같은 높이의 선을 그으면 끊기지 않고 만난다.

② 여러 등고선이 겹치면 절벽을 뜻한다.

③ 가파를수록 등고선 간격은 좁고 완만할수록 등고선 간격은 넓다.

Ⅱ. 실제면적

$\overline{ac}$: 0.8cm → 0.8×25,000 = 200m

$\overline{bd}$: 1.45cm → 1.45×25,000 = 362.5m

$\overline{b'b}$는 등고선이 열각 있음에 따라 10×10 = 100m

∴ $\overline{b'd}$는 피타고라스의 정리에 의해 $\overline{b'd} = \sqrt{100^2 + 362.5^2} = 376.04$m

따라서 실제 $\triangle b'ac$는 $\frac{1}{2} \times 200 \times 376.04 = 37,604$m^2

Ⅲ. 경사판단

$$\tan\theta = \frac{100}{362.5} = 0.2759$$

즉, tan15°가 0.267임에 따라 상기 tanθ가 0.2759로 보다 큼에 따라 급경사가 된다.

【문제 4】

I. 물음 1.

1. 개요

소득과 가치가 동일하게 변동하는 바 재산모형(property model) 중 정률

모형 적용함. 따라서 Y = R + CR, R = Y - CR 모형 적용한다.

2. 투자안 A의 투자가치

(1) R = 0.15 - 0.07 = 8%

(2) $V_A = 60,000,000 \div 0.08$ = 750,000,000

3. 투자안 B의 투자가치

(1) R = 0.15 - 0.06 = 9%

(2) $V_B = 66,000,000 \div 0.09$ = 733,000,000

4. 투자타당성 검토

투자안 A가 750,000,000원으로 투자안 B 733,000,000보다 크므로 투자

우위에 있다.

II. 물음 2.

Y = R + CR에서 요구수익률 Y는 종합환원율 R0에 소득 자본이득률인 CR

이 포함되었음을 알 수 있다.

III. 물음 3.

1. 지가상승률

$$\frac{V_1 - V_0}{V_0}$$

2. 임대료상승률

$$\frac{a_2 - a_1}{a_1} = g$$

$$V_0 = \frac{a_1}{r}, \ = V_1 = \frac{a_2}{r} = \frac{a_1 \times (1+g)}{r} \ 을 \ 1. \ 지가상승률에 대입하면,$$

$$\frac{a_1 \times (1+g)}{r} - \frac{a_1}{r}}{\frac{a_1}{r}} = \frac{\frac{a_1 + a_1 \times g - a_1}{r}}{\frac{a_1}{r}} = \frac{\frac{a_1 g}{r}}{\frac{a_1}{r}} = g$$

즉 지가상승률은 g, 즉 임대료상승률이 된다.

제 09 회
문제 논점 분석 및 예시답안

📝 당시 출제자가 강평에서 감정평가실무 가장 기초적인 본0제에서, 감정평가실무의 시사성문제, 향후 감정평가업계가 추구해야 할 방향을 제시한 문제로 출제하였다. 출제의도를 파악한 진보적인 답안작성 및 자연한 문제파악을 강조하였다. 시대를 반영하여 점차 수익방식의 중요성이 대두되는 시기였으며, 이러한 출제의 경향의 변화 및 출제방향 등을 분석하여 의도에 부합하는 답안작성이 요구되었다.

1. 문제1번 – 토지, 지장물 보상평가(40)

1) (물음 1) 비교표준지 선정

① 사업인정 전 협의 보상 평가 : 사업인정의제일의 정확한 판단이 필요했다.

사업인정 후 취득이 아니라 법§70③에 의한 사업인정 전 취득이며 단서 조항(현 법§70⑤)에 해당하지 않는 점 등을 판단하여 적용공시지가 및 비교표준지를 선정하는 것이 주요 논점이다.

※ (구) 택지법 상 사업인정 고시일은 택지개발예정지구승인고시로서 이를 기준으로 판단하였다.

② 개발이익 배제와 관련하여 사업구역 밖의 표준지 선정하게 한 것이 출제의도이다.

---

2) (물음 2) (토지)

기출2회 1번과 유사하게 시행규칙§18①에 의하여 공시지가에 의한 가격을 다른 방법에 의한 가격으로 그 합리성을 검토하여야 한다. 단, 다른 시산가액을 기타요인(그 밖의 요인) 보정자료로 활용하는 것이 보다 실무적이라 생각된다.

(1) 〈자료6〉 나. 증가요인과 감가요인의 해석 문제 : 도로 평가시 고려 가능

자료에서 '표준지는 인근 표준적 토지보다 증·감가 요인이 있다'고 하여, 이를 어떻게 해석할 것인지가 문제된다. 전문감가 내지 전부감가로 해석한다면 고려사항이 아닐 것이다. 정상가격(적정시세)과의 격차로 파악한다면 기타요인(그 밖의 요인) 보정으로 반영할 수 있을 것이다.

필자는 토지 기호(2)의 도로 평가시 개별요인으로 제시한 것으로 해석할 수 있다고 본다. 기호(1)에서는 대상과의 직접 연관성은 없어 보인다. 그러나 기호(2) 사실상 사도 평가에서을 인근 표준적 가격수준을 기준으로 산정하라는 취지로 볼 수 있을 것이다. 실무적으로는 토지 기호(1) 전면에 접해 있다면 기호(1)의 단가에 1/3로 평가하고 있으나, 출제에서는 인근의 표준적 가격수준을 표준지공시지가를 기준으로 개별요인 1/0.9를 적용하고 여기에 1/3로 평가하라는 취지가 아닌가 생각해 본다.

(2) 기타요인(그 밖의 요인) 보정 : 보상선례 적용여부

과거에는 토지보상평가지침에서 최근 2년 내 보상선례를 쓰도록 하고 있었으나, 최근 개정으로 기간의 구성을 크게 구속받지 않는다고 볼 수 있다. 개발이익 배제를 위해 법§70와 동일한 기준(보상선례에 해당 사업의 개발이익이 없다면 적용 안함)으로 보상선례를 선정하도록 하고 있기 때문이다.

따라서, 출제 당시의 기준으로 기준으로 한다면 최근 2년이 경과한 점을 배제사유로 볼 수 있고, "00택지개발지구"의 보상선례로 해당(동일) 사업의 선례임을 이유로 배제도 가능하다고 본다.

3) (물음 3) (지장물)

"물건의 가격 범위내 이전비"(법§75, 칙§33)

2. 문제2번 - 경비내역서 작성 및 최대 가능 저당 대부액(20)

① 경비내역서 작성(고정경비, 가변경비, 대체준비금)

② 최대가능 저당 대부액(부채감당법)

3. 문제3번 - 부동산 컨설팅 및 투자분석(15)

① 잔여환원법에 의한 대상 수익가액 및 환원이율 산정

② 자본수익률 산정($R = r + 선가구 \times \frac{1}{n}$)

③ 투자분석 및 잘못지적(개별성 - 위험 - 자본수익률 차이, 토지건물 구성 비율)

※ 논리흐름 : R 분석(다름) → r 분석(다름) → 이유(r 차이) + 가격구성비 차이)

4. 문제4번 - 지하 영구사용에 따른 보상평가(15)

① 판련조문 : 법§71②, 칙§31①(적정가격 × 입체이용저해율)

② 입체이용저해율 산정시

기본적사항확정(영구/일시, 나지/건부지(노후율), 공중/지하, 한계심도, 저해층수등)

※ 최유효이용과 유사한 이용상태의 기존건물이 있는 경우 - 노후율과 토지/지분비율을 고려

5. 문제5번 - 자산재평가(15)

당사의 시사적 문제로서 토지, 건물, 기계의 취득가액 및 시가감정액을 산정하여 재평가액을 결정하고, 부당한 재평가신고에 해당하는지 여부를 점토한다. 현재로서는 공부할 필요가 없는 문제로 보인다.

[문제 1] (40)

I. 개요

1. 가격시점 : 귀 제시일 98.8.23

2. 사업인정 전 협의

(주) 택축법 기준 사업인정의제(택지개발계획승인고시) 이전의 협의 보상

평가임.

3. 구분평가

범지행구직 §20에 의해 물건별 각 각 평가함.

II. (물음 1) 비교표준지

1. 적용공시지가

① 선택 : '98.1.1

② 이유 : 사업인정의제되는 고시는 없었음에 따라 법 §70③에 의해 가

격시점('98.8.23) 이전 공시지가 선택.

2. 비교표준지

① 선정 : 기호(2)

② 이유 : 용도지역(일반상업지역), 이용상황 등이 유사

단, 기호(2)는 사실상의 사도로 봄. 또한 표준지(1), (3), (4)는 용도지역

상이하여 제외

III. (물음 2) 토지보상평가

1. 공시지가 기준

$$2,000,000 \times \underset{\text{시}}{0.89612^{*1}} \times \underset{\text{지}}{1} \times \underset{\text{계}}{0.83} \times \underset{\text{그}}{1} = 1,490,000원/㎡$$

주1) 표준지는 나지상정인바 감가요인(10%) 고려 않음

주2) 보상선례가 제시되기는 했으나 해당 사업 보상선례로 고려 않음.

*1 시점수정

① 지가변동률(용도지역 : '98.1~8.23)

$$(1 - 0.0230) \times (1 - 0.0530) \times (1 - 0.0530 \times \tfrac{54}{91}) = 0.8961$$

② 생산자물가상승률

$$\tfrac{120.1}{114.4} = 1.0498$$

③ 결정 : 해당지역 지가변동상황보다 잘 반영하는 지가변동률 적용

2. 비준가액

1) 사례 철거비 보정

$$2,000,000 + 10,000,000 \div 525 = 2,019,000원/㎡$$

2) 비준가액

$$2,019,000 \times \underset{\text{사}}{\tfrac{100}{110}} \times \underset{\text{시}}{0.90275^{*1}} \times \underset{\text{지}}{1} \times \underset{\text{계}}{0.91} \times \underset{\text{그}}{1} = 1,510,000원/㎡$$

*1 $(1 + 0.0150 \times \tfrac{180}{365}) \times 0.8961$

3. 적산가액

1) 조성원료시점('97.1.1) 기준 가격

(1) 소지매입비 및 이자비용

$850,000 \times 1.15^2$ = 1,124,000원/㎡

(2) 공사비

$[100,000,000 \times (1.15^2 + 1.15)] \div 468$ = 528,312원/㎡

(3) 부대비용

$(200,000,000 \times 0.15) \div 468$ = 64,100원/㎡

(4) 합 = 1,716,000원/㎡

2) 가격시점('98.8.23) 적산가액

$1,716,000 \times 0.9095$ = 1,560,000원/㎡

시*1

*1 1.015×0.8961

4. 수익가액(토지잔여법)

1) 토지귀속 순수익

(1) 총수익 : $400,000,000 \times 0.2 + 2,500,000 \times 12$ = 110,000,000

(2) 필요제경비

$2,412,000 + 1,000,000 + 1,000 \times 268 + 3,000,000 + 1,000,000 + 1,000,000 + 120,000$ = 6,800,000

주) 종합소득세, 법인세 대상건물 운영과 직접 관련 없어 제외

(3) 상각후 순수익 = 103,200,000

(4) 건물귀속수수익

① 건물적산가액

$500,000 \times 1 \times 1 \times 1 \times (1 - 0.9 \times \frac{1}{50}) \times 268$ = 131,588,000

시 시 개 편

② 건물귀속수수익

$131,588,000 \times 0.15$ = 19,738,000

(5) 토지귀속 순수익 = 83,462,000

2) 수익가액

$(83,462,000 \div 0.12) \div 468$ = 1,490,000원/㎡

5. 그 밖의 요인 보정치 결정 및 보상평가액

1) 기호(1) 101번지

공시지가 기준 : 1,490,000원/㎡

비준가액 : 1,510,000원/㎡

적산가액 : 1,520,000원/㎡

수익가액 : 1,490,000원/㎡

법시행규칙 §18①에 의하여 공시지가 기준가격(법시행규칙 §22)을 따른 시산가액에 적절히 지지하고 있어 그 합리성이 있다고 판단되며, 별도의 기타요인(그 밖의 요인) 보정은 하지 않고 1,490,000×468=697,320,000원으로 결정함.

2) 기호(2) 102번지

법시행규칙 §26에 의해 인근토지 평가액의 1/3 이내로 평가함.

단, 인근토지는 대상토지와 지리적으로 인접한 101번지 토지로 판단함.

(※문제 노점 분석 및 예시답안 참조)

① 인근토지평가액 : 1,490,000원/㎡

(※문제 노점 분석 및 예시답안 참조)

※ 별해 : 2,000,000×0.89612×1×1/0.9×1 = 1,990,000원/㎡

　　　　　　　시　　지　　개　　그

② 보상평가액 : 1,490,000 × $\frac{1}{3}$ = 496,000원/㎡ (× 46 = 22,816,000원)

(※ 별해 : 1,990,000 × $\frac{1}{3}$ = 663,000원/㎡(절사함))

3) 함   = 720,136,000

4. 결정

물건의 가격이 낮은바 131,588,000원으로 결정함.

V. 보상평가액

토지 : 720,136,000

건물 : 131,588,000

합계 : 851,724,000

[문제 2] (15)

I. 평가목적의 경비 내역서 (단위 : 만원)

1. 고정경비

(210+650)×1.1   =946

2. 가변경비

13,005×0.08+(120+720)×1.1+170+380+320÷4+40   = 2,634.4

*1

*1 유효총수익

① 가능총수익 : (1,000×20+1,500×15)×0.12+(20×20+30×15)×12=15,300

② 유효총수익 : 15,300×(1-0.15)=13,005

주) 선행적인 공실률 적용

주) 감가상각비는 실제지출 경비 아닌 바 제외, 소유자급여 관리비에 포함시킴.이자 및 소

득세, 개인적 경비는 대상건물 운영수익과 직접 관련 없는 것으로 보아 제외.

IV. (물음 3) 지장물

1. 개요

이전가능한 것으로 판단되며 법 §75 및 법시행규칙 §33에 의해 min

[이전비, 물건가격(원가법)] 기준.

2. 이전비   = 132,000,000원

3. 물건의 가격(원가법)

상기 III. 라에서 131,588,000원

3. 대체준비금

$(35 \times 50 \div 10) + (35 \times 30 \div 10) + (800 \div 8)$ = 380

밤　　　기소　　　보

4. 합 = 3,960.4

Ⅱ. 최대 가능 저당 대부액

1. 개요

순수익을 부채감당법에 으하여 환원이율 산정.

2. 수익가액

1) 순수익

13,005 - 3,960.4 = 9,044.6

2) 종합환원율(부채감당법)

$R = 1.5 \times 0.6 \times \dfrac{0.14}{1 - (1 + 0.14)^{-20}}$ = 0.1359

3) 수익가액

9,044.6 ÷ 0.1359 = 66,553만원

3. 최대 가능 저당 대부액

66,553 × 0.6 = 39,932만원

4. 검토

홍氏의 저당대부 신청액 7억원은 과다한 것으로 판단됨.

[문제3] (15)

Ⅰ. 물음 1(전여환원법)

1. 대상 수익가액 (단위 : 만원)

1) 토지가격 = 30,000

2) 건물가격

(1) 토지귀속소득 : 30,000 × 0.07 = 2,100

(2) 건물귀속소득 : 5,000 - 2,100 = 2,900

(3) 건물가격 : $2,900 \div (0.07 + \frac{1}{40})$ = 30,526

3) 수익가액 : 1) + 2) = 60,526

2. 환원이율

R = 5,000 ÷ 60,526 = 8.26%

3. 비교

수습평가사의 수익가액(54,000), 환원율(9.25%)과 다름을 알 수 있다.

II. 물음 2(자본수익률 분석)

1. 개요

자본수익률 r 은 다음과 같다.

$$R = \frac{L}{V} \times r + \frac{B}{V} \times (r+d) \quad (d : 자본회수율)$$

$$r = R - \frac{B}{V} \times d$$

2. 사례 자본수익률

#1 $r = 0.093 - \frac{570,000 - 180,000}{570,000} \times \frac{1}{40}$ = 0.0759

#2 $r = 0.0925 - \frac{545,000 - 137,000}{545,000} \times \frac{1}{40}$ = 0.0738

#3 $r = 0.0922 - \frac{450,000 - 194,000}{545,000} \times \frac{1}{40}$ = 0.0780

3. 검토

대상 부동산의 자본수익률은 7%인데 반해 사례의 그것은 7.38%-7.8%가
지 대상보다 큰 것을 알 수 있다.

III. 물음 3(분석 및 잘못지적)

1. 분석

자본수익률은 투하자본에 대한 수익의 비율로서 부동산의 경우 개별성으
로 인하여 각각의 부동산 고유의 특징 및 '위험'이 달라 이로 인하여 각 부

동산마다 자본수익률 또한 달라지게 된다. 문제의 경우 대상부동산과 사례
부동산의 자본회수율이 1/40로 모두 같다. 따라서, 환원이율은 자본수익
률의 차이에 기인하는 것이다.

2. 잘못지적

각 부동산의 상가와 같은 차이를 간과하고 토지, 건물의 구성비율을
무시하고 단순히 산술평균하여 구한 결롯이 있다고 판단된다.

[문제 4] (15)

I. 감정평가 개요

토지지하공간 사실상 영구적 사용인바, 토지보상법 §71② 및 범시행구칙
§31①에 의함.

II. 단위면적당 적정가격

$$6,000,000 \times (1 - 0.025) \times 1 \times 1 \times 1 = 5,850,000원/㎡$$
$$ 시 \quad 지 \quad 개 \quad 그$$

[문제 5] (15)

I. 취득가액과 자산재평가액

1. 기호1 토지

1997.12.31 이전에 취득한 토지를 대상으로 하므로 1998년 2월 5일 취득한 "기호1" 토지는 평가대상에서 제외함.

2. 기호2토지

1) 취득가액(평가액) : 340,000원/㎡
　주) 담장설치비용은 구축물 재정으로 처리함.

2) 시가감정액(공시지가기준 평가)
$400,000,000 \times 0.94 \times \frac{92}{100}$ = 346,000원/㎡

3) 재평가액 : 2) 〉 1)이므로 346,000원/㎡임.

3. 기호3건물

1층은 별도 목록으로 구분평가 되었으므로 제외한 2층 부분만 대상으로 함.

1) 취득가액
$250,000 + 40,000 + 10,000$ = 300,000원/㎡

2) 시가감정액
$360,000 \times \frac{25}{(25+3)}$ = 321,000원/㎡

III. 임대이용저해율

1. 건물 등 이용저해율(고층시가지, A형)

1) 저해층수

최유효층수는 1,000(용적률)÷50(건폐율)=20층인바, PD-2 토피 10m는 지하 1층, 지상12층까지이지만 건축가능하여 지상 20-12=8개층 및 지하 1개층으로 봄.

2) 건물이용저해율

$$0.8 \times \frac{35 \times 8 + 35 \times 1 (지하)}{35 + 44 + 100 + 58 + 46 + 40 + 35 \times 16}$$ = 0.285

2. 지하이용저해율(고층시가지 한계심도 40m)

0.15×0.750 = 0.113

3. 기타이용저해율(토피 10m 취낙지 적용)

$0.05 \times \frac{1}{2}$ = 0.025

4. 임대이용저해율

$(0.285 + 0.113) \times \frac{18}{60} + 0.025$ = 0.144

IV. 보상평가액

$5,850,000 \times 0.144 \times (1,100 \times \frac{1}{2}$ = 463,320,000

1. 기호2 토지

부당하다고 인정되는 경우는 개별공시지가 공시기준일 이후 지목 또는 용도의 변경 등 정당한 사유없이 토지의 감정평가액이 개별공시지가의 150%를 초과하는 경우이다. 사례의 경우 개별공시지가를 알 수 없으므로 부당한 경우인지 판단할 수 없음.

2. 기호3 건물

감가상각 대상자산의 재평가액이 해당 자산의 취득가액(원시취득가액에 자본적지출을 가산한 금액)을 초과하는 경우 부당하다고 인정되므로 대상 건물은 취득가액(300,000원/㎡)보다 재평가액(321,000원/㎡)이 초과하므로 부당한 경우라 할 것이다.

3. 기호4 기계설비

감가상각대상자산으로 부당성여부 판단은 "기호3"과 동일하나 수입한 고정자산의 경우 외화로 표시된 재평가액과 취득가액을 기준으로 부당한지 여부를 판단해야 한다. 따라서 "취득가액 > 재평가액"이므로 부당하다고 볼 수 없다.

① 취득가액 : $15,000 \times 1 + (0.03 + 0.2 \times 0.5 + 0.2 \times 0.5 \times 0.2)$ = \$17,250

② 재평가액 : $\$15,000 \times 1.0063 \times 1 + (0.03 + 0.2 \times 0.5 + 0.2 \times 0.5 \times 0.2) \times (1 - 0.142)$ = \$12,779

4. 기호5 기계설비

감가상각기준 내용년수가 전부 경과한 자산의 재평가액이 취득가액의 $\frac{25}{100}$을 초과하는 경우 부당하다고 인정되므로 본 건은 $\frac{4,238,000}{15,000,000} \times 100\% = 28.25\%$ 로서 25%를 초과하므로 부당하다고 할 수 있다.

---

3) 재평가액

정부가격이 미제시이므로 재평가액은 321,000원/㎡임.

4. 기호4 기계설비

1) 취득가액

$\$15,000 \times 850원/\$ \times 1 + (0.03 + 0.2 \times 0.5 + 0.2 \times 0.5 \times 0.2)$ = 14,663,000

2) 시가감정액

$\$15,000 \times 1.0063 \times \frac{1,300원}{\$} \times 1 + (0.03 + 0.2 \times 0.5 + 0.2 \times 0.5 \times 0.2)$
$\times (① - 0.142)^2$ = 16,612,000

3) 재평가액

정부가격 미제시이므로 재평가액은 16,612,000원임.

5. 기호5 기계설비

1) 취득가액 : 15,000,000원

2) 시가감정액 : $30,000,000 \times \sqrt[20]{0.1^{1.7}}$ = 4,238,000

3) 재평가액 : 장부가격 미제시이므로 재평가액은 4,238,000원으로 결정함.

II. 부당한 재평가신고등에 해당하는지 여부

* 취득가격과 감정평가액을 비교 검토함)

제 10회
문제 논점 분석 및 예시답안

최근로 투자의사결정 문제가 1번으로 특징을 하였음. 어느 정도 예상가능 하였을 것으로 본다. 당시 시험의 출제 경향을 보면 수익방식의 시사성이 강조되면서 중간 배점으로 기출이 빈번했었다. 수익 방식이 중시되면서 시간배분 및 난이도 면에서 과거에 비해 상당한 변화가 이뤄진 것을 알 수 있다. 전체적인 난이도와 시간배분 측면에서는 1, 2번에 대한 시간투자와 판단근거, 전문가로서의 시간배분 등이 중요하며, 나머지 문제에서 의견제시 시간save가 요구된다.

1. 문제1번 – 투자의사결정(40)

1) 토지 매입가격

(1) 대상물건의 확정 : 기부채납 부분의 포함 여부

일반적으로 기부채납 부분이라고 하면 무조건 평가의 대상에서 제외하여야 하는 경우가 있어 생각한 주의를 요한다. 그러나 평가의 목적이 현재 '개발 전의 상태에 포함되어야 하며, '개발 후의 상태'를 구하는 경우에는 기부채납 부분도 평가의 대상에 포함되어야 한다. 결국, 기부채납은 사업이 진행되는 것을 조건으로 이루어지는 것이기 때문이다. 개발 전의 현재 상태에서는 아직되었던 소유권이 넘어가지 않았고, 이용상황을 개발 후로 상정할 것인지 여부와 함께 연동되어 판단되어야 할 사항이다. 따라서 본 문제에서 기부채납 토지부분은(물음 1)에서는 현재 개발 전의 상태를 구하는 것으로 평가대상에 포함시키고 (물음 2)에서는 개발 후를 상정하므로 제외하여야 한다. 다만 도시계획시설 저촉감가를 적용 및 평가의 여부는 실무적으로 평가목적(담보) 및 대상물건의 성격등을 고려하여 달리 적용될 수 있다.

(2) 비준가액 : 사례A의 선정기능성과 건부감가의 귀속문제

사례A는 최유효이용에 미달되나 보정률을 제시하고 있어 사례선정 자체는 무리가 아니라고 본다. 그러나 선정 추가 문제다. 건부감가가 어디에 귀속되는지의 판단이 있어야하기 때문이다. 표준지공시지가와 표준주택의 논리에 비춰본다면 우리 공시체계에서는 건부감가는 토지에 귀속된다고 보고 있다(예나하면 표준주택의 가격구성비를 토지전물 일체가격에서 건물가격을 원가법으로 산정 후 차감하는 형식으로 토지가격을 구하여 결정하고 있다. 인정공 감정평가이론에서는 할증금 가치((건부증가)는 건축물에 귀속되다고 이야기 하고 있다. 또, 건부감가가 토지 전물 전체에 영향을 미친다고 볼 수도 있다.

즉, 건부감가의 귀속문제에 따라 사정보정의 방법이 달라진다.

> i) 토지 전물 전체에 영향을 미치는 경우
> 12억/0.9×2/3 = 888,889,000
> ii) 토지에 귀속되는 경우
> 12억×2/3+(12억/0.9 - 12억)=933,000,000
> iii) 전물에 귀속되는 경우
> 12억×2/3=800,000,000

※ 예시답안에서는 합리적인 사정보정이 어려운 것으로 보고 배제하였으나, 문제가 전체적으로 설치 않다면 사례를 하나만 선정하고 시간을 save 하는 것도 좋은 전략이 될 것이다.

2) 투자가치

(1) 비교의 기준

본건이 토지로서 1순위행에 해당하는 논리로 타당성을 검토한다. (물음 2) 의 사결정 시에 최고가치 창출하는 대안의 비교 결정뿐만 아니라 개발 전 상 태(물음 1)의 가격과 개발후 상태(물음 2)의 가격을 비교하여 개발여부 역시 검토해 주는 것이 선행되어야 한다.

(2) 적용할인율

투자의사 결정에서는 투자자의 요구수익률을 적용하는 것이 타당하다. 그러나 본 문제에서는 요구수익률이 주어지지 않아, 시장이자율을과 기대수익률 중 어떤 것을 적용할 것인지가 고민이다. 기대수익률은 각각의 투자의 따라 실제로 실현될 가능성이 있는 수익률의 값들을 평균한 값이다. 그렇지만 실제로 해당기간이 지난 후에 실현되는 수익률은 이러한 기대수익률과는 다른 것이 일반적이다. 따라서 투자자들은 기대 수익를 자체보다는 이러한 기대수익률이 실제로 실현되지 않을 위험에 대해 고려해야한다. 실전 주식투자에서는 기대수익률을 목표보다는 목표수익률을 더 많이 쓰고 있다. 따라서 요구수익률을 대체하는데 있어서 기대수익률이 시장이자율을 우선한다고 볼 수 없다. 문제에서 제시된 현가율보다는 시장이자율을 기준으로 제시된 것으로 출제되는 시장이자율을 쓰도록 한 것으로 판단된다.

(3) 임대에 따른 토지가치

① 필요경비의 산정시 기준

제시된 자료에서 필요경비 중 유지수선비, 제세공과, 손해보험료는 건물 가격의 일정비율을 제시하고, 제세공과에서 토지가격의 일정비율을 제시하고 있다. 필요제경비의 산정시 기준이 되는 토지와 건물가격이 실질가치(시간 가치 반영)를 의미하는지 명목비용을 의미하는지 고민이다.

비용의 산정에서 실질 내지 가치의 개념을 중시하게 된다면 전문가격에서 는 시간가치를 반영해야한다. 또, 필요제경비가 총수익을 발생시키기 위해 필요한 비용을 의미하는 것이기 때문에 이때 적용되는 토지가치는 개발 전 의 가치가 아니라 개발 후의 가치를 반영해야 한다. 그렇다면, 토지가치는 (물음 1)에서 산정한 단가를 적용할 것이 아니라 개발후의 가치를 미지수 (x)로 두고 산정해야 할 것이다. 토지와 건물 모두 전문 완공당시를 기준하 여 답안을 작성하면 아래와 같다(중급 감정평가실무연습에서는 아래와 같 이 풀이 해두었다).

2. 임대시 토지투자가치
   (1) 상각전 순수익
      1) 총수익(실질임대료)
         ㄱ. 지불임대료
            3,000,000원/세대×12월×18세대 = 648,000,000원
         ㄴ. 보증금운용이
            250,000,000원/세대×18세대×0.08 = 360,000,000원
         ㄷ. 합계 1,008,000,000원

      2) 필요제경비
         ㄱ. 유지수선비
            8,163,180,000 ×0.007 = 57,142,000원
            1) 1,200,000×6,500×($0.3×1.01^9+0.3×1.01^6+0.4$) 건물가치1)
               =8,163,180,000원

         ㄴ. 관리비 : 648,000,000×0.02 = 12,960,000원

② 건물가격의 처리 및 환원방법

분양시에는 판매관리비가 현금유출로 인식된다. 그러나 임대에는 분양에 따른 판매관리비가 발생하지 않는다. 따라서 판매비는 건물가격(현금유출)과 별개의 것으로 건축비에 포함되어서는 안된다.

종합환원율에 주어지면 전체의 수익가액을 산정하고 건축비용을 차감하는 배분법을 적용하고, 개별환원율이 주어지면 토지잔여법을 적용하게 된다. 본 문제에서는 종합환원율과 개별환원율을 모두 주어져 양자의 적용이 가능하다. 단, 개별환원이율을 활용하여 순수한 의미의 토지잔여법을 적용하는 것은 가격의 제원리 및 감정평가의 이론적 측면이 강조 되는 방법이지만, 종합환원율을 활용하여 부동산 전체 가치에서 건물비용을 차감하는 배분법 형태가 투자적 측면에 좀 더 부합하는 방법이라 본다.

2. 문제2번 - 투자타당성 분석(25)
① 할인현금흐름분석표(DCF)작성 및 현재가치(PV)
② 순현재가치(NPV)
③ IRR과 NPV에 부응하는 요구수익률과의 상관관계(요기투수가기)
④ 투자타당성 분석(NPV법을 IRR법으로 타당성 검증)
→ 단일투자안의 경우 비전형적 현금흐름이 아니라면 동일한 결과

3. 문제3번 - 거래사례비교법에 의한 발생감가상각(15)
① 거래사례 비교법에 의한 발생감가상각과 산출방법
→ 〈연간감가율〉로 매개
② 대상 건물의 연간감가액과 연간감가율 산정

ㄷ. 제세공과

$$\underset{\text{토지가격}}{x} \times 0.004 + \underset{\text{건물가격}}{8,163,180,000} \times 0.005 = 40,815,000 + 0.004x$$

= 6,812,000원

ㄹ. 순해보험료
$$8,163,180,000 \times 0.0015 \times \left[1 - 0.5 \times \left(1 - \frac{1.06^5 - 1}{0.06} \times \frac{0.12}{1.12^5 - 1}\right)\right]$$

ㅁ. 대손충당금 : $1,008,000,000 \times 0.01 = 10,080,000$원
ㅂ. 합계 : 127,809,000원 + 0.004x

3) 상각 전 순수익
$1,008,000,000 - 127,809,000 - 0.004x$
= 880,191,000원 - 0.004x

(2) 토지수익가액
$(880,191,000 - 0.004x - 8,163,180,000 \times 0.09) \div 0.05 = x$
$x ≒ 2,695,000,000$원

(3) 토지투자가치(기준시점)
$2,695,000,000 \times 0.887 = 2,390,000,000$원

그러나 금번 기출 예시답안에서는 명목비용을 기준으로 물0를 했다. 전물에서는 시간가치를 고려하지 않고 명목상 비용을 기준으로 산정을 했다. 토지는(물음 1)에서 산정한 현재토지의 단가를 적용했다. 필요제경비도 지출이 예상되는 비용인데 매출의 측면에서 현실적으로 시간가치 내지 예상가격의 개념을 고려하는 것이 불필요하기 때문이다. 유지수선비, 제세공과, 보험료의 산정은 명목상 지불한 건축비용을 기준으로 산정되는 것이 현실적이라고 본다.

4. 문제4번 - 종전토지소유자가 부담하여야 할 환매금액(10)

① 환매당시 적정가격(개발이익 반영 원칙)

　※ 실무적으로 기타요인(그 밖의 요인) 보정치의 결정은 0.05 단위를 기준으로 내림을 하기도 한다. 예를 들어 기타요인(그 밖의 요인) 보정률이 1.37으로 산정되었다면 1.35로 결정한다. 따라서, 예시답안 예시 1.038이 산정되어 1.00으로 결정하였다.

② 인근 유사토지 지가변동률

③ 환매금액 결정

　※ 토지보상평가지침 개정 전 문제인바 적정 표준지 미제시

5. 문제5번 - 약술(10)

① Feasibility Study(Feasibility Analysis)

② Real Estate Investment Trusts

【문제 1】 (40)

I. (물음 1) 현재 가격

1. 대상물건 확정

기부채납 대상 토지부분(저축감가 고려)을 포함하여 개발 전 현황의 가치를 산정함.

2. 공시지가 기준

$610,000 \times 1.01570 \times \frac{100}{102} \times \frac{100}{106} \times 1$ = 573,000원/㎡

　　　　시　　지　　개　　그

*1 $1.0075 \times 1.0048 \times (1 + 0.0048 \times \frac{63}{91})$

3. 거래사례비교법

1) 비교사례선정 : 사례 B

이유 : 나지 상태의 거래사례로 금융보정 가능함. 단, 사례 A는 최유효이용에 미달하고 합리적인 사정보정이 곤란하여 제외함.

2) 비준가액

(1) 현금등가액

① 현금지급액

$900,000,000 \times \frac{2}{3}$ = 600,000,000

② 저당대부

ㄱ) 원금분 : $300,000,000 \times \frac{1}{3} \times (0.887 + 0.788 + 0.699)$ = 237,400,000

ㄴ) 이자분 : $300,000,000 \times \frac{0.144}{12} \times \frac{1.127-1}{0.01 \times 1.127} \times (1 + \frac{2}{3} \times 0.887 + \frac{1}{3} \times 0.788)$ = 75,212,000

ㄷ) 합 : = 312,612,000

③ 현금등가액 = 912,612,000

(2) 비준가액

$912,612,000 \times 1 \times 1.01570 \times \frac{100}{104} \times \frac{100}{125} \times \frac{1}{1,200}$ = 594,000원/㎡

　　　　시　　　지　　　개　　　면

4. 토지의 현재가격

1) 평가목적, 대상부동산의 성격, 조건 등을 고려하여, 공시지가에 의한 가격을 중심으로 비준가액을 참작하여 573,000원/㎡으로 결정함.

2) 건축부지와 도시계획도로저촉부분을 구분평가하되 도시계획도로 저촉부지는 70% 수준으로 평가함.

① 건축부지 : $2,500 \times 573,000$ = 1,432,500,000원

② 저촉부지 : $500 \times 573,000 \times 0.7$ = 200,550,000원

③ 토지가격 : = 1,633,050,000원

II. (물음 2) 투자가치

1. 개요

토지의 투자가치를 기준으로 개발여부 및 개발대안을 결정한다.

단, 할인율은 요구수익률을 제시되지 않아 시장이자율을 적용한다.

2. 분양에 따른 토지가치

1) 분양수입 현가합

(1) 분수입 : $650,000,000 \times 18 = 11,700,000,000$

(2) 현가 : $11,700,000,000 \times (0.2 \times 0.961 + 0.3 \times 0.933 + 0.5 \times 0.887)$

$= 10,712,520,000$

*1 기대이율(10%) 적용

2) 건축공사비 등

(1) 건축공사비 : $1,200,000 \times 6,500$ $= 7,800,000,000$

현가 : $7,800,000,000 \times (0.3 \times 0.971 + 0.3 \times 0.942 + 0.4 \times 0.887)$

$= 7,234,860,000$

(2) 판매관리비

$11,700,000,000 \times 0.1 \times \frac{1}{2} \times (0.961 + 0.887)$ $= 1,081,080,000$

(3) 소계 : $= 8,315,940,000$

3) 토지 투자가치

1) - 2) $= 2,396,580,000$

3. 임대에 따른 토지가치

1) 토지 건물 전체 수익가액

(1) 개요

토지·건물 일체로 한 수익가액 구한다.

(2) 순수익

(가) 실질임대료

$(3,000,000 \times 12 + 250,000,000 \times 0.08) \times 18$ $= 1,008,000,000$

(나) 필요제경비

① 유·수 : $7,800,000,000 \times 0.007$ $= 54,600,000$

② 관리 : $3,000,000 \times 12 \times 18 \times 0.02$ $= 12,960,000$

③ 제·공 : $1,633,050,000 \times 0.004 + 7,800,000,000 \times 0.005$ $= 45,532,000$

*1

*1 투입원가를 기준하여 기부채납 부분도 포함하였음.

④ 순·보 : $7,800,000,000 \times 0.0015 \times \left[1 - 0.5 \times \left(1 - \frac{1.06^5 - 1}{0.06} \times \frac{0.12}{1.12^5 - 1}\right)\right]$ $= 6,509,000$

⑤ 대·준 : $1,008,000,000 \times 0.01$ $= 10,080,000$

⑥ 합 $= 129,681,000$

(다) 순수익 = 878,319,000

(3) 수익가액

878,319,000 ÷ 0.07 × 0.887 주)

= 11,130,000,000

주) 기준시점(월1%)

2) 건축비 현가 = 7,243,860,000

3) 임대시 토지가치

11,130,000,000 - 7,243,860,000 = 3,886,140,000

IV. 투자우위 판단

1. 현황 토지 가치 : 1,633,050,000원

2. 개발 후 토지 가치

(1) 분양시 : 2,396,580,000원

(2) 임대시 : 3,886,140,000원

3. 개발여부 판단

현황 토지가치에 비해 개발 후의 토지가치가 분양 및 임대시 모두 증가하여 개발의 타당성이 인정된다.

4. 투자 대안의 결정

상호 배타적 투자인 점을 고려할 때 임대안에 투자 우위가 있다고 판단된다. 비용의 관점에서 임대의 경우 임차자 모집비용을 별도로 고려하지 않았으나, 분양의 경우 분양에 따른 판관비의 과다 발생이 그 이유로 보인다. 또, 시장의 측면에서 매매시장 보다는 임대시장에서 수요 및 임대가가 높게 결정된 상태로 보인다. 그러나 매매시장 및 임대시장의 연동성을 고려하는 경우 양 시장이 균형을 이룰 수 있어 이에 대한 예측도 추가적으로 필요한 것으로 보인다.

[문제 2] (25)

I. 현금흐름표 및 현재가치

1. 현금흐름표 (단위 : 천원)

기간		1	2	3	4
판매수입		100,000	105,000	110,250	115,762
제비용	판매	5,000	5,250	5,512	5,788
	사무소유지	5,000	5,000	5,000	5,000
	세금, 일반관리비	12,000	12,000	12,000	12,000
	합계	22,000	22,250	22,512	22,788
순수익		78,000	82,750	87,738	92,974

2. 현재가치

$$PV = \frac{78,000}{1.03} + \frac{82,750}{1.03^2} + \frac{87,738}{1.03^3} + \frac{92,974}{1.03^4} = 316,626천원$$

Ⅱ. 순현재가치

NPV = 316,626,000 - 300,000,000 = 16,626,000

Ⅲ. IRR과 요구수익률간의 상관관계

1. 의의

IRR이란 투자안으로부터 예상되는 미래편익의 현가합이 0이 되게 하는 할인율을 말하며 이는 해당 투자인의 기대수익률이 된다.

2. 상관관계

IRR, 즉 기대수익률이 투자자의 요구수익률보다 크다면 이는 해당 투자자의 요구수익률을 충족시킬 수 있어 투자하게 되어, 투자수익 증가는 대상 부동산의 가치를 상승시켜 결국 기대수익률을 낮아지는 현상이 발생한다.

즉, 동간의 상관관계는 단기에는 부동산시장의 불완전성으로 불일치할 수 있으나 장기로 보면 일치하게 된다.

Ⅳ. 투자타당성 분석

1. 내부수익률

$$-300,000,000 + \frac{78,000,000}{(1+r)^1} + \frac{82,750,000}{(1+r)^2} + \frac{87,738,000}{(1+r)^3} + \frac{92.9740,000}{(1+r)^4} = 0$$

시행착오법에 의하면

5% → 1,624천원

6% → -5,457천원

7,081 : 1,624 = 1 : x   x = 0.23

∴ r = 5.23%, 즉 연 20.92%

1,624

-5,457

5   6

2. 타당성 분석

내부수익률이(20.92%) 요구수익률(12%)보다 높음에 따라 투자타당성 있다고 판단됨.

【문제3】 (15)

Ⅰ. 발생감가액 산출방법

1. 비교가능 거래사례로부터 토지가격을 차감하여 건물 가격을 추계한다.

2. 사례건물의 기준시점 현재의 재조달원가를 추계한다.

3. 2에서 1을 차감하면 발생감가가 총액이 추계된다.

4. 위 3의 발생감가액을 사례의 재조달원가 대비 비율로 나타내면 발생감가율이 추계된다.

5. 위 4를 경과연수로 나누면 내각 발생감가율이 추계된다.

6. 연간가상각률을 대상부동산에 적용하기 위하여 조정하여 적용한다.

II. 연간감가액, 연간감가율

1. 기준시점 사례 건축물 가격
540,000,000 - 700,000,000 × 360 = 288,000,000

주) 거래시점과 기준시점에 건축비 변동은 없는 것으로 본다.

2. 사례 건물과 구축물 가격
x + 420,000,000 × 0.1 × 0.5 = 288,000,000(x : 건물가격)

x = 267,000,000

즉, 890,000 × 300 + 262,500 × 80 = 288,000,000

3. 연간감가액
1) 건물재조달원가

420,000,000 × 0.9 × $\frac{1}{300}$ = 1,260,000원/㎡

2) 연간감가액

(1,260,000 - 890,000) ÷ 10(년) = 37,000원/㎡

4. 연간감가율
37,000 ÷ 1,260,000 = 2.94%

【문제 4】 (10)

I. 현매당시 토지 적정가격
121,000 × 1.02213 × 1 × 1.25 × 1.00 = 155,000원/㎡

시*1 지 계 기*2

*1 1.003 × 1.012 × $(1 + 0.012 × \frac{53}{91})$

*2 기타요인(그 밖의 요인) 보정(거래사례비교법 적용 가능)

매매사례〈#4〉 기준

① 매매사례기준 단가 : 160,000 × 1.00287 × 1 × 1 = 160,459

② 표준지 기준단가 : 121,000 × 1.02213 × 1 × 1.25 = 154,597

③ 기타요인(그 밖의 요인) 보정치 결정 : ①/② = 1.038인바 표준지가 적정 시세를 반영하고 있다고 판단되어, 기타요인(그 밖의 요인) 보정치는 1.00으로 결정

II. 보상금 상당액

1. 인근 유사토지 지가변동률
① 현매당시 : 121,000 × 1.02213 = 123,674원/㎡

② 협의당시 : 90,000 + (100,000 - 90,000) × $\frac{91}{365}$ = 92,493원/㎡

③ 지가변동률 : 123,674/92,493 = 1.3372

2. 보상금 상당액
100,000 × 1.3372 = 133,720원/㎡

III. 결정
{100,000 + (155,000 - 100,000 × 1.3372)} × 100 = 12,128,000원

자본을 구매하거나 저당대출 등을 통해 발생한 수익을 투자자에게 돌려주는 것을 말한다.

II. 감정평가에 있어서의 REITs

REITs의 자산가치 범주는 크게 기초자산(Initial Assets)과 보유자산(Holding Assets)으로 구분할 수 있다.

III. 자산가치평가

1. 기초자산

감정평가3방식에 의하되, 특히 정기적인 현금흐름 창출되는 부동산 평가라는 점에서 할인현금수지분석법이 중요시 된다.

'감정평가 실무기준'에서도 부동산의 증권화와 관련한 감정평가 등 매기의 순수익을 예상해야 하는 경우에는 할인현금흐름분석법을 원칙으로 하고 직접환원법으로 합리성을 검토하도록 구성하고 있다.

2. 보유자산

장부가치(Book Value)접근법, 상대가치접근법(Comparison Value), 순자산가치(NAV) 접근법, DCF법 등이 있다.

【문제 5】 (10)

(물음 1) 타당성 분석

I. 의의

타당성분석이란 비가치추계를 위한 감정평가로서, 계획하고 있는 개발사업이 투하자본에 대한 투자자의 요구수익률을 충족시킬 수 있느냐에 대한 분석을 말한다.

II. 종류

타당성 분석에는 비용편익분석, 경제기반분석, 토지이용분석, 현금수지분석 등이 있다.

III. 판단기준

NPV법, IRR법, 수익성지수(PI)법 등이 있다.

IV. 유의사항

타당성 분석은 경제적 물리적·법적 측면에서 행해져야 하며, 특히 물리적· 법적 측면에서 가능하다하더라도 경제적 측면에서 타당성이 없으면 실효성이 없느냐 경제적 타당성 분석이 감정평가에 있어 핵심이 된다.

(물음 2) REITs

I. 의의

REITs란 부동산증권권을 발행하여 다수의 투자자로부터 자금을 모아 부동산

제 11 회
문제 논점 분석 및 예시답안

[문제1] 영업손실보상에 대한 재결평가등 [문제2] 영구적 지하사용 보상평가 [문제3]나지 평가로써 비교기여과 수익가액에 의한 사선조정 [문제4] 재결에 의한 임료감정에 의한 사선조정 [문제5] 영업손실보상 약술한제 등으로 구성되었다.

배점은 적으나 1번 문제에서 접수 차이가 컷을 것으로 보이며 중요한 보상법적 지식과 이해가 요구된다. 문2의 경우 자주 기출됐던 지하사용에 물론 보상평가기간 으로 명확한 판단근거제시는 물론 답까지 맞추어야할 듯하다.

1. 문제1번 - 영농손실에 대한 재결평가등(30)

① 영농손실액 : 법§77② 및 동법시행규칙§48, 도별 연간 농가평균 단위경
    작면적당 농작물총수입 2년분

② 영농손실보상대상 : 법시 행구칙§48③(주 일터농2)

③ 개간비 보상여부(법시행규칙§27~규중하점) 및 산정방법
    산정방법(원직 : 개간소요비용, 한계 : 개간 후 - 개간 전)

④ 토지이용상황판단의 임증책임(擧/判/檢)

□ 농업손실보상의 대상

(1) 공익사업시행지구에 편입되는 농지

「토지보상법 시행규칙」

제48조(농업의 손실에 대한 보상) ① 공익사업시행지구에 편입되는 농지(「농지

법」 제2조제1호가목 및 같은 법 시행령 제2조제3항제3호가목에 해당하는 토지를 말한다. 이하 이 조의 제65조에서 같다)에 대하여는 (후략)

「농지법」

제2조(정의)

1. "농지"란 다음 각 목의 어느 하나에 해당하는 토지를 말한다.
   가. 전·답, 과수원, 그 밖의 법적 지목(地目)을 불문하고 실제로 농작물 경작지 또는 다년생식물 재배지로 이용되는 토지. 다만, 「조지법」에 따라 조성된 조지 등 대통령령으로 정하는 토지는 제외한다.

「농지법 시행령」

제2조(농지의 범위) ① 「농지법」 제2조제1호가목 본문에 따른 다년생식물 재배지는 다음 각 목의 어느 하나에 해당하는 식물의 재배지로 한다.

1. 목초·종묘·인삼·약초·잔디 및 조림용 묘목
2. 과수·뽕나무·유실수 그 밖의 생육기간이 2년 이상인 식물
3. 조경 또는 관상용 수목과 그 묘목(조경목적으로 식재한 것을 제외한다)

② 법 제2조제1호가목 단서에서 "조지법에 따라 조성된 조지 등 대통령령
으로 정하는 토지"란 다음 각 호의 토지를 말한다.〈개정 2016.1.19.〉

1. 「공간정보의 구축 및 관리 등에 관한 법률에 따른 지목이 전·답, 과수원이
   아닌 토지(지목이 임야인 토지는 제외한다)로서 농작물 경작지 또는 제1항
   각 호에 따른 다년생식물 재배지로 계속하여 이용되는 기간이 3년 미만인 토지
2. 「공간정보의 구축 및 관리 등에 관한 법률에 따른 지목이 임야인 토지로서
   「산지관리법」에 따른 산지전용허가(다른 법률에 따라 산지전용허가가 의제되는
   인가·허가·승인 등을 포함한다)를 거치지 아니하고 농작물의 경작 또는 다년
   생식물의 재배에 이용되는 토지

3. 「조지법」에 따라 조성된 조지

③ 법 제2조제1호나목에서 "대통령령으로 정하는 시설"이란 다음 각 호의
구분에 따른 시설을 말한다.〈개정 2014.12.30.〉

1. 법 제2조제1호가목의 토지의 개량시설로서 다음 각 목의 어느 하나에 해
   당하는 시설 −(중략)

「농지법 시행령」

제3조(농업인의 범위)
1. 1천제곱미터 이상의 농지에서 농작물 또는 다년생식물을 경작 또는 재배하거나 1년 중 90일 이상 농업에 종사하는 자
2. 농지에 330제곱미터 이상의 고정식온실·버섯재배사·비닐하우스, 그 밖의 농림축산식품부령으로 정하는 농업생산에 필요한 시설을 설치하여 농작물 또는 다년생식물을 경작 또는 재배하는 자

(중략)

5. 토지의 취득에 대한 보상 이후에 사업시행자가 2년 이상 계속하여 경작하도록 허용하는 토지(이와 관련하여 대법을 들어 위의 경우에 2년 이상 이나다 1년만 경작을 허용한 경우에는 어떻게 볼 것인지가 문제된다. 생각건대 2년 이상 계속하여 경작하고 있는 농지에 대하여도 제1항 내지 제3항의 규정에 따라 영농손실액을 보상하여야 된다고 생각한다)

□ 농업손실보상 받을 자

(1) 종전에는 농지의 소유자가 농민이 아닌 경우에는 실제경작자에게 보상을 했고, 농지의 소유자가 해당지역에 거주하는 농민인 경우에는 농지의 소유자와 실제의 경작자가 협의하는 바에 따라 보상을 하여, 협의 불성립시 해결 방안이 없었다. 그래서 토지보상법은 이를 입법적으로 해결하고자 다음과 같이 구정하고 있다(규칙제48조제4항). 한편 이하에서의 실제경작자는 반드시 해당 지역에 거주하는 농민이어야 지급대상자가 되는 것은 아니다(2002. 6. 14. 2000두3450).

(2) 농지의 소유자가 해당지역에 거주하는 농민인 경우

① 농지의 소유자와 제7항에 따른 실제 경작자(이하 "실제 경작자"라 한다)간에 협의가 성립된 경우 : 협의내용에 따라 보상
② 농지의 소유자와 실제의 경작자간에 협의가 성립되지 아니하는 경우
  1) 제1항에 따라 영농손실액이 결정된 경우: 농지의 소유자와 실제 경작자에게 각각 영농손실액의 50퍼센트에 해당하는 금액을 보상
  2) 제2항에 따라 영농손실액이 결정된 경우: 농지의 소유자에게는 제1항의 기준에 따라 결정된 영농손실액의 50퍼센트에 해당하는 금액을 보상하고,

---

2. 법 제2조제1호가목의 토지에 설치하는 농축산물 생산시설로서 농작물 경작지 또는 제1항 각 호의 다년생식물의 재배지에 설치한 다음 각 목의 어느 하나에 해당하는 시설
  가. 고정식온실·버섯재배사 및 비닐하우스와 농림축산식품부령으로 정하는 그 부속시설

(중략)

(2) 공익사업시행지구 밖의 농지

제65조(공익사업시행지구밖의 농업의 손실에 대한 보상)
경작하고 있는 농지의 3분의 2 이상에 해당하는 면적이 공익사업시행지구에 편입됨으로 인하여 해당지역(영 제26조제1항 각호의 1의 지역을 말한다)에서 영농을 계속할 수 없게 된 농민에 대하여는 공익사업시행지구밖에서 그가 경작하고 있는 농지에 대하여도 제48조제1항 내지 제3항 및 제4항제2호의 규정에 의한 영농손실액을 보상하여야 한다.

(3) 제외 대상

「토지보상법 시행규칙」
제48조(농업의 손실에 대한 보상)
③ 다음 각 호의 어느 하나에 해당하는 토지는 이를 제1항 및 제2항의 규정에 의한 농지로 보지 아니한다.
1. 사업인정고시일등 이후부터 농지로 이용되고 있는 토지
2. 토지이용계획·주변환경 등으로 보아 일시적으로 농지로 이용되고 있는 토지(과거에는 "일시적으로 농지로 이용되고 있는 토지 또는 불법형질변경 토지로서 농지로 이용되고 있는 토지"였으나, 2005. 2. 5. 건설교통부령 제425호로 개정되면서 "일시적으로 농지로 이용되고 있는 토지"로 바뀐 것이다)
3. 타인소유의 토지를 불법으로 점유하여 경작하고 있는 토지
4. 농민(「농지법」 제2조제3호의 의한 농업법인 또는 「농지법」 시행령 제3조제1호 및 동조제2호의 규정에 의한 농업인을 말한다. 이하 이 조에서 같다)이 아닌 자가 경작하고 있는 토지

실제 경작자에게는 제2항에 따라 결정된 영농손실액 중 농지의 임차인 등 해당지역에 거주하는 농민에게 보상

(3) 농지의 실제소유자가 해당 지역에 거주하는 농민이 아닌 경우 : 실제 경작자에게 보상

(4) 실제 경작자가 자의에 의한 이농, 해당 농지의 소유권 이전에 따른 임대차계약의 해지 등의 사유로 인하여 보상협의일 또는 수용재결일 당시에 경작을 하고 있지 아니하는 경우의 영농손실액은 제4항에도 불구하고 농지의 소유자가 해당지역에 거주하는 농민인 경우에 한하여 농지의 소유자에게 보상한다.(규칙제48조제5항).

위에서 해당지역이란 다음 중 하나의 지역이어야 한다(법제26조제1항)

1. 해당 토지의 소재지와 동일한 시(행정시를 포함한다. 이하 이 조에서 같다)·구(자치구를 말한다. 이하 이 조에서 같다)·읍·면(도농복합형태의 시의 읍·면을 포함한다. 이하 이 조에서 같다)

2. 제1호의 지역과 연접한 시·구·읍·면

3. 제1호 및 제2호 외의 지역으로서 해당 토지의 경계로부터 직선거리로 30킬로미터 이내의 지역

(5) 영농손실 보상금 수령권자를 표로 정리하면 다음과 같다.

경작자	소유자(해당지역농민 : 협의·수용당시)	소유자(해당지역 농민이 아닌 경우)
임차인A(사업인정 전~보상시)	임차인 A·소유자 협의	임차인 A
사업인정시 : 임차인 A 협의수용시 : 임차인 B	임차인 A·소유자 협의 (예외적으로 소유자)	임차인 A(예외적으로 없는 경우 발생)
사업인정시 : 임차인 A 협의수용시 : 소유자	임차인 A·소유자 협의 (예외적으로 소유자)	보상하지 않음 (규칙 제48조 제5항)
사업인정시 : 소유자 협의수용시 : 임차인 B	소유자	대상자 없음

(주) 1. 기본적으로 보상대상자는 칙 제47조 7항 이거 사업인정고시일 등 당시의 실제의 경작자 이나, 토지소유자가 해당지역 농민인 경우 또는 경작자에게 보상하는 것이 적정하지 않은 경우의 처리방법을 구체적으로 규정하였다.

2. 사업인정 또는 보상계획공고 당시 경작자가 아닌 임차인 B는 어느 경우에도 실농보상 대상자가 되지 않는다.

3. 소유자가 해당지역에 거주하는 농민인가의 판단시점은 보상협의 또는 수용재결 당시를 기준으로 한다.

□ 농업손실보상 산정

(1) 종전의 실농보상의 경우 실제 재배작물의 종류에 따라 농축진흥청의 농축산물 표준소득에 의하여 산정한 금액을 보상하였고, 실제소득 인정제도가 없었는 바, 그 결과 재배작물은 소득편차가 심하고, 공정회 등의 절차를 거치는 과정에서 사업체의로 노출되어 제출화정 전에 부당하게 재배작물을 고소득작물로 변경하는 경우의 영농손실에 예산이 낭비되는 사례가 많았다. 그래서 토지보상법에서는 이러한 문제점을 해소하고, 일반 영농보상(대부분의 경우 4월간의 휴업상에 의하고, 특수한 경우에는 2년간의 폐업상)과의 형평을 유지하기 위하여 재배작물을 구분하지 않고 도별 농가평균 단위경작면적당 농작물수입을 기준으로 영농손실에 산정하여 보상하도록 하였다.

(2) 공익사업시행자구에 편입되는 농지에 대하여는 그 면적에 「통계법」 제3조제3호에 따른 통계작성기관이 매년 조사·발표하는 농가경제조사통계의 도별 농업총수입 중 농작물수입을 도별 표본농가현황 중 경지면적으로 나누어 산정한 도별 연간 농가평균 단위경작면적당 농작물총수입(서울특별시·인천광역시는 경기도, 대전광역시는 충청남도, 광주광역시는 전라남도, 대구광역시는 경상북도, 부산광역시·울산광역시는 경상남도의 통계를 각각 적용한다)의 직전 3년간 평균의 2년분을 곱하여 산정한 금액을 영농손실액으로 보상한다.

현재 서울, 인천은 경기도 것을 사용하는데 경기도는 2015년 기준 제곱미터 당 농작물수입은 연간 2,249,256원이 된다.

충전에는 연간 1기작은 3년, 연간 다기작은 3기작, 다년 1기작은 2년이었으나, 현행 토지보상법에는 재배작물을 구분하지 않고 2년으로 통일하였다.

(3) 국토교통부장관이 농림축산식품부장관과의 협의를 거쳐 관보에 고시하는 농작물실제소득인정기준(이하 "농작물실제소득인정기준"이라 한다)에서 정하는 바에 따라 실제소득을 입증하는 자가 경작하는 편입농지에 대하여는 제1항의 규정에 불구하고 그 면적에 단위경작면적당 실제소득의 2년분을 곱하여 산정한 금액을 영농손실액으로 보상한다. 다만, 다음 각 호의 어느 하나에 해당하는 경우에는 각 호의 구분에 따라 산정한 금액을 영농손실액으로 보상한다.

1. 단위경작면적당 실제소득이 「통계법」 제3조제3호의 따른 통계작성기관이 매년 조사·발표하는 농축산물소득자료집의 작목별 평균소득의 2배를 초과

하여 이용되는 기간이 3년 이상인 경우 및 ⅱ)행실을 변경하고 다년생식물 중 과수·뽕나무·유실수 그 밖의 생육기간이 2년 이상인 식물이나 조경목적으로 식재한 것이 아닌 조경 또는 관상용 수목과 그 묘목 등의 재배에 이용되고 있는 토지는 농지로 본다.

② 2016.1.21. 이후

2016.1.21 이후에는 「산지관리법」에 따른 산지전용허가 또는 다른 법률에 따라 산지전용허가가 의제되는 인가·허가·승인 등을 거쳐 농작물의 경작 또는 다년생식물의 재배에 이용되는 토지에 한하여 농지로 본다.

2. 문제2번 – 영구 지하사용 보상(25)

① 보상액 산정(법§71②, 법시행규칙§21①)

② 비교표준지 선정원칙

③ 임체이용저해율 산정에 있어 최유효건물층수 결정시 참작할 사항

④ 저해증가

3. 문제3번 – 나지의 정상가격산정(15)

① 비준가액(공시지가기준)

② 수익가액(토지잔여법 – 순수익과 환원율 중 순수익 조정)

③ 시산조정

4. 임대료평가(15)

비준임대료와 작성임대료에 의한 시산가액 조정(감칙§12, 22)

하는 경우: 해당 작물별 단위경작면적당 평균생산량의 2배(단위경작면적당 실제소득이 현저히 높다고 농작물실제소득인정기준에서 따로 배수를 정하고 있는 경우에는 그에 따른다)를 판매한 금액을 단위경작면적당 실제소득으로 보아 이에 2년분을 곱하여 산정한 금액

2. 농작물실제소득인정기준에서 직접 해당 농지의 지력(地力)을 이용하지 아니하고 재배 중인 작물을 이전하여 해당 영농을 계속하는 것이 가능하다고 인정하는 경우: 단위경작면적당 실제소득(제1호의 요건에 해당하는 경우에는 제1호에 따라 결정된 단위경작면적당 실제소득을 말한다)의 4개월분을 곱하여 산정한 금액

□ 재결대상인지 여부

관할 토지수용위원회는 손실의 보상에 관하여 재결하도록 되어 있으므로 농업의 손실에 대한 보상금의 다툼에 관한 사항은 제결대상에 해당된다고 보나, 이 경우 재결신청의 상대방(피보상자)이 누구인지 여부는 제결신청대상에 해당되지 아니하고, 이는 사업시행자가 사실관계를 조사하여 결정할 사항이라고 보며, 재결대상에 해당되는 사항에 대하여 재결신청의 청구가 있는 경우에는 가산금지급대상에 해당된다는 유권해석이 있다(2001.12.21 토관 58342-1980).

※ 농지의 지력을 이용하지 않는 버섯재배사 부지의 영농보상 여부 : 16회 기출
문제 논점 분석 및 예시답안 참조.

□ 지목이 '임0'인 토지

(1) 「농지법」의 개정

「농지법」제2조제1호가목의 단서에 따라 농작물 경작지 또는 다년생식물 재배지로 이용되는 토지 중 농지로 보지 않는 경우를 「농지법 시행령」제2조제2항에서 규정하고 있으며, 이 조항이 2016.1.19자로 개정(시행2016.1.21.)되었다

(2) 적용

① 2016.1.21. 이전

개정 「농지법 시행령」제2조제2항, 부칙 제1조 및 제2조에 따라 2016.1.21 이전에 지목이 임야인 토지로서 ⅰ)농작물 경작지 또는 다년생식물 재배지로 계속

※ 적산임대료의 기초가액 산정시 지하층의 층별효용비 적용 여부

중별효용비율의 적용 대상은 전유부분이 되어야 한다. 따라서, 전유면적이 제시된 1층~5층까지만 층별효용비를 적용하여야 하며 지하층은 임의적로 고려하여서는 안된다. 전체 전유면적의 합계(292×5층=1,460m²)보다 연면적(1,900m²)이 크다. 그러나 이 여유면적을 지하층 전유부분으로 쓰고 있다고 전제 하는 것은 비 논리적이다. 전유면적과 연면적의 차이는 모두 공용부분으로 봐야할 것이다. 지하부분이 존재한다고 하더라도 주차장 등의 공용부분으로 보아야 하며 독립된 효용이 없어 효용비를 적용할 수 없다고 봐야할 것이다.

5. 문제5번 - 영업손실 보상평가시 수집할 자료와 조사사항(10)

① 수집할 자료(영업손실보상평가지침 §7)

② 조사사항(§6)

[문제 1] (30)

I. 처리계획(농업손실보상 산정은 현행 법을 기준)

택지개발촉진법상의 택지개발계획승인고시일이 공익사업을위한토지등의 취득및보상에 관한법률(이하 법) §22의 사업인정고시에 의제됨에 따라 법 및 관련법령을 참작하여 설문의 각 물음에 차례로 답한다.

II. 물음(1) (영농손실액)

1. 개요

법§77② 및 동법시행규칙§48에 의하여 사업인정고시일('99.9.20) 당시의 농지의 종류에 구애됨이 없이 농지에 대하여 도별 연간 농가평균 단위경작면적당 농작물총수입의 2년분을 영농손실액으로 평가한다.

2. #1

① 보상여부 : 사업인정고시일 당시 농지임에 따라 보상대상 된다.

② 영농손실액 : 1,148×500×2

= 1,148,000원

3. #2

① 보상여부 : 농지이면 농업손실보상 대상인바 보상 대상이 된다.

② 영농손실액 : 1,148×500×2

= 1,148,000원

4. #3

① 보상여부 : 사업인정고시일 당시 농지임에 따라 보상대상이 된다.

② 영농손실액 : 1,148×500×2

= 1,148,000원

5. #4

① 보상여부 : 과수목보상(지정물)에 대한 이전보상과 실농보상은 별개인 바 보상대상이 된다.

② 영농손실액 : 1,148×500×2

= 1,148,000원

III. 물음(2) : 문제논점의 분석 참조

IV. 물음(3)

1. 보상여부

법시행규칙§27에 의하면 국·공유지를 개간허가를 받고 그 개간자가 보상 기준시점까지 점유하고 있어야 보상대상이 된다.

이는 개간자가 그 점유를 이전할 때 개간비 상당액을 받았을 것이며, 그 인수자인 B는 점용허가를 행한 국가에게 사용기간에 대한 사용료만 지급할 것이므로 개간비에와는 아무 관계가 없다.

따라서 현재 점유자 B는 개간자가 아님에 따라 개간비 보상 대상이 아니다.

2. 보상금 산정방법 : 개간에 소요된 비용

단, 개간 후 상태의 토지의 적정가격에서 개간비를 뺀 금액을 초과하지 못한다.

V. **물음(4)**

1. 개요

토지의 이용상황 판단은 임증책임이 누구한테 있는가에 따라 결정되는 것과 다름없으며, 이에 대해 견해가 나뉘는바 이하에서 살펴본다.

2. 학설의 논의

1) 사업시행자에게 임증책임이 있다는 견해

법§70②에 의하여 현황평가가 원칙인 것인바, 이의 예외인 불법형질변경 당시의 이용상황을 상정한 평가는 현황평가의 예외임에 따라 사업시행자에게 임증책임이 있다는 견해이다.

2) 토지소유자에게 임증책임이 있다는 견해

법§27에 의한 토지조서에는 진실의 주장력이 인정됨에 따라 이에 대한 이를 제기하기 위해서는 토지소유자가 임증을 해야 한다는 견해이다.

3. 판례의 입장(대법원 2014.11.27. 선고 2014두10271 판결)

토지에 대한 보상액은 현실적인 이용상황에 따라 산정함이 원칙이므로, 수용대상 토지의 이용상황이 일시적이라거나 불법형질변경토지라는 이유로 본래의 이용상황 또는 형질변경 당시의 이용상황에 의하여 보상액을 산정하기 위하여는 그와 같은 예외적인 보상액 산정방법의 적용을 주장하는 쪽에서 수용대상 토지가 불법형질변경토지에 해당함을 증명하여야 한다. 그리고 수용대상 토지가 불법형질변경토지에 해당한다고 인정하기 위하여는 단순히 수용대상 토지의 형질이 공부상 지목과 다르다는 점만으로는 부족하고, 수용대상 토지의 형질변경 당시 관계법령에 의한 허가 또는 신고의무가 존재

하였고 그럼에도 허가를 받거나 신고를 하지 아니한 채 형질변경이 이루어졌다는 점이 증명되어야 한다.

4. 검토 및 토지의 현실이용상황 판단

헌법§23③상의 정당한 보상을 위한 법§70②의 현황평가주의는 대원칙인 것인바, 단지 지목과 현실의 이용상황이 다르다는 이유로 이의 예외를 인정하기 위해서는 이를 주장하는 자에게 임증책임을 지위로 함이 타당하다고 사료된다.

따라서 현실의 이용상황은 사업시행자가 불법형질변경 토지임을 임증하지 못하는 이상 '나지'로 판단된다.

[문제 2] (25)

I. 처리계획

법 §71②및 법시행규칙§31①에 의하여 사실상 영구적 토지 지하사용 보상평가에 산정함.

II. **물음(1)**

1. 개요

법시행규칙§31①에 의하여 기초가격에 입체이용저해율을 고려

2. 기초가액

1) 공시지가기준가격

$$2,540,000 \times \underset{시^{*1}}{1.03676} \times \underset{지}{1} \times \underset{개}{1} \times \underset{그}{1} = 2,630,000원/㎡$$

*1 생산자물가상승률이 제시되지 않아 지가변동률만 적용함

$$1.0127 * 1.0175 * (1 + 0.0175 \times \tfrac{32}{91})$$

2) 거래사례비교법(또는 기타요인(그 밖의 요인) 보정치)

(1) 개요

최유효이용상황이 거래사례임에 따라 배분법 적용 가능함.

(2) 건물가격('00.4.1)

① 재조달원가(건설실사례)

$$900,000 \times \underset{*1}{0.96552} = 869,000원/㎡$$

*1 $(104 + 12 \times \tfrac{8}{12})/116$

② 적산가액

$$869,000 \times \underset{사}{1} \times \underset{시}{1} \times \underset{잔}{\tfrac{58}{60}} \times \underset{개}{1} \times \underset{면}{2,460} = 2,066,482,000$$

(3) 비준가액

$$(3,530,000,000 - 2,066,482,000) \times \underset{사}{1} \times \underset{시^{*1}}{1.02376} \times \underset{지}{1} \times \underset{개}{\tfrac{100}{95}} \times \underset{면}{\tfrac{1}{600}} = 2,630,000원/㎡$$

*1 $1.0175 \times (1 + 0.0175 \times \tfrac{32}{91})$

3) 결정

법 시행규칙§18①에 의해 공시지가 기준가격 2,630,000원/㎡을 비준가액

2,630,000원/㎡이 지지함에 따라 그 타당성이 있다고 판단되어 이를 기준함.

$$2,630,000 \times 500 = 1,315,000,000원$$

2. 입체이용저해율

1) 개요

① 대상의 최유효이용은 지하2층 지상15층으로 중층시가지임
(토피심도 18M인바 15M까지 건축가능)

② 저해층수 : 지하2층, 지상8층까지지만 건축가능하여 지상9~15층이 저해층수임.

2) 건물이용저해율(A형)

$$0.75 \times \underset{*1}{\frac{35 \times 7}{35 + 44 + 100 + 58 + 46 + 40 + 35 \times 11}} = 0.26$$

3) 지하이용저해율

$$0.1 \times 0.571 = 0.06$$

4) 기타이용저해율(최고치)

$$0.15 \times \tfrac{1}{2} = 0.08$$

5) 입체이용저해율

$$= 0.40$$

IV. 물음 4(지해층수)

1. 지해층수

지하에 구분지상권을 설정하여 구조물을 축조함에 따라 하중을 지지하기 위해 지상의 건축이용의 제한하기 위해 임계의 이용을 제한하기 위한 것임.

2. 지해층수 결정이유

(1) 지해층수 : 지상 9-15층으로 7개층

(2) 이유 : 풍화토(PD-2) 패턴에서 토피 18m에 따른 하중제한에 따름

[문제3] (20)

I. 공시지가기준법

1. 개요

공시지가기준법 역시 비준가격(거래사례비교)으로 볼 수 있는바, 공시지가가 기준.

2. 비교표준지 선정 : #1

이유 : 용도지역(일반상업지역), 이용상황(상업나지) 등이 유사함.

단, #2, #3-용도지역 상이, #4-위치(B동) 등에서 #1보다 비교가능성 떨어져 제외

---

3. 보상평가액

2,630,000×0.40×500 = 526,000,000

II. 물음 2(공시지가)

1. 비교표준지선정원칙

① 용도지역이 같고, ② 실제지목·이용상황 동일·유사, ③ 주위환경 유사, ④ 지리적으로 근접한 표준지 중 하나를 선정함을 원칙으로 한다.

2. 비교표준지 선정이유

용도지역(일반상업), 이용상황(상업나지), 주위환경(노선상가지대) 등이 유사함.

단, #1-용도지역, 이용상황, #2-용도지역, 이용상황(업무) 등이 상이하여 제외함.

III. 물음 3(최유효층수)

① 대상토지의 용적률·건폐율

② 대상토지의 공법상 용도지역·지구·구역

③ 인근지역의 표준적 이용상황

④ 토지이용에 대한 수요추이

⑤ 경제발전 가능성 등

3. 토지단가

$600,000 \times 1.08838 \times 1 \times \frac{100}{90} \times 1$ $=726,000$원/㎡

시 개 그
지

*1 $1.0320 \times 1.04 \times (1+0.04 \times \frac{32}{91})$

Ⅱ. 수익환원법

1. 개요

최유효이용의 임대사례를 기준하여 토지진역별 활용함.

2. 사례토지귀속 순수익

1) 사례총수익

$(500,000 \times -0.08 + 2,400 \times 12) \times 169$ $=11,627,200$

$(600,000 \times -0.08 + 3,000 \times 12) \times 169$ $=14,196,000$

$(2,000,000 \times -0.08 + 20,000 \times 12) \times 150$ $=60,000,000$

합 $=85,823,200$

4) 필요제경비

$3,000,000 + 1,100,000 + 1,600,000 + 800,000 + 9,602,000$ $=16,102,000$
                                                          Dep *1

*1 Dep

$500,000 \times 1 \times 1.1114 \times (0.8 \times \frac{1}{40} + 0.2 \times \frac{1}{20}) \times 1 \times 576 = 9,602,000$

사 시 개 편

*2 $1.07 \times 1.018 \times 1.015 \times (1+0.015 \times \frac{32}{91})$

3) 상각후 순수익 $=69,721,200$

4) 건물귀속 순수익

$500,000 \times 1 \times 1.1114 \times (0.8 \times \frac{39}{40} + 0.2 \times \frac{19}{20}) \times 1 \times 576 \times 0.15$ $=46,572,000$

5) 사례 토지귀속 순수익 : 3) - 4) $=23,149,000$

3. 대상 토지 기대순수익

$23,149,000 \times 1 \times 1 \times 1 \times \frac{100}{95} \times 1 \times \frac{1}{320}$ $=76,148$원/㎡

시 시 지 개 편

4. 대상 토지 수익가격

$76,148 \div 0.12$ $=635,000$원/㎡

Ⅲ. 시산가액 조정 및 감정평가액 결정

비준가격 : 726,000원/㎡

수익가격 : 634,000원/㎡

감정평가방법§3, 감정평가에 관한 규칙 §14에 의거 공시지가를 기준하되, 수익가격이 비준가격보다 낮아 수익성이 다소 떨어지는 점을 감안하여

$700,000 \times 350 = 245,000,000$원으로 결정.

[문제 4] (15)

I. 임대사례비교법

1. 사례 실질임대료(1층)

$750,000,000 \times 0.1 \times (1+0.1) = 82,500,000(/300 = 275,000원/㎡)$

2. 대상 실질임대료

$$275,000 \times 1 \times 1.1400 \times \frac{90}{100} \times 292 = 82,388,000$$
$$\quad\quad\quad 시 \quad 시^{*1} \quad 개 \quad 면$$

$*1\ (112+12\times\frac{2}{12})/100$

II. 적산법

1. 개요

기초가액[(토지+건물)×임대이용률×기대이율+필요제경비]

2. 기초가액

1) 전체부동산 기초가액

(1) 토지(공시지가 기준법)

$2,500,000\times(1-0.05)\times1\times1\times1 = 2,380,000원/㎡(\times800 = 1,904,000,000)$
$$\quad\quad\quad 시 \quad 지 \quad 개 \quad 그$$

(2) 건물

$600,000\times1\times1\times1\times1,900 = 1,140,000,000$
$$\quad\quad 시 \quad 시 \quad 잔 \quad 면$$

(3) 합 $= 3,044,000,000$

2) 대상 1층 기초가액

(1) 층별효용비

$$\frac{100}{(45+49+56+68+100)} = 0.315$$

주) 전유면적 층별 같아 따로 고려 않음

(2) 대상 기초가액

$3,044,000,000\times0.315 = 958,860,000$

3. 적산임대료

$958,860,000\times0.08\times1.1 = 84,380,000$

III. 감정평가액(임대료)결정

감정평가에 관한 규칙 §22에 의하여 임대사례비교법에 기준, 적산임대료는 공급자 중심의 가격으로 배제하여 80,000,000원으로 설정한다.

[문제 5] (10)

I. 수집자료

① 법인등기부등본 및 정관

② 최근 3년간의 재무제표 및 부속명세서

③ 회계감사보고서

④ 법인세과세표준 및 세액신고서 또는 종합소득과세표준확정신고서

⑤ 고정자산대장 및 재고자산 대장

⑥ 취업규칙, 급여대장, 근로소득세 원천징수 영수증 등

⑦ 부가가치세 과세표준증명원

⑧ 영업허가 또는 신고증

⑨ 사업자등록증, 임대차계약서, 공과금납부내역 등 기타 필요한 자료

II. 조사사항

① 영업장소의 소재지·업종·규모

② 수입 및 지출 등에 관한 사항

③ 과세표준액 및 납세실적

④ 영업용 고정자산 및 재고자산의 내용

⑤ 종업원 현황 및 인건비 등 지출비용

⑥ 기타 필요한 사항

별도로 보정할 것인지가 불확실하여 배제한다.

② 건물의 기능적 감가를 반영하는 방법이 2가지가 될 수 있다.

- 재조달원가에 직접 적용하는 방법

$$800,000 \times 1 \times 1 \times \frac{104}{98} \times 3,000 \times (1 - 5/50 - 0.03)$$

- 물리적 감가율 적용 후 작성가액에 반영하는 방법 : 제시된 예시 답안 참조

기능적 감가는 현재 건물 상태를 관찰하여 산정하는 것으로 물리적 감가가 고려된 작성가액을 기준으로 하는 것이 이론적으로 설득력이 있어 보인다.

(2) 임료 수익환원법 : 시장의 임대료수준 보정, 시장의 전형적 공실률, 관리비 처리

임대료는 최근 시점의 1기말 실현을 기준한 정상실질임대료를 기준해야 한다.

제시된 임대료 수준을 시장의 임대료수준으로 보정해야 하는 이유이다. 또한, 공실률 역시 정상적인 시장의 수준을 기준해야 한다.

실제로 오피스빌딩의 경우 관리비는 별도로 임대계약에 한 내용으로 하고 있고

문제에서 제시된 임대차 형태로 임대차 계약을 맺고 있는 것이 일반적이며 이를 기준으로 평가가 이루어진다. 또한, 뒤에서 연급할 보증금전환율은 역시 현업의 평가에서 중요한 고려 사항 중에 하나가 된다.

(3) 시산가액 조정

제시된 자료에서는 시장(지역분석 또는 오피스시장)에 대한 언급이 없어 시산조정 및 감정평가에 대한 언급은 대상부동산의 성격(오피스 빌딩)을 반영하여 각 평가방식의 성격 및 유용성을 중심으로 기술하면 좋은 답안이 될 것이다.

제 12회
문제 논점 분석 및 예시답안

[문제1] 투자타당성 분석 [문제2] 택지개발사업에 따른 이의재결평가 [문제3] 어업보상 [문제4] 일단지평가 [문제5] 담보평가시 물적 불일치 처리방법 [문제6] 국공유재산 매가 문제로서 해당 기출문제 많은 수험생들을 혼란과 작절을 맛보게 했던 문제였다.
[문제1,2]번에 당락이 결정될 것으로 보이며 판단근거, 의견제시 등이 중요하다.

1. 문제1번 - 투자타당성 분석(40)

1) 문제의 구조적 특징

이 문제에서는 특히 대상물건의 빌딩명이 "A빌딩"이라는 것에 대한 인식이 필요했다. 제시된 자료에서 대상 및 사례의 빌딩명(A빌딩, B빌딩, C빌딩)을 기준으로 토지와 건물에 대한 자료를 연결시켰음에 주목할 필요가 있다. 일부기출문제의 경우 수익자료까지 함께 연동시키는 경우가 있어, 향후 자료의 구조가 확장될 수 있음을 기억하자.

2) A빌딩 매입액(Cost)

(1) 물건별평가(토지 - 배분법 가능성, 건물 - 물리적, 기능적 감가 유의)

① 사례2의 경매평가액은 적정가격으로 볼 수 있다. 오히려 평가액의 90%로 낙찰된 낙찰금액이 시장의 개입을 것이다. 사례2를 배제한 것은 평가전례를 거래사례로 적용하는 것이 부담스러운 점과 경제적 감가의 배분문제에 그 이유가 있다. 경제적 감가는 토지 건물 전체에 영향을 미치는 것으로 토지를

3) 5년간 보유한 후 매각 시 투자가치

(1) 임대료변동지수이((1) 최근임대료지수 (2) 회귀분석법)

임대료변동 추이를 반영할 것을 요구하고 있다. 그러나 어떤 방식으로 적용할 것인지가 고민되느냐에 대한 언급이 없어 직선법에 의한 변동추이를 반영하였다.

(2) 임대료 산정

① 현행 보증금 인수 : 보증금 전환율 고려

오피스빌딩의 평가에서 보증금전환이율의 처리가 중요한 요소 중에 하나가 된다. 보증금과 지불임대료의 비율이 통상적이지 아니한 경우 그 비율을 조정하기 위해 적용하는 이율이 보증금전환율이다. 해당 문제에서 보증금은 그대로 인수하면서 시장임대료 수준으로 재계약을 하는 조건이 있어 여기에 대한 보정이 필요하다. 시장수준에서 보증금 10%를 덜 받는 대신 이에 상응하는 지불임대료를 더 징수하는 계약조건이다(주:권리적 가치를 산정하는 경우에는 개별적, 구체적인 임대차 계약의 내용이 반영되어야 한다). 보증금전환율과 보증금운용이율을 정확하게 적용하지 못한 경우에는 임대료가 과다 과소 산출될 수 있어 주의가 필요하다.

② 공실률의 처리

투자가치 산정시에 공실률 처리에 대한 혼돈이 있을 수 있다. 투자가치 산정시에도 장기임대차계약(마스터리스)를 제외하고는 자연발생 공실, 임차자 교체에 따른 공실, 시장상황에 따른 공실의 예측기간에 반영되어야 한다. 따라서, 현재 대상의 공실률을 적용하는 것은 수익방식의 본질 또는 감정평가제원칙(예측의 원칙)에 부합되지 않는다.

(3) 현금흐름에서의 감가상각비

과표에서 배제되는 감가상각비는 회계상의 비용 개념으로 이해하는 것이 실질적이다. 일반적으로 감가상각비는 세금 산정을 위해 따로 전문에 대한 감정평가를 하지 않는 것이 일반적이라 하겠다. 따라서, 감가상각비에서는 기능적 감가는 동추이를 고려하지 않아도 무방하다.

(4) 기말 지분 복귀액 : 기출 환원율의 고려, 양도소득세의 고려

이론적으로 기출환원율과 기말환원율을 달라야 한다. 문제에서는 별도의 제시가 없어 고민될 수 있다. 기말의 위험을 고려하면 기출환원율이 기말환원율보다 커야 할 것이다. 또, 기말의 가치가 상승한다고 본다면 기출과 기말환원율이 같아야 한다. 이러한, 사정을 모두 고려하여 기출과 기말환원율이 동일하다고 보는 것이 출제의도에 부합된다고 본다.

또, 현금흐름에서 영업소득세를 고려하였기 때문에 기말지분복귀액에서도 세금을 고려할 필요가 있다. 영업소득세와 양도소득세 양자 모두 소득세의 형태이지만, 자료에서는 명시적으로 영업소득세율만 제시하고 있어 예시답안에서는 양도소득세는 고려하지 않았다. 단, 양도차익이 발생한다면 동일 세율을 적용하여 양도소득세 산정이 가능하다.

4) 투자타당성분석

① 기입, 기출 환원율 미구분 ② 양도소득세 미고려 ③ 미래예측의 오류가 능성 ④레버리지효과, ⑤ 화폐보상과 민감도분석 등에 대한 일정한 패턴을 갖되 의견개진이 필요요하다. 타당성 문제 역시 3방식과 마찬가지로 본질 또는 감정 의견개진의 일정한 틀을 만들어 둘 필요가 있다.

	2. 문제2번 – 택지개발사업에 따른 이의재결평가(25)
	논점들이 많은 문제로서, 논점을 잘 표현하는 것이 득점에 핵심이다.
	① 가격시점(법§67①)
	② 비교표준지(해당 사업으로 인한 용도지역변경인바 변경 전 기준 – 칙§23②)
	③ 시점수정, 지역개별요인 기타요인(그 밖의 요인)
	④ 건물 : 무허가건축물 보상여부(사업인정고시의제일, 행위제한일 기준)
	물건의 가격 범위내 이전비(법§75①)
	⑤ 영업보상여부
	무허가건축물 내 식품위생법상 무허가 영업으로 영업보상대상이 아니다.
	이 경우에도 이전비용(이사비)을 고려해야 한다.
	※ 개정 : 무허가건물 내 허가를 받은 경우 세입자는 사업인정고시일등
	1년 이전 사업자등록 정상영업시 영업보상 대상
	3. 문제3번 – 어업보상(폐업)(10)
	4. 문제4번 – 일단지의 개념 판단기준 평가방법(10)
	5. 문제5번 – 담보평가시 물적 불일치 처리방법(10)
	6. 문제6번 – 국·공유재산 개각(5)

【문제 1】

I. 감정평가 개요

토지·건물 개별물건기준과 일괄 수익환원법에 의한 시산가액 조정하여 결정함

(물음 1)

II. 개별물건기준

1. 토지

1) 공시지가 기준법

$$1,050,000 \times 1.05295 \times 1 \times 0.89 \times 1 = 984,000원/m^2$$
$$\qquad\quad 시^{*1} \qquad 지 \quad 계 \quad 그$$

*1 $1.0274 \times 1.0152 \times (1+0.0152 \times \frac{57}{91})$

2) 거래사례비교법

(1) 비교사례 선정 : #1

이유 : 최근 최유효이용의 거래사례로 합리적 배분법 적용가능.

(#2-경제적 감가요인으로 합리적 배분 어려워 배제, #3-별정가격인 보상선례인 점, 이용상황 상이하여 제외)

(2) 사례 건물가격('01.4.1)

$$800,000 \times 3,000 = 2,400,000,000$$

---

(3) 비준가액

$$(3,300,000,000 - 2,400,000,000) \times 1 \times 1.02487 \times 1 \times 0.89 \times \frac{1}{800}$$
$$\qquad\qquad\qquad\qquad\qquad\qquad\quad 시^{*1} \quad 시 \qquad 지 \quad 계 \quad 면$$
$$= 1,030,000원/m^2$$

*1 $1.0152 \times (1+0.0152 \times \frac{57}{91})$

3) 결정

공시지가 기준 : 984,000원/m², 비준가액 : 1,030,000원/m²

상기 간격의 균형관계가 유지되고 공시지가기준가격이 시장성에 의한 가격으로 지지되는 바 1,000,000×1,000 = 1,000,000,000원으로 결정함.

2. 건물

1) 재조달원가(간접법)

$$800,000 \times 1 \times 1 \times \frac{104}{98} \times 3,000 = 2,546,939,000$$
$$\qquad\qquad\quad 시 \quad 시 \quad 계 \qquad 면$$

2) 감가수정

(1) 물리적 감가

$$2,546,939,000 \times \frac{5}{50} = 254,694,000$$

(2) 기능적 감가

$$(2,546,939,000 - 254,694,000) \times 0.03 = 68,767,000$$

(3) 누계

$$= 323,461,000$$

3) 적산가액 = 2,223,478,000

3. 개별물건기준에 의한 시산가액

1,000,000,000 + 2,223,473,000 = 3,223,478,000

III. 일괄 수익환원법

1. 순수익

1) 가능총수익

(1) 임대료수입 = 57,200,000

1층(100,000×0.1+10,000×12)×1.1×400 = 57,200,000

2층(70,000×0.1+7,000×12)×1.1×600 = 60,060,000

3층~5층(50,000×0.1+5,000×12)×1.1×600×3(층) = 128,700,000

합 = 245,960,000

주) 시장의 임대료수준으로 보정

(2) 관리비수입 = 201,600,000

6,000×12×(400+600×4) = 201,600,000

(3) 합 = 447,560,000

2) 유효총수익 = 425,182,000

447,560,000×(1 − 0.05) = 425,182,000

주) 시장의 정상적인 공실률 적용

3) 영업경비 = 167,328,000

201,600,000×0.83 = 167,328,000

4) 순수익 = 257,854,000

2. 수익환원법에 의한 시산가액

257,854,000÷0.08 = 3,223,175,000

IV. 감정평가액 결정

개별물건기준 3,223,478,000

수익가액 3,223,175,000

두 가격이 유사한 바, 3,220,000,000원으로 결정함.

(물음 2)

I. 개요

DCF법에 의한 투자가치와 (물음 1)에서 산정한 시장가치를 비교하여 결정.

II. 투자가치

1. 17| PGI

1) 개요

보증금 현행대로 인수함에 따라 인근 수준으로 전환이율 고려함.

2) PGI

(1) 임대료수입

1층 $[100,000 \times 0.1 + (100,000 \times 1.1 - 100,000) \times 0.15 + 10,000 \times 12 \times 1.1] \times 400$

$= 57,400,000$

2층 $[70,000 \times 0.1 + (70,000 \times 1.1 - 70,000) \times 0.15 + 7,000 \times 12 \times 1.1] \times 600$

$= 60,270,000$

3~5층 $[50,000 \times 0.1 + (50,000 \times 1.1 - 50,000) \times 0.15 + 5,000 \times 12 \times 1.1]$

$\times 600 \times 3$ $= 129,150,000$

합 $= 246,820,000$

(2) 관리비 수입 $= 201,600,000$

(3) 합 $= 448,420,000$

2. 보유기간 현금흐름표

(단위 : 천원)

기간	1	2	3	4	5	6
PGI	448,420	456,886[*1]	465,642	474,699	484,066	493,755
(V&LA)	PGI×0.05			좌동		
EGI	PGI×0.95			좌동		
(OE)	201,600×0.83			좌동		
NOI	258,671	266,714	275,032	283,636	292,535	301,739
(DS)[*2]	96,000			좌동		
BTCF	162,671	170,714	179,032	187,636	196,535	
(TAX)[*3]	22,346	23,955	25,619	27,339	29,119	
ATCF	140,325	146,759	153,413	160,297	167,416	

*1 7월 : 12월 = 102/100 - 1 : X

$\therefore$ X = 3.43%, 즉 임대료수입 × $(1 + 0.0343)^t$ + 관리비수입(t = 0, 1, 2, 3, 4, 5)

---

*2 $1,200,000 \times 0.08$

*3 $(BTCF - 50,939^{*4}) \times 0.2$

*4 $2,546,939 \div 50$

3. 기말 지분복귀액

1) 순가능매도액 : $301,739 \div 0.08 \times (1 - 0.05)$ $= 3,583,150,000$

2) 저당잔금 $= 1,200,000,000$

3) 세후현금흐름 $= 2,383,150,000$

4. 투자가치

1) 지분가치

$140,325 \times 0.909 + \cdots + (167,416 + 2,383,150) \times 0.621$ $= 2,057,376,000$

2) 저당가치 $= 1,200,000,000$

3) 투자가치 $= 3,260,000,000$

Ⅲ. 투자타당성

감정평가액(정상가격 내지 시장가격) 3,220,000,000원보다 투자가치 3,260,000,000원이 큰바, 투자 타당성이 있는 것으로 판단된다. 다만, 투자가치의 산정에 있어 수익 변동에 대한 예측의 오류가능성, 기출환원율의 적정성, 양도소득세에 대한 고려 여부에 따라 다소 결과가 달라질 수 있음.

[문제2]

I. 개요

1. 행위제한일 : 예정지구 지정고시일 '99.5.25

2. 사업인정의제일 : (구)택촉법 상 택지개발계획 승인고시일 '00.7.10.

II. (물음 1) 가격시점

토지보상법§67①에 의해 수용재결일 '01.7.1

III. (물음 2) 비교표준지 선정

1. 선정기준(법시행규칙 §22③)

용도지역 동일, 이용상황 동일, 주위환경 유사, 지리적으로 인접한 표준지

선정

2. 공법상 제한

법시행규칙 §23 의거 해당 사업에 따른 용도지역 변경은 제한 받지 않는

상태 중인 "자연녹지지역" 기준

3. 이용상황

무허가건축물부지인바 법시행규칙 §24에 의해 이해 건축당시 이용상황 '전' 기준

4. 선정

자연녹지, '전' 기준 #121 선정

IV. (물음 3) 적용 공시지가 선택

1. 선택 : '00.1.1

2. 이유 : 법§70④에 의거 사업인정 의제일 이전 가격시점 최근 공시된 공
   시지가기준

V. (물음 4) 시점수정('00.1.1~'01.7.1)

1. 지가변동률(녹지지역 S시 P구)

$1.0483 \times 1.0073 \times 1.0137 \times (1+0.0137 \times \frac{1}{91})$

= 1.07058

2. 생산자물가상승률

$\frac{123.1}{119.6}$

= 1.0293

3. 결정

해당 지역의 지가변동상황을 보다 잘 반영하는 지가변동률 적용

VI. (물음 5) 지역·개별요인

1. 지역요인

인근지역이바 지역요인 비교치 1.00

2. 개별요인

$\frac{102}{100} \times \frac{98}{100} \times \frac{105}{100}$

= 1.050

VII. (물음 6) 기타요인(그 밖의 요인)

해당 사업에 따른 공법상 제한은 반영하지 않으며, 다른 공익사업에 따른 개발이익 또는 공법상 제한은 반영(제)

$$\frac{100}{90} = 1.111$$

VIII. (물음 7) 보상평가액

$130,000×1.07058×1.000×1.050×1.111 = 162,000원/m^2$

시　　지　　계　　기

$\langle ×1,200 = 194,400,000 \rangle$

IX. (물음 8) 건물

1. 보상여부

무허가건축물이기는 하나 법§25에 의해 사업인정고시의제일 '00.7.10(택촉법 기준 행위제한일 '99.5.25 이전 신축으로 보상)이전에 신축하여 보상대상이 됨.

2. 보상평가액

법§75①에 의해 min[이전비, 물건가격]

1) 이전비

$6,000,000+2,000,000+1,500,000+(33,000,000-10,000,000)+4,000,000$
$+5,000,000 = 41,500,000$

주) 시설개선비 제외(법시행규칙§2-4)

2) 물건가격

$400,000×(1 - \frac{4}{20})×150 = 48,000,000$

3) 결정

이전비가 낮아 이전비 41,500,000원으로 결정

X. (물음 9) 관상수

1. 개요

이식가능한 법§75, 칙§37에 의해 min[이전비, 물건가격]

2. 향나무

1) 이전비

$(9,000+2,000+1,000+25,000+2,000+8,000+50,000×0.1) = 52,000원/주$

2) 물건가격 $= 50,000원/주$

3) 결정

물건가격이 낮아 $50,000×50 = 2,500,000$

3. 단풍나무

1) 이전비

$(6,000+1,000+500+15,000+1,500+6,000+45,000×0.1) = 34,500원/주$

2) 물건가격 $45,000원/주$

3) 결정

이전비가 낮아 이식비 34,500×30 = 1,035,000원

XI. (물음 10) 영업

1. 보상여부

무허가 건축물 내 무허가 영업인바 보상대상에서 제외됨.

다만, 동산 이전비는 보상함.

2. 이전비

3,600,000 + 700,000 = 4,300,000

[문제 3]

I. 물음(1)

1. 보상평가기준

공익사업을 위한 토지 등의 취득 및 보상에 관한 법률(이하 법)§76, 법시행규칙§44, 수산업법 시행령 별표4에 의하여 3년간의 평년수익액 + 어선·어구 또는 시설물의 잔존가액(보상을 신청하는 경우에 한함)

2. 어선의 평가방법

감정평가에 관한 규칙 §20③에 의하여 원가법에 의하되, 선체 기관, 의장별로 구분평가함

3. 어선평가를 위한 기초자료

선박등기부등본, 선박등록원부, 선박국적증서, 어업허가증, 선박검사증서, 선급협회가입증명서 등

II. 물음(2)

1. 3년간의 평년수익액

1) 평균연간 어획량

(114,000 + 110,000 + 112,000)÷3 = 112,000kg

2) 평균연간 판매단가

(5,300+5,300+5,200+5,200+5,100+5,300+5,400+5,400
+5,400+5,300+5,300)÷12 = 5,300kg

3) 평년수익액

5,300×112,000×(1 - 0.85) = 89,040,000

2. 시설물의 잔존가액

1) 어선

(1) 선체 : 4,500,000×79×0.773 = 274,802,000

(2) 기관 : 200,000×500×0.631 = 63,100,000

(3) 의장 : 250,000,000×0.541 = 135,250,000

(4) 합 = 473,152,000

2) 어구

100,000,000 × 0.464 = 46,400,000

3) 합 = 519,552,000

3. 보상평가액

89,040,000 × 3년 + 519,552,000 = 786,672,000원

[문제 4]

I. 일단지 개념

일단지란 용도상 불가분의 관계에 있는 2필지 이상의 일단의 토지를 의미한다. 용도상 불가분의 관계란 지적공부상 2필지 이상의 토지가 같은 용도로 이용되고 있으며, 이러한 이용이 사회적·경제적·행정적 측면에서 합리적이고 해당토지의 가격형성 측면에서도 타당하다고 인정되는 관계에 있는 토지를 말한다.

II. 판단기준

1. 일단의 토지

지적공부상 2필지 이상으로 구분등록이 되어 있는 토지가 일단을 이루어 같이 이용되고 있거나 이용이 확실시되는 경우와, 인접되어 있는 2필지 이상의 토지가 그 토지의 합리적 내지 유효이용이 결과 일단을 이루고 있는 개념으로 해석할 수 있다.

2. 용도상 불가분 관계

① 용도상 불가분의 관계란 일단지로 이용되고 있는 상황이 사회적·경제적·행정적 측면에서 합리적이고 해당 토지의 가치형성 측면에서도 타당하다고 인정되는 관계에 있는 경우이다.

② 용도상 불가분의 관계의 판정은 현실적이고 외부적인 인식 및 사회관념에서의 적합성 등을 참작하여 개별적인 토지 용도별로 구체적으로 판정되어야 한다.

3. 지적법상 지목과의 관계

일단지는 일반적으로 2필지 이상의 토지가 일단을 이루어 같은 용도로 이용되고 있으므로 지적법상의 지목이 같은 경우가 대부분이나 일단지의 범위는 용도상 불가분의 관계에 있는지의 여부를 기준으로 판정하게 되므로 지적법상의 지목류개념과는 반드시 일치하는 것은 아니다.

4. 일단지와 토지소유자와의 관계

일단으로 이용중인 토지는 일반적으로 토지소유자가 1인이거나 공유자 관계에 있는 경우가 대부분이다. 그러나 토지의 합리적 내지 유효이용의 결과로서 그 일단의 토지소유자가 각기 다른 경우도 있을 수 있다. 다만, 건축물이 없는 나지 등은 용도상 불가분의 관계에 대해 확정성이 결여되므로 일단지로 보지 않는 것이 타당할 것이다.

5. 일단지와 일시적인 이용상황

2필지 이상의 토지가 일단을 이루어 같이 이용되고 있다 하더라도 그것이 가설 건축물의 부지이거나 조경수목재배지, 조경자재제조장, 물재야적장

II. 일반적인 처리방법

1. 동일성의 판단기준
일반사회 통념상 인정되어 법인에서 원인무효의 판결이 나지 않아야 하는 것

2. 물적 불일치가 근소하거나 경정 가능한 경우
물적 불일치 사유, 제한의 정도 등을 감정평가서의 "감정평가의 결정 의견" 또는 "그 밖의 사항"에 기재하고 평가할 수 있다.

3. 물적 불일치가 동일성이 인정되지 않을 정도인 경우
별물상 하자 있는 물건의 평가가 되므로 그 원인을 재확인하여 납득할 만한 이유가 없을 때에는 평가를 거절하거나 조건을 제시한다.

III. 구체적인 처리방법

1. 토지의 물적 불일치
1) 함성이나 경계의 불일치
실제점유면적, 지적도면 등을 재확인하여, 동 토지의 일부를 타인이 점유 사용하고 있어 공부면적보다 실점유면적이 작은 경우에는 실점유면적에 따라 사정평가하며 인접토지를 의뢰자가 점유 사용함으로써 실점유면적이 공부면적보다 큰 경우에는 공부면적을 기준하여 사정평가되어야 할 것 이다.

등으로 이용되고 있어 현재의 이용상황이 일시적인 것으로 인정되는 경우에는 일단지의 판정시의 되는 용도상 불가분의 관계에 대한 확정성(고착화)이 절대되므로 일단지로 보지 않는 것이 타당하다.

6. 일단지로 인정되는 시점
건축중에 있는 토지와 공사기준일 현재 나지상태이나 건축허가 등을 받고 공사를 착수한 때에는 토지소유자가 다른 경우에도 이를 일단지로 본다. 이때 공사를 착수한 때는 건축허가와 착공신고를 필하고 건축물의 기초공사 등을 착수하여 건축물의 부지로서 이용되는 것이 객관적으로 인식되는 시점으로 보는 것이 타당하다.

III. 평가방법 등
일단지 중 대표성이 있는 1필지가 표준지로 선정된 경우에 그 일단지의 토지 전체를 1필지로 보고 도로 접면, 형상, 지세 등의 토지특성을 조사·평가하고 면적란에 일단지임을 표시한다.

【문제 5】

I. 서
물적 불일치란 대상부동산을 확인함에 있어 부동산의 현황과 확인자료가 일치하지 않음으로써 동일성 여부가 문제되는 것을 말한다.

2) 지목의 불일치

일반적으로 부동산의 거래는 현황지목(이용상황)에 의거 이루어지고 있으므로 지목(용도)의 공부와 불일치할 경우 현황지목을 기준하여 평가한다.

그러나 Green Belt 지구 내의 임야를 전, 답 또는 대지한 경우 대체 현상회복의 문제가 제기되므로 별률이나 행정명령의 위배 여부도 함께 검토되어야 할 것이다.

3) 위치나 지번의 불일치

불일치의 원인이 행정구역의 개편, 환지, 합필이나 분필 등에 의한 것이라면 문제성을 필요가 없으나 기타의 경우에는 등기원인무효의 사유가 되므로 그 원인을 철저히 확인해야 한다.

2. 건물의 물적 불일치

1) 위치, 구조, 면적의 불일치

그 정도가 사회통념상 동일성을 인정할 수 있느냐와 등기변경 가능여부 그리고 일반거래에서의 제약정도 등을 파악하여야 한다. 사회통념상 동일성이 인정될 수 없는 경우 평가 중지한다.

2) 경매년수 불일치

등기부에 등재는 강제사항이 아니므로 늦게 등기한 경우라면 관청감가법을 활용하여 유효경과연수에 의해 평가하며 되나 구신물을 멸실하고 신축건물을 구신물등기대로 유용하고 있는 경우라면 평가하여서는 안된다.

3) 의뢰되지 않은 건물의 소재

의뢰되지 않은 건물이 노후되어 물리적, 경제적으로 판단해 볼 때 가치가

거의 없다고 하더라도 타인소유로 보존등기된 것이거나 기타 권리관계가 부착되어 있다면 토지소유자의 임의대로 처분이나 철거할 수 없기 때문에 이와 같은 건물이 영향을 미치는 부분을 평가에서 제외하거나, 건물을 볼 리한 조건으로 매정하는 것 등을 감안하는 등 이에 대한 적절한 조치가 요망된다.

IV. 결

토지 및 건물의 구조나 면적 등이 불일치가 심하면 등기의 유용이 되어 감정평가사의 책임문제도 거론되는 바, 담보평가를 위해 임장활동에 임하는 감정평가사는 신중을 기하여야 할 것이다.

【문제 6】

[관련 규정]

「도시 및 주거환경정비법」

제97조(정비기반시설 및 토지 등의 귀속)

① 시장·군수등 또는 토지주택공사등이 정비사업의 시행으로 새로 정비기반시설을 설치하거나 기존의 정비기반시설을 대체하는 정비기반시설을 설치한 경우에는 「국유재산법」 및 「공유재산 및 물품 관리법」에도 불구하고 종래의 정비기반시설은 사업시행자에게 무상으로 귀속되고, 새로 설치된 정비기반시설은 그 시설을 관리할 국가 또는 지방자치단체에 무상으로 귀속된다.

② 시장·군수등 또는 토지주택공사등이 아닌 사업시행자가 정비사업의 시행으로 새로 설치한 정비기반시설은 그 시설을 관리할 국가 또는 지방자치단체에

무상으로 귀속되고, 정비사업의 시행으로 용도가 폐지되는 국가 또는 지방자치단체의 정비기반시설은 새로 설치한 정비기반시설의 설치비용에 상당하는 범위에서 그에게 무상으로 양도된다.

③ 제1항 및 제2항의 정비기반시설에 해당하는 도로는 다음 각 호의 어느 하나에 해당하는 도로를 말한다.

1. 「국토의 계획 및 이용에 관한 법률」 제30조에 따라 도시·군관리계획으로 결정되어 설치된 도로

2. 「도로법」 제23조에 따라 도로관리청이 관리하는 도로

3. 「도시개발법」 등 다른 법률에 따라 설치된 국가 또는 지방자치단체 소유의 도로

4. 그 밖에 「공유재산 및 물품 관리법」에 따른 공유재산 중 일반인의 교통을 위하여 제공되고 있는 부지. 이 경우 부지의 사용 형태, 규모, 기능 등 구체적인 기준은 시·도조례로 정할 수 있다.

⑤ 사업시행자는 제1항부터 제3항까지의 규정에 따라 관리청에 귀속될 정비기반시설과 사업시행자에게 귀속 또는 양도될 정비사업의 용도 전에 관리청에 통지하여야 하며, 해당 정비기반시설은 그 정비사업이 준공인가되어 관리청에 준공인가통지를 한 때에 국가 또는 지방자치단체에 귀속되거나 사업시행자에게 귀속 또는 양도된 것으로 본다.

제98조(국유·공유재산의 처분 등)

① 시장·군수등은 제50조 및 제52조에 따라 인가하려는 사업시행계획 또는 직접 작성하는 사업시행계획서에 국유·공유재산의 처분에 관한 내용이 포함되어 있는 때에는 미리 관리청과 협의하여야 한다. 이 경우 관리청이 불분명한 재산 중 도로·하천·구거 등은 국토교통부장관을, 그 외의 재산은 기획재정부장관을 관리청으로 본다.

③ 정비구역의 국유·공유재산은 정비사업 외의 목적으로 매각되거나 양도될 수 없다.

④ 정비구역의 국유·공유재산은 「국유재산법」 제9조 또는 「공유재산 및 물품 관리법」 제10조에 따른 국유재산종합계획 또는 공유재산관리계획과 「국유재산법」 제43조 및 「공유재산 및 물품 관리법」 제29조에 따른 계약의 방법에도 불구하고 사업시행자 또는 점유자 및 사용자에게 다른 사람에 우선하여 수의계약으로 매각할 수 있다. 이 경우 매각

제약으로 매각 또는 임대될 수 있다.

⑤ 제4항에 따라 다른 사람에 우선하여 매각 또는 임대할 수 있는 국유·공유재산은 「공유재산 및 물품 관리법」 및 그 밖에 국·공유지의 관리와 처분에 관한 관계 법령에도 불구하고 사업시행계획인가의 고시가 있은 날부터 종전의 용도가 폐지된 것으로 본다.

⑥ 제4항에 따라 정비사업 목적으로 우선하여 매각하는 국·공유지는 사업시행계획인가의 고시가 있은 날을 기준으로 평가하며, 주거환경개선사업의 경우 매각가격은 평가금액의 100분의 80으로 한다. 다만, 사업시행계획인가의 고시가 있은 날부터 3년 이내에 매매계약을 체결하지 아니한 국·공유지는 「국유재산법」 또는 「공유재산 및 물품 관리법」에서 정한다.

[국·공유재산의 처분을 위한 감정평가]

1. 기준시점 등

국·공유재산의 처분을 위한 감정평가는 감정평가하는 사업시행인가고시가 있은 날의 현황을 기준으로 감정평가하되 다음의 평가기준 및 방법에 따를 수 있다.

2. 평가 기준 및 방법(사업시행인가고시 3년 이내)

① 재개발사업등이 사업구역 안에 있는 국·공유지를 사업시행자에게 매각하는 경우에는 사업시행인가고시가 있는 국·공유지를 사업시행자에게 매각하는 경우 도로 등의 지목을 "대"로 변경하여 감정평가를 의뢰한 경우에는 "대"를 기준으로 그 국·공유지의 위치·형상·환경 등 토지의 객관적 가치형성에 영향을 미치는 개별적인 요인을 고려한 가액으로 감정평가한다.

② (참고) 점유 국·공유지의 평가
점유 국·공유지는 점유하고 있는 건축물소유자에게 우선매각하며, 점유연고권이 인정되지 않는 잔여 국·공유지는 조합에 일괄 매각한다.

(점유면적이 점유연고권 인정기준 면적인 200㎡(서울시 도시및주거환경

정비조례§ 40 ①)를 초과하여 매각할 수 없음)

평가기준은 공부상 지목에 불구하고 점유건축물의 현실 이용 상황에 따라

평가하되, 점유건축물이 건축물소유자의 토지와 인접한 국·공유지를 함께

점유하고 있는 경우에는 일단지를 기준으로 하여 평가한다.

[참고] 사업시행인가고시가 있은 날부터 3년이 지난 후

사업시행인가고시가 있은 날부터 3년이 지난 후에 매매계약을 체결하기 위한

국·공유재산의 감정평가는 가격조사 완료일의 현황을 기준으로 감정평가한다.

성과 공법상 제한, iv) 주위환경(지역특성 고려-노선상가지대 등일 노선, 후면상가지대 등), v) 지리적 인접성(위치도 제시)의 출제 가능성이 높다.

3) 토지(수익방식)

제시된 건물환원이율이 상각 후 환원율이다. 상각 전 순수익을 구하고 상각 전 환원율을 상각 후 환원율로 변형하여 적용하여, 올에 대한 부분은 제시된 자료 그대로 적용하는 것이 합리적이라고 본다. 따라서 예시답안에서는 영업경비에 감가상각비를 적용하여 상각 후 순수익을 산정하고 상각 후 환원율로 환원하였다.

4) 시산가액 조정 및 감정평가액결정

산정된 시산가액간의 격차가 있어 그 이유에 대한 구체적 언급이 필요하다. 본 문제에서는 대상의 개별성이 강조되거나 인근지역의 시장상황 내지 지역특성이 구체적으로 언급되지 않았다. 그러나 앞으로는 지역특성과 개별성 (대상의 성격), 평가목적, 각 평가방식의 유용성 및 한계 등에 대하여 제시하고 이를 시산가액 조정시 구체적으로 언급할 것을 요구하는 문제의 출제가 예상된다.

5) 건물 단가 산정

〈자료11〉 4.에는 건물단가는 전형미만를 절사한다고 제시되어 있다. 이는 단가를 먼저 구하라는 의도이다. 현업에서는 건물의 단가를 먼저 구한 후 면적을 고려하여 총액을 구하고 있다. 따라서, 재조달원가 산가수정을 하는 목차보다는 건물 단가를 우선 구하고 총액을 산정하는 목차를 활용하는 것을 권장한다.

본 문제를 기반으로 18회 1번에도 거의 유사한 패턴의 문제가 출제되었다. 다만, 건물의 증축에 따른 내용년수 조정, 관찰감가 고려가 추가적인 논점이있다.

제 13회
문제 논점 분석 및 예시답안

[문제1] 복합부동산의 개별물건 기준(전형적인 3방식) [문제2]광산평가 [문제3]담보, 경매평가 [문제4] 투자수익율을 선정에 의한 투자의사결정 [문제5]GB내 토지평가 [문제6] 경매 감정평가 기액 산출근거 및 그 결정에 관한 의견에 기재할 핵심적 사항 [문제7] 기타요인(그 밖의 요인) 보정을 산출방법과 보상선례 참작의 다양한 유형의 문제들이 각각 중요 논점을 가지고 출제되었다. 이런 경우는 시간배분에 특히 유의해야한다. 1번을 평소보다 빠르고 정확히 풀고 3,4번이 배점은 작지만 당락을 좌우할 수 있는 문제라는 것을 파악하는 전략수립이 필요해 보인다.

이런 문제 구성의 경우에는 전체적인 난이도와 시간배분 유의하고(100점), 간단명료한 답안 구성, 문제 핵심에 대한 논점을 표현해야 한다.

1. 문제1번 – 상업용부동산 평가(30)

목차가 주어진 전형적인 3방식 문제이나 세부 논점을 빠프리지 않도록 유의하고, 쉬운 난이도의 문제는 정확한 "계산"이 요구된다.

1) 확인자료(권리태양, 물적사항)

2) 비교표준지선정원칙(감칙 §14②-1유일이주)

추후 3방식의 1유형이 출제되다면 비교표준지선정 및 사례의 선정이 보다 정치하게 판단되는 문제로 출제될 것이다. 특히 표준지 또는 대상이
i) 일단지에 따른 토지특성 판단 문제, ii) 용도지역에서 세분화 과정에 있는 지역의 표준지 선정, iii) 이용상황의 판단에서 00나지, 007타의 선

2. 문제2번 - 광산평가(15)

※ 상각전 순수익 유의

3. 문제3번 - 담보, 경매평가(20) - 가격다원설(감칙§5, 감정평가법§3후단)

목적별 평가 및 시점별 평가가 문제로 2유형의 대표적인 문제이다. 각 물음별 시점별 자료가 별도로 주어져 문제분석이 어렵지는 않다고 본다. 그러나 변동사항 내지 이동사항을 하나로 묶은 자료로 제시하였다면 접근이 쉽지 않은 문제였을 것이다.

1) 담보 - 기본적사항 확정, 안정성, 적정성검토

(1) 대상물건의 확정

① 용도지역 : 대상은 도시지역 미지정지역으로 표준지는 미지정지역을 선정하되, 지가변동률에서는 미지정지역의 공시가 없어 녹지지역 적용하여야 한다. 현 감칙 상으로는 이용상황별, 평균규가변동률 적용도 가능하다.

② 현황도로 및 잔여부분은 평가의 한다.

<자료4> 2. 개별요인 평점의 단서 "단, 대상토지의 평점은 현황도로 및 단독효용성 해당부분 외의 토지를 기준함"에서 기준단가의 산정방법 등 그 힌트를 얻을 수도 있다. 문제분석시 개별요인 제시 자료를 주의 깊게 봐야하는 이유를 느낄 수 있다.

(2) 거래사례의 활용

공시지가기준단가와 거래사례기준단가가 10%정도 차이가 난다. 거래사례 비교법에 의한 시산가액은 담보평가의 목적상 안정성을 적정성을 검토하는 수준으로 적용함에 있다. 이를 그 밖의 요인 보정으로 적용할 수도

있겠지만 통상 감정평가사례를 그 밖의 요인 보정 자료로 활용한다는 점에서 가 대사례는 거래사례비교법으로 적용하는 것이 합리적이다.

(3) 물음 1 - 나 담보평가시 적정성검토방법

예시답안10에서는 출제 당시의 기준이 되었던 담보점§10 감정평가서 적정성 검토를 기술하였다. 현재에는 '감정평가메뉴얼(담보평가편)'의 내용을 참조하기 바란다.

기타 담보의 취득,관리,환가처분에 있어 하자가 없는 물건으로 적법성, 안정성, 확실성, 유동성, 관리의 용이성, 등기능력 등을 검토하고, 담보취득이 금지되는 물건(제산, 구공유재산 등 담보취급 금지나, 제한물건에 대한 검토, 제시외물건의 처리, 법정지상권 발생여부, 임대차내용 등 내용도 정리해둘 필요가 있다.

2) 경매 - 시가평가 및 소유권계획 및 소유권관계획정, 보성금, 제시외건물 등 유의!

경매평가 시 제시외 건물의 판단

(1) 토지 소유자와 건물 소유자가 상이한 경우

토지 소유자와 건물 소유자가 상이한 경우는 토지만의 경매가 진행될 가능성이 높고, 법정지상권 발생여부를 구체적으로 판단할 필요가 있다. 근저당 설정 시 기왕 건물의 신축 시기의 우선순위 등 관련 권리관계에 따라 결정될 것이다.

토지 소유자와 건물 소유자가 상이한 경우로서 건고한 건물이 소재하는 경우라면 원칙상 토지만의 경매가 진행되어야 할 것이다. 이때 건물이 토지 가치에 미치는 영향(감가)을 고려하여 평가하여야 한다. 건물이 서 있는 위치에 따라서 감가정도도 달라질 것이다. 건고하지 않은 건물(부합물 종물)의

※ 목적별 평가 논점 정리

구분	논점	담보	경매	보상	국공유지
토지	① 일반적 제한 (용도지역, 접도구역)	반영	반영	반영	반영
	② 개별적 제한 (도시계획 시설 등)	감가 (평가외)	감가	감가 無 (정상)	도시계획시설 결정폐지 고려
	③ 도로	평가외	1/3	칙§26	*1
	④ 타인점유	평가외	감가	감가 無	정상/지상권
	⑤ 분묘	평가외	감가	감가 無	정상/지상권
건물	① 면적(실측면적?)	공부면적*2	공부 면적	제시면적	제시면적
	② 증축(무허가)	평가외	평가	평가	평가
제시외	① 종물 부합물	평가외	평가	평가	평가
	② 무허가	평가외	평가	평가 (행위제한)	평가

*1 국공유지 무상양도(재개발) 평가 시에는 용도폐지될 것을 전제로 전체로 평가

*2 실무적으로 실측면적은 성향한 측량에 의한 것이 아니기에 큰 차이가 없는 경우 공부상의 면적을 기준함.

* 접도구역은 일반적 제한으로 감가를 반영하는 것이 원칙이나, 농지의 경우 건축제한에 따른 감가요인의 영향이 미미하다고 보는 경우는 별도 감가를 하지 않을 수도 있다. 다만, 보상평가시 접도구역에 따른 제한을 고려하지 않은 이유로 징계처분이 있었다.

정도)이라면 토지에 미치는 영향이 다소 미미하고 볼 수 있다.

다만, 예외적으로 소유관계가 불분명하고 건물소유자의 권리에 영향을 미치지 않는 경우라면 별도의 토지 건물이 동일인에게 낙찰(매매)되는 것이 합리적이라고 판단하에 일괄정매를 결정할 수 있을 것이다. 일괄경매 진행 시에는 토지는 정상평가하고 건물도 평가에 포함해야 한다.

(2) 토지 소유자와 건물 소유자가 동일한 경우

제시외 물건의 부합물 종물이거나 건물 소유자가 토지 소유자와 동일한 경우 어느 토지가치에 미치는 영향을 것이다. 따라서, 토지는 감가 없이 평가하고, 제시외 건물도 평가에 포함하면 될 것이다.

그러나 미등기의 경우에 건물도 경매진행 대상이 되는 근저당권이 설정되지 않아 원칙적으로 토지만이 경매의 대상이 된다. 이때 법원이 일괄경매진행을 결정한다면 토지, 건물을 정상적으로 평가하면 된다. 그러나 근저당 설정 시기와 건축 시기의 우선순위에 따라 법정지상권 발생 및 근저당권이 목적물을 해하는지 여부를 판단하여 토지만의 경매를 진행시킬 수도 있을 것이다. 이때는 건물이 토지가치에 미치는 영향 정도(감가)를 고려해야 한다.

또, 건축물의 위법정도가 상당할 때에는 건물의 가치를 인정할 수 없고, 토지가치에도 영향(감가)이 있을 것이다.

2) 투자대안의 우선적인 결정이 필요

본 문제는 IRR법으로 투자의사를 결정하는 문제였다. 요구수익률이 별도로 제시되지 않아 큰 고민 없이 최고의 수익률을 산출하는 투자대안을 선정하면 된다.

그러나, 투자의사 결정 중 '대안의 선택'에서는 투자대안의 성격을 우선적으로 규명해야 한다. 가용자금과 각 투자안의 매입액(지분투자액)의 합계를 비교하여 상호 독립적 투자안인지, 상호 배타적 투자안인지 여부를 결정해야 한다.

상호 배타적인 대안 경우는 요구수익률을 충족하고 최고 수익률을 산출하는 대안을 결정하게 된다. 그러나 상호 독립적인 대안의 경우 요구수익률을 충족한다면 모든 대안을 선택할 수 있어 그 결론이 달라지기 때문이다.

따라서, 본 문제 풀이시 가장 논리적인 목차는 아래와 같을 것이다.

> Ⅰ. 투자대안의 성격
> 1. 가용자금 : 150,000,000
> 2. 각 대안의 부동산 가격
>   ① A안=150,000,000,
>   ② B안=149,600,000
> 3. 투자대안 성격 : 상호 배타적
> Ⅱ. 각 대안의 투자수익률
> Ⅲ. 투자의사 결정 : MAX(A, B)

130

---

4. 문제4번 – 투자수익률(15) – 투자의사결정(투자수익률이 높은 대안)

1) 투자수익률의 개념

수익률	=	운영소득률	+	자본소득률
Y (종합수익률)	=	$\dfrac{NOI_1}{P_0}$ (종합환원율)	+	$\dfrac{P_1-P_0}{P_0}$
Y_E (세전 지분수익률)	=	$\dfrac{BTCF_1}{EQ_0}$ (지분배당률)	+	$\dfrac{EQ_1-EQ_0}{EQ_0}$
Y_D (저당수익률)	=	$\dfrac{D \cdot S}{L_0}$ (저당계수 : MC)	+	$\dfrac{L_1-L_0}{L_0}$

이론상 운영소득률에 적용되는 소득은 1기말이 적용되어야 하나 현엽(실무상)이 "오피스 빌딩 임대료 조사 및 투자수익률 추계결과 보고서"에서는 현재 1기초의 임대수익을 기준으로 산정하고 있다.

본 문제에서 제시되고 있는 투자수익률 산식에서는 NOI를 기초로 적용하도록 되어 있다. 이론적으로는 틀린 개념으로 볼 수 있으나 실무적으로 통제지 조사의 현실적 한계가 있어 문제에서 제시된 산식을 적용하고 있고 출제 의도도 그 산식을 그대로 적용하라는 것으로 보는 것이 좀 더 합리적이라고 본다. 다만, "오피스 매장용 빌딩 임대료 받당 임대료 조사 및 투자수익률 추계 결과 보고서"에서 적용하고 있는 투자수익률 산식의 이론적인 오류를 간단히 언급하는 것도 좋은 답안이 될 것이다.

【문제 1】 (30)

I. 처리계획

일반주거지역내 소재하는 상업용부동산으로 주어진 평가방식에 의한 시산가액을 조정 및 결정.

II. 물음 1

1. 개요

확인자료에는 권리태양 및 물적사항에 관한 사전조사사항 확인자료는 아래와 같다.

2. 확인자료

1) 등기부 등본

토지·건물 등기부등본으로 소유자 및 제한물건, 가등기여부, 근저당권, 제권최고액, 지상권 등을 파악하되, 등기부에 나타나지 않는 법정지상권·유치권 등에 유의한다.

2) 토지이용계획확인서

공법상 제한 사항으로 용도지역, 지구, 구역, 도시계획시설저촉 등을 확인한다.

3) 토지(임야)대장

토지의 물적사항을 확인할 수 있는 자료로 소재지, 지번, 지목, 면적, 토지 이동사항 등을 파악한다.

4) 지적도(임야도)

토지의 형상, 인근상황, 접면도로, 인접토지와의 관계를 확인할 수 있다.

5) 건축물대장

건물의 물적사항을 확인하는 자료로 소재지, 지번, 구조, 용도, 면적, 관련 지번(일단지), 사용승인일, 증개축사, 위반건물 사실 등의 판단자료로 활용한다.

6) 기타

설계도면, 매매계약서, 임대차계약서, 환지예정지증명원, 건축허가(신고)서, 산지전용허가(신고)서, 기계기구 목록 등을 확인한다.

III. 물음 2

1. 비교표준지 선정 기준

① 인근지역에 있는 표준지 중에서
② 용도지역·이용상황·주변환경 등이 같거나 비슷한 표준지를 선정
③ 다만, 인근지역에 적절한 표준지가 없는 경우에는 인근지역과 유사한 지역적 특성을 갖는 동일수급권 안의 유사지역에 있는 표준지를 선정할 수 있다.

2. 비교표준지 선정 이유

① 비교표준지 선정 : #2
② 선정이유 : 용도지역(일반주거), 이용상황(상업용), 형상(가장형) 등이 유사함.
사항(#1 : 용도지역 상이), #3 : 이용상황 상이하여 제외함).

IV. 물음 3

1. 토지

1) 공시지가를 기준한 가액

$$3,000,000 \times 1.07566 \times 1 \times 1 \times 1 = 3,230,000\text{원}/\text{m}^2$$

$$\underset{\text{지}\quad\text{개}\quad\text{그}}{}$$

*1 $1.0254 \times 1.0300 \times (1 + 0.0300 \times \frac{56}{91})$

2) 거래사례비교법에 의한 비준가격

(1) 사례적부

최근의 최유효이용상태하의 거래사례임에 따라 배분법 적용

(2) 사례건물가격('02.4.1)

$$720,000 \times 0.96154 \times (0.75 \times \frac{49}{50} + 0.25 \times \frac{14}{15}) \times 1 \times 1 \times 8,100 = 5,430,124,000$$

$$\underset{\text{사}\qquad\text{시}^{*1}\qquad\qquad\qquad\qquad\text{건}\qquad\qquad\text{개}\qquad\text{면}}{}$$

*1 $\frac{125}{130}$

(3) 비준가격

$$(11,205,000,000 - 5,430,124,000) \times 1 \times 1.04902 \times 1 \times 1.04902 \times \frac{100}{102} \times 1.1 \times \frac{1}{1,980}$$

$$\underset{\text{사}\qquad\qquad\qquad\qquad\qquad\text{시}^{*1}\qquad\qquad\qquad\qquad\text{지}\qquad\text{개}\qquad\text{면}}{}$$

$$= 3,300,000\text{원}/\text{m}^2$$

*1 '02.4.1~8.25 : $1.0300 \times (1 + 0.0300 \times \frac{56}{91})$

3) 수익환원법에 의한 수익가격

(1) 사례적부

임대사례가 대상과 최유효이용상황이 유사, 토지잔여법 적용

(2) 사례토지귀속 순수익

① 총수익

$$100,000,000 + 85,000,000 \times 12 + 15,000,000 \times 12 = 1,300,000,000$$

② 필요제경비

$$218,459,520 + 50,000,000 + 80,000,000 + 20,000,000 = 388,460,000$$

주) 장기차입금이자와 소득세는 대상 건물의 임대 운영과 직접 관련 없어 제외.

③ 상각후 순수익

$$= 911,540,000$$

④ 건물귀속 순수익

i) 건물적산가액('02.8.25 기준)

$$720,000 \times 1 \times 1 \times (0.75 \times \frac{45}{50} + 0.25 \times \frac{10}{15}) \times \frac{97}{100} \times 9,200 = 5,407,944,000$$

$$\underset{\text{사}\qquad\text{시}\qquad\qquad\qquad\qquad\qquad\qquad\qquad\text{개}\qquad\text{면}}{}$$

ii) 건물귀속 순수익

$$5,407,944,000 \times 0.12 = 648,953,000$$

⑤ 사례토지귀속 순수익

$$= 262,587,000$$

(3) 대상 토지 수익가격

① 대상 토지 기대순수익

$$262{,}587{,}000 \times 1 \times 1 \times \frac{100}{85} \times 1.716 \times \frac{1}{2{,}100} = 252{,}437원/㎡$$
　　　　　　　　사　시　　지　개*1　　　면

*1 1.20×1.10×1.30

② 대상 토지 수익가격

$$252{,}437 \div 0.1 = 2{,}520{,}000원/㎡$$

(4) 토지가격

① 결정 : 3,200,000×2,000 = 6,400,000,000원
공시지가기준 : 3,230,000원/㎡, 비준가액 : 3,300,000원/㎡
수익가액 : 2,520,000원/㎡

② 이유 : 공시지가기준 대상이 10층인데 반해 사례는 8층으로 최유효이용과 유사한 상태로 볼 수 있으나 열세인 점에서 신뢰성이 다소 떨어질 수 있어 배제하되, 비준가액은 공시지가 기준가격을 적정히 지지함에 따라 공시지가를 기준하되, 평가목적이 일반거래로 시장성을 중시하여 결정하였음.

2. 건물가격

1) 건물 단가

(1) 재조달원가 결정

대상건물의 총공사비(직접공사비)가 제시되기는 했으나, 사정 개입되었음에 따라 최근의 표준적인 건설사례 적용.

$$720{,}000 \times 1 \times 1 \times \frac{98}{100} = 705{,}000원/㎡$$
　　　　　　사　시　개

(2) 건물단가

$$705{,}000 \times \left(0.75 \times \frac{45}{50} + 0.25 \times \frac{10}{15}\right) = 593{,}000원/㎡$$

2) 건물가격

$$593{,}000 \times 11{,}200 = 6{,}641{,}600{,}000$$

3. 대상부동산 감정평가액 결정

$$6{,}400{,}000{,}000 + 6{,}641{,}600{,}000 = 13{,}041{,}600{,}000원$$

【문제 2】(15)

I. 감정평가 개요

감정평가에 관한 규칙§23에 의하되, 다음 각 물음에 차례로 답한다. 기준시점 현재.

II. 물음 1

1. 광산평가액(감칙§23①)

1) 개요

광산의 수익가액에서 장래소요기업비의 현가합을 차감하여 평가한다.

III. 물음 2

1. 사전조사사항

① 광업등록원부 : 광업권에 관한 소재지·광종·광구·면적, 등록번호, 등록일, 권리관계, 부대조건, 연혁 등 기타 필요사항.

② 광업재단 등기부 등본 : 토지, 건물, 시설의 종류·용도·성능·구격, 토지 사용권의 목적·기간·면적 등, 기타 필요사항.

③ 광업권등록중, 탐광계획 및 실적에 관한 사항, 채광계획 및 채광실적에 관한 사항, 광물생산보고서에 관한 사항 등

2. 현장조사사항

① 입지조건(교통·수송·용수·동력·노동력·개무상태 등), ② 지질 및 광상(암층·구조·노두 및 광상의 형태 등), ③ 채광(제굴·지주·배수·통기) 운반방법 등), 광석처리(선광·제련의 방법 등), 광산설비(시설의 성능·용량·수량 등), 광물의 시장성 등

IV. 물음 3

환원이율은 광산의 상장별인 배당률에 세금을 감안한 이율이며 축적이율은 소모성 자산의 자본회수분을 안전하게 회수하는데 사용되는 이율이다. 또 환원이율은 상각전과 상각후로 구분되는데 환원이율은 자본화수를 포함한 개념이고 상각 후 환원이율은 부동산의 위험성을 반영한 자본수익 률에 비해, 축적이율은 안전한 곳에 투자했을 때 얻을 수 있는 안전율(무 위험률이라는 점에서 차이가 있다.

---

2) 광산의 수익가액

(1) 상각 전 순수익

① 매출액

$5,000×50,000×12 = 3,000,000,000$

② 소요경비

$500,000,000+350,000,000+3,000,000,000×0.1+150,000,000 = 1,300,000,000$

③ 상각전 순수익 = 1,700,000,000

(2) 환원이율

$$R = 0.16 + \frac{0.1}{1.1^{12}-1} = 0.2068$$

주) 가행년수 : $(5,500,000×0.7+8,000,000×0.42) ÷ (50,000×12) = 12$년

(3) 수익가액

$$1,700,000,000 × \frac{1}{0.2068} = 8,220,503,000$$

3) 광산평가가격

$8,220,503,000 - 1,450,000,000 = 6,770,000,000$

2. 광업권(감칙§23①)

1) 개요 : 광산제단의 감정평가에서 광산의 현존 시설 가액을 차감

2) 광업권 : $6,770,000,000 - 3,300,000,000 = 3,470,000,000$

【문제 3】 (20)

I. 물음 1('01.3.31) 담보가격

1. 대상물건 확정

① 공시지가를 기준하되, 거래사례비교법에 의한 비준가액으로 그 적정성 검토

② 물적사항 확정

i) 현황도로(50㎡) : 가치형성 관련하여 평가 외

ii) 잔여 10㎡ : 단독효용성이 희박하여 평가 외

2. 공시지가기준법

용도지역(미지정), 이용상황(답) 등이 유사한 #2 선정.

(단, #1 : 이용상황, #3 : 용도지역 상이하여 배제.)

$$18,000 \times \underset{\text{시}}{1} \times \underset{\text{지}}{1} \times \underset{\text{개}}{\frac{100}{90}} \times \underset{\text{기}}{1} = 20,000원/㎡$$

*1 녹지지역 지가변동률

3. 거래사례비교법

위치 물적 유사성 있으며 사정보정 가능한 사례#1 선정.

(단, 사례2는 친척간 거래로 제외)

$$12,000,000 \times \underset{\text{사}}{\frac{100}{121}} \times \underset{\text{시}}{1} \times \underset{\text{지}}{1} \times \underset{\text{개}}{\frac{100}{90}} \times \underset{\text{면}}{\frac{1}{500}} = 22,000원/㎡$$

4. 적정성 검토 및 담보가격 결정

공시지가 기준가액 : 20,000원/㎡, 비준가액 : 22,000원/㎡

비준가액은 다소 사정이 개입되어 있으나 공시지가 기준가액의 적정성을 지지해주고 있어 공시지가의 규준성을 기준.

$$20,000 \times (360-50-10) = 6,000,000원으로 결정한다.$$

5. (물음 1-나) 적정성 검토

감정평가업자는 감정평가서를 발송하기 전 다음 각호의 사항을 미리 검토한다.

① 감정평가서의 위산·오기 여부

② 의뢰내용 및 공부와 현황의 일치 여부

③ 감정평가관계법규 및 협약어세 위배된 내용이 있는지 여부

④ 감정평가서 기재사항이 적절히 기재되었는지 여부

⑤ 감정평가의견의 산출근거 및 결정 의견이 적절히 기재되었는지 여부

⑥ 감정평가수수료 산정의 적정성

⑦ 기타 필요한 사항

II. 물음 2('02.3.31)

1. 일괄경매 조건

1) 대상물건 확정

(1) 용도지역 : 경매평가를 시가평가임에 따라 현재상태 자연녹지 기준한다.

(2) 물적사항 및 소유권관계

① 잔여 10㎡ : 분할 및 등기부정리 완료됨에 따라 종전 소유권에서 분리

되어 평가 제외한다.

② 도로 50㎡ : 지적분할되어 채무자가 반을 보상금을 지불 전에 압류하여 담보물권을 행사할 수 있으므로 보상금을 별도 기재함.

(3) 부지조성 반영 : 시가평가를 위한 현황 평가한다.

(4) 개요 : 제시 외 건물이 같이 평가됨에 따라 구분평가하되, 평가금액에 포함한다.

2) 토지

(1) 공시지가 기준하되, 부지조성비 반영한다.

(2) 비교표준지 선정 : 이용상황(답), 도로(세로가) 등이 유사한 #3 선정

(단, #1 : 이용상황, #2 : 도로가 상이하여 제외함)

(3) 토지단가

$$22,000 \times 1.0200 \times 1 \times 1 + (3,000,000 \div 300) = 32,000원/㎡$$
시   지   계   그   면

(4) 토지평가액

$$32,000 \times 300 = 9,600,000$$

3) 건물

$$(150,000 + 30,000) \times 1 \times 30 = 5,400,000$$

---

4) 일괄 경매평가액

토지 $32,000 \times 300$ $= 9,600,000$원

건물 $5,400,000$원

합계 $15,425,000$원

(토지보상금 : $50 \times 8,500) = 425,000$

2. 제시외건물 타인소유 상정평가

1) 대상물건 확정

토지는 121번지를 기준하여 평가하되, 제시외건물이 타인 소유이므로 지상권이 설정된 정도의 제한을 감안하여 청구(설정부분과 설정 외 부분 구분평가)하여야 하며 건물은 타인소유로 평가하지 않는다.

2) 토지

(1) 정상토지 부분

$$32,000 \times (300 - 50) = 8,000,000$$
*1

*1 $30 \div 0.6$(건폐율) $= 50$

(2) 타인 건물 소재 토지

$$32,000 \times (1 - 0.3) \times 50 = 1,120,000$$

(3) 보상금 $= 425,000$

3) 경매감정평가액 $= 9,545,000$

[문제 4] (15)

Ⅰ. 투자수익률 산정

1. A부동산

1) 소득수익률

(1) NOI_n

① 가능총수익 : $5,000 \times 12 \times (\frac{100}{80} + 1 + \frac{70}{80}) \times (100 \times 0.9)$ = 16,875,000

② 공실및불량부채 : $16,875,000 \times 0.03$ = 506,250

③ 기타수익 : = 3,000,000

④ 유효총수익 : = 19,368,750

⑤ 영업경비 : = 7,747,500

⑥ 순수익 : = 11,621,250

(2) V_n (02.7.1)

① 토지

$300,000 \times 1.02 \times 100$ = 30,600,000

② 건물

ⅰ) 단순회귀분석을 통하여

$y = a+bx$

x	y	xy	x^2
3	580,000	1,740,000	9
10	500,000	5,000,000	100
7	520,000	3,640,000	49
5	560,000	2,800,000	25
0	600,000	0	0
계 25	2,760,000	13,180,000	183

$y = 605,448 - 10,690x$

ⅱ) 대상 단위당 적산가액은 $605,448 - 10,690 \times 1$ = 595,000원/㎡

ⅲ) 적산가액 : $595,000 \times 200$ = 119,000,000

③ V_n = 149,600,000

(3) 소득수익률

11,621,250÷150,000,000 = 0.077

소득수익률 : 11,025,000÷149,600,000 = 7.37%

2) 자본수익률 : 0.02

자본수익률 = 4%

3) 투자수익률 : 0.097

투자수익률 = 11.37%

2. B부동산

1) 소득수익률

(1) NOI_n = 10,500,000

Ⅱ. 투자의사 결정

1. 투자대안의 성격

투자규모가 150,000,000인바, A안과 B안의 부동산 가치의 합이 투자규모를 상회하여 양자는 상호 배타적 투자안으로 최대의 수익률을 산출하는 투자대안을 결정한다.

2. 투자의사 결정

A의 투자수익률(9.7%)과 B투자수익률(11.37%)중 B가 높아 B에 투자하는 것이 투자우위에 있다고 판단된다.

【문제 5】(10)

Ⅰ. 개요

개발제한구역은 공법상 일반적 제한임에 따라 제한받는 상태로 평가하되, 이하에서 일반평가와 보상평가로 구분하여 살펴본다.

Ⅱ. 일반평가(標準地 公示地價 평가)

1. 개요

제한받는 상태의 이용상황 기준하되, 실제지목 또는 공부상 지목이 '대'인 토지는 다음과 같다.

2. 건축물이 있는 토지

증축·용도변경 등 건축 가능한 상태 기준한다.

3. 건축물이 없는 토지로서 개발제한구역 지정 당시부터 공부상 지목이 '대'인 토지

1) 건축가능한 토지 : 건축가능 상태로 평가한다.

2) 건축이 사실상 불가능한 토지 : 현실적인 건축 불가능한 상황 기준한다.

Ⅲ. 보상평가

1. 개요

개발제한구역 제한받는 상태 평가하되, 개발제한구역 지정 당시부터 건축물이 있는 토지는 다음과 같다.

2. 건축물이 없는 토지

1) 형질변경 불요 : 건축물이 없는 토지 상정한다.

2) 형질변경 요하는 경우 : 건축물이 없는 토지 기준하되, 소요경비 고려한다.

단, 건축이 사실상 불가능한 때 현실이용상황 기준한다.

3. 건축물이 있는 토지

건축물이 있는 상태 기준한다.

Ⅳ. 개발제한구역특별조치법에 의한 매수대상토지

1. 매수청구일에 가장 근접한 시점의 표준지를 기준으로 적정가격을 평가한다.

2. 이용상황 : 종전토지의 생활을 기준하되, 평가의뢰자가 제시하는 경우에는 그 제시기준에 따라 평가하고 제시기준이 없으면 개발제한구역지정 이전 공부상 지목을 기준으로 평가할 수 있다.

3. 공부상 지목이 "대", 평가의뢰자가 지정이전의 실제용도를 "대"로 본 다른 지목의 토지인근의 건축물이 없는 토지로서 실제용도가 "대"인 표준지를 선정하여 평가한다.

6. 사후관리를 받는 품목의 법령 축타 평가시는 현행 관세율을 적용, 관세를 추정할 것을 전체로 평가하였다는 요지

7. 관정감가법을 적용할 경우 정념감가 부적정하다는 사유 및 관정감가 내용

8. 기타 평가가액 산출근거 및 그 결정에 관한 의견

【문제 6】 (5)

I. 개요

경매평가란 부동산 경매가 적정가격에 의하여 실시되도록 하기 위하여 매수신고의 기준으로 되는 최저경매가격을 결정하는 평가로 경매평가시에는 다음과 같은 내용을 "감정평가에 산출근거 및 그 결정에 관한 의견"에 기재하여야 한다.

II. 기재할 사항

1. 일괄평가, 구분평가, 부분평가를 실시하였을 경우 내용
2. 평가에서 제외하였을 경우에는 그 평가제외 사유
3. 대상물건의 장래성, 한가성, 취급상 유의점 등에 관한 감정평가인의 의견
4. 감정평가에 관한 법령 이외의 법령을 적용평가할 경우 그 근거법령 및 산출근거
5. 토지와 건물을 일괄하여 비준가액으로 결정하였을 경우 그 결정내용

【문제 7】 (5)

I. 기타요인(그 밖의 요인)보정률 산출방식

□ 1방법

$$격차율 = (보상선례기준\ 대상토지가격) \div (표준지기준\ 대상토지가격)$$
$$= \frac{보상선례가 \times 지가변동률 \times 지역요인비교(대상/선례) \times 개별요인비교(대상/선례)}{표준지공시지가 \times 지가변동률 \times 지역요인비교(대상/표준지) \times 개별요인비교(대상/표준지)}$$

□ 2방법

$$격차율 = (보상선례기준\ 표준지가격) \div (표준지가격)$$
$$= \frac{보상선례가 \times 지가변동률 \times 지역요인비교(표준지/선례) \times 개별요인비교(표준지/선례)}{표준지공시지가 \times 지가변동률 \times 지역요인비교 \times 1 (표준지/표준지) \times (표준지/표준지)}$$

II. 보상선례참작

보상선례는 가격시점기준 최근 2년 이내의 해당 공공사업에 관한 것은 제외한 선례를 기준으로 참작하여야 하며 인근 유사토지가 거래된 사례나 보상이 된 사례가 있고 그 가격이 정상적인 것으로서 적정한 보상에 평가에 영향을 미칠 수 있는 것임이 입증된 경우에 이를 참작할 수 있을 것이다.

여기서 "인근유사토지의 정상거래가격"이라고 함은 그 토지가 수용대상 토지의 인근지역에 위치하고 용도지역, 지목, 등급, 지적, 형태, 이용상황, 법령상의 제한 등 자연적·사회적 조건이 수용대상 토지와 동일하거나 유사한 토지에 관하여 통상의 거래에서 성립된 가격으로서, 개발이익이 포함되지 아니하고, 투기적인 거래에서 형성된 것이 아닌 가격을 말한다.

[문제1] 부동산 매입타당성검토 [문제2] 보상 [문제3] 보상평가가산 개별이의 배제 방법 [문제4] 영업권가치 [문제5] 동일APT의 총, 향, 위치 차이에 따른 가격격차 발생요인이 출제되있다.

[문제1]번에서 답의 좌우 되었을 것으로 보이며 정상가격에 대한 명확한 이해를 바탕으로 Cash Equivalence를 고려한 매입타당성을 검토해야 한다.

따라서 특히 문제2가 논점이 많고 어려우므로, [문제1,2]번에 집중하시고 나머지는 시간 save가 요구된다.

1. 문제1번 - 부동산 매입타당성 검토(40), 저당조건과 매매예정가격

1) 대상부동산 정상가격(시장가치)

(1) 대상의 임대수지내역과 임대사례의 활용

본건의 임대내역과 임대사례가 동시에 주어진 경우 자료 배분과 평가방식의 적용이 우선적으로 결정되어야 한다. 대상의 현행 임대료가 시장상황에 부합됨지 않거나 임대기간이 경과된 경우에는 배제되 임대사례로는 토지전대별 내지 건물전대별의 자료임을 알아야 한다. 본건 대상의 임대수지내역은 일체수익가격에 자료일 것이다. 본건의 수익을 가지고 잔여법을 적용하는 것은 앞뒤가 맞지 않아 일체수익가격으로 써야하는 논리필연이 발생하기 때문이다.

또, 본건의 임대수지내역이 문제의 앞부분인 <자료1> 대상부동산의 기본 자료에서 제시하고 있어 시험장에서는 이를 베끼라는 실수를 범하는 경우가 많으니 주의를 요한다.

(2) 저당조건의 활용

저당조건이 활용되는 경우는 DCF법의 현금흐름을 또는 저당환원법에서 환원율을 산정(엘우드, Ross 등)인 수익방식의 논점인 경우 가격이 대부분일 것이다. 그러나 본 문제에서 주어진 저당조건은 (물음 2)에서 현금등가에 적용할 자료있다.

본 문제에서 '환원이율을 제시'하고 있다는 점이 저당환원법에서는 저당조건을 활용한 별도 환원율 산정이 필요 없게 하였다. 또, 보유기간 등이 제시가 없어 DCF법 적용 문제가 아니라면 저당 조건은 더 이상 수익방식의 자료가 아니게 된다.

2) Cash Equivalence를 고려한 가치(매도자제시 현금지급액+저당현가)

본 물음은 현실에서 담보평가를 통해 담보대출을 받는 경우 자주임장에서의 현금등가로 이해하면 비교적 쉽게 접근이 가능하다. 저당대출을 받는 이유는 대버리지효과를 향유할 수 있기 때문에 현금등가에 명목상 지불액보다 낮게 될 것이다.

3) 매입타당성 여부 검토 및 이유제시

(1) 판단의 기준

본 문제에서는 매수제안가격(명목 지불액, 3,900,000,000원), 현금등가에 (실질 지불액, 2,854,000,000원), 평가가액(4,200,000,000원) 3가지의 가격이 산정된다. 명목 지불액과 실질지불액을 비교하는 것은 매수제안가격(명목 지불액)과 평가액을 비교하는 것은 주요 판단 근거는 아니다. 실질지불액과 평가액의 비교가 타당성의 판단성의 판단 주된 기준이 된다.

(2) 매수제안가격과 저당조건을 활용한 변형 출제 가능성

지분수익률을 기준한 타당성 분석 문제에서는 매수제안가격과 저당조건이 가장 핵심적인 자료가 된다. 매수제안가격에서 저당금액(평가액에 LTV, DTI, DCR을 적용) 차감하여 지분투자액 지분으로 EQ을 기준으로 지분수익(BTCF, ATCF) 및 기말지분복귀액의 현금흐름을 분석하여 지분수익률을 산정, 종합수익률과 비교하여 레버리지효과를 산정하는 문제가 부동산 금융에서는 기본이 된다.

2. 문제2번 – 토지, 지장물 보상평가(35)

1) 토지

(1) 새마을 도로의 평가

종전에는 새마을 도로의 경우 미불용지의 평가규정을 준용하여 종전의 이용상황을 기준으로 평가하였지만, 토지보상평가지침에서 해당 규정을 삭제하였고 현행 감정평가실무기준 및 감정평가실무기준 해설서 등에서도 별정용이 아니라는 점에서 세매을 도로는 별도 구성하지 않고 있다. 따라서 '사실상 사도' 여부가 먼저 검토되어야 하고 적용될 단서가 없다면, 예외적으로 공도부지의 평가로 접근해야 할 것이다.

(2) 기타요인(그 밖의 요인) 보정치의 적용 문제

일련번호 1, 2, 3(이용상황 '전')에 적용할 기타요인(그 밖의 요인)보정 자료는 제시되어 있으나 일련번호 4(이용상황 '주거나지')에 적용할 자료는 없어 기타요인(그 밖의 요인) 보정치를 어떻게 적용할지가 고민된다. 이론과 실제로 봤을 때 동일한 표준지를 선정한 경우 별도로 기타요인(그 밖의 요인)보정치를 선정할 것 없이 동일한 보정치를 적용하면 된다.

그러나 이용상황이 달라 다른 표준지를 선정하였다면 별도의 기타요인(그 밖의 요인) 보정치를 산정하여야 한다. 기타요인을 보정하는 적정가격(시가)와 공시지가의 격차율을 보정하기 위한 것인데 각 표준지 또는 이용상황(예, 전, 임야 등)에 따라 그 격차가 다른 것이 일반적이기 때문이다. 따라서, 본 예시답안에서 일련번호 4의 경우 별도의 기타요인 요인산정자료를 제시하지 않아 공시지가가 적정시세를 반영하는 것으로 보아 기타요인(그 밖의 요인)보정을 별도로 하지 않았다. 반면, 모든 표준지의 시세반영률이 동일하다면 일련번호 1, 2, 3과 동일하게 적용할 수 있을 것이다.

(3) 선하지의 평가

선하지의 경우 "나지상정-구분지상권가치"로 평가가 될 것이다. 선하지에 구분지상권이 설정된 경우 구분지상권의 가치를 산정하는 방법은 크게 세 가지로 분류된다. [해당 내용은 26회 2번 해설과 함께 학습바람]

① 기준시점 현재 나지상정 가격에 보정률(입체이용저해율)을 고려하는 방법

단순한 평가 기법상으로는 이 방법이 타당하다고 볼 수 있다. 그러나 다음과 같은 문제점이 있다. 우선, 구분지상권은 용익물권으로서 토지가치의 상승분을 향유해서는 안 될 것이다. 가치상승은 소유권에 귀속될 문제이다. 그러나 이 방법에 의하면 권원이 없는 지상권자가 가치상승분을 향유하게 되어 토지소유자의 권익을 침해하게 된다. 오히려 한쪽(전)에게 과다지급이 될 소지가 있다.

또, 보정률 문제다. 선하지 사용료 보상의 보정률은 기본율(입체이용저해율에 추가보정률(및 영구사용)을 더한다. 기본율은 구분지상권자가 향유

③ 지료의 차이로 보상하는 방법

이 방법은 일반적인 권리의 평가방법과 설정임대료와 지불임대료의 차이을 현가하는 방법으로 이론에 충실한 평가방법이다. 그러나 일반적으로 구분지상권의 존속기간이 해당 시설물의 존속기간으로 등기되고 있어 매년의 지료의 차이을 산정하는 것과 적용에 대한 결정이 어려운 현실적인 한계가 있다.

④ 구분지상권의 등기 없이 사용하고 있는 경우

기성 선하지의 보상은 공익사업에 해당하는 경우는 미불(미지금)용지에 해당하는 것으로 토지의 지상공간에 대한 제한이 없는 상태대로 평가해야 한다.

(4) 일련번호 3 농업용창고 신축허가

시장에서 허가받은 상태의 토지가격의 15% 높게 거래되어 이를 반영하되, 허가비용이 가격상승을 발생시키는 소요비용이기 때문에 중복 적용이 되어서는 안된다.

2) 지장물

법§75① 물건의 가격범위내 이전비, 시설개선비 제외(칙§2-4, 보수불가 등시 처리

3. 문제3번 – 보상평가시 개발이익의 배제방법(10)

1) 적용공시지가(법§70②③)

2) 지가변동률(령§37②)

3) 기타요인(그 밖의 요인)보정

하게 될 설정면적 부분의 가치 비율이다. 그러나 추가보정물(및 영구사용)의 경우 송전선로가 다른 구분지상권에 비해 토지소유권에게 미치는 피해가 추가적으로 발생한다고 보기 때문에 지급하는 부분이다. 즉, 추가보정물은 설정면적 이외의 공간에 해당되는 토지소유권에 대해 추가적으로 지급하는 부분이다. 이런 추가보정물을 한국전력의 구분지상권을 산정할 때 고려하게 되면 이 또한 토지소유자의 권리을 침해할 수 있다.

② 기 지급한 전세금으로 산정하는 방법

실무적으로 구분지상권이 설정된 토지의 보상액을 산정할 때 기 지급한 설정금을 지가적으로 형식도 주로 쓰여지고 있다. 이 방법도 문제점이 있다. 기 지급한 보상금을 전세금과 유사한 것으로 본다면 전세금과 달리 존속기간이 만료되더라도 환불되는 것이 아니므로 개념적인 한계가 있다. 기 보상금에을 사용료를 선불한 것으로 볼 경우에는 사용기간에 해당하는 지료를 삭감하지 않고 전액으로 평가하는 것이므로 이론상 문제점이 발생한다. 또, 기 지급한 보상금의 진금비율을 고려하여 감면하는 방법과 기 지급한 보상금에 일정 이자율을 가산하는 방법으로 접근하는 방법이 있다. 그러나, 상기 방식 역시 이자율 및 기간에 대한 자의성 문제와 개념적 차이을 여전히 가지고 있다.

공익사업으로 인하여 시설물을 이전하여야 할 경우 구분지상권의 보상금 과과 새로운 구분지상권의 설정을 위한 보상금액 사이에 생당한 격차가 발생될 가능성이 높아 한국전력에게 과다한 추가부담이 예상된다는 문제점도 있다. 그 대채서, 송전선로를 이전해야하는 경우 민간사업에서는 실무적으로 도시계 회사설(전력공급시설) 부분을 따로 제획하여 지자체에 기부채납하고 거기에 구분지상권을 설정하는 방식 등을 활용하기도 한다.

4) 용도지역변경 미고려(칙§23)

5) 개선방안(가격시점 : 수용재결일 → 사업인정, 생산자물가지수적용, 개발이익 산정 배제)

4. 문제4번 - 영업권 가치(10)

1) 일반적으로는 대손상각, 감가상각누계, 퇴손충당금 처리의 판관비, 순자산 가치산정시 처리유의

2) 수정후 잔액시산표 제시되었으므로 매입채정이 매출원가임.(별도 수정 不要)

5. 문제5번 - 동일평형APT 총·향·위치 차이에 따른 가격격차 발생요인(5)

1) 추가논점

감칙§25, stigma, 특정가격접근법(HPM), 일조침해 判例 등 언급

2) 일조권 판례

일조침해 등에 관하여 건축법 제61조 및 서울시 건축조례가 있으며, 특히 《判例》는 동지일 기준 오전 8시에서 오후 4시 사이에 총 4시간 이상 또는 오전 9시에서 오후 3시 사이에 연속하여 2시간 이상 일조시간이 확보된 경우 수인한도를 넘지 않는다고 보았다.

[문제 1]

(물음 1) 정상가격

I. 감정평가 개요

감정평가 3방식에 의한 시산가액을 조정하여 대상부동산의 감정평가액을 결정

기준시점은 의뢰인 제시일 2003.8.31.

II. 개별물건기준(감칙§7①)

1. 토지

1) 공시지가 기준법

(1) 비교표준지

① 선정 : #1

② 이유 : 용도지역, 이용상황 등이 유사함

#2, #3은 용도지역 등이 상이하여 제외함

(2) 토지단가

$$3,800,000 \times 1.06325 \times 1 \times 0.9 \times 1 = 3,640,000원/㎡$$
$$\quad\quad\quad\quad\quad 시 \quad 지 \quad 개 \quad 그$$

*1 지역요인(대상기준시점/표준지기준시점), 개별요인(대상기준시점/표준지공시시점)

2) 거래사례비교법

(1) 비교사례

① 선정 : 사례 ㉮

② 이유 : 위치, 물적유사성 비교가능성 높아 선정

(2) 비준가액

① 사례 거래가격

$$2,100,000,000 \times \frac{100}{105} + (50,000,000 - 20,000,000) = 2,030,000,000$$

② 비준가액(단가)

$$2,030,000,000 \times 1 \times 1.22367 \times \frac{100}{102} \times \frac{90}{100} \times \frac{1}{580} = 3,780,000원/㎡$$
$$\quad\quad\quad\quad\quad\quad 시 \quad 지 \quad 개 \quad 면$$

*1 지역요인(대상기준시점/사례기준시점), 개별요인(대상기준시점/사례거래시점)

3) 토지전환법

(1) 사례선정

임대사례㉯가 대상의 최유효이용과 유사하고, 토지전환별 적용이 가능하여 사례로 선정함.

(2) 수익가액

① 사례수익(상각 후, 2012.1.1 기준)

$$430,000,000 \times (1 - 0.2) = 344,000,000$$

② 사례토지 귀속순수익
• 사례건물가격

$$\left(2,500,000 \times \tfrac{121}{400}\right) \times 1 \times \tfrac{137}{141} \times 1 \times \tfrac{48}{51} \times 2700 = 1,867,247,000$$
　　　　　　　시　시　개　전　면

• 사례 토지 귀속순수익

$$344,000,000 - (1,867,247,000 \times 0.1) = 157,275,000$$

③ 수익가액(단가)
• 대상 토지 기대순수익

$$157,275,000 \times 1 \times \tfrac{127}{120} \times \tfrac{100}{110} \times 0.9 \times \tfrac{1}{550} = 247,611원/㎡$$
　　　　　　　시　지　개　면

• 대상 토지 수익가액

$$247.611 \div 0.08 = 3,100,000원/㎡$$

4) 토지가액 결정
공시지가기준 : 3,640,000원/㎡, 비준가액 : 3,780,000원/㎡,
수익가액 : 3,100,000원/㎡

감정평가에 관한 규칙§14에 의거 공시지가를 기준하되, 대상부동산이 수익부동산임에 비추어 수익가액이 낮은 점 등을 고려하여
3,600,000×600 = 2,160,000,000원으로 결정함

2. 건 물
1) 개요
본 건물의 직접공사비는 사정개입이 있었는바 최근의 표준적인 건설사례를 이용하여 간접법에 의함.

2) 재조달원가

$$2,500,000 \times 1 \times 1 \times \tfrac{98}{100} \times \left(3,200 \times \tfrac{121}{400}\right) = 2,371,600,000$$
　　　　　　　시　시　개　면

3) 적산가액

$$2,371,600,000 \times \left(1 - \tfrac{5}{50}\right) = 2,134,440,000$$
주) 감칙§15②2호에 의해 경제적 내용년수에 의함

3. 개별물건 기준에 의한 시산가액

$$2,160,000,000 + 2,134,440,000 = 4,294,440,000$$
　토지　　　　　건물

Ⅲ. 비교방식(감칙§7②)

1. 비교사례 선정
대상부동산과 이용상황 등이 유사한 복합부동산의 거래사례④를 선정함.

2. 일체의 비준가액

$$4,150,000,000 \times 1 \times 1.1000 \times \tfrac{100}{105} \times \tfrac{100}{105} \times 1 = 4,140,590,000$$
　　　　　　　시　지　지　개　그

IV. 수익방식(감칙§72)

1. 개요

대상의 임대수지는 최유효이용상태하의 임대수지로 인근수준 대비 적정수준인바, 이를 이용하여 일체의 수익가액을 구함.

2. 대상부동산 순수익(상각 후)

1) 총수익

$$50,000,000 + 384,000,000 = 434,000,000$$

2) 필요제경비

$$8,000,000 + 2,500,000 + 1,000,000 + 47,432,000^{*1} + 10,000,000 = 68,932,000$$

*1 감가상각비 $= 2,371,600,000 \times \dfrac{1}{50}$

주) 장기차입금이자는 대상부동산의 운영수익과 직접 관련 없어 제외함

3) 순수익

$$434,000,000 - 68,932,000 = 365,068,000$$

3. 종합환원율(물리적 투자결합법)

$$\frac{2,160,000,000}{4,294,440,000} \times 0.08 + \frac{2,134,440,000}{4,294,440,000} \times 0.1 = 0.0899$$

4. 일체의 수익가액

$$365,068,000 \div 0.0899 = 4,060,823,000$$

V. 감정평가액 결정

1. 적산가액 : 4,294,440,000원
2. 비준가액 : 4,140,590,000원
3. 수익가액 : 4,060,823,000원

4. 가격결정

시산가액들 간에 상호균형관계가 유지되기는 하나, 시장성을 반영한 비준가액과 수익성을 반영한 수익가액이 다소 낮은 점을 감안하여 4,200,000,000원으로 결정함.

(물음 2) 금융조건을 고려한 대상부동산 가치산정

1. 현금지급액

$$3,900,000,000 - 4,200,000,000 \times 0.6 = 1,380,000,000원$$

2. 저당 지불액의 현가

$$4,200,000,000 \times 0.6 \times 0.0726 \times 8.0551 = 1,473,697,000원$$

$$MC_{6\%,30년} \qquad PVA_{12\%,30년}$$

3. 현금등가

$$1,380,000,000 + 1,473,697,000 = 2,854,000,000원$$

2. 비교표준지 선정

1) 선정기준 : 용도지역 동일, 이용상황 동일, 주위환경 유사, 지리적으로 인접한 표준지로 공법상 제한 등이 유사한 것을 선정. 본건이 속한 지역은 환경보전지가 높아 개발제한구역의 해제가능성이 낮어 개발제한구역 내 표준지를 선정.

2) 일련번호 1,2,3 : '전', '답'으로 비교가능성 높은 표준지<#나> 선정.

3) 일련번호 4 : 주거나지로 비교가능성 높은 표준지<#가> 선정.

4) 일련번호 5 : 세마을 사업에 따른 도로로 공익성을 고려 공도부지 평가 기준을 적용하여 인근의 표준적 이용상황 '전' 기준표준지<#나> 선정.

3. 일련번호1

$$58,000 \times \underset{\text{시}^{*1}}{1.04444} \times \underset{\text{지}}{1} \times \underset{\text{개}}{1.05} \times \underset{\text{그}^{*2}}{1.2} = 76,300원/㎡$$

⟨×300 = 22,800,000⟩

*1 시점수정(2003.1.1~2003.8.28 지전분기 추정)

① 지가변동률

1.0314×(1+0.0195×59/91)=1.04444

② 생산자물가상승률

128.8/126.4=1.01899

③ 결정

해당 지역의 지가변동상황을 보다 잘 반영하고 있는 지가변동률을 적용함(이하 동일)

(물음 3)

1. 매입타당성여부

대상부동산의 정상가격(4,200,000,000원)보다 매수제안가격 및 저당대출 조건을 감안한 현금등가액(2,854,000,000원)이 낮어 매입타당성 있음.

2. 이유

저당대출이자율(6%)이 시장이자율(12%)보다 낮어 매수제안가격에 근거한 현금등가액(cash equivalence)이 대상부동산 가치보다 낮어 매입타당성이 있는 것으로 판단됨.

[문제2]

I. 감정평가 개요

실시계획인가가 공익사업을 위한 토지 등의 취득 및 보상에 관한 법률(이하 법)§20의 사업인정에 의제됨에 따라 동별 및 판련규정에 의함. 법시행구취 §20에 의해 물건별로 각각 평가함

II. 토지

1. 적용 공시지가

법§70④에 의해 사업인정고시일(2003.5.1) 이전 공시지가로 가격시점 당시 공시된 최근 공시지가 2003.1.1 공시지가 선택함.

*2 대상사업과 직접 관련없어 기타요인(그 밖의 요인)으로 참작함

① 거래사례 기준

$$\frac{91,200,000\times1.03239\times1\times0.97\times1/1200}{58,000\times1.04444\times1\times1.05} ≒ 1.197$$

② 보상선례기준

$$\frac{7,500,000\times1.20152\times0.9\times0.95\times1/100}{58,000\times1.04444\times1\times1.05} ≒ 1.211$$

③ 결정

두 사례 모두 적정한 바 이들 평균인 20% 증에 보정함

4. 일련번호2(시행규칙§28, §29근거)

1) 나지상태 평가액

$$58,000 \times 1.04444 \times 1 \times 1 \times 1.2 = 72,700원/㎡$$

2) 보정률

$$0.10 \times \frac{4}{5} = 0.08$$

기본률

※ 추가보정률, 영구사용보정률은 한국전력이 향유할 권리가 아닌바 제외

3) 보상평가액

(1) 한국전력공사

① 보정률 기준 : $72,700 \times 0.08 \times 80 = 465,280$

※ 단가 십원단위 반올림.

② 기 지급보상액 : $2,400,000/200 \times 80 = 960,000$

③ 결정 : 보정률 기준한 가액은 한국전력의 대체부지 설정이 어려움이 있어

기 지급보상액 기준 960,000원으로 결정

(2) 소유자 A

$$72,700\times150 - 960,000 = 9,945,000$$

5. 일련번호3

$$58,000 \times 1.04444 \times 1 \times 1.208 \times 1.2 = 87,800원/㎡$$

시   지   개*1   그

*1 1.05×1.15

도   신축허가

⟨× 120 = 10,536,000원⟩

6. 일련번호4

$$150,000 \times 1.04444 \times 1 \times 1 \times 1 - 12,000 = 145,000원/㎡$$

시   지   개*1   그*2

*1 이용상황이 상이하여 기타요인(그 밖의 요인) 보정치를 동일하게 적용 안함.

*2 개별요인 비교 사항이나 편의상 차감.

⟨×100 = 14,500,000⟩

7. 일련번호5

$$58,000 \times 1.04444 \times 1 \times 0.9 \times 1.2 = 65,400원/㎡$$

시   지   개   그

* 현행 토지보상평가지침 등에 따르면 '사실상 사도' 평가함.

⟨× 40 = 2,616,000⟩

Ⅲ. 지장물

1. #1

1) 개요

이전 가능한바 법§75①에 의해 이전비와 잔여부분 보수비 보상함.

2) 보상평가액

$5,000×30+50,000 = 200,000$원

2. #2

$5,000×30+50,000 = 200,000$원

3. #3

1) 개요

무허가 건축물이기는 하나 사업인정고시일(2003. 5. 1) 이전에 신축되어 법§25에 의해 보상대상이 되며, 이전이 가능하기는 하나 잔여부분 보수가 불가능하여 법§75①에 의해 min[전체이전비, 물건가격] 기준함.

2) 전체 이전비

$2,700,000+500,000+(10,500,000−1,000,000)+1,800,000 = 14,500,000$원

주) 난로 교체비는 시설개선비로 판단되어 제외함

3) 물건가격

$180,000 × \left(1 − \dfrac{5}{20}\right) × 97.5 = 13,162,500$원

변   변

4) 결정

물건 가격이 낮음에 따라, 13,163,000원으로 결정함.

[문제 3]

Ⅰ. 개요

개발이익이란 공공사업의 계획 또는 시행이 공고 또는 고시되거나 공공사업의 시행 기타 공공사업의 시행에 따른 절차로서 행하여진 토지이용제한의 설정·변경·해제 등으로 인하여 토지소유자가 자기의 노력에 관계없이 지가가 상승되어 현저하게 받은 이익으로서 정상지가상승분을 초과하여 증가된 부분을 말하는데, 공익사업을 위한 토지 등의 취득 및 보상에 관한 법률(이하 "법") §67②에서는 해당 공익사업으로 인하여 토지 등의 가격에 변동이 있는 때에는 이를 고려하지 아니한다고 규정하여 보상평가시 개발이익을 배제하도록 하고 있으며 구체적인 배제방법은 다음과 같다.

Ⅱ. 개별이익의 배제방법

1. 적용공시지가의 선택

1) 사업인정전의 협의에 의한 취득인 경우(법§70③)

사업인정 전 협의에 의한 취득의 경우에 제1항에 따른 공시지가는 해당 토지의 가격시점 당시 공시된 공시지가 중 가격시점과 가장 가까운 시점에 공시된 공시지가로 한다.

2) 사업인정후의 취득인 경우(법§70④)

사업인정 후의 취득의 경우에 제1항에 따른 공시지가는 사업인정고시일 전의 시점을 공시기준일로 하는 공시지가로서, 해당 토지에 관한 협의의 성립 또는 재결 당시 공시된 공시지가 중 그 사업인정고시일과 가장 가까운 시점에 공시된 공시지가로 한다.

3) 적용공시지가 소급(법§70⑤)

제3항 및 제4항에도 불구하고 공익사업의 계획 또는 시행이 공고되거나 고시됨으로 인하여 취득하여야 할 토지의 가격이 변동되었다고 인정되는 경우에는 제1항에 따른 공시지가는 해당 공고일 또는 고시일 전의 시점을 공시기준일로 하는 공시지가로서 그 토지의 가격시점 당시 공시된 공시지가 중 그 공익사업의 공고일 또는 고시일과 가장 가까운 시점에 공시된 공시지가로 한다.

2. 지가변동률 적용(법 시행령§37)

「국토의 계획 및 이용에 관한 법률 시행령」 제125조에 따라 국토교통부장관이 조사·발표하는 지가변동률로서 비교표준지가 소재하는 시(행정시를 포함한다)·군 또는 구(자치구가 아닌 구를 포함한다)의 용도지역별 지가변동률을 적용한다. 다만, 비교표준지와 같은 용도지역의 지가변동률이 조사·발표되지 아니한 경우에는 비교표준지와 유사한 용도지역의 지가변동률 또는 해당 시·군 또는 구의 이용상황이 같은 토지의 지가변동률 또는 해당 시·군 또는 구의 평균지가변동률 중 어느 하나의 지가변동률을 말한다.

② 제1항을 적용할 때 비교표준지가 소재하는 시·군 또는 구의 지가가 해당 공익사업으로 인하여 변동된 경우에는 해당 공익사업과 관계없는 인근

시·군 또는 구의 지가변동률을 적용한다. 다만, 비교표준지가 소재하는 시·군 또는 구의 지가변동률이 인근 시·군 또는 구의 지가변동률보다 작은 경우에는 그러하지 아니하다.

3. 그 밖의 요인 보정

그 밖의 요인이란 지가변동률·생산자물가상승률·지역요인 및 개별요인인 비교외의 지가변동에 영향을 미치는 요인으로 지역요인 또는 개별요인인 비교시에 반영되지 아니한 것을 말하는데, 비교표준지의 적용공시지가에 해당 공익사업과 직접 관련된 개발이익이 이미 반영되어 있는 경우에는 그 밖의 요인 보정을 통해 개발이익을 배제할 수 있다.

4. 공법상 제한 배제(토지보상법시행규칙 §23)

① 공법상 제한을 받는 토지에 대하여는 제한받는 상태대로 평가한다. 다만, 그 공법상 제한이 해당 공익사업의 시행을 직접 목적으로 하여 가하여진 경우에는 제한이 없는 상태를 상정하여 평가한다.

② 해당 공익사업의 시행을 직접 목적으로 하여 용도지역 또는 용도지구 등이 변경된 토지에 대하여는 변경되기 전의 용도지역 또는 용도지구 등을 기준으로 평가한다.

【문제 4】

I. 감정평가 개요

감정평가에 관한 규칙§23③에 의하되, 초과수익환원법 적용함.

II. 초과수익산정

1. 영업이익

$$6,861,000,000 - \underset{\text{매출원가}}{2,900,000,000} - \underset{\text{판관비}}{1,157,000,000} = 2,804,000,000\text{원}$$

매출

2. 정상영업이익

1) 순자산가치

$$(380,000,000 + 530,000,000 + 1,100,000,000 + 2,000,000,000$$
$$+8,500,000,000 + 6,500,000,000 + 3,500,000,000) - (1,950,000,000$$
$$+9,500,000,000 + 210,000,000 + 2,120,000,000 + 650,000,000$$
$$+1,876,000,000)$$
$$= 6,204,000,000\text{원}$$

2) 정상영업이익

$$6,204,000,000 \times 0.1 = 620,400,000\text{원}$$

3. 초과수익

$$2,804,000,000 - 620,400,000 = 2,183,600,000\text{원}$$

III. 평가액

$$2,183,600,000 \times \frac{1.09^3 - 1}{0.09 \times 1.09^3} = 5,527,000,000\text{원}$$

【문제 5】

I. 개요

부동산의 가격은 가격형성요인의 상호 영향을 통해 결정되며, 이러한 가격형성요인은 부동산의 물건별로 이용상황별로 달라지는바, 아파트와 같은 주거용부동산에 있어서는 수평적인 것뿐만 아니라 수직적인 이용에 따라, 즉 층별, 향별, 위치별 요인이 달라지므로 감정평가시 이에 대한 충분한 검토가 요구된다.

II. 가격격차발생요인

아파트의 층·향·위치 등의 차이에 따른 가격격차 발생요인으로는 접근성의 차이, 일조 및 채광의 정도, 조망 및 압박감 등과 소음의 영향, 방의 배치, 프라이버시, 선호도 등이 있다.

문제 논점 분석 및 예시답안

[문제1]7개별물건기준 건물의 3방식 및 일괄평가 [문제2]투자자문 [문제3]손실보 상평가 [문제4]토지 및 지장물보상평가의 출제로서, [문제1,2]번에서 덕이 좌우 될 것으로 보이며 [문제1]은 수익방식의 중요성이 높이지는 기준에 감칙 개정과 관련되어 출제된 문제로 보인다. 이와 관련하여 얼마나 논점화에 표현하느냐가 중요하며, 투자의 위험과 수익에 대한 명확한 이해, [문제3,4]번은 일관성있는 답안구성 및 조문에 대한 이해가 중요하다.

1. 문제1번 - 복합부동산의 가치(40)

목차가 수익진바 중요논점을 배뜨리지 않도록 유의하여야 한다. 전문이 3 방식의 문제가 토지-전물 일체 관련하여 출제되었음을 기 억할 필요가 있다. 또, DCF법의 적용대상 소득이 NOI로 소득정률증감모 형을 논점화 하였다.

1) 개별물건 기준(감칙§7①)

출제 당시 전물3방식을 모두 적용한 답안이 드물었다고 한다. 거래사례 및 수익사례의 토지-전물 일체 가격에서 토지가격을 배분하는 방법 및 자료를 활용하였다. 수익방식에서는 회수기간을 환원율로 활용하였다. 회수기간의 개념을 전물환원율에서의 상각후 환원율에 회수기간(정액-상 환기금-연금법)을 더하는 방법과 이해함 구분하여 이해할 필요가 있다.

2) 일괄 감정평가(DCF)

(1) 소득정률증감모형

K제수의 현가 산식$(1-(\frac{1+g\%}{1+y\%})^t/(y-g))$을 활용하여 현금흐름을 소득정률증 감모형으로 간단히 현가할 수 있다. 그러나 예시답안에서는 제시된 복리현 가율표를 적용하기 위해 매기의 현금흐름을 산정하여 문제 풀이를 하였다.

(2) 환원율의 적용

기말복귀가치 산정 시 환원율 12%에 가치상승분 2%를 적용할 것인지가 고민될 수 있다. "R=y−g"의 구조를 활용하는 것인데, y(수익률)에 환원율 12%를 적용하는 것은 개념상 다소 무리가 있고, 문제에서 명시적으로 5년 후 재매도시 적용할 환원율을 주고 있어 이를 임의적으로 변형시키는 것은 출제의도에는 부합되지 않는 것으로 보인다.

3) 시산가액 조정(의견제시), 일괄평가에 획대적용할 수 있는 선정기법.유의사항

(1) 획대기법(감칙 §7②, §12) : 비준, 수익가액

(2) 유의사항(Cash flow 중시 수익환경, 투자수익률, 동적DCF 등)

2. 문제2번 - 투자자문 consulting(25)

1) 각 대안의 기대수익률, 표준편차 산정

2) 평균분산원리 / 위험선호도 차이

3) 투자안 선택 - 위험 수익 trade off관계, 위험제거 연금

조성정도가 고려된 "전기타(창고)" 표준지#B를 선정하는 것이 타당하다. 또, 기타요인(그 밖의 요인) 보정의 경우 선정된 표준지에 따라 적용률이 달라져야 할 것이나 본 문제 풀이에서는 이용상황별 관계없이 동일하다고 전제하였다.

2) 무허가건축물 → 보상어부(물건의 가격 범위내 이전비)

3) 무허가건축물내 영업보상 → 침의회신 보상대상 아님(이사비등 고려)

영업보상평가지점에서는 국세청이 고시한 표준소득률을 고려할 수 있도록 규정하고 있다. 그러나 2002년 이후부터는 표준소득률 대신 기준경비율 (단순경비비율)을 고시하고 있다.

[참고 기준경비율에 의한 소득금액 계산방법]

1. 기준경비율에 의한 소득금액 계산방법

소득금액 = 수입금액 - 주요경비(매입비용 + 임차료 + 인건비)
－ (수입금액×기준경비율)

※ 다만, 기준경비율에 의해 계산한 소득금액(기준소득금액)이 단순경비율에 의해 계산한 소득금액에 국세청장이 정하는 배율을 곱하여 계산한 금액 이상인 경우에는 그 배율을 곱하여 계산한 금액으로 할 수 있다.

2. 단순경비율에 의한 소득금액 계산방법

소득금액 = 수입금액 - (수입금액×단순경비비율)

---

3. 문제3번 – 순실보상평가설명(20)

1) 무허가건축물 및 그 부지, 영업보상, 생활보상 등

종래 1989.1.24 이전에 신축한 무허가건축물 내에서의 영업에 대해 보상대상이 되느지 여부에 대해 논란이 있어 당시 건설교통부의 유권해석에서 보상대상이 되지 않는다고 해석한바 있다. 그러나 현행 토지보상법의 개정으로 인해 1989.1.24 이전에 신축한 무허가건축물은 모두 적법한 것으로 의제하여 이에 대한 논란이 정리 되었다.

2) 가설 건축물 등 그 부지 : (허가/신고 구분, 부지-일시적이용(법§70②)

3) 불법형질변경토지의 판단기준 및 평가방법(칙§24)

4. 문제4번 – 도시계획도로 편입 토지, 지장물 보상(15)

(문제과 관련하여 일관성 유지) 무허가 건축물내 영업보상(자유영업) 논점

1) 토지

(1) 면적 사정

종래에는 무허가건물부지의 면적사정 방법이 구 토지보상평가지침에 규정되어 있어 자연녹지의 경우 5배까지 대지로 산정하였다. 그래서, 본 문제의 출제 당시의 기준으로 하는 경우 400㎡까지 대지로 볼 수 있어 전체를 대지로 평가하여야 한다. 그러나 예시답안에서는 현 법령의 판례를 기준으로 건물 바닥면적만을 대지로 사정하여 평가하였다.

(2) "전" 부분의 평가

지목이 "전"이더라도 현재 조성된 "전"으로 순수 "전"상태인 표준지#A보다는

[문제1]

기준시점은 가격조사완료일('2004.9.1) 기준함.

(물음 1) 개별물건기준(감칙§7①)

I. 감정평가 개요

토지는 공시지가 기준, 거래사례비교법, 원가법을 통한 시산가액을 조정 결정하고 건물은 적산가액, 비준가액, 수익가액을 시산가액 조정하여 결정함.

II. 토지

1. 공시지가기준법

용도지역(일·상), 이용상황(상업용) 등이 유사하여 <#5> 선정함.

단, #1은 규모 #2는 공법상제한사항, #3, 4는 용도지역 등에서 상이하여 배제.

$$2,500,000 \times \underset{시^{*1}}{1.03463} \times \underset{지}{1} \times \underset{개^{*2}}{1.123} \times \underset{그}{1} = 2,900,000원/㎡$$

*1 $1.0136 \times 1.0122 \times \left(1 + 0.0122 \times \dfrac{63}{91}\right)$

*2 1.04×1.08

2. 거래사례비교법

1) 비교사례선정 :

인근지역 (B동)에 소재, 거래목적이 지상창고를 철거한 것 전체로 이용상황 유사한 등 비교가능성 있는 <#1>선정. 단 #2, 3, 4는 지역요인 등 비교불가로 제외함.

2) 현금등가화

$$1,830,000,000 + 400,000,000 \times \underset{MC(6\%,8년)}{0.161} \times \underset{PVA(8\%,8년)}{5.747} = 2,200,000,000원$$

3) 비준가액(단가)

$$2,200,000,000 \times \underset{사}{1} \times \underset{시^{*1}}{1.01250} \times \underset{지}{1} \times \underset{개}{1.08} \times \underset{면}{\dfrac{1}{750}} = 3,210,000원/㎡$$

*1 $\left(1 + 0.0122 \times \dfrac{30}{91}\right) \times \left(1 + 0.0122 \times \dfrac{63}{91}\right)$

주) 매도인부담 철거비 고려 않음.

3. 원가법

1) 공사준공 시점(2004.1.1) 기준

(1) 소지 매입가격

$$[2,000,000 \times 700 + (50,000 \times 240 - 5,000,000)] \times 1.08 = 1,519,560,000원$$

주) 매입 당시 예상 철거비 등을 전제함. 토지리드는 준공시까지 준공시까지 투하자본이 성격으로 연 8% 적용. 공사착공시 조성원가로 함.

(2) 조성공사비

$$450,000,000 \times \dfrac{1}{4} \times (1.082 + 1.051 + 1.040 + 1.020) = 471,713,000원$$

(3) 일반관리비 및 적정이윤

$$450,000,000 \times (0.1 + 1.1 \times 0.08) = 84,600,000원$$

(4) 합 $= 2,075,873,000원$

2) 적산가액(기준시점 기준)

$$2,075,873,000 \times \underset{\text{사}}{1} \times \underset{\text{시}}{1.03463} \times \underset{\text{지}}{1} \times \underset{\text{개}}{1.06} \times \underset{\text{면}}{\frac{1}{700}} = 3,250,000원/\text{㎡}$$

4. 토지가액 결정

공시지가 기준 : 2,900,000원/㎡, 비준가액 : 3,208,000원/㎡

적산가액 : 3,250,000원/㎡

평가목적이 일반거래인점을 고려, 비준가액은 거당조건의 제당이율이 시장이자율보다 낮고 장기대부에서 가격이 다소 높게 산정될 수 있는 점을 고려하고, 적산가액은 공급자 중심의 가격으로 현금흐름이 스케일 적정함인율의 주관성 개입 소지가 있는 점을 고려할 때, 감칙§14에 의거 공시지가를 기준하되, 비준가액·적산가액을 참작하여 3,000,000×820 = 2,460,000,000원으로 결정함.

III. 건물

1. 원가법

$$2,500,000 \times \underset{\text{사}}{\frac{121}{400}} \times \underset{\text{시}}{1} \times \underset{\text{개}}{1} \times \underset{\text{지}}{1} \times \underset{\text{면}}{\frac{48}{50}} \times (287 \times 0.7 + 2,870) = 2,229,473,000원$$

2. 거래사례비교법

1) 사례선정

구조 및 용도 사용승인일자 등 유사 사례#2를 선정하여 배분법 적용함.

2) 사례토지 가격(2003. 10. 5)

거래사례의 인근지역에 소재하고 비교가능한 사례#3을 선정.

$$2,350,000,000 \times \underset{\text{사}}{1} \times \underset{\text{시}}{1.03248^{*1}} \times \underset{\text{지}}{1} \times \underset{\text{개}}{0.970^{*2}} \times \underset{\text{면}}{\frac{900}{780}} = 2,715,621,000원$$

$$*1 \left(1 + 0.0171 \times \frac{153}{365}\right) \times \left(1 + 0.0330 \times \frac{278}{365}\right)$$

$$*2 \ 0.96 \times 1.01$$

3) 비준가액

$$(4,800,000,000 \times \frac{100}{95} - 2,715,621,000) \times 1.0466^{*1} \times \frac{100}{97} \times \frac{\frac{48}{50}}{\frac{49}{50}} \times \frac{3,157}{3,465} = 2,250,537,000원$$

$$*1 \ \frac{(117 + 3 \times 2/6)}{(109 + 5 \times 9/12)}$$

3. 수익환원법

1) 사례선정

같은 동(D동)을 통한 배분법 및 건물잔여법 적용함.

2) 사례 상각 전 순수익

$$(3,000,000,000 \times 0.1 + 660,000,000 \times 0.402) - [30,000,000 \times (0.388$$
$$-0.4 \times 1.125 \times 0.308) + 20,000,000 + 2,500,000 \times 12 + 50,000,000]$$
$$= 457,838,000$$

주) 실제 지출경비가 아닌 감가상각비 제외(자본회수기간이 상각전...)

(물음 2) 일괄 수익환원법(감칙§7②)

I. 개요

본건이 최유효이용 상태임에 따라 본 건 임대수익 자료를 기준 DCF법에 의함.

II. 현금흐름표

1. 4층 기준 순수익

1) 유효총수익

$165,000 \times 574 \times (1 - 0.03) = 91,868,700$

2) 영업경비

$(3,000,000 - 2,500,000) + 1,500,000 + (1,300,000 + 1,000,000) \times 12$
$= 29,600,000$

주) 부가물 설치비는 자본적 지출, 수도료·전기료·연료비는 부가사용료 및 공익비 실비, 소유자 급여는 전문관리자 급여를 별도 지급, 비소멸성 보험료, 소득세·재당어자는 본 건 물 임대운영과 직접 관련 없어 제외함.

3) 순수익 $= 62,268,700$

2. 전체 순수익

$62,268,700 \times \dfrac{100 + 60 + 42 + 38 + 36}{38} = 452,267,000$

---

3) 사례 부동산가격

$457,838,000 \times 9.95^{*1} = 4,555,488,000$원

*1 평균자본회수기간 상정함. $(9.9+9.7+10.3+10.0+10.2+9.6)/6$

4) 사례토지가격(2004. 9. 1)

임대사례의 인근지역에 소재하고 비교가능한 사례#4 선정.

$1,600,000,000 \times 1 \times 1.0^{-548} \times 1 \times 0.92 \times \dfrac{920}{750} = 1,833,605,000$원

（사   지   개   면）

*1 $\left(1 + 0.0122 \times \dfrac{52}{91}\right) \times \left(1 + 0.0122 \times \dfrac{63}{91}\right)$

5) 수익가액

$(4,555,488,000 - 1,833,605,000) \times 1 \times 1 \times 1 \times \dfrac{100}{105} \times \dfrac{3,157}{3,400} = 2,406,998,000$원

（사   시   개   면）

4. 건물가액 결정

적산가액 : 2,229,473,000, 비준가액 : 2,250,537,000

수익가액 : 2,406,998,000

수익가액은 임대사례가 대상 건물보다 그 규모가 커 크게 산정된 것으로 판단되어 감칙§15에 의거 원가법에 의한 적산가액을 기준하되 최근의 시장성에 근거한 비준가액에 비중을 두어 2,230,000,000원으로 결정함.

IV. 개별물건 기준에 의한 시산가액

$2,460,000,000 + 2,230,000,000 = 4,690,000,000$원

3. 현금흐름표

(단위 : 천원)

기간	1	2	3	4	5	6
순수익	452,267	474,880*1	498,624	523,555	549,733	560,728*2

*1 452,267 × 1.05
*2 560,728 × 1.02

Ⅲ. 기말복귀가치

560,728,000 / 0.12　　　　　= 4,672,733,000원

Ⅳ. 수익환원법에 의한 시산가액

452,267×0.926+474,880×0.857+498,624×0.794+523,555×0.735

+ (549,733+4,672,733)×0.681　　　= 5,162,991,000원

(물음 3)

1. 감정평가액 결정 : 　　　　= 5,100,000,000원

2. 감정평가액 결정의견

토지·건물·각각 구하는 개별물건 기준은 복합부동산을 토지와 건물이라는 물리적 구성 부분의 합으로 보고, 토지·건물 일괄평가방법은 토지와 건물이 일체로 부동산의 가치를 창출한다는 논리적 사고를 바탕으로 한다. 개별물건 기준은 현행 법제에 부합하며, 평가선례가 축적되어 있다는 점, 일괄평가는 효용의 일체성을 반영하고 가치의 본질에 부합한다는 장점이 있다. 따라서 부동산의 효용을 가치로 본질로 본다면 일괄 감정평가 방법에 따른 시산가 액이 합리적인 시장 참여자의 매매의사에 부합하는 바, 일괄 수익가액을 중

심으로 결정한다.

3. 일괄평가에 확대 적용할 수 있는 산정기법 및 유의사항

1) 산정기법

감칙§7②에 근거하여 거래사례비교법, 수익환원법(직접환원법, DCF법 등)

2) 유의사항

일괄 감정평가를 적용하는 경우 가치형성요인(지역요인, 개별요인)의 제요인이 비교에 유의하여야 한다. 가치형성요인이 지역별,이용상황별,규모별에 따라 다를 수 있으며 가치의 구성비율 자체가 다를 수 있다. 토, 토지 및 건물 의 자산의 포함여부가 결정되어야 할 것이다. 수익가에의 경우 현금흐름의 개별성, 작용률 등의 적정성, 동적DCF의 활용여부를 검토하여야 하고, 비 부동산이나 무형자산 등의 기여가 포함될 수 있다는 점에 유의하여야 한다. 현행 법제상에서 일괄 감정평가 후 토지 건물가격에 대한 배분 문제 역시 어려움이 있다.

[문제2]

(물음 1)

Ⅰ. 지분환원율(R_E)

1. 비관치인 경우

① 지분수익 : 500,000,000×(1-0.08)×(1-0.42)-255,000,000 = 11,800,000

② $R_E = \dfrac{11,800,000}{450,000,000} = 2.62\%$

2. 일반적인 경우

① 자본수익 : 530,000,000×(1 – 0.06)×(1 – 0.38) – 255,000,000 = 53,884,000

② R_E : $\dfrac{53,884,000}{450,000,000}$ = 11.97%

3. 낙관적인 경우

① 자본수익 : 560,000,000×(1 – 0.05)×(1 – 0.35) – 255,000,000 = 90,800,000

② R_E : $\dfrac{90,800,000}{450,000,000}$ = 20.18%

4. 부동산의 A의 RE

0.25×0.0262 + 0.5×0.1197 + 0.25×0.2018 = 11.69%

Ⅲ. 표준편차(σ_E)

1. 분산

$0.25×(0.1169 - 0.0262)^2 + (0.1169 - 0.1197)^2 + 0.25×(0.1169 - 0.2018)^2$ = 0.0039

2. σ_E

$\sqrt{0.0039}$ = 6.24%

(물음 2)

Ⅰ. 자본수익률과 위험의 그림

E(RE) 축 : 13.5, 12.5, 11.69, 11.6, 10.6, 10.2
σ_E 축 : 4.5, 5.2, 6.2, 6.24, 6.32, 6.8
점 : A', C, A, A'', B, D

Ⅱ. 투자선택

분리정리(Seperation theorem)에 의한 투자결정과정에 따를 때 먼저 지배원리에 의해 A는 C와 비교할 때 위험은 높고 수익률은 낮아 C는 A를 지배하여 A는 배제될 것이고, B와 C는 위험과 수익률의 관계가 같아 투자자의 위험에 대한 태도에 따라 투자선택이 달라질 것이다. 예컨대 투자자가 위험회피형이라면 B를 선택할 것이고 위험추구형이라면 C를 선택할 것이다.

(물음3)

I. R_E 및 σ_E

1. RE

$0.1 \times 0.0262 + 0.6 \times 0.1197 + 0.3 \times 0.2018$ = 13.5%

2. 분산

$0.1 \times (0.1350 - 0.0262)^2 + 0.6 \times (0.1350 - 0.1197)^2 + 0.3 \times (0.1350 - 0.2018)^2$ = 0.0027

3. σ_E

$\sqrt{0.0027}$ = 5.2%

II. 투자자 선택 변화(A→A')

지배원리에 의할 때 A'는 C를 지배하고, A'와 B는 투자자의 위험에 대한 태도에 따라 달라진다.

(물음4)

I. R_E 및 σ_E

1. RE

$0.25 \times 0.017 + 0.5 \times 0.109 + 0.25 \times 0.189$ = 10.6%

2. 분산

$0.25 \times (0.106 - 0.0262)^2 + 0.5 \times (0.106 - 0.1197)^2 + 0.25 \times (0.106 - 0.2018)^2$ = 0.004

3. σ_E

$\sqrt{0.004}$ = 6.32%

II. A"와 D의 비교

A"는 D보다 위험은 낮고 R_E는 높아 D를 지배하여 A"를 투자하는 것이 타당하다고 판단된다.

[문제3] (현행 법령을 기준)

I. 물음1

1. 무허가건축물등의 의의

「건축법」등 관계법령에 의하여 허가를 받거나 신고를 하고 건축 또는 용도변경을 하여야 하는 건축물을 허가를 받지 아니하거나 신고를 하지 아니하고 건축 또는 용도변경한 건축물

2. 무허가건축물에 대한 보상평가

사업인정 고시일(행위제한일) 이전에 신축한 무허가건축물은 보상대상이 되나, 그 이후에 신축한 무허가건축물은 토지보전의무에 위반되어 보상대상에서 제외된다(법§25).

3. 무허가건축물 부지

별표7②의 현황평가에 대한 예외로 건축될 당시 이용상황을 상정하여 평가한다(별·칙 §24). 단만 1983.1.24 이전에 신축한 무허가건축물 부지에 대하여는 현황평가한다. 이 경우에도 '대지'의 면적은 사업시행자가 제시하는 면적, 바닥면적 등가지만 인정하고, 농지법상 농지전용부담금 신고관리법상 대체산림자원조성비 부과 대상여부를 고려하여 개별요인 비교시 고려할 수 있다.

> 매법원도 지적공부상의 지목여도 불구하고 가설시현에 있어서의 현실적인 이용상황에 따라 평가되어야 하므로 비교표준지와 수용대상토지의 지역요인 및 개별요인 등 품등비교를 함에 있어서도 현실적인 이용상황에 따라 다시 인정, 공부상의 지목의 따른 비교수치를 중복적용하는 것은 허용되지 아니한다고 판시하였다.

4. 무허가건축물에서의 영업보상

1989.1.24 이전에 신축한 무허가건축물로 적법한 건축물로 의제되어 영업이 이제되어 영업으로 적법한 건축물로 판단된다. 1989.1.24 이후 무허가건축물 적부에 따라 순실보상배상여부가 판단된다. 1989.1.24 이후 무허가건축물에서의 영업에 대해서는 인정적으로 보상대상으로 보상대상에서 제외된다. 다만, 1989.1.24 이후 무허가건축물에서의 영업인 경우에도 임차인이 사업인정 고시일등 1년 전부터 부가가치세법에 따른 사업자등록을 행하고 있는 경우에 한해 1천만원을 상한(이전비 및 감손에 별도)으로 영업보상을 한다.

5. 무허가건축물과 관련된 생활보상

주거용 건축물과 관련된 생활보상으로는 주거이전비, 이주대책, 이주정착금 등이 있다. 무허가건축물의 경우에도 거래사례비교법을 임가비와 함께 고려한다. 주거이전비의 경우 시행규칙 54조 2항 단서에 따라 무허가건축물등에 입주한 세입자로서 사업인정고시일등 당시 또는 공익사업을 위한 관계법령에 의한 고시 등이 있는 당시 그 공익사업지구 안에서 1년 이상 거주한 세입자에 대하여는 2월분의 주거이전비를 보상한다. 다만 1989.1.24 이전에 신축한 무허가건축물의 경우는 생활보상 대상이 된다.

III. 물음 2

1. 가설건축물 의의

도시계획시설예정지 등에 시장 등이 허가 등을 받아 3년 이내 존치기간, 3층 이하의 철근콘크리트조 등이 아닌 건축물을 말한다.

2. 가설건축물 - 보상평가에 대한 처리의견

국토의계획및이용에관한법률에 의해 무보상 자진철거를 전제로 허가를 받아 건축함에 따라 가설건축물은 보상대상이 아니다. (단, 신고대상 가설건축물은 보상대상이 된다.)

3. 가설건축물 부지의 보상평가에 대한 처리의견

가설건축물은 일시적 이용상황임에 따라 이용상황을 기준으로 한다.

IV. 물음 3

1. 불법형질변경토지 의의

형질변경이란 절토·성토 등으로 토지의 형상을 변경하거나 공유수면을 매립하는 것을 의미하며, 불법형질변경토지란 관계법령에 의하거나 허가나 신

고를 받지 아니하고 형질변경한 토지를 말한다.

2. 불법형질변경토지 판단기준

보상 당시를 기준으로 불법여부를 판단하고 공부상 지목과 현실 이용상황과의 부합 여부 등을 기준한다.

3. 불법형질변경토지 보상평가방법

위법위가 합리화되어 불합리한 보상이 될 가능성을 배제하기 위해 현황평가에 대한 예외로 형질변경 될 당시 이용상황을 기준한다(법·칙§24). 다만, 1995.1.7 당시 공익사업지구에 편입된 경우 현황평가한다.

【문제 4】

I. 개요

1. 사업인정 의제일 : 실시계획 고시일 2004.2.5
2. 가격시점 : 2004.8.29

II. 토지보상평가액

1. 적용공시지가 선택 : 2004.1.1
이유 : 국토의계획및이용에관한법률 상의 도시계획 실시계획 고시일이 법§22의 사업인정고시일에 의제됨에 따라 법§70④에 의해 사업인정고시일 전 기준함.

2. 비교표준지 선정

89.1.24 이전 신축한 무허가건축물 부지임에 따라 현실 이용상황(상업용) 기준함. 단, 별도의 면적 구분자료가 제시되지 않아 대법원 판례에 따라 건물 바닥면적 80㎡는 현황 "대" 기준하고, 270㎡는 종전 이용상황인 "전"을 기준함.

① "대" 부분 : 자연녹지, 상업용 〈#D〉 선정.
② "전" 부분 : "전" 부분 역시 무허가건축물 부지로 이용 중으로 조성상태를 고려하여 "전기타(창고)"로 도로조건 등이 유사한 〈#B〉를 선정.

3. 보상평가액

1) "대" 부분

$$1,100,000 \times 1.05908 \times 1 \times 1.05 \times 1.38^{*2} = 1,690,000원/㎡$$
$$\underset{시}{}\ \underset{지}{}\ \underset{계}{}\ \underset{그}{} \qquad (\times 80 = 135,200,000)$$

*1 $1.0198 \times 1.0230 \times (1 + 0.0230 \times \frac{60}{91}) = 1.38$

$$\frac{1,250,000 \times 1.07931^{*3} \times 1 \times 1.250}{1,100,000 \times 1.05908 \times 1 \times 1.050} = 1.38$$

*2 최근 2년 이내의 보상선례로 해당 공익사업과 직접 관련 없이 고려함.

*3 $(1 + 0.0104 \times \frac{55}{91}) \times 1.0071 \times 1.0056 \times 1.05908$

2) "전" 부분

$$350,000 \times 1.05908 \times 1 \times 1.25 \times 1.38 = 639,000원/㎡$$
$$\underset{시}{}\ \underset{지}{}\ \underset{계}{}\ \underset{그}{}^{*1} \qquad (\times 270 = 172,530,000)$$

*1 사실상 조성된 부지로 공시지가와 보상선례의 격차율은 이용상황에 격차 없이 관계 없이 동일하다고 봄.

3) 합계 : 1)+2) = 307,730,000

Ⅲ. 건축물 보상평가액

1. 개요
사업인정 고시일(행위제한일) 전 신축한 무허가건축물임에 따라 보상대상이 되는 바 법§75에 의해 min[이전비, 물건가격] 기준함.

2. 이전비
45,000,000×0.45 = 20,250,000

3. 물건가격
$39,000,000 \times 1 \times 1 \times \frac{24}{40} \times \frac{100}{98} \times \frac{80}{100}$ = 19,102,000

4. 결정
물건가격이 낮아 19,102,000원으로 결정함.

Ⅳ. 영업손실 보상평가액

1. 개요
'89.12.4 이전 신축 무허가 건축물은 적법한 건축물로 보상대상으로 봄.

2. 영업이익

1) 매출액 기준

(159,446,000+172,075,000+180,246,000)÷3×0.072÷12 ≒1,024,000원/월

2) 인근 동종 유사규모영업 기준(평균치 기준)

16,000,000×0.1 ≒1,600,000원/월

3) 결정

인근 동종 매출 및 영업이익률 하위 수준 1,500,000원/월로 결정

3. 보상평가액

1,500,000×3*1+200,000+1,200,000+850,000+200,000+5,000,000×0.1

구 분	설	운	간판	감손

= 7,450,000

*1 2014.10.22. 이전 보상체계공고편 사업으로 종전 법령 기준

** 현행법령 기준 :

1,500,000×4×1.2+200,000+1,200,000+850,000+200,000+5,000,000×0.1 = 10,150,000

까지만 산정하여 일시로 함인하였다.

2) (물음 2) 현상태 부동산 가격 및 시장가격 선정 : Max [① 현황 ② 철거 후 신축 시(물음 1)]

(1) 철거를 전제한 개량물(상업용)가치 선정 방법

논리적인 구성을 하자면 거래사례 표준지#1, 거래사례#1을 선정하여 상업용 토지가치를 평가하고 철거비를 차감하면 철거를 전제한 개량물 가치를 산정할 수 있다.

(물음 2)에서 (물음 1)의 개발대안에 따른 수익가액과 공시지가기준가격, 비준가액을 시산 후 신축시 조정하면 철거를 전제한 개량물의 가치의 산정이 가능하다.

그러나 예시답안에서는 이 무자를 배제하였다. (물음 2)에서 '감정평가가자료' 및 '공통자료'를 활용하도록 그 범위를 제한하고 있다. 즉, 철거비 자료는 '개발방안것자료'에 해당하여 이를 활용하지 않고서는 현황 철거를 전제한 개량물의 평가가 불가능하기 때문이다. 또, 본 문제의 배점이 35점인데 이를 고려하게 되면 과다한 배점을 쓰게 되어 여기까지 의도하고 있지는 않은 것으로 본다. 그래서 현황 주상용 상태의 개량물 가치를 3방식으로 산정하고 (물음 1)에서 산정한 개발대안에 따른 수익가액만을 비교하여 결정하였다.

(2) 일괄 거래사례비교법의 활용 여부

거래사례 #2에 대한 이해가 필요하다. 단순히 전부감가가 발생하기 때문에 토지, 건물 가격의 배분이 불가능하다고 배제할 수 없다. 인근지역은 주상용에서 업무용, 상업용으로 전환과정에 있어 이런 전환과정에 따는 가치상승이 주상용에 반영되어 있는 상태로 해석해야 한다는 점(이것은 표준지 공시지가에 '거래당사자'의 '거래당시의 제한

문제 논점 분석 및 예시답안

[문제1]개량물의 최고최선 [문제2] 지역분석, 비교표준지선정 및 건물의 내용년수 산정 [문제3] 시점별 목적별 평가 [문제4] 농업손실보상 문제가 출제되었다. 문제1,2는 이론적 배경을 바탕으로 하는 신유형의 문제로 문제의도와 논점파악이 매우 어려우므로 충분한 자료파악과 작전의 수립 후에 문제에 들어가야 한다. 전체적으로 쉬운 문제가 없었다.
[문제1]번에서 당락이 좌우될 것으로 보인다. 간단명료하게 답안을 구성하고 문제의 핵심을 파악하여 짧은 시간 안에 논점을 표현해야 한다.

1. 문제1번 – 개량물의 최유효이용과 개발방안 분석, 시장가치 선정(35)

1) (물음 1) 개발방안 타당성 분석 : "개량물 상태=토지건물 부동산 가치 – 자본적지출 –철거비"

(1) 물음에 유의

물음에서 '분석 및 판단에 대한 근거를 최유효이용과 관련하여 설명하시오.'로 요구하고 있다. 이 부분의 구체적인 기술이 필요하다.

(2) 개발방안1의 채권

채권의 발행일이 2000.6.1, 만기 10년이다. 그러나 기준시점으로부터 10개 월후 임대가 진행되고 5년 임대후 매각을 조건으로 하고 있는데, 매각시 점에는 이미 만기일을 넘어서게 된다. 그래서 원금과 이자를 채권 만기일

상황이 반영된 상태'임을 제시한 점, 문제에서 가격구성비가 제시된 점은 합리적 배분이 가능한 상태로 이해해야 한다.

따라서 거래사례 #2를 활용하여 주상용 토지만의 가치를 산정할 수 있고, 건물의 비교가 가능하다고 본다면 주상용 토지건물 일괄 거래사례비교법 자료로도 활용이 가능하다. 건물개별요인이 주어지지 않았지만 전기율에 포함된다고 보고, 주상용 토지건물의 3방식의 병용에 무게를 두어 일괄 거래사례비교법 활용하였다.

논리적 답안	문제 구조·배점 상 실전 적합 답안
II. 물음 1 1. 최유효이용 2. 물리적, 사회적, 법적타당성(최선의 이용 분석) 2. 경제적타당성분석	II. 물음 1 1. 최유효이용 2. 물리적, 사회적, 법적타당성(최선의 이용 분석) 2. 경제적타당성 분석
III. 물음 2 1. 현재이용을 유지하는 경우(주상용) (1) 개별평가 : 토(공#4, 비[사#2]) + 건 (2) 일괄평가(수익환원법) 2. 철거하는 경우(상업용) (1) 나지가격(공, 비[사#1]) (2) 현재상태 부동산(철거비 고려) (3) 결정(개발방법안의 수익가액 고려) 3. 시장가격결정	III. 물음 2 1. 연가법 : 토(공#4) + 건 2. 거래사례비교법 : 사#2(일체비준) 3. 수익환원법(일체수익) 4. 현황 개량물의 가격 5. 시장가격 결정

(3) 주상용의 일괄 수익환원법

중도적이용으로 할당된 개량물에 적용할 수 있는 수익방식인 부동산 잔여법과 직접환원법이 있다. 이론상으로는 주상용 현황의 수익을 기준으로 소득의 현가

및 기말복귀가치의 현가 함으로 산정이 가능하다. 문제에서는 직접환원법 적용이 가능하다. 이때 주의할 것은 주상용의 현황 수익을 환원의 환원 율로 환원해야 한다는 점이다.

2. 문제2번 - 지역요인, 경제적 내용년수, 개별평가

앞서 3문자 문제 구조에서 인접해있던 바와 같이 가장 어려울 수 있는 유형의 문제이다. 논리적 문제에서 능력을 기를 필요가 있다. 그러나 지역요인, 경제적 내용년수(연간 감가율) 등은 앞선 기출문제에서 등장했던 논점들이었다.

또, 토지의 거래사례비교법 적용도 고려할 수 있으나 출제 당시는 현 감정 제12조 제2항이 다른 방법에 의한 시산가액으로 주별방법의 시산가액의 합리성 검토 구조이 없었고, 문제에서 제시된 공시지가기준 및 원가법만 적용하는 것이 출제 의도였음을 참고하기 바란다.

1) 지역요인분석(단위당 순수익)과 비교표준지 공시지가 선정

인근에 동일 용도지역의 유사지역의 표준지를 선정하되 지역요인 비교치를 산정하는 문제였다. 유사지역의 선정이 관건이다. 종래 기출7회에서는 물리적 측면에서 고속도로를 인근지역의 경계를 설정했었던 기억이 있다. 해당 문제에서는 단위당 순수익을 기준으로 유사지역을 설정하도록 하였다. 그러나 단순히 수치의 유사성을 가지고 유사지역을 설정할 수는 없다. 유사지역은 인근지역과 지역특성이 유사한 지역이어야 한다.

따라서 각 소득의 요인인 PGI, 공실률, 영업경비의 수준 자체가 유사성을 보이는 지역을 선정하여야 한다. O동의 경우 순수익은 유사하지만 N동(인근지역)과 소득, 공실률, 경비 등이 상이하여 제외하는 것이다.

가가 원칙인 점이 강조되어 예외적인 경우에만 보상평가를 적용하고 있으니
유의하기 바란다. 향후 해당 문제가 출제된다면 담보평가, 경매평가, 처분
평가(시가), 보상평가의 그 밖의 요인 보정이 목적별로 다르게 적용되도록
출제 될 수 있다.

1) 담보 - 도로, 타인점유, 제시외건물 제외

(1) 일반적 제한과 개별적 제한의 처리

토지의 경우 일반적 제한과 개별적 제한을 모두 고려하여 평가한다. 이때,
이중감가가 아닌가 하는 생각을 할 수 있다. 이중감가는 개별적 제한의 경
우에만 문제가 된다. 예를들어, 도시계획시설 도로와 공법에 중복되어 저
축된 경우 두 번의 감가를 적용하면 이중감가가 된다.

건물의 원가법의 경우는 문화재 보호구역의 일반적 제한을 따로 적용할 필
요가 없고 본다. 이미 그 공법상 제한은 건물규모 등에 반영된 것으로 볼
수 있기 때문이다. 실무에서는 도시계획시설 저축감가를 건물에 반영하고
있지는 않다.

2) 경매 - 도로1/3감가, 타인점유감가, 제시외 건물 평가

3) 처분 - 도로부분 제외

본 문제의 처분평가에서 가장 문제가 되는 것은 본 토지가 "도시계획시설에
저축"됨에 따라 결국 공익사업에 필요한 토지였었다는 것이다. 이런 경우 처
분이 원칙적으로 제한된다. 그레도 처분을 한다면 ⅰ) 도시계획시설 결정이
페지되어 일반인에게 매각될 수 있을 것이고, ⅱ) 공익사업을 시행하는 사업시
행자에게 매각될 수 있을 것이다. 전자의 경우에는 도시계획시설 결정이 페
지되어 개발제한이 없는 상태로 일반 처분 평가를 하게 되는 것이고, 후
지되어 개발제한이 없는 상태에는 국유재산법상 처분재산별 처분평가는 시가평

---

2) 경제적 내용년수 선정

(1) 사례의 선정

건물의 경제적 내용년수를 산출하기 위해서는 신축 건물 수준의 부동산이
용이하다고 볼 수 있다. 그러나 매년의 감가 내지 감가의 패턴이 동일하지
않을 수 있는 점, 지역에 따라 감가수준이 다를 수 있는 점에서 대상과 가장 유
사한 부동산을 선정하는 것이 타당하다.

(2) 내용년수 선정시 기준시점에 유의

사례의 내용년수를 산정하여 바로 대상에 적용하는 점을 이해하고 있어야
한다. 즉, 대상으로 비준하는 것이 아니라 사례의 거래사례점을 기준으로 가
격을 분석해야 한다. 자칫 대상의 기준시점을 기준으로 분석하는 실수를
해서는 안된다.

3) 개별물건 기준(토지 - 콤ㅁ리, 건물 - 내용년수)

소급평가로서 재평가 문제였었다. 이전 평가방법과의 차이를 연급할 필요가
있다.

3. 문제3번 - 각 평가목적별 감정평가(20)

현재 수험생들이 해당 문제를 풀면서 가장 먼저 고민되는 사항은 그 밖의
요인 보정이다. 예시답안에서는 처분평가와, 보상평가에서만 보상사례를
활용하여 그 밖의 요인 보정을 하였다. 출제 당시에는 실무 관행상 구분없이
처분평가의 방법이 보상평가를 준용하는 경우가 대다수였기 때문에 당시
출제자는 구분없이 처분평가와 보상평가를 동일·유사한 감정평가로 의도
하여 출제한 것이다. 따라서, 처분평가와 보상평가 두 가지에서만 그 밖의
요인 보정을 한 것이다. 그러나 현재에는 국유재산법상 처분평가는 시가평

자의 경우 아래의 「국유재산법 시행령 제42조 제9항에 따라 보상평가를 적용하는 시가평가」하여 이를 처분가격으로 대체할 수 있을 것이다. 국유지는 현 소유자가 "국가"이고 도시계획사업의 사업시행자는 "시·군·구청장"이라는 점에서 후자의 케이스에 해당하는 평가로 해석할 수도 있다.

유하고 개량한 일반재산을 「공익사업을 위한 토지 등의 취득 및 보상에 관한 법률」에 따른 공익사업자에게 매각하는 경우로서 해당 사업시행자가 해당 점유·개량자에게 개량한 상당액을 지급한 경우에 관하여는 법 제44조의2제1항을 준용한다. 〈개정 2011.4.1〉

⑦ 제5항 및 제6항의 개량비의 범위는 기획재정부령으로 정한다. 〈개정 2011.4.1〉

⑧ 법 제55조제1항제1호 및 제4호에 따라 양여하는 경우에는 제1항에도 불구하고 대장가격을 재산가격으로 한다. 〈개정 2011.4.1, 2011.12.28〉

⑨ 「공익사업을 위한 토지 등의 취득 및 보상에 관한 법률」에 따른 공익사업에 필요한 일반재산을 해당 공익사업시행자에게 처분하는 경우에는 제1항에도 불구하고 해당 법률에 따라 산출한 보상가격으로 한다. 〈개정 2011.4.1.〉

⑩ 다음 각 호의 어느 하나에 해당하는 국유지를 법 제43조제1항에 따른 경쟁입찰의 방법으로 처분하는 경우에는 제1항에도 불구하고 해당 국유지의 개별공시지가를 예정가격으로 할 수 있다. 〈신설 2013.12.30.〉

1. 일단(一團)의 토지[경계선이 서로 맞닿은 일반재산인 국가 외의 자가 공유한 토지는 제외한다)인 일단(一團)의 토지를 말한다. 이하 같다)의 면적이 100제곱미터 이하인 국유지(특별시·광역시에 소재한 국유지는 제외한다)
2. 일단의 토지 대장가격이 1천만원 이하인 국유지

4) 보상 - 개별적 제한고려, 보상선례, 물건의 가격 범위 내 이전비
5) 가격다원론

4. 문제4번 - 농업손실보상(10) - 칙§48

기출될 당시(2013.4.25. 이전 보상공고되고 사업)에 해당 버섯재배사는 해당 농지의 지력을 이용하지 않는 것으로 농지에 해당하지 않았다.(시행규칙 48조 1항의 개정으로 현재는 농지에 해당) 2조 3항 2호 가목에 해당하는 경우 농업손실보상의 현재의 대상이 된다) 토지의 지목은 '전'이지만 그 지상 건축물을 신고 건축물로 소재(전장고)하고 있음을 보도 그러하다.

「국유재산법 시행령 제42조(처분재산의 예정가격)」

① 증권을 제외한 일반재산을 처분할 때에는 시가를 고려하여 해당 재산의 예정가격을 결정하여야 한다. 이 경우 예정가격의 결정방법은 다음 각 호와 같다.

1. 대장가격이 3천만원 이상인 경우(제2호의 경우는 제외한다): 두 개의 감정평가업자의 평가액을 산술평균한 금액
2. 대장가격이 3천만원 미만인 경우나 지방자치단체 또는 공공기관에 처분하는 경우: 하나의 감정평가업자의 평가액

② 제1항에 따른 감정평가업자의 평가액은 평가일부터 1년이 지나면 적용할 수 없다.

③ 중앙관서의 장등은 일반재산에 대하여 일반경쟁입찰을 두 번 실시하여도 낙찰되지 아니한 경우에는 세 번째 입찰부터 최초 매각 예정가격의 100분의 50을 최저한도로 하여 매회 100분의 10의 금액만큼 그 예정가격을 낮출 수 있다. 〈개정 2011.4.1〉

1. 삭제 〈2011.4.1〉
2. 삭제 〈2011.4.1〉

④ 제38조제3항제1호에 따라 취득한 증권의 예정가격은 다음 각 호의 방법으로 매각하는 경우에는 그러하지 아니하다. 다만, 제41조제2호의 방법으로 매각하는 경우에는 그러하지 아니하다. 〈신설 2011.4.1〉

⑤ 일반재산을 법 제45조에 따라 개척·매립·간척 또는 조림하거나 그 밖에 정당한 사유로 점유하고 개량한 자에게 해당 재산을 매각하는 경우에는 매각 당시의 개량한 상태의 가격에서 개량비 상당액을 뺀 금액을 매각대금으로 한다. 다만, 매각을 위한 평가일 현재 개량하지 아니한 상태의 가액이 개량한 상태의 매각대금을 결정하여야 한다. 〈개정 2011.4.1〉

⑥ 법 제45조에 따라 개척·매립·간척 또는 조림하거나 그 밖에 정당한 사유로 점

4) 대안 #5는 본건 인근지역의 지질 및 지반상태가 연암지대임에 따라 건축가능 증수가 지하 2층임에도 지하 3층을 계획하여 물리적 채택 가능 성에서 배제됨.

2. 경제적 타당성 분석

1) 대안#1(업무용)

① 개발 후 부동산 가치(순임대료 현가+매각금 현가)

$$(1,000,000,000 \times 0.01 \times 12 + 24,000,000 \times 12) \times (1-0.3) \times \frac{1.1^5-1}{0.1 \times 1.1^5}$$

$$\times \frac{1}{(1+0.1/12)^{10}} + (350,000,000 \times 1.05^5 + 2,100,000,000) \times \frac{1}{1.1^5}$$

$$\times \frac{1}{(1+0.1/12)^{10}} \qquad \fallingdotseq 2,452,000,000$$

② 건축비 등(자본적지출 및 철거비)

$$750,000 \times (280 + 340 \times 6) \times \frac{1}{(1+0.1/12)^{10}} + 60,000 \times 450 \times \frac{1}{(1+0.1/12)^2}$$

$$\fallingdotseq 1,628,000,000$$

③ 부동산 가치 : ①-②

$$\fallingdotseq 824,000,000$$

2) 대안#4(상업용)

① 개발 후 부동산가치(순임대료 현가+매각금 현가)

$$(12,000,000 \times 12 \times 1.01 + 2,000,000,000 \times 0.1) \times (1-0.25) \times \frac{1.1^5-1}{0.1 \times 1.1^5}$$

$$\times \frac{1}{1.1 \times (1+0.1/12)^2} + 2,400,000,000 \times \frac{1}{1.1^6 \times (1+0.1/12)^2} = 2,211,000,000$$

[문제 1]

Ⅰ. (물음 1) 개발방안의 타당성 분석

1. 최유효이용의 개념

1) 최유효이용의 의의

최유효이용이란 대상부동산에 대해 합리적이며 합법적으로 이용 가능한 대안 중에서 물리적으로 채택가능하고 경제적으로도 타당성이 있다고 판명된 것으로서 최고의 가치를 창출하는 이용을 말하는 바, 제시받은 개발 방안의 타당성을 최유효이용을 근거로 분석함

2) 분석의 기준

물리적 타당성(물리적으로 실현 가능한 방안), 합법적 타당성(합법적인 개발방안), 합리적 타당성(사회적 타당성)이 있어야 하고, 경제적으로 최고의 가치를 창출하는 방안을 선정.

2. 개발방안의 분석

1) 대안 #1, 4는 최유효이용 요건 중 합리적, 합법적 이용이며, 합법적 이용이며 물리적으로 재택가능함에 따라 선택하여 분석함.

2) 대안 #2는 대지귀속면적에 따라 지적분할하면 87.5㎡/70% = 125㎡로서 K시 대지 최소면적 150㎡를 충족하지 못함에 따라 합법적이지 못해 배제함.

3) 대안 #3의 K시 B구는 상업지로서 급속히 진행이 진행되어 주거지로서의 기능이 대체되어 상실되어 주변상황이나 수요의 측면에서 주거용 주거용 건축물인 소형아파트의 개발은 합리성이 결여되어 절대되어 배제함.

② 건축비 등(장기본적지출 및 철거비)

$$480,000 \times (300 \times 2 + 180 \times 1 + 320 \times 6) \times \left[\frac{0.08 \times 1.08^{10}}{1.08^{10} - 1} \times \frac{1.1^5 - 1}{0.1 \times 1.1^5} \right]$$

$$+ \left(1 - \frac{1.08^5 - 1}{1.08^{10} - 1} \right) \times \frac{1}{1.1^5} \times \frac{1}{1.1 \times (1 + 0.1/12)^2} + 60,000 \times 450 \times \frac{1}{(1 + 0.1/12)^2}$$

$$+ 200,000,000 \times \frac{1}{1.1 \times (1 + 0.1/12)^2} \doteqdot 1,288,000,000$$

③ 부동산 가치 : ① - ② ≒ 923,000,000

3. 최종 개발대안의 제시

대안 #4(상업용)가 최고의 가치를 창출하는 최유효이용임에 따라 이를 최종 개발 대안으로 제시함.

Ⅱ. (물음 2) 현재 상태의 부동산 가격

감정평가 3방식에 의한 시산가격을 조정하여 현재 상태의 대상 부동산의 가격을 산정한 후 대상부동산의 시장 가격을 결정함.

1. 개별물건 기준

1) 토지평가

① 비교 표준지 선정 : #4

용도지역(일반상업), 이용상황(주상용) 등에서 비교가능성이 높아 선정함. #1은 이용상황, #2는 용도지역, #3, 5는 규모 등의 측면에서 상이하여 배제함.

---

② 토지단가

$$1,300,000 \times \underset{\text{시}^{*1}}{1.01982} \times \underset{\text{지}}{1.000} \times \underset{\text{개}^{*2}}{1.026} \times 1.000 \doteqdot 1,360,000원/\text{m}^2$$

*1 1.01980×(1+0.00075×1/31)   *2 1.08×0.95

2) 건물평가

$$660,000 \times \underset{\text{잔}}{\frac{35}{45}} \doteqdot 513,000원/\text{m}^2$$

3) 개별물건 기준에 의한 시산가격

$$1,360,000 \times 500 + 513,000 \times 450 \doteqdot 911,000,000원$$

주) 일체의 거래사례를 이용하여 비용법(합당법)으로 토지 비준가액을 구할 수 있으나, 사례 #1은 이용상황, 규모 등에서 비교가능성이 떨어지고 사례#2는 전부감가가 발생하고 있어 균형의 원리이 성립되지 않아 비용법(합당법) 적용이 곤란하여 고려치 않음.

2. 거래사례비교법

1) 비교사례 선정

사례#2가 전물신축일자, 전물의 주구조, 규모, 이용상황 등의 측면에서 비교가능성이 높아 선정함.

2) 비준가액

$$900,000,000 \times 1 \times \left[0.75 \times \underset{\text{시}^{*1}}{1.00187} \times \underset{\text{지}}{1.000} \times \underset{\text{개}}{\frac{95}{103}} \times \underset{\text{면}}{\frac{500}{520}} + 0.25 \times \underset{\text{시}}{1} \right]$$

$$\times \underset{\text{잔}}{\frac{35/45}{36/44}} \times \underset{\text{개}}{1} \times \underset{\text{면}}{\frac{450}{400}} \doteqdot 840,372,000원$$

*1 $\left(1 + 0.00126 \times \frac{26}{30}\right) \times 1.00075 \times \left(1 + 0.00075 \times \frac{1}{31}\right)$

3. 수익환원법

1) 개요

대상부동산은 최유효이용에 미달하여 전부감가가 발생하고 있는 부동산이며, 이러한 상황들이 반영되어 임대료가 산정될 것임에 따라 현행 임대료를 기준으로 자본환원하여 수익가액을 산정함.

2) 순수익

$$[(700,000,000+100,000,000) \times 0.12 + (5,000,000+500,000) \times 12]$$
$$\times [1-(0.03+0.2+0.01)] \qquad ≒123,120,000$$

주) 소유주 급여는 대상부동산의 운영과 직접 관련없이 제외함.

3) 수익가액

$$123,120,000 ÷ 0.15 \qquad ≒820,800,000원$$

4. 현재 상태 이용을 전제한 가치

최근의 시장성을 반영하는 비준가액에 비중을 두되 본건이 수익성 부동산임에 따라 수익가액을 참작하여 830,000,000원으로 결정함.

III. 시장가치 결정

1. 이용상황 결정(상업용, 대안#4)

대상은 개량물(복합부동산)으로서 합리적 합법적이용으로서 물리적으로 제 택가능한 대안으로서 최고의 경제적 가치를 창출하는 철거 후 신축방안인 '상업용'(대안#4)이 최유효이용의 이용으로 분석됨.

2. 중도적 이용과 상업용(대안4)의 이용방안 결과 분석

현 상태의 개량물이 소재하는 상황에서는 상업용으로 전환 및 성숙이 미진하거나 전환비용(철거비용, 전환비용 등) 및 대기비용(건축기간동안 임대료 손실)을 발생시키는 경우라면 현 상태가 최고최선의 이용으로 중도적이용에 해당될 수 있음. 그러나, 개발대안#4의 분석 결과 현 개량물을 철거하고 상업용 겸용 건물을 신축 개발하는 방안이 최고최선의 이용으로 결정됨.

3. 시장가치 원칙의 측면(감칙§5) - 최유효이용의 원칙

대상부동산이 시장가치는 최유효이용을 기준으로 형성되는 '최유효이용의 원칙'의 이론적 근거 및 시장가치 원칙에서 판단함.

4. 현황평가 원칙의 측면(감칙§6)

감정평가 원칙 중 '현황평가 원칙'에 따라 대상은 개량물(건물)이 소재하는 상태를 기준으로 판단함.

5. 개별물건기준 원칙의 측면(감칙§7)

대상부동산은 토지·전물의 복합부동산으로 대상물건마다 개별로 평가하여 야 하나 최유효이용의 이용분석 결과 대상물건이 일체(개량물)로 소재하는 상 태로 거래되며 용도상 불가분관계에 있는 경우이므로 해당하는 것으로 최고최 선의 분석으로 판단되는 바 일괄 감정평가액을 기준으로 결정함.

6. 시장가치 결정

상기의 검토 결과를 종합하여 상업용을 전제로 한 개발대안 #4의 부동산 가치가 (923,000,000원) 현 상태의 부동산 가치(830,000,000원)보다 큼에 따라 923,000,000원을 시장가치로 결정함.

[문제 2]

(물음 1) 지역요인분석과 비교표준지 선정

I. 지역요인 분석

1. 개요

각 동별 개발시기 및 생애주기의 차이는 소득과 경비에서 차이를 발생시키고 있고 지역의 가격수준 형성에 영향을 미칠 것으로 판단됨에 따라 순수이용 기준으로 지역요인 비교지를 선정.

2. 지역요인 비교치(대상지역 N동 기준, 100)

1) L동 : $125,000 \times (1 - 0.1) - 46,000$ $= 66,500$원/㎡(86.4)

2) M동 : $148,000 \times (1 - 0.12) - 56,000$ $= 74,240$원/㎡(96.4)

3) N동 : $150,000 \times (1 - 0.12) - 55,000$ $= 77,000$원/㎡(100)

4) O동 : $136,000 \times (1 - 0.06) - 47,000$ $= 80,840$원/㎡(105)

5) P동 : $154,000 \times (1 - 0.05) - 45,000$ $= 101,300$원/㎡(131.6)

II. 비교표준지 선정

본건이 소재하는 N동 내에 표준지가 제시되지 않음에 따라 용도지역(순주거), 이용상황(업무용) 등이 유사하고, 대상지역과 개발시기 및 생애주기가 유사하여 PGI 등 임대료수준에서 유사성을 보이는 M동 내에 소재하는 표준지#2를 비교표준지로 선정함.

(물음 2) 건물평가를 위한 경제적 내용년수 획정

I. 개요

시장추출법을 이용하여 비교거래사례를 선정한 후 배분법(공제법)을 이용하여 건물의 경제적 내용년수를 구한다.

II. 비교거래사례

구조(철근콘크리트조), 이용상황(업무용), 내구연한(신축업자) 등 가격형성에 관련되는 제요인이 유사하여 사례B를 선정함.

사례A, C, D는 대상지역의 건물상태보다 양호하여 비교가능성이 떨어져 배제함.

III. 건물가격

1. 현금등가액

$$700,000,000 + 225,490,000 \times \left[1 - \frac{(1+0.072/12)^{60}-1}{(1+0.072/12)^{120}-1}\right]$$

$$\times \frac{0.078/12 \times (1+0.078/12)^{60}}{(1+0.078/12)^{60}-1} \times \frac{1.01^{60}-1}{0.01\times1.01^{60}} \fallingdotseq 820,447,000$$

2. 토지가격

용도지역(순주거), 이용상황(업무용), 인근지역 내 소재하는 기호2를 선정함.

$$640,000 \times \underset{\text{시}^{*1}}{1.01380} \times \underset{\text{지}}{1.000} \times \underset{\text{개}^{*2}}{1.152} \times \underset{\text{그}}{1.00} \fallingdotseq 747,000$$원/㎡

*1 $1.00342 \times 1.00468 \times 1.00564$

*2 $\frac{1.05}{0.95} \times \frac{0.98}{0.94}$

3. 건물가격

820,447,000 - 747,000×650 = 334,897,000

Ⅳ. 건물의 경제적 내용년수

1. 매년 감가액

1) 재조달원가 : 234,000×2.7928×1,100 = 718,867,000

2) 매년 감가액 : (718,867,000 - 334,897,000)/17 ≒ 22,586,000

2. 경제적 내용년수

718,867,000/22,586,000 ≒ 32년

(물음 3) 감정평가액 결정

Ⅰ. 토지가격(단가)

$$640,000 \times 1.03113 \times \frac{100}{96.4} \times 1.097 \times 1.050 ≒ 789,000원/㎡$$

시*1 　 지*2 　 계 　 그*3

*1 1.00342×1.00468×1.00564×1.01122×1.00260×1.00320

*2 $\dfrac{1.00}{0.95} \times \dfrac{0.98}{0.94}$

*3 ㎡당리 인하 고려

Ⅱ. 건물가격(단가)

$$321,000 \times 2.2437 \times \frac{32-15}{32} ≒ 383,000원/㎡$$

시 　 잔

Ⅲ. 감정평가액

789,000×780 + 383,000×1,850 = 1,324,000,000

Ⅳ. 감정평가 검토

당초 Q평가법인의 감정평가액은 토지평가 시 ㎡당리 인하에 따른 지가변동 사항을 고려하지 않고, 건물 평가에서도 건물의 경제적 내용년수를 건물구조에 따라 결정하여 다소 문제점이 있어 보이기는 하나, 제시된 자료들의 신뢰성, 건물의 경제적 내용년수를 시장추출법을 통하여 도출한 평가방법의 설득력 등을 고려할 때 적정 수준에 있다고 볼 수 있다.

[문제 3]

Ⅰ. 감정평가 개요

감칙 제5조에 근거한 가격다원론에 의해 토지·건물에 대한 담보·경매·처분·보상 목적의 각 감정평가가격을 결정한다. 평가대상 면적은 토지대장등본 및 일반건축물대장등본을 기준하고 건물의 내용년수는 경제적 내용년수를 기준함.

Ⅱ. 물음 1(담보)

1. 대상물건의 확정

① 토지 : 공법상제한은 제한 받는 상태를 기준으로 평가하고, 협약서에 따라 현황 도로 및 타인점유면적은 평가대상 면적에서 제외함.

② 건물 : 일반건축물대장에 미등재된 제시외건물은 평가하지 않음.

2. 토지

$$2,000,000 \times 1.03226 \times \underset{\text{시}^{*1}}{1.000} \times \underset{\text{지}}{0.670} \times \underset{\text{개}^{*2}}{1.000} \times \underset{\text{그}}{1.000} ≒ 1,383,000원/m^2$$

*1 $1.00512 \times 1.00235 \times 1.00901 \times 1.00623 \times 1.00225 \times 1.00237 \times 1.00237 \times \left(1 + 0.00237 \times \frac{28}{31}\right)$

*2 $\dfrac{0.7}{0.8 + 0.2 \times 0.7} \times 0.9$

3. 건물

$$750,000 \times \frac{45-7}{45} \times 0.7^{*1} ≒ 443,000원/m^2$$

*1 도시계획도로 저촉

4. 감정평가액

$$1,383,000 \times (532 - 50 - 30) + 443,000 \times 1,380 ≒ 1,236,456,000$$

III. 물음 2(경매)

1. 대상물건의 확정

① 토지 : 공법상제한은 제한받는 상태로 평가하고, 현황도로는 사실상사도임에 따라 보상평가기준을 준용하여 인근 토지 평가액의 1/3 이내로 평가하고 타인점유 부분은 이로 인한 감가를 고려하여 평가함.

② 건물 : 제시외건물은 동일인 소유의 종물임에 따라 포함하여 평가함.

2. 토지

$$1,383,000 \times \left(452 + \underset{\text{도로}}{50 \times \frac{1}{3}} + \underset{\text{타인점유}}{30 \times 0.95}\right) ≒ 687,582,000$$

3. 건물 및 제시외

$$443,000 \times 1,380 + \underset{\text{제시외}}{291,000 \times \frac{40-7}{40} \times 0.7 \times 30} ≒ 616,382,000$$

4. 감정평가액

$$687,582,000 + 616,382,000 ≒ 1,303,964,000$$

IV. 물음 3(처분)

1. 개요

국유재산법 시행령 제42조 제9항에 "공익사업을 위한 토지 등의 취득 및 보상에 관한 법률에 따른 공익사업에 필요한 일반재산을 해당 사업의 시행자에게 처분하는 경우에는 제1항에도 불구하고 해당 법률에 따라 산출한 보상액을 일반재산의 처분가격으로 할 수 있다." (그러나, 현재는 시가평가원칙. 단, 이 경우 도시계획시설 결정 폐지 전제)

2. 토지

공익사업을 위한 토지 등의 취득 및 보상에 관한 법률에 의거하여 평가함.

1) 대상물건의 확정

① 제2종 일반주거지역과 문화재보호구역 같은 일반적 계획제한은 제한받는 상태로 평가하나, 도시계획시설도로 저촉과 같은 개별적 계획제한은 제한 받지 않는 상태로 평가함.

② 현황도로는 매각대상에서 제외.

③ 토지는 나지상정 평가임에 따라 타인점유 부분은 나지상정함.

2) 토지가격 산정

$$2,000,000 \times 1.03226 \times 1.000 \times 0.957 \times 1.055 \fallingdotseq 2,080,000원/㎡$$

$$\quad\quad *1\; 시\quad *2\; 지\quad *3\; 개\quad *4\; 그\quad *5$$

*1 법제70④에 의거 실시계획인가고시일전 공시지가 선택함.

*2 지가변동률 : 1.03226

생산자물가상승률 : $\dfrac{109.9}{108.4} \fallingdotseq 1.01384$

해당 지역의 지가변동률 보다 잘 반영하는 지가변동률 적용함.

*3 $\dfrac{1}{0.8+0.2-0.7} \times 0.9$

*4 인근지역 내 최근 2년 이내의 보상선례 참작함.

$$\dfrac{2,300,000 \times 1.00690^{5)} \times 1.000 \times 0.900}{2,000,000 \times 1.03226 \times 1.000 \times 0.957} \fallingdotseq \dfrac{28}{31}$$

*5 $1.00237 \times 1.00237 \times \left(1 + 0.00237 \times \dfrac{28}{31}\right)$

3. 건물(물건의 가격, 보상법§75①)

$$750,000 \times \dfrac{45-7}{45} \fallingdotseq 633,000원/㎡$$

4. 평가액

$$2,080,000 \times (532-50) + 633,000 \times 1,380 + 240,000 \times 30 = 1,883,300,000$$

도

Ⅴ. 물음 4(보상)

1. 개요

공익사업을 위한 토지 등의 취득 및 보상에 관한 법률(이하 "법")에 의거하여 평가함.

---

2. 대상물건의 확정

① 제2종 일반주거지역과 문화재보호구역 같은 일반적 계획제한은 제한받는 상태로 평가하나, 도시계획시설도로 저촉과 같은 개별적 계획제한은 제한 받지 않는 상태 기준함.

② 현황도로는 사실상 사도임에 따라 인근 토지 평가액의 1/3 이내로 평가함.

③ 토지는 나지상정 평가임에 따라 타인점유 부분은 나지상정함.

3. 보상평가액

$$2,080,000 \times \left(482 + \dfrac{1}{3} \times 50\right) + 633,000 \times 1,380 + 240,000 \times 30 = 1,917,967,000$$

도

【문제 4】 (출제당시 법령 기준하였음)

Ⅰ. 감정평가 개요

공익사업을 위한 토지 등의 취득 및 보상에 관한 법률(이하 법) 제77조제2항 및 동법 시행규칙 제48조에 근거하여 답함.

Ⅱ. 물음 1

1. B군이 산정한 농업손실보상액

$$2,118 \times 900 \fallingdotseq 1,906,200$$

2. 실제소득산정기준에 의한 농업손실보상액

1) 단위경작면적당 실제소득

$$\frac{28,208,000 + 35,310,000}{2} \times \frac{1}{900} \times 0.56 ≒ 19,761원/㎡$$

2) 전국 작물별 단위면적당 소득

$$16,365,000 \times \frac{1}{100 \times 400/121} ≒ 49,504원/㎡$$

3) 결정

실제 소득이 전국 작물별 단위면적당 소득보다 130퍼센트를 초과하지 않음에 따라 실제소득 기준함.

19,761×900×2 ≒ 35,569,800

※ (참고) 현행규정
① 통상 직전 3년간 평균의 2년분을 곱하여 산정한 금액기준
② 1항 1호 실제소득은 소득자료집의 작물별 평균소득의 2배를 초과하는 경우 평균생산량의 2배를 판매한 금액기준

Ⅲ. 물음 2

1. 행정법령 검토

법시행규칙은 농업손실보상 대상을 농지별 제2조 제1호 가목에 해당하는 토지로 구정하고 있으나, 버섯재배시는 농지별 제2조 제1호 나목에 해당하는 토지로 법규상 농업손실보상 대상이 되는 농지에 해당되지 않는 것으로 해석됨.

1) 영업손실보상 대상 여부

농업손실보상에는 농지가 공익사업에 편입되어 영농행위를 계속할 수 없느네 따른 손실보상이며, 영업보상대상은 사업인정고시일 등 전부터 일정한 장소에서 인적·물적 시설을 갖추고 계속적으로 영리를 목적으로 행하고, 영업을 행함에 있어서 관계 법령에 의한 허가·면허·신고 등을 필요로 하는 경우에는 허가 등을 받아 그 내용대로 행하고 있는 영업임. 농민이 농지상 농지에서 영농행위를 하는 경우 농업손실보상대상에 해당되나, 영농행위 보다는 영업과 판매가 주목적인 경우에는 영업보상대상에 해당됨에 따라 개별적인 사례에 대하여 사실관계를 조사하여 판단·결정할 사항이라고 사료됨(집의회신 2004. 11.10 토판-5066 참고).

2) 이전비 보상

이전 후 제설치가 가능한 버섯재배시설은 이전비 보상하되(법시행규칙 §55), 이전에 따른 감손상당액은 이전에 따른 통상비용으로 보아 보상함이 타당할 것으로 사료됨.

【문제 5】

1. 건축법상 대지와 지적법상 대

건축법상 대지란 건축물이 들어서 있거나 법적으로 들어설 수 있는 토지의 범위로 건축물의 용도, 밀도 등을 규제하기 위한 개념이며, 지적법상 대는 필지의 지목을 설정한 것으로 토지의 관리를 위한 개념이다.

이 둘은 일지함이 일반적이나 2이상의 필지를 하나의 대지로 하거나, 한 필지의 일부를 대지로 할 수도 있음에 유의한다.

II. 다가구주택과 다세대주택

다가구주택이란 3층 이하로 연면적 660㎡ 이하이고 19세대 이하가 거주할 수 있는 공동 주택에 해당하지 않는 단독주택을 말하며, 다세대주택이란 연면적 660㎡ 이하이고 4층 이하인 공동주택을 말한다.

감정평가시 다가구주택은 토지와 건물로, 다세대주택은 구분 건물로 평가하여야 한다.

III. 소재불명, 확인불능

소재불명이란 평가대상물건의 소재를 확인할 수 없는 경우이며, 확인불능이란 평가대상 물건이 소재하는 것으로 추정되기는 하나 소재하는 물건이 평가대상물건과의 동일성 여부성 불명확한 경우를 말한다.

[문제1] Reits평가, [문제2] 재개발평가, [문제3] 적산임대료, [문제4] 기계평가, [문제5] 보상액산정 [문제6] 미등기된 구분소유권 경매평가에 관한 문제로 서, 특히 [문제1]은 새로운 유형의 문제로 다소 혼란스럽고 자료의도에 부합하는 답안 작성여부가 중요했다.

다만 [문제2]부터 다소 난이도가 쉽게 구성되어 문제파악이 어려웠다.

따라서 전체적인 난이도와 시간을 유의하고, [문제1] 중심으로 충분한 시간동안 문제분석이 요구된다.

1. 문제1번 - Reits평가(40〉

대상물건의 확정 내지 평가물건의 이해와 배당수익률 및 지분배당률에 대 한 정확한 개념의 이해가 필요한 문제였었다.

1) 평가물건의 이해

(물음 1), (물음 3)은 매입가격을 산정하고, 각 부동산의 지분배당률을 물 었다. A, B 부동산 자체에 대한 물음이다. (물음 2), (물음 4)는 A, B 부동산을 통해 발생하는 현금흐름을 기초로 리츠라는 주식 배당금을 기준 으로 수익률 및 주당가치를 산정하는 리츠에 대한 물음이다.

2) 각 오피스빌딩의 예상매입가격

(1) 개별요인 비교

가격구성비가 주어져 있었기 때문에 토지, 건물 구성비로 구분하여 요인비 교를 하는 것으로 생각할 수 있으나, 〈자료4〉의 요인 비교가 일제로 제시 되었음에도 불구하고 이를 구분하여 접근하는 것은 개괄적 분석이 되지 않 는다. 또, 면적은 개별요인에 포함된 것으로 보고 대상의 가치를 산정한다.

(2) 단가 산정

물음에서 토지 건물 면적당 평균 단가를 기준으로 시산가액을 결정하도록 요구하고 있다. 앞에서 연급한 가격구성비도 단가 산정 시 적용하는 자료로 봐야 한다. 주의 할 것은 이미 대상의 가치를 구한 상태이기 때문에 중액을 나누어주는 면적으로 나누어서 단가를 산정하는 실수가 있어서는 안 된다. 해당 문제의 단가 신정 기준은 현재 산정하는 방법에서 설정하는 방법과는 차이가 있다. 일반적으로 오피스 빌딩은 건축물의 연면적당 단가를 일괄 비교하는 방식을 취하고 있다. 따라서, 해당 문제의 단가결정 방법은 아주 예외적이고 해당 문제에서만 적용되는 방법인 점을 인지하기 바란다.

2) 1차년도 현금흐름예상, 1주당 예상 배당수익률(주당배당금/주당가치)

(1) PGI의 산정

임대사례의 PGI를 비준하여 대상의 PGI를 산정하였다. 임대료평가가 수 익가에 평가에 적용될 문제이다. 앞으로도 이런 형태의 수익방식 문제가 출제될 것으로 보인다. 해당 문제에서는 임대료의 개별요인 비교도 다소 특이 하게 주어졌지만, 실전에서는 정확한 풀이보다 합리적 답안작성 및 풀이연 습이 필요하다.

(2) 지분투자액과 저당투자액에 대한 이해

리츠 대상 부동산의 매입은 주식발행가액(EQ : 5,000원 ×1,000,000주)과 저당으로 이루어진다. 따라서 저당금액은 "매입금액(물음 1) - 50억)"이 된다.

부동산의 투자에서는 항상 지분투자액과 저당투자액을 구분하여 접근하는 개념이 필요하다.

(3) 배당수익률의 이해

- 자본배당률 $= \dfrac{BTCF}{EQ}$ → (지분운영소득률)
- 수익률 = 운영소득률 + 자본소득률
  ⇒ 주당수익률 = 배당수익률 + 주식상승률
  ⇒ 주식상승률이 주어지지 않아 주당수익률 = 배당수익률 + 0

3) 지분배당률 → Ross식에 의한 환원율, 각 부동산에 적용되는 개념

(1) 지분배당률에 대한 개념적 이해 : 지분배당률은 소득률(Income rate)로서 부동산에 적용될 개념이다. 따라서, 앞서 산정했던 주식(리츠)의 수익률과는 산정의 대상과 기준이 달라진다.

A, B부동산 각각에 대하여 지분배당률을 산정해야 할 것이다.

(2) 각 부동산의 저당비율은 〈자료9〉에서 "각 대상부동산에 대한 지분 및 차입금 투자비율은 동일한 것으로 가정"을 제시하고있고, 저당이자율은 6.5%로 동일하다. 이 조건이 제시된 이유를 이해할 필요가 있다.

4) 2차년도 주당가치

경기상황 시나리오(확률분석)를 통해 수익을 산정하고 주당배당률로 환원

하면 주당가치가 산정될 것이다.

2. 문제2번 - 재개발평가(25)

1) 종전자산의 감정평가(기준시점 : 사업시행인가고시일)

(1) 기준시점 등

종전자산의 감정평가는 사업시행인가고시가 있는 날의 현황을 기준으로 감정평가하되, 종전자산의 감정평가는 조합원별 조합출자 자산의 상대적 가치비율을 산정이 기준이 되므로 대상물건의 유형·위치·규모 등에 따라 각 정평가에의 균형이 유지되도록 하여야 한다.

(2) 평가 기준 및 방법

과거의 종전자산 감정평가는 보상평가 방법을 준용하는 논리를 적용해 왔다. 그러나, 현재 실무에서는 종전자산 평가를 보상평가 방법을 준용하지 않는다는 점에 유의하여야 한다. 종전자산 감정평가에서 적용공시지가 선택도 개발이익 배제(토지보상법 제70조 제4항)를 위한 것이 아니라 기준시점 최근것을 적용하는 것이다. 즉, 조합원간 상대적 가격 균형을 고려하기 위해 정비사업과 관련된 공법상 제한을 배제하거나 조합원의 권리에 따른 입주권 프리미엄(개발이익)을 배제하고 감정평가할 수 있는 것이다.

① 적용공시지가 선택

적용 공시지가의 선택은 해당 정비구역의 사업시행인가고시일 이전 시점 공시지가준으로 하는 공시지가로서 사업시행인가고시일에 가장 가까운 시점에 공시된 공시지가를 기준으로 한다.

종전자산 평가의 주된 개념

① 상대적 가격균형을 고려한 감정평가

② 개발이익 반영여부 :
정비사업은 토지등 소유자 또는 조합이 시행하는 사업이므로 이로 인한 개발이익은 사업시행자가 향유한다는 점에서 정당보상을 목적으로 하는 보상평가와 달리, 상대적 가치 비율이 합리적 산정을 목적으로 하는 종전자산 평가에서는 개발이익을 반영하여 평가할 수 있다. 다만, 이 경우에도 합리적이고 균형 성있게 배분되는 것이 중요하다.

③ 해당 사업으로 인한 공법상 제한 배제 평가

⑤ 건축물의 평가
• 평가기준
일반 건축물은 원가법을 기준하여 평가한다. 구분건물은 거래사례비교 법을 기준하여 평가한다.

• 무허가건축물의 평가
재건축사업에서는 일반적으로 무허가건축물은 제외하거나 정관에서 정하는 바에 따라 결정할 수 있다. 재개발사업에 있어 「서울특별시 도시 및 주거 환경정비조례」상 무허가 건축물에 대하여 "특정무허가건축물"과 "신발 생무허가건축물"을 구분하여 특정무허가건축물 중 조합정관 등에서 정한 건축물 소유자를 분양대상자로 인정하여 종전 평가 대상으로 인정한다.
물론, 분양대상자가 아닌 경우에는 보상평가의 기준에 따른다.

② 비교표준지 선정
비교표준지는 해당 정비구역 안에 있는 표준지 중에서 비교표준지 선 정기준에 적합한 표준지를 선정하는 것을 원칙으로 한다. 다만, 해당 정비구역 안에 적절한 표준지가 없거나 해당 정비구역 안 표준지를 선 정하는 것이 적절하지 아니한 경우에는 해당 정비구역 밖의 표준지를 선정할 수 있다.

③ 용도지역이나 용도지구 등
해당 정비사업의 시행을 직접 목적으로 하여 용도지역이나 용도지구 등의 토지이용계획이 변경된 경우에는 변경되기 전의 용도지역이나 용도 지구 등을 기준으로 감정평가한다. 다만, 변경된 용도지구 등의 적용이 종전자산 감정평가액 간의 균형유지에 지장이 없 다고 판단될 경우에는 변경된 토지이용계획을 기준으로 감정평가할 수 있다.

④ 공법상 제한을 받지 아니한 상태
해당 정비구역의 지정에 따른 공법상 제한을 받지 아니한 상태를 기준 으로 감정평가한다. 그러나, 이는 해당 정비계획 결정고시로 인한 도시 계획시설의 저촉, 정비구역지정으로 인한 행위제한 등을 말하는 것으로 종전자산 평가 시 이러한 저촉 등을 고려하지 않는다. 이를 보상평가의 개별적 제한으로 보아 정비구역으로 지정되지 아니한 상태를 기준하는 것이 아니다.

2) 조합 전체의 분양 예정자산 가격

(1) 기준시점 등

종후자산의 감정평가는 분양신청기간 만료일이나 이에 준하며, 대상물건의 유형·위치·규모 등에 따라 감정평가액의 균형이 유지되도록 하여야 한다.

(2) 평가 기준 및 방법(분양예정의 대지 또는 건물의 추산액 – 조건부평가)

종후자산의 감정평가는 기준시점 당시 현재 착공 전 상태이므로, 대상부동산이 적법하게 완공된 상태를 전제로 감정평가하는 조건부 평가이다.

종후자산의 감정평가를 할 때에는 인근지역이나 동일수급권 안의 유사지역에 있는 유사물건의 분양사례·거래사례·평가선례·평가사례 및 수요성 등과 해당 사업에 드는 총 사업비 원가 등을 고려한다. 다만, 시·도의 조례에 별도의 규정이 있을 때에는 그에 따른다.

(3) 종후자산 감정평가 유의사항

① 상대적 가격균형 유지

② 분양구분과 종후자산평가 대상 : 일반분양분은 별도의 분양가격 결정점 자(종래 분양가 상한제/시군구 분양가 심의)가 예정되어 있는 바, 종후 자산 감정평가는 분양예정자산 전체(일반분양분 포함)를 조합원분양가로 평가한다.

3) 비례율, 권리액, PㅆX 청산금

---

⑥ 종전자산 감정평가 대상 관련 유의사항

● 토지건물이 아닌 기타물건 :

토지건물이 아닌 기타 지장물은 원칙적으로 종전자산 감정평가 대상이 아니다.

● 멸실된 부동산을 감정평가하는 경우 :

도정법 제81조 3항의 건축물 붕괴 등 안전사고 및 우범지대화 우려등 사유로 시군의 허가를 얻어 관리처분인가 전이라도 철거한 경우는 제시자료에 따라 가격조사가 가능한 경우에는 감정평가의 대상이 된다.

다만, 화재 등 건물이 멸실된 경우 원칙적으로 대상으로 하는 멸실되는 예 "등기되어 있는 자는 해당 화재로 인한 시장 정비사업에 있어서만은 예외적으로 건물소유자로 볼수 있다"고 해석한 예외는 있다.

무허가 건축물에 관한 문제

■ 서울시 조례에서는 무허가건축물은 "특정 무허가 건축물"과 "신발생 무허가 건축물"로 구분하고 있으며, 재개발에서는 "특정무허가건축물"은 종전자산 평가의 대상이지만 "신발생무허가건축물"은 종전자산으로 인정되지 않는다는 점에 유의하여야 한다.

「서울특별시 도시 및 주거환경 정비조례 제2조 [정의]

이 조례에서 사용하는 용어의 뜻은 다음과 같다.

1. "특정무허가건축물"이란 「공익사업을 위한 토지 등의 취득 및 보상에 관한 법률 시행규칙」 부칙 제5조에 따른 1989년 1월 24일 당시의 무허가건축물 등을 말한다.
2. "신발생무허가건축물"이란 제1조에 따른 특정무허가건축물 이외의 무허가건축물을 말한다.

6. 문제5번 - 대지권 미등기된 구분건물 경매평가(5)

일괄평가원칙, 배분가격 평가시기제(∵대지권은 전유부분의 종된 권리)

「감정평가 실무기준」 610(토지 및 그 정착물)

3 토지와 건물의 일괄평가

3.1 구분소유 부동산의 감정평가

3.1.4 대지사용권을 수반하지 않는 구분건물의 감정평가

대지사용권을 수반하지 않는 구분건물의 감정평가는 건물만의 가액으로 감정평가한다. 다만, 추후 토지의 적정지분이 정리될 것을 전제로 가격이 형성되는 경우에는 대지사용권을 포함한 가액으로 감정평가할 수 있다.

「감정평가 실무기준 해설」

1) 대지사용권을 수반하지 않는 구분건물의 감정평가

대지사용권이 미등기로 건물만 의뢰되더라도 토지·건물을 일체로 평가하고 건물과 토지의 대지사용권에 대한 가에 배분내역을 명세표에 기재한다. 그리고 대지사용권이 배분되지 않은 원인을 기재하도록 한다.

2) 대지사용권이 적정 지분으로 정리될 수 있는 구분건물의 감정평가

대지사용권이 추후에 정리될 것을 전제로 하여 대지사용권을 포함한 가액으로 형성되는 경우에는 분양계약서 등 관계서류에 의하여 지분면적을 확인하여 토지·건물을 일체로 한 비교가액에서 아파트부지로서의 제한정도를 고려한 토지가액을 차감하여 평가하되, 평가의견란에 지분면적이 확정될 경우 그 증감분동에 따라 감정평가액도 변동될 수 있다는 요지를 평가한다.

---

3. 문제3번 - 토지사용료(10) - 이론상 VS 실무상 적산법

1) 기초가액 : 계약감가고려 기준 vs 최유효이용 기준
2) 기대이율 : 요소구성법 기준(이용상, 계약조건 등 변영 고려) vs 순임대료비율 기준(이용상, 계약상 감가 고려)

이론상 적산법과 실무상 적산법

	이론상 적산법	실무상 적산법
기초가액	현황기준 (최유효이용 미달, 계약조건 등 변영)	최유효이용 기준
기대이율	기대수익률, 국공채 이자율 등 객관적 이율 적용	현황 이용상황 등 반영

※ 최유효이용과 상이하거나, 계약조건 등에 대해 이론상 적산법은 기초가액에 반영, 실무상 적산법은 기대이율에 반영하는 차이점이 있다.

※ 관련 대법원 판례(2004다7283 판결)

「토지에 대한 임대료 상당의 부당이득을 산정하기 위한 기초가액을 산정하기 위한 기초가액으로 도로로 편입될 당시의 현실적 이용상황이 도로로 제한받는 상태, 즉 도로인 현황대로 감정평가하여야 하고 토지의 부당이득액을 산정함에 있어 그 요소가 되는 기대이율은 국공채이자율, 은행의 장기대출금리, 일반시중금리, 정상적인 부동산거래 이윤율, 국유재산법과 지방재정법이 정하는 대부료율 등을 참작하여 결정할 것이다」하여 이론상 적산법의 내용을 판시하고 있다.

4. 문제4번 - 기계(담점 제27조)(10)

신고일자 기준, 공장저당법 담보평가(사업체 평가의뢰로써 설치비 고려)

5. 문제5번 - 보상액산정(10)

주택(법§75①, 칙§33②) : 주택입주권가치 → 이주정착금 X

【문제 1】

(물음 1)

I. 감정평가 개요

거래사례비교법에 의해 대상의 매입가격을 평가한다.

II. A부동산 예상 매입가격

1. 비교사례 선정

규모 등의 측면에서 유사성이 인정되는 사례#1, 3을 선정함.

2. 사례#1을 기준한 비준가격

1) 현금등가액

$$9,900,000,000 \times \left(\frac{0.2}{1.02} + \frac{0.3}{1.04} + \frac{0.3}{1.06} + \frac{0.2}{1.08} \right) = 9,432,166,000$$

2) 시산가액

$$9,432,166,000 \times 1.06 \times \underset{지}{\frac{100}{105}} \times 1.0 \fallingdotseq 9,521,996,000$$

3) 토지·건물 단가

(1) 토지단가

$$9,521,996,000 \times 0.65 \times \frac{1}{1,500} \fallingdotseq 4,130,000원/㎡$$

(2) 건물단가

$$9,521,996,000 \times 0.35 \times \frac{1}{6,000} \fallingdotseq 555,000원/㎡$$

3. 사례#3을 기준한 비준가액

1) 시산가액

$$8,000,000,000 \times 1 \times \left(1 + 0.06 \times \frac{3}{12} \right) \times \underset{지}{\frac{100}{95}} \times \underset{개}{\frac{100}{105}} \fallingdotseq 8,140,351,000$$

2) 토지·건물 단가

(1) 토지단가

$$8,140,351,000 \times 0.65 \times \frac{1}{1,500} \fallingdotseq 3,530,000원/㎡$$

(2) 건물단가

$$8,140,351,000 \times 0.35 \times \frac{1}{6,000} \fallingdotseq 475,000원/㎡$$

4. 예상 매입가격

1) 토지가액

$$(4,130,000 + 3,530,000) \times \frac{1}{2} \times 1,500 = 5,745,000,000$$

2) 건물가액

$$(555,000 + 475,000) \times \frac{1}{2} \times 6,000 = 3,090,000,000$$

3) 예상 매입가격

$$= 8,835,000,000$$

Ⅲ. B부동산 예상 매입가격

1. 비교사례 선정

규모 등의 측면에서 유사성이 인정되는 사례#2, 4를 선정함.

2. 사례#2를 기준한 비준가격

1) 현금등가액

$$5,800,000,000 \times [0.6 + 0.4 \times (0.045 \times \frac{1.08^5 - 1}{0.08 \times 1.08^5} + \frac{1}{1.08^5})]$$

$$\fallingdotseq 5,475,792,000$$

2) 시산가액

$$5,475,792,000 \times \underbrace{(1 + 0.06 \times \frac{6}{12})}_{\text{시}} \times \underbrace{\frac{95}{110}}_{\text{지}} \times \underbrace{\frac{100}{105}}_{\text{계}}$$

$$\fallingdotseq 4,639,015,000$$

3) 토지·건물 단가

(1) 토지단가

$$4,639,015,000 \times 0.65 \times \frac{1}{1,200}$$

$$\fallingdotseq 2,510,000원/㎡$$

(2) 건물단가

$$4,639,015,000 \times 0.35 \times \frac{1}{3,600}$$

$$\fallingdotseq 451,000원/㎡$$

3. 사례#4를 기준한 비준가격

1) 현금등가액

$$4,800,000,000 \times [0.2 + 0.8 \times (0.085 \times \frac{1.08^3 - 1}{0.08 \times 1.08^3} + \frac{1}{1.08^3})]$$

$$\fallingdotseq 4,849,480,000$$

2) 시산가액

$$4,849,480,000 \times \underbrace{(1 + 0.06 \times \frac{9}{12})}_{\text{시}} \times \underbrace{\frac{95}{90}}_{\text{지}} \times \underbrace{\frac{100}{95}}_{\text{계}}$$

$$\fallingdotseq 5,630,785,000$$

3) 토지·건물 단가

(1) 토지단가

$$5,630,785,000 \times 0.65 \times \frac{1}{1,200}$$

$$\fallingdotseq 3,050,000원/㎡$$

(2) 건물단가

$$5,630,785,000 \times 0.35 \times \frac{1}{3,600}$$

$$\fallingdotseq 547,000원/㎡$$

4. 예상매입가격

1) 토지가격

$$(2,510,000 + 3,050,000) \times \frac{1}{2} \times 1,200$$

$$= 3,336,000,000$$

2) 건물가격

$$(451,000 + 547,000) \times \frac{1}{2} \times 3,600$$

$$= 1,796,400,000$$

3) 예상 매입가격

$$= 5,132,400,000$$

Ⅳ. 예상매입가격 합계

$$8,835,000,000 + 5,132,400,000$$

$$= 13,967,400,000$$

(물음 2)

I. 처리계획

1주당 예상 배당수익률은 $\dfrac{\text{주당배당금}}{\text{주당시가}(5,000원)}$ 이므로 이에 따라 주당 배당금을 구한다.

II. 주당 배당금

1. 총소득

1) A부동산 총소득

① 사례#1 기준 : $17,500 \times [1+(2\times0.01+8\times0.03-0.3\times0.05)]$
$\qquad \fallingdotseq 21,800원/㎡$

② 사례#3 기준 : $17,100 \times [1+(5\times0.01-2\times0.03+0.3\times0.05)]$
$\qquad \fallingdotseq 17,200원/㎡$

③ 총소득 : $(21,800+17,200)\times\dfrac{1}{2}\times6,000\times12 \qquad = 1,404,000,000$

2) B부동산 총소득

① 사례#2 기준 : $17,800 \times [1+(3\times0.01-0.1\times0.05)]$
$\qquad \fallingdotseq 18,200원/㎡$

② 사례#4 기준 : $17,000 \times [1+(4\times0.01-10\times0.03+0.2\times0.05)]$
$\qquad \fallingdotseq 12,800원/㎡$

③ 총소득 : $(18,200+12,800)\times\dfrac{1}{2}\times3,600\times12 \qquad = 669,600,000$

3) 총소득 $\qquad \fallingdotseq 2,073,600,000$

2. 순수익

1) A부동산

$1,404,000,000\times(1-0.4-0.05-0.025) \qquad \fallingdotseq 737,100,000$

2) B부동산

$669,600,000\times(1-0.35-0.05-0.02) \qquad \fallingdotseq 388,368,000$

3) 합계 : 1) + 2) $\qquad = 1,125,468,000$

3. 지급이자

$(13,967,400,000-5,000\times1,000,000)\times0.065 \qquad = 582,881,000$

4. 배당가능금액

$(1,125,468,000-582,881,000)\times0.95 \qquad \fallingdotseq 515,458,000$

5. 주당배당금

$515,458,000 \div 1,000,000 \qquad \fallingdotseq 515원/주$

III. 주당 예상 배당수익률

$515/5,000 \qquad \fallingdotseq 10.3\%$

(물음 3)	(물음 4)

(물음 3)

I. 처리계획

Ross의 종합환원율은 $\frac{E}{V} \times Pe + \frac{D}{V} \times i$ 임에 따라 이를 적용함.

II. 종합환원율(NOI/P)

1. A 부동산

$\frac{737,100,000}{8,835,000,000}$ ≒8.34%

2. B 부동산

$\frac{388,368,000}{5,132,400,000}$ ≒7.57%

III. 지분배당률

1. A 부동산

$0.0834 = Re_A \times \dfrac{5,000,000,000}{13,967,400,000} + 0.065 \times \dfrac{8,967,400,000}{13,967,400,000}$

※

∴ Re_A ≒ 11.64%

※ 지분 및 차입금 투자비율은 동일함.

2. B 부동산

$0.0757 = Re_B \times \dfrac{5,000,000,000}{13,967,400,000} + 0.065 \times \dfrac{8,967,400,000}{13,967,400,000}$

∴ Re_B ≒ 9.49%

(물음 4)

I. 처리계획

주당배당수익률(10.3%) = $\frac{주당배당금}{주당가치}$ 임에 따라 이론적 주당가치는 2차년도 예상 현금흐름에 기초한 주당배당금 산정 후 구함.

II. 주당 배당금

1. 총소득

1) 임대료 변동률

① A부동산 : $0.4 \times 0.1 + 0.4 \times 0.05 + 0.2 \times (-0.03)$ ≒5.4%

② B부동산 : $0.4 \times 0.08 + 0.4 \times 0.03 + 0.2 \times (-0.02)$ ≒4%

2) 총소득

· $1,404,000,000 \times 1.054 + 669,600,000 \times 1.04$ ≒2,176,200,000

2. 영업경비 등

$1,404,000,000 \times 1.054 \times (0.4 + 0.05 + 0.025) + 669,600,000 \times 1.04$
$\times (0.35 + 0.05 + 0.02)$ ≒995,394,000

3. 순수익

$2,176,200,000 - 995,394,000$ ≒1,180,806,000

4. 배당가능금액

$(1,180,806,000 - 582,998,000) \times 0.95$ ≒567,918,000

5. 주당배당금

567,918,000 ÷ 1,000,000 ≒568원/주

III. 이론적 주당가치

568 ÷ 0.103 ≒5,500원/주

【문제2】

I. 감정평가 개요

도시 및 주거환경정비법(이하 도정법)에 근거하여 P씨의 종전자산을 평가
등으로 기준시점, 비교표준지 선정 등에 유의하여 평가함.

II. 물음 1

1. 기준시점

도정법상 종전자산의 기준시점은 사업시행인가고시일 기준(2005. 8. 1)

2. 적용공시지가 선택

사업시행인가고시일(2005. 8. 1)당시 공시된 공시지가로 기준시점에 가장
가까운 시점에 공시된 2005년 공시지가 선택함.

3. 비교표준지 선정

용도지역(제2종일반주거), 이용상황(단독주택)이 유사하고, 재개발구역의
지정은 개별적 계획제한으로 그 제한을 받지 아니한 상태를 기준, 해당 재개발 지구 내 표준지<1>를 비교표준지로 선정함.

※ (참고) 해당 정비구역지정(용도지역 동일 논리 아님)에 따른 영향을 배
제하기위해 지구 외 표준지<2>를 선정하는 것도 가능함. 또, 과거에는
보상평가 방법을 준용하여 개발이익 배제를 위해 지구 외 표준지를 선
정하기도 하였음. 그러나, 현재에는 개발로 배제의 사유로 지구 외
표준지를 선정하여서는 안됨. 보상평가를 준용하는 재개발 현금청산평
가와 현재의 종전자산 평가는 명확히 구분하기 바람.

4. 토지가격

$$2,400,000 \times 1.01501 \times 1.000 \times 1.000 \times 1.000 ≒ 2,440,000원/㎡$$
시 　 지 　 계 　 그

$$\langle \times 120 = 292,800,000원 \rangle$$

5. 건물가격

1989.1.24 이전에 신축한 특정무허가건축물로 무허가건축물대장에 등재
된 것으로 보아 평가함(조합의 정관으로 결정한 것으로 봄)

$$500,000 \times \frac{20}{40} = 250,000원/㎡$$

$$\langle \times 90 = 22,500,000원 \rangle$$

6. P씨 종전자산 가격 : 토지 + 건물 = 315,300,000원

III. 물음 2

1. 기준시점 확정 등

조합 전체의 분양예정자산 가격을 구하기 위해 일반 분양가를 조사하고(본 건 매각예정자산을 감정평가하는 것은 아님) 이에 조합원 분양가를 더함. 기준시점은 현장조사완료일 기준.

2. 10층 1호 일반분양가 산정

$350,000,000 \times (1-0.1) \times \frac{105}{100} \times \frac{100}{85}$ ≒389,000,000

시세하락   개별요인   경과년수별
요인

3. 일반분양가격

$389,000,000 \times \frac{100+106+113 \times 12 + 104}{110} \times 2$ = 11,528,545,000

4. 분양예정자산 가격

$11,528,545,000 + 350,000,000 \times 90$ = 43,028,545,000

IV. 물음 3

1. 처리방침

1) 비례율 = $\dfrac{\text{종후수익} - \text{종후비용}}{\text{종전자산감정평가총액}}$

2) 권리액 = 종전자산감정평가액 × 비례율

3) 정산금 = 조합원분양가 – 권리액임에 따라 이를 차례로 적용함.

---

2. 비례율

$(43,028,545,000 - 23,000,000,000) / (315,300,000 \div 0.01)$ ≒63.5%

3. 권리액

$315,300,000 \times 0.635$ ≒200,216,000원

4. 정산금

$350,000,000 - 200,216,000$ ≒149,784,000원

[문제 3]

I. 감정평가 개요

적산법에 의한 임대료 평가액으로 소송의 판결을 위한 토지사용료 산정함.

기준시점 2006.8.27.

II. 기초가액

1. 비교표준지 선정

이용상황(업무용), 도로교통(광대소각) 등이 유사한 〈표#4〉 선정

(#1 : 도로조건상이, #2, 3 : 이용상황, 면적 등 규모 측면 상이하여 배제)

(좌유효이용 - 전제 : 적산가액을 시장가치가 아닌 사용가치로 산정하였을 경우에 기대이용을 은행이자율을 고려한 조성법으로 산정하여야 하나, 순수이용 및 위험률을 산정(장래자료가 제시되지 아니하여 실무상 적산법을 적용, 시장가치를 기준으로 산정)

187

2. 기준가액

$$1{,}400{,}000 \times \underset{\text{시}^{*1}}{1.01210} \times \underset{\text{지}}{1} \times \underset{\text{개}}{\frac{100}{110}} \times \underset{\text{행정}^{*2}}{1.047} \fallingdotseq 1{,}350{,}000\,\text{원}/㎡$$

*1 $1.01200 \times \left(1 + 0.00005 \times \dfrac{58}{30}\right)$

*2 $\dfrac{1}{0.7 + 0.3 \times 0.85}$

Ⅲ. 기대이율

기초가액을 인근지역의 최유효이용을 기준으로 정상가격을 산정하였는바, 기대이율은 현재의 임시적 이용을 고려하여 상업용지 중 업무·판매시설의 임시적 이용의 중앙값인 5%를 적용함.

Ⅳ. 감정평가액

$$1{,}350{,}000 \times 600 \times (0.05 + 0.003) = 42{,}930{,}000\,\text{원}$$

【문제 4】

Ⅰ. 감정평가 개요

본건은 공장저당법에 의한 도입기계의 담보평가로 원가법에 의하며, 감가수정은 신고일자인 2004년 8월 1일을 기준함(기준시점 : 2006.8.27).

Ⅱ. 재조달원가

1. 도입원가(CIF 기준가격)

$$100{,}000(\$) \times 105.0198\left(\tfrac{¥}{\$}\right) \times 0.9979 \times 8.3228\left(\tfrac{\text{원}}{¥}\right) \fallingdotseq 87{,}222{,}000$$

2. 부대비용

1) 판매·농어촌 특별세

$$87{,}222{,}000 \times 0.08 \times (1 - 0.5) \times (1 + 0.2) \fallingdotseq 4{,}186{,}000$$

2) 설치비 및 부대비용

$$87{,}222{,}000 \times (0.015 + 0.03) \fallingdotseq 3{,}925{,}000$$

(주) 공장저당법상 담보평가로 사업체평가에 따라 설치비 고려함.

3) 합계 ≒8,112,000

3. 재조달원가

$$87{,}222{,}000 + 8{,}112{,}000 \fallingdotseq 95{,}334{,}000$$

Ⅲ. 감정평가액

$$95{,}334{,}000 \times 0.736^{*1} \fallingdotseq 70{,}166{,}000$$

*1 신고일자(2004.8.1)로부터 2년 경과

【문제 5】

Ⅰ. 감정평가 개요

본건 평가대상은 해당 공익사업인 근린공원조성사업에 직접 필요하지 아니한 지장물임에 공익사업을 위한 토지 등의 취득 및 보상에 관한 법률(이하 '법')제75조 등에 의하여 평가함.　　　　　(가격시점 2006. 8. 27)

II. 주택

1. 개요

① 이전비와 물건의 가격 중 적은 금액을 기준한다.

② 본건은 주거용 건축물임에 따라 위 ①의 물건의 가격은 원가법에 의한 가격과 거래사례비교법에 의한 금액을 비교하여 큰 금액을 기준한다.

2. 물건의 가격 결정(시행규칙 제33조)

1) 거래사례비교법   ≒45,238,000

$$50,000,000 \times 0.95 \times \frac{100}{105}$$

주)   계

주) 해당 공공사업에 따른 주택 입주권(30,000,000원)으로 인한 가격상승분 제외함.

2) 적산가액

$$630,000 \times \frac{22}{45}$$ ≒308,000원/㎡(30,800,000)

3) 결정

주거용 건축물로서 비준가액이 더 커 45,238,000원으로 결정한다.

3. 이전비

630,000×(0.142+0.030+0.168+0.538)   ≒553,000원/㎡(55,300,000)

4. 결정

이전비가 물건의 가격을 상회하는바 물건의 가격 45,238,000원으로 결정한다.

III. 과수(배나무)

1. 개요

이전비와 물건가격 중 적은 금액을 기준함.

2. 이전비

1) 이식비

[(45,000×0.7 + 30,000×0.29)×1.1 + 43,000×0.03 + 2,000]×1.2   ≒57,000원/주

2) 고손액 및 감수액

120,000×0.2 + 20,000×(1 − 0.2)×2.2   ≒59,000원/주

3) 이전비   ≒116,200원/주

3. 결정

이전비가 물건가격(120,000원/주)보다 낮아 이전비 기준함.

[문제 6]

I. 평가처리방법

대지권이 미등기된 구분건물을 경매평가 시 원칙적으로 대지권을 포함하여 일괄평가하되, 토지 및 건물배분가격을 산정하여 평가서에 기재한다.

II. ㅣ과 같이 처리하는 이유

대지권은 집합건물의 소유 및 관리에 관한 법률 상 전유부분의 종된 권리이므로 전유부분과 분리하여 처분할 수 없기 때문이다. 또한 토지 및 건물 배분가격을 추가정으로 기재하는 것이 용익권과 경락대금 배당 등에 참고가 되어 경매진행을 원활히 하는데도 타당할 것이기 때문이다.

III. 감정평가서에 기재할 사항

대지권이 미등기된 구분건물의 경우에는 대지권이 없는 사유, 대지권을 포함하여 평가하였는지 또는 건물만의 가격으로 평가하였는지, 분양계약내용, 분양대금납부여부 등을 조사하여 감정평가서에 기재하여야 한다.

제 18회
문제 논점 분석 및 예시답안

[문제1] 토지3방식+건물평가 개별물건기준, [문제2] 답보평가, [문제3] 보상평가, [문제4] 비상장주식평가에 관한 문제로서, 어렵지 않은 문제였으나 정확한 접근이 필요한 문제였다. 이런 경우 100점을 다 풀어도 논점 누락이나 큰 실수가 있었다면 과락이 날 위험이 있다는 것에 주의해야 한다.

1. 문제1번 - 토지3방식 + 건물(35)

1) 대상물건 확정

도로조건, 도시계획도로 저촉, 증축에 따른 내용년수 조정을 확인해야 한다.

2) 각 자료 적용의 흐름

(1) 생산자물가지수의 적용

생산자물가지수가 주어져 어디에 활용하는지가 고민이다. 건축비지수가 미제시되어 건축비지수의 대체로 활용할 수 있다. 그러나 실무적으로는 건물의 평가시 신축단가표를 기준으로 시점수정을 적용하지 않는 것이 일반적이다. 생산자물가지수는 토지의 공시지가기준평가에서 시점수정시 고려하는 것이 좀 더 실무에 부합된다고 본다.

(2) 도시계획시설 저촉에 따른 보정

실무적으로는 저촉부분과 저촉되지 않은 부분이 단가를 각각 산정하는 방법도 자주 활용 한다. 이런 경우 시산가액을 조정 결정 후 층별 산정시 저측부분을 산정하면 된다. 그러나 물음에서 각 평가방식에 따른 가격을 구하도록 되어 있어 각 방식의 층율을 구하거나, 저촉부분이 반영된 단가를 구할 수 있다. 또, 공시지가기준법외의 3방식의 적용에서는 <자료6>에 개별요인 비교치가 따로 제시되어 있어 여기에 개별요인 중 행정조건으로 저측을 반영되어 있다고 보는 것이 좀 더 자연스런 답안이 된다고 본다.

3) 건물평가

(1) 잔가율(10%) 및 부대부분 내용년수(20년)

제시된 <자료8> 건물신축단가, <자료9> 부대설비 보정 단가만을 본다면

총체가는 건물단가: {600,000+(50,000+4,000+65,000))×$(1-0.9×\frac{10+3}{40})$의

산식을 생각 했던 것으로 보인다. 실무적으로 부대설비 보정단가는 기본단가에 가산하여 재조달원가를 결정하고 주체 부대 구분 없이 감가수정을 하는 것이 일반적이기 때문이다. 그래서 부대부분의 전가율과 내용년수를 따로 제시하지 않았을 것이다. 또, 건축 기본단가에는 기본적인 부대설비의 가격이 일부 포함되어 있어 기본단가와 부대설비 보정단가를 각각 구분하여 주체와 부대로 보고 감가수정을 하는 것은 논리적이지 못하다. 그러나 거래사례 1의 배분법 적용과 관련한 건물잔존와 증물이 있어나 수험생 입장에서는 혼란을 느낄 수밖에 없었다. 부대 부분에 전가율의 적용여부 및 내용년수의 적용 이 명확하지 않았지만 실전에서는 노련한 처리가 필요하다.

(2) 연면적

대상 건물에 관한 사항에서 "구조, 면적: 철근콘크리트조 슬래브 지붕 10층 근린생활시설 1,200m²"로 주어졌다. 기준 10층 1,200m²만을 의미하는 것인지 증축부분까지 포함하여 1,200m²를 의미하는지 혼란스럽다. 차라리 건축물 대장을 제시하였다면 면적을 알 수 있다. 예시답안에서는 증축된 사항이

(2) 비교표준지 선정

용, 이, 주, 지를 기준으로 선정하되, 공법상제한이 가장 유사한 주거기타의 표준지를 선정하는 문제였다.

2) 생활보상

명시적으로 재편입가산금을 구하도록 요구하고 있었다. 이주대책에 대한 언급이 없어 별도로 이주대책을 실시하는 경우라면 이주정착금의 산정은 필요 없을 것이다. 단, 이주대책이 없는 경우 주거용건축물이 30% 하한지에 대해 이문이 들고 주거이전비 및 이사비는 자료의 600만원, 상한 1,200만원이 고려될 수 있다. 주거이전비 및 이사비로 산정할 수 없었다.

4. 문제4번 - 비상장주식(15)

현재 감칙 제24조 제1항 제2호에서 비상장주식은 "해당 회사의 자산·부채 및 자본 항목을 평가하여 수정재무상태표를 작성한 후 기업체의 유·무형의 자산가치(이하 "기업가치"라 한다)에서 부채의 가치를 빼고 산정한 자기자본의 가치를 발행주식 수로 나눌 것"으로 구성하고 있고 비상장주식은 기업가치 평가기법을 활용하여 감정평가되고 있다.

정리되지 않은 상태로 보고 10층까지 1,200m²를 기준으로 담아을 기술하였다. 적법한 증축의 경우 건축물 대장에는 증축부분이 포함된 연면적이 제시된다.

(3) 증축부분의 부대설비 보정

대상 건물에 관한 사항에서 증축사실을 먼저 언급하고 부대설비에 대한 언급이 연금하고 있어 증축부분에 대해서도 부대설비 보정 단가를 적용이 가능하다고 본다. 그러나 물리적으로 승강기에 대하여도 증축시 고려할 것인지에 대해 이문이 들고 부대설비 일부만을 적용하는 것을 주석처리 하는 것 보다는 기본단가에 기본 부대설비가 포함된 것으로 보고 담아를 기술하는데 크게 무리가 없다고 생각한다.

2. 문제2번 - 담보평가(30)

권리분석, 비교표준지의 선정, 그 밖의 요인 보정, 사용승인일 기준 전문가격 산정에 유의하여야 한다.

3. 문제3번 - 토지 및 지장물, 재편입가산금(20)

1) 토지보상

(1) 적용공시지가 선택 및 개발이익 배제

적용공시지가 선택에 있어 사업인정 후 보상으로 현 토지보상법§70⑤의 적용이 없었던 시기이다. 결국 표준지 선정에 있어 개발이익의 배제를 위해 사업지구 밖의 표준지를 선정하도록 한 문제였다. 해당 사업이 아닌 지가 상승분은 그 밖의 요인으로 보정할 수 있다. 출제 당시 택지개발촉진법 상 사업인정 의제일은 "택지개발계획 승인고시일(현 지구지정일)"이며 토지보상법 제70조 제4항만 적용되었다.

【문제1】

I. 기본적 사항의 확정

1. 본건은 상업용 부동산에 대한 일반거래목적의 감정평가로 기준시점은 2007. 8. 26일.

2. 토지 : 제3종일반주거지역 내 성숙한 노선상가지대의 상업용을 기준하며 동측 2m 도로는 굴목길이미 세로(불)로 판단되며 도로접면은 중로한면(15m)로 결정, 도시계획도로저촉부분(35㎡)은 개별요인에 반영하여 평가한다.

3. 건물 : 증축건물인바, 기준부분(1~10층)과 증축부분(11층)을 구분평가하되, 감가수정시 증축에 따른 내용년수 조정 및 관찰감가에 유의하여 평가한다.

II. (물음 1) 공시지가기준법에 의한 시산가액

1. 비교표준지 선정

① 용도지역(3종 일주), 이용상황(상업용 내지 상업나지), 도로조건(중로 및 2m 세로(불)에 각각 접하나 세로(불)은 보지 않아 중로한면인), 주위환경(성숙한 노선상가지대) 등에서 가장 유사한 표준지#3을 선정함.

② #1은 주위환경 등에서, #2, #4, #5는 도로조건 등에서 상이하여 제외함.

2. 토지단가(공시지가기준가액)

$$1,100,000 \times \underset{\text{시}^{*1}}{1.02305} \times \underset{\text{지}}{1.000} \times \underset{\text{개}^{*2}}{0.920} \times \underset{\text{그}}{1.000} ≒ 1,035,000원/㎡$$

*1 ① 지가변동률(주거지역)

$$1.00136 \times 1.00519 \times 1.00328 + 1.00137 \times 1.00420 \times 1.00256 \times \left(1+0.00256 \times \frac{57}{30}\right)$$
$$≒ 1.02305$$

② 생산자물가상승률

$$\frac{109.6}{108.4} ≒ 1.01107$$

③ 결정 : 해당 지역 지가변동상황을 보다 잘 반영하는 지가변동률 적용.

$$*2 \quad 0.93 \times \frac{35 \times 0.85 + 465}{500}$$

III. (물음 2) 거래사례비교법에 의한 비준가액

1. 사례선정

본건의 건축시점, 규모, 용도 등에서 유사하여 사례#1 선정함. 단 사례#2는 규모 등의 측면에서 비교가능성이 떨어져서 제외함.

2. 사례토지가격

1) 건물가격(2007. 1. 13)

(1) 주체부분

$$600,000 \times \left(1 - 0.9 \times \frac{8}{40}\right) \times 1,232 = 606,144,000$$

(2) 부체부분

$$(50,000 + 4,000 + 6,000 + 65,000) \times \frac{12}{20} \times 1,232 = 92,400,000$$

(3) 소계 = 698,544,000원

2. 토지단가(적산가액)

940,000 × 1.000 × 1.04513 ×1.000 × 0.970 ≒ 953,000원/㎡
  (시)   (시*1)   (지)   (계)

*1 1.02158×1.02305

2) 토지가격

(1,235,000,000 - 698,544,000×1.1)÷505 ≒924,000원/㎡

3. 토지단가(비준가액)

924,000 × 1.000 × 1.02251 × 1.000 × 1.050 ≒ 992,000원/㎡
  (시)   (시*1)   (지)   (계)

*1 $(1+0.00136×\frac{19}{31})×1.00519×1.00328×1.00137×1.00420×1.00256$
$×(1+0.00256×\frac{57}{30})$

IV. (물음 3) 원가법에 의한 적산가액

1. 사례 준공시점 적산가액

① 토지매입비 : $900,000,000×1.08^3$ ≒1,133,740,000

② 조성공사비 : $400,000,000 × \frac{1}{2} ×(1.08^2+1.08)$ ≒449,280,000

③ 판매관리비 등 : 400,000,000×0.2 ≒80,000,000

④ 소계 ≒1,663,020,000원

⟨1,663,020,000 ÷ 1,770≒940,000원/㎡⟩

V. (물음 4) 수익환원법에 의한 수익가액

1. 개요

토지잔여법을 활용하여 대상토지 수익가액을 구함.

2. 사례토지귀속 순수익

1) 총수익

10,000,000+144,000,000+14,000,000 =168,000,000

2) 필요제경비

6,000,000 +8,000,000 + 3,000,000 + 15,000,000 + 2,000,000
 (유관)   (제공)   (손보)   (대성)   (공성)

+ 33,586,000 =67,586,000
  (Dep)

(1) 건물가격

① 주체 : $600,000 × \left(1-0.9×\frac{6}{40}\right) × 1,200$ =622,800,000원

② 부대 : $(60,000+4,000+6,000+65,000)×\frac{14}{20}×1,200+180,000,000×\frac{14}{20}$ =239,400,000

③ 소계 =862,200,000원

(2) 감가상각비

$622{,}800{,}000 \times (1-0.1) \times \dfrac{1}{34} + 239{,}400{,}000 \times \dfrac{1}{14}$ = 33,586,000

주: 장기차입금이자는 대상 건물의 임대운영과 직접 관련 없어 제외함.

3) 상각 후 순수익

168,000,000 - 67,586,000 = 100,414,000원

4) 사례건물귀속 순수익

862,200,000 × 0.1 = 86,220,000원

5) 사례토지귀속 순수익 = 14,194,000원

3. 토지단가(수익가액)

1) 대상토지 기대순수익

$14{,}194{,}000 \times \underset{\text{사}}{1.000} \times \underset{\text{시}}{1.00000} \times \underset{\text{지}}{1.000} \times \underset{\text{개}}{0.970} \times 1.000 \times \dfrac{1}{550}$ ≒ 25,000원/㎡

2) 수익가액

25,000 ÷ 0.08 ≒ 313,000원/㎡

Ⅳ. (물음 5) 감정평가액 결정

1. 토지가액

1) 결정

1,035,000 × 500 = 517,500,000원

2) 감정평가액 결정 의견

거래사례는 거래가격에 다소 사정이 개입이 된 점, 조성사례는 면적과나, 임대사례는 건물층수 및 부대설비 등이 상이하여 건물 신축 비용이 다소 과다하게 발생한 사례로 보이며, 특히 본건이 소재하는 지역이 상권이 잘 형성되어 있는 성숙한 노선상가지대라는 점에서 수익가액과 괴리가 발생함은 임대사례의 임대내역이 적정하지 않을 수 있다고 판단된다. 따라서 표준지공시지가를 기준으로 토지가격을 결정한다.

2. 건물가액

1) 기존부

(1) 단가

$\{600{,}000 + (50{,}000 + 4{,}000 + 65{,}000)\} \times (1 - 0.9 \times \dfrac{10+3}{40})$ = 509,000원/㎡

주: 제조달원가는 표준적인 건축비를 상정함에 따라 개별적 적정 적용을 배제하고 간접법 적용함

(2) 소계

509,000 × 1,200 = 610,800,000원

2) 증축부분 적산가액

$510{,}000 \times (1 - 0.9 \times \dfrac{4}{27+4}) \times 60$ = 27,060,000원

3) 건물가액 = 637,860,000원

3. 감정평가액 결정

517,500,000 + 637,860,000 ≒ 1,155,360,000원

【문제2】

I. 감정평가 개요

본건은 A시 B구 C동 소재하는 부동산에 대한 담보목적의 감정평가로서 현장조사완료일인 2007. 8. 25을 기준시점으로 하여 다음 각 물음에 답한다.

II. (물음 1) 준수사항

① 성실, 공정 담보평가업무수행 및 정당한 이유 없이 평가 기피 혹은 반려하여서는 안된다.

② 평가의뢰서상 처리기간을 엄수해야 한다.

③ 감정평가서상 감정평가의 산출근거 명시를 통한 평가의 공정성 및 객관성이 유지되도록 해야 한다.

④ 직접 이해관계에 있는 물건에 대한 평가 금지 및 업무상 알게 된 비밀 누설을 하여서는 안된다.

⑤ 금융기관 등의 자료제출 요청시 적극적으로 응하여야 한다.

⑥ 기타 감정평가사의 윤리강령 및 윤리규정을 준수하여야 한다.

III. (물음 2) 권리내역 분석 및 대출 가능 금액 판단 시 필요한 사항

1. 권리내역 분석

① 현 소유자 박00씨는 2002년 9월 20일 매매를 통해 해당 토지, 건물을 매수하였으며, ② 2007년 7월 27일 홍길동씨의 물상보증인으로서 IBK은행에 1순위 근저당권이 설정되어 있음.

2. 대출가능금액 판단 시 필요사항

① K 감정평가사이의 담보평가에 ② 담보대출율을 ③ 임대차를 행하고 있는 2, 3층의 임대차 내역(전체 보증금 175,000,000원) ④ 다가구주택인 2, 3층 주택의 방 수 ⑤ 주택임대차 및 상가임대차보호법 대상여부 등

IV. (물음 3) 감정평가액

1. 토지가액

1) 대상물건의 확정

제1종일반주거지역 내 주상용 토지로 시설녹지(완충녹지)에 접하는, 도로접면은 소로한면으로 판단, 토지면적은 215.8㎡. 주상지대로 가로의 연속성 및 제품성 측면에서 인구의 통행량 및 접근성 등이 가치에 영향을 미진다고 판단, 가로의 동일성에 유의.

※ 완충녹지는 도시계획시설 결정이 되면 해당 부분으로 줄임이 제한됨.
해당 문제에서는 도시계획시설 결정 이후 도시계획시설이 완료된 상태임.

2) 비교표준지 선정

이용상황(주·상 부합·용지), 도로교통(동일 노선 소재) 등에서 가장 유사한 #2 선정함.

(단, #1, #3은 도로교통, #4는 이용상황 등에서 비교가능성이 떨어져서 제외함)

3) 토지단가

$$2{,}250{,}000 \times 1.01839 \times 1.000 \times \frac{100}{105} \times 1.000 \fallingdotseq 2{,}180{,}000원/㎡$$

$$\qquad\quad 시^{*1} \qquad 지 \qquad 개 \qquad\quad 그$$

*1 $1.01373 \times (1 + 0.00246 \times \frac{56}{30})$

4) 그 밖의 요인 검토

담보평가인 점과 인근의 지가수준(2,150,000원/㎡~2,250,000원/㎡) 및
인근의 담보평가사례(2,170,000원/㎡)를 고려 시 별도의 그 밖의 요인보정은
요하지 않는다고 판단.

5) 토지가액

2,180,000×215.8 ≒470,444,000원

2. 건물가액

1) 대상물건의 확정

① 건축시점 : 건물등기부등본상 소유권보존등기일(1997. 2. 14)에 붙구하고
건축물대장상 사용승인일자(1996. 12. 26) 기준함.

② 3층 면적 확정 : 건축물대장상 107.48㎡임에도 붙구하고 현황평가 원칙에
따라 실제 60㎡ 기준함

2) 건물가액

(1) 단가

① 지하층 : $600,000×0.7× \frac{40}{50}$ ≒336,000원/㎡

② 1층 : $(600,000+20,000)× \frac{40}{50}$ ≒496,000원/㎡

③ 2·3층 : $(800,000+40,000+50,000)× \frac{40}{50}$ ≒712,000원/㎡

(2) 총액

$336,000×(63.92+42.78)+496,000×106.7+712,000$
$×(107.48+60)$ ≒208,020,000

3. 감정평가액 결정

470,444,000+208,020,000 =678,464,000

V. (물음 4) 심사 시 검토사항

① 공부내용과 현황의 일지 여부 ② 적용공시지가 표준지 선정의 적정성
③ 평가가격 산출 과정의 적정성 ④ 건물 등의 재조달원가 및 내용년수 산
정 등의 적정성 ⑤ 감정평가서 필수적 기재사항 누락 여부 ⑥ 감정평가수
수료 산정의 적정성

[문제 3]

I. 감정평가 개요

① 공익사업을 위한 토지 등의 취득 및 보상에 관한 법률(이하 법) 등을 참
작한다.

② 구분평가·물건별로 각각 평가한다(법·칙§20).

③ 가격시점은 별도 제시되지 않아 가격조사완료일 2007. 1. 20

Ⅱ. 토지 보상평가

1. 적용 공시지가

법§70 ④에 의거하여 사업인정 고시 의제일(2005. 8. 3) 전에 공시된 공시지가 중 사업인정 고시일에 가장 가까운 공시된 2005. 1. 1 기준 공시지가 적용함.

※ [참고] 현재 택지개발촉진법 상 사업인정 의제일은 "지구지정"이며 문제 상 "계획·공고 고시일"이 제시되지 않아 현재 토지보상법을 적용하게 되면 적용공시지가는 지구지정 이전 최근 공시된 '2004.1.1'이 적용됨.

2. 비교표준지 선정

해당 사업에 따른 개발이익을 배제하기 위해 사업지구 외의 인근지역 내 동일용도지역 표준지 중 개별적 제한인 도시계획시설도로에 저촉되지 않고 일반적 제한인 군사시설보호 구역에 저촉되며, 이용상황 등에서 비교가능성 높은 <#6)선정함.

※ [참고] 출제 당시에는 '지구지정'으로 용도지역 등 구역 내 공법상 제한이 변경된 후 결정인 '택지개발계획 승인고시일'이 사업인정 의제일로 토지보상법 제70조 제4항이 적용되어 적용공시지가를 선택하는 경우 사업인정 전 공법상 제한이 변경됨을 반영하고 있어 개발이익의 배제(해당 공익사업에 따른 공법상 제한 배제)를 위하여 사업구역 외의 표준지를 선정할 수밖에 없음. 그러나, 현재 토지보상법(제70조) 및 택지개발촉진법(사업인정의제일 : 지구지정)이 적용된다면 2004.1.1. 적용공시지가를 선택하게 되고 비교표준지는 '사업구역 내'를 적용하게 됨.

3. 토지 보상평가액

$$150{,}000 \times \underset{\text{시}^{*1}}{1.05999} \times \underset{\text{지}}{1.000} \times \underset{\text{계}^{*2}}{0.970} \times \underset{\text{그}^{*3}}{1.100} \fallingdotseq 170{,}000원/㎡$$

$$\langle \times 500 = 85{,}000{,}000 \rangle$$

*1 $1.02365 \times 1.03016 \times \left(1 + 0.02333 \times \dfrac{20}{90}\right)$ *2 $\dfrac{1.07}{1.10} \times 1.05 \times \dfrac{1.00}{1.05}$

*3 해당 공익사업이 아닌 도로사업으로 인한 지가상승분은 반영함.

Ⅲ. 지장물 보상평가

1. 개요

물건 가격 범위 내에서 이전비 보상함.

2. 기호1 주택

① 개요 : 보상평가는 현황평가임에 따라 현황을 기준함.

② 물건가격 : $520{,}000 \times \dfrac{19}{35} \times 45 = 12{,}703{,}000$

③ 이전비 : $520{,}000 \times (0.207 + 0.143 + 0.135 + 0.208 - 0.053 + 0.168) \times 45 \fallingdotseq 18{,}907{,}000$

④ 결정 : "물건의 가격 〈 이전비" 인바 물건의 가격 12,703,000으로 결정

3. 기호2 주택

① 물건가격 : $480,000 \times \dfrac{32}{45} \times 18$ ≒6,144,000

② 이전비 : $480,000 \times (0.12+0.153+0.141+0.111 - 0.065 + 0.165) \times 18$ ≒5,400,000

③ 결정 : 물건의 가격 범위 내 이전비 5,400,000원으로 결정함.

4. 기호3 축사

① 개요 : 사업인정고시일 이전에 신축한 무허가 건축물임에 따라 보상대상임.

② 물건가격 : $150,000 \times \dfrac{10}{20} \times 155$ ≒11,625,000

③ 이전비 : $150,000 \times (0.115+0.145+0.14+0.11 - 0.014 + 0.169) \times 155$ ≒15,460,000

④ 결정 : "물건의 가격 〈 이전비" 인바 물건의 가격 11,625,000으로 결정

5. 지장물 보상평가액

$12,703,000 + 5,400,000 + 11,625,000 = 29,728,000$원

IV. 재편입 가산금

1. 개요

본건 주거용 건축물은 종전 사업 보상일로부터 20년 이내에 다른 공익사업에 편입됨에 따라 1천만원을 한도로 재편입가산금 대상에 해당됨.

2. 재편입 가산금

$(85,000,000 + 12,703,000 + 5,400,000) \times 0.3 = 30,931,000$

3. 결정

상기 금액이 1천만원을 초과하여 10,000,000원으로 결정함.

V. 보상평가액

토지	:	85,000,000원
지장물	:	29,728,000원
재편입 가산금	:	10,000,000원
합계	:	124,728,000원

※ 이주정착금, 주거이전비, 이사비는 명시적 언급이 없어 포함되지 않았음.

※ (유의사항) 보상평가 문제에서는 제시된 조사에 따라 평가범위가 결정되어야 함. 문제에서 별도로 전제되지, 이주정착금 등 생활보상 요구을 산정을 요구하지 않는 경우에는 해당 항목에 대한 보상액을 산정하지 않음. 해당 문제에서는 '종보상금 산정'을 요구하여 재편입가산금까지 산정하게 된 것임.

[문제 4]

I. 감정평가 개요

감정평가에 관한 규칙 24조 1항 2호에 따라 자산·부채 및 자본 항목을 평가하여 수정재무상태표를 작성한 후 기업체의 유·무형의 자산가치(이

하 "기업가치"라 한다)에서 부채의 가치를 빼고 산정한 자기자본의 가치를
발행주식 수로 나누어 평가하되, 동 규칙3항의 규정에 의해 기업가치를 감
정평가할 때 수익환원법을 적용하는 것이 곤란하거나 부적절한 경우에 해
당하여 감칙 12조 2항 단서에 따라서 원가법에 의해 평가하며, 수정재무
상태표를 작성하여 순자산을 기준으로 주식가격을 평가한다.

II. 자산 재평가

1. 건물 평가

$500,000 \times 145/100 \times 1,800 \times (1 - 0.9 \times 5/50)$ ≒1,187,550,000

2. 기계기구 평가

$3,800,000,000 \times 0.464$ ≒1,763,200,000

III. 순자산

1. 총자산

$550,000,000 + 130,000,000 + 500,000,000 + 800,000,000 + 200,000,000$
$+ 20,000,000 + 50,000,000 + 1,260,000,000 + 1,187,550,000$
$+ 1,763,200,000$ ≒6,460,750,000

2. 부채

$400,000,000 + 600,000,000 + 180,000,000 + 2,000,000,000 + 26,000,000$
$+ 200,000,000$ ≒3,406,000,000

3. 순자산 : 1. - 2. =3,054,750,000

IV. 비상장주식가치

$3,054,750,000 / 300,000$ ≒10,183원/주

제 **19**회
문제 논점 분석 및 예시답안

평 [문제1]의 경우 대부분의 수험생들이 문제 풀이과정에서 어느 정도 접근 할 수 있었다. 보상평가 전반에 대한 이해 여부와 출제 당시 업무 현장에서 성실하게 이수화되었던 '영업손실보상'의 세부상황별 적용방법을 몇 개정과 함께 다루게 되었다. [문제2]의 경우 가지[다]면론에 입각한 목적별 시점별 평가로서 문제 분석에 대한 토지이 충분히 연습되어야[이]만 접근할 수 있었다. [문제1]번에서 많은 시석에 대한 토지이 충분히 연습되어야[이]만 접근할 수 있었다. [문제3]은 임목 평가로 정확히 접근한 수험생은 드물었다.

1. 문제1번 – 토지, 잔여건축물, 영업보상(40)

1) 적용공시지가

구분	출제 당시	현재
사업인정의제	개발계획 승인 고시일	지구지정일
법§70⑤	규정 없음	규정 있음
적용공시지가 선택	법§70④ 개발계획 승인 고시일 이전 2007.1.1. 적용	—

출제 당시와 현재 토지지보상법(제70조) 및 택지개발촉진법(사업인정의제) 및 택지개발촉진법(사업인정의제) 등이 상이하다. 해당 문제에서는 현재 택지개발촉진법 상 사업인정의 일 등이 상이하다. 해당 문제에서는 현재 택지개발촉진법 상 사업인정의 제일 '지구지정일'이 제시되어 있지 않다. 따라서, 출제 당시 법률을 적용 제일 '지구지정일'이 제시되어 있지 않다. 따라서, 출제 당시 법률을 적용 하는 경우는 '2007.1.1.'이 적용되나, 현재 관련 법률을 기준하려면 '개발 하는 경우는 '2007.1.1.'이 적용되나, 현재 관련 법률을 기준하려면 '개발 제획 승인고시일' 대신 '지구지정일'로 수정한 후 토지보상법 제70조 제4항

및 제5항의 검토 여부를 분석하여야 한다. 단, 현행 토지보상법 제70조 제5항의 검토를 위해서는 시·군·구 표준지 전체의 변동률이 별도로 제시되 어야 한다.

2) 비교표준지 선정

① 개별이의 배제와 관련하여 용도지역의 변경 외에는 별다른 논점은 없었다.

② 기호2의 표준지 선정

건축허가는 택지개발사업 지구 지정으로 실효되었다(例). 그렇다면, 건 부지인 #D를 선정할 것인지, 현황이 잡종 전의 나지인 #E를 선정할 것 인지가 문제다. 표준지 공시지가의 전부지와 나대지의 격차가 신규 건 축허가가 가능한 지역인지 여부, 이축권의 권리가 형성된 지역인지 여 부, 대지로서의 효용을 발휘하기 위한 조성의 정도의 차이 등 그 이유를 분석해야 한다.

또한, 본 사안은 새로운 건축허가를 받은 토지로 기존에 건축물이 있는 토지와 없는 토지에 대한 격차를 단순 적용하여 평가할 수 있는 문제는 아니라고 본다.

'건축을 할 수 있었던 토지였기 때문에 가격차이가 있다'라는 논리를 펼 수도 있으나, 이 경우 「개발제한구역의 지정 및 관리에 관한 특별조치법」 (이하 '개특법')상 어떻게 건축허가를 받아있었는지를 판단하여야 할 것이다. 개발제한구역에서 새로이 추가적으로 건축허가를 받는 것은 어렵다고 보인다. 일반적으로 중량체를 시행하고 있기 때문이다. 중량제의 적용이 보인다. 일반적으로 '밭'인 토지에 대해 신축이 가능하다면 전부지와 나대지의

가격 격차는 반영이 되지 않는 것이 옳다. 그러나, 이미 제시 자료상 표준지공시지가의 나머지와 전부지의 격차가 반영되어 있었다.

현재 이축권에 따라 신축허가를 받았다면 건물이 지어지지 않은 상태에서 이축권을 토지에 포함하여 보상액을 산정하는 것은 상당한 위험성이 있다. 해당 사업에 편입됨에 따라 이축권이 토지가에 포함되어 소멸된다는 확실성이 있어야만 전부지의 평가의 대상가가 가능한 것이다. 그러나 해당 사업으로 인해 행사하지 못한 이축권을 다시 행사할 것이기 때문에 토지가치에 포함되어서는 안 될 것이다.

또한, 건축물을 표준지를 선정하는 것은 일단 보상평가의 대원칙인 현황평가에 위배된다. 현황 건축물이 없는 토지에 보상평가라는 것을 상정할 필요가 있다.

[참고 개발제한구역 내 신고대상]

시행령제19조(신고의 대상 및 기준) 법 제12조제2항 및 제7항에 따른 신고의 대상 및 세부 기준은 다음 각 호와 같다. 〈개정 2009.8.5, 2010.10.14, 2011.1.28〉

1. 주택 및 근린생활시설로서 다음 각 목의 어느 하나에 해당하는 증축·개축 및 대수선
   가. 기존 면적을 포함한 연면적의 합계가 100제곱미터 이하인 경우
   나. 증축·개축 및 대수선되는 연면적의 합계가 85제곱미터 이하인 경우

2. 농림수산업용 건축물(연면적용 건축물은 제외한다) 또는 공작물로서 다음 각 목의 어느 하나에 해당하는 경우의 증축·개축 및 대수선
   가. 증축·개축 및 대수선되는 건축면적 또는 바닥면적의 합계가 50제곱미터 이하인 경우
   나. 축사, 동물 사육장, 콩나물 재배사(栽培舍), 버섯 재배사, 퇴비사(발효퇴비장을 포함한다) 및 온실의 기존 면적을 포함한 연면적의 합계가 200제곱미터 미만인 경우
   다. 창고의 기존 연면적을 포함한 연면적의 합계가 100제곱미터 미만인 경우

2의2. 「농어촌정비법」 제2조제16호다목에 따른 주말농원사업 중 주말영농을 위하여 토지를 임대하는 이용객이 50명 이상인 주말농원사업에 이용되는 10제곱미터 초과 20제곱미터 이하의 농엄용 원두막(벽이 없고 지붕과 기둥으로 설치한 것을 말한다)을 설치하는 행위. 다만, 주말농원을 운영하지 아니하는 경우에는 지체 없이 철거하고 원상복구하여야 한다.

3. 근린생활시설 상호 간의 용도변경. 다만, 휴게음식점·제과점 또는 일반음식점으로 용도변경하는 경우는 제외한다.

4. 벌채 면적이 500제곱미터 미만이거나 벌채 수량이 5세제곱미터 미만인 죽목의 벌채

5. 다음 각 목의 어느 하나에 해당하는 물건을 쌓아두는 행위
   가. 제17조제1항에 따른 물건을 1개월 미만 동안 쌓아두는 행위
   나. 중량이 50톤 이하이거나 부피가 50세제곱미터 이하로서 제17조제1항에 따른 물건을 15일 이상 쌓아두는 행위

6. 「매장문화재 보호 및 조사에 관한 법률」에 따른 문화재의 조사·발굴을 위한 토지의 형질변경

7. 생산품의 보관을 위한 임시 가설 천막의 설치(기존의 공장 및 제조업소의 부지에 설치하는 경우만 해당한다)

8. 지반의 붕괴 또는 그 밖의 재해를 예방하거나 복구하기 위한 축대·옹벽·사방시설 등의 설치

9. 영농을 위한 지하수의 개발·이용시설의 설치

10. 논을 밭으로 변경하기 위한 토지의 형질변경

11. 논이나 밭을 과수원으로 변경하기 위한 토지의 형질변경

3) 지가변동률

안정적인 담인을 구성하기 위해서는 지가의 변동여부를 검토할 수도 있을 것이다. 다만, 제시 자료에서 "해당 사업의 영향으로 지가변동률이 높게 나타나고 있다."로 주고 있어 실제 시험에서는 지가 변동여부에 대한 검토 없이 바로 토지보상법시행령§37②을 적용한 담인도 감점이 없이 있었다.

3) 그 밖의 요인 보정치

그 밖의 요인 보정치는 원칙적으로 비교표준지별로 산정하여야 한다. 용도지역·이용상황이 동일하더라도 비교표준지별 시세반영 정도가 다르다고 보는 것이 일반적이기 때문이다. 물론 과세의 형평성 측면에서 최소한의 용도지역별 또는 이용상황별로는 시세반영 정도가 같아야 한다는 이견은 일견 타당하나 실무적인 상황과는 차이가 있다.

해당 문제에서는 4개의 비교표준지를 선정하였고 '주상용' 및 '전'의 보상사례 2개가 제시되었다. 앞서 언급한바와 같이 실무적 원칙은 2개의 보상사례로 4개의 비교표준지에 대한 각각의 그 밖의 요인 보정치를 산정하여야 한다. 그러나, 수험에서는 문제에서 특별히 요구하지 않는 한 동일 용도지역에서는 '택지(주·상·공), '전·답', '임야'의 세 분류를 기준으로 하여 같은 분류에서는 그 밖의 요인 보정치가 동일하다는 전제(주석 처리)를 하여 문제를 풀이하는 것도 시간이 부족한 상황에서는 합리적인 처리방법이라고 본다.

4) 영업손실 보상

당시 영업손실보상 규정의 전면 개정이 있어 시사성이 높은 문제였다. 영업손실 보상 규정은 계속적으로 개정되고 있고 앞으로도 계속 관심을 가져야 할 부분이다. 예시답안은 당시 규정으로 풀이하였다.

2. 문제2번 – 목적별 시점별 평가(35)

1) 평가의 범위

물음에서 30번지를 의뢰하였다. 자칫 현재 30번지만을 평가 대상으로 생각할 수 있다. 그러나 '토지등기부등본'을 첨부하여 의뢰인은 등기부등본

기존 630m² 전체를 의뢰하였다고 판단하여야 한다. 따라서, 토지 대장기준 30번지 및 30-1번지 2필지가 평가의 대상이다.

2) 토지의 정상가격(시장가치)

당초 30번지 '임야'가 등록전환 및 분필로 30번지 '전' 및 30-1번지 '임야'로 변경(토지(이동)) 되었다. 한편, 이용상황은 지목에도 불구하고 불법형질변경 등이 아닌 한도 내에서 인근의 표준적 이용상황과 관련되어 결정되어야 한다. 지적도상 인접 필지들을 보면 '전', '답', '잡'의 지목으로 되어 있다. 지목과 이용상황은 동일하지 않지만 이용상황의 결정에는 지목의 허용범주 내에서 결정된다. 이러한 점에서 30번지는 지목 '전'과 인접 토지의 이용상황(지목)을 기준으로 이용상황을 '전'으로 확정하는 것에는 무리가 없다.

다만, 30-1번지는 지목 '임야'이다. 현재 실무에서는 지목 '임야'의 경우 산지관리법 상 산지의 적용을 받아 산지전용 허가 또는 신고를 거치지 않는 한 '임야'의 범주로 판단한다. (출제 당시에는 지목 '임야'인 경우에도 농지원부 등의 자료를 기준으로 현황 '전'을 인정하는 이견이 있었다.) 따라서, 30-1번지는 지목 '임야' 와 인근의 이용상황을 종합 고려하더라도 '토지임야'(개발가능 임야)로 판단하는 것이 가장 합리적이다.

3) 토지의 기초가격

해당 문제는 물음1과 물음2의 차이점을 전제하고 문제풀이을 한다면 물음 2는 출제자가 이론상 직산별에 따른 직산별임을 산정하도록 한 것임을 알 수 있다.

그러나, 출제자가 임대료 평가의 단독 문제로 이론상 직산법을 출제한다면 물음이나 제시자료에서 이론상 직산별임을 명백히 하는 자료를 제시할 수밖에 없다.

또, 해당 문제에서는 이론상 적산법의 기초가액을 '주자장'을 기준으로 용
이가치를 산정하게 되는데 이용상황 '전기준으로 결정되는 시장가치의 범
위를 넘어선다는 특이사항이 발생하게 된다. 그러나, 그러한 상황이 적절
한 기대이율의 적용과정을 통해 임대료가 결정될 수 있기 때문에 이론적으
로 오류라고 볼 수는 없다고 본다.

4) 토지의 투자가격

(1) 개실 점유율

개실점유율을 회귀분석식으로 산정하는 것은 명백하다. 종속변수(y)는 객
실점유율이 될 것이다. 그러나 독립변수(x)를 규모로 볼 수도 있지만 이미
규모의 유사성에서 PGI를 추출하였고, 주세가 규모별에 있는 것으로 판단
하는 것 보다 시점별로 변동하는 것으로 파이하는 것이 객관적이다. 따라서,
금년 예시지담안에서는 조사시점을 독립변수로 하여 시간의 흐름에 따라 점
유율이 떨어지는 추세를 반영하여 산정하였다. 그래이만 시점이 독립변수
외 규모와 PGI의 변수가 없는 상황에서 단순회귀분석이 이루어 질 수 있기
때문이다.

(2) 소득수익률 산정의 기준이 되는 부동산 금액

"수익률 = 소득수익률 + 자본수익률(가치변동분)"으로 산정이 된다. 제시 조
건에서는 투자조건을 판단하기 위해 자본소득을 판단할 것으로 보고 소득수
익률을 기준으로 투자의 타당성 여부를 검토하도록 요구하고 있다. 이제,
부동산평가에는 이론상 투자시설로서의 가치(완공된 상태의 가격)를 기준
으로 투입비용을 기준으로 하여야 한다.

따라서, 토지가격은 08.1.1 기준 정상가격을 대입하고 건물가격은 건물투

자비용(730,000,000원)을 대입하는 것이 투자수익률의 개념적 정의에 부합
한다.

그러나 전문에 대하여는 원가법에 의한 전문가액을 적용하도록 요구하고
있어 전문과 관련성이 없는 투입비용을 제외하였다. 이 조건은 이후는 포
이후 토지잔여법에서 산정할 전문귀속순수익에 집기등에 배분될 수익이 포
함될 문제가 있어서라고 본다. 출제자가 부동산평가에 산정방법을 제시한
이유일 것이다.

(3) 토지 투자가격의 산정

토지의 투자가격은 토지잔여법을 기준으로 하는 방법과 요구수익률을 고
려한 최소 요구금액을 기준으로 하는 방법이 있을 것이다.

> 요구수익률을 기준하는 방법
>
> $$(696,600,000 \times 0.15 - 657,000,000 \times 0.114) / 0.108 = 274,000,000원$$
> 요구수익률   건물V   건물r   토지r

토지잔여법을 기준하는 것이 일반적인 방법일 것이다. 요구수익률을 고려한
것은 토지의 최소 요구가격의 측면 내지 간이타당성의 검증 측면에서 접
근한 것이다.

4. 문제4, 5번 - 리스, 개별이익 약술(간5)

회계기준 제1040호 투자부동산 중 운용리스에서 리스이용자가 보
유하는 부동산에 대한 권리는 해당 부동산이 투자부동산의 정의을 충족하고
리스이용자가 공정가치모형으로 평가하는 경우에만, 투자부동산으로 분류
하고 회계처리할 수 있다.

【문제 1】

I. 감정평가 개요

본건은 택지개발사업에 편입되는 토지, 지장물, 영업에 대한 중앙토지수용위원회의 이의재결을 위한 보상평가임. 가격시점은 토지보상별 제67조1항에 의하여 보상을 위한 재결 당시의 가격을 기준으로 하는바, 재결일인 2008년 8월 25일임.

II. (물음 1) 토지의 평가 등

1. 적용공시지가 선택

1) 개요

개정 택지개발촉진법상 사업인정의제는 택지개발사업 예정지구 공람. 공고일이나, 부칙 규정에 의하여 택지개발사업 개발계획승인 고시일(2007. 10. 24)이 사업인정일이며, 사업구역 확장에 따른 추가세목고시일이 해당 토지에 대한 사업인정일임.

2) 기호#1~#3

토지보상법 제70조 4항에 의하여 사업인정전 공시된 공시지가 중 사업 인정일에 가장 가까운 2007년 공시지가를 선정함.

3) 기호#4

사업구역의 확장에 따른 추가세목고시된 토지로서 사업인정일 이전에 공시된 공시지가 중 사업인정일에 가장 가까운 2008년 공시지가를 선정함.

2. 비교표준지의 선정

1) 선정기준

용도지역이 동일하고, 인근지역 내 실제지목 및 이용 상황, 공법상 제한, 주위환경 등이 같거나 유사하며, 지리적으로 근접한 표준지를 선정함.

2) 공법상 제한을 받는 토지의 평가

토지보상별 시행규칙 제23조에 의하여 해당 공익사업 시행 절차로서 용도지역이 변경된 경우 변경되기 전의 용도지역을 기준으로 평가하는 바, 자연녹지지역의 개발제한구역을 기준으로 평가하며, 도시계획도로 저촉은 개별적인 제한인바 고려되지 아니함.

3) 비교표준지의 선정

① 기호#1 : 자연녹지지역의 개발제한구역 내 주상용 전부지로서 표준지 #D 선정함.

② 기호#2 : 착공 전에 편입되어 건축허가가 실효되었다 보아(判例) 자연 녹지지역의 개발제한구역 내 나대지인 표준지#E 선정함.

③ 기호#3 : 자연녹지지역의 개발제한구역 중 사업 인정된 공시지가 중 사업 인 정일에 공시된 토지로서 진이나, 불법형질변경된 토지로는 '95. 1. 7 당시 공익사업시행지구에 편입되지 아니한바, 행정편 경 당시의 이용 상황임으로 평가하며, 표준지#G 선정함.

④ 기호#4 : 자연녹지지역의 개발제한구역 내 전으로서 표준지#F 선정함.

3. 토지의 보상감정평가액 산정

1) 시점 수정치

(1) 기호#1~#2

(가) 지가변동률(2007. 1. 1~2008. 8. 25 : 인근 시군구 평균)

① 강남구 : $1.03555 \times 1.02373 \times 1.00335 \times (1+0.00385 \times 25/31) = 1.06698$

② 동작구 : $1.02750 \times 1.01504 \times 1.00235 \times (1+0.00275 \times 25/31) = 1.04772$

③ 수정구 : $1.02180 \times 1.01565 \times 1.00225 \times (1+0.00275 \times 25/31) = 1.04243$

④ 평 균 : $(1.06698+1.04772+1.04243)/3 = 1.05238$

(나) 생산자물가상승률(2008. 8/2006. 12) = 133.5/130.2 = 1.02535

(2) 기호#4

(가) 지가변동률(2007. 1. 1~2008. 8. 25 : 인근 시군구 평균)

① 강남구 : $1.02373 \times 1.00335 \times (1+0.00385 \times 25/31) = 1.03035$

② 동작구 : $1.01504 \times 1.00235 \times (1+0.00275 \times 25/31) = 1.01968$

③ 수정구 : $1.01565 \times 1.00225 \times (1+0.00275 \times 25/31) = 1.02019$

④ 평 균 : $(1.03035+1.01968+1.02019)/3 = 1.02341$

(나) 생산자물가상승률(2008. 8/2007. 12) = 133.5/132.5 = 1.00755

(3) 시점수정치 결정

생산자물가상승률은 일반재화의 가치변동을 나타내는 지표로서 구지적인 지가변동률을 반영하지 못하므로 지가변동률을 시점수정치로 결정

2) 기타요인(그 밖의 요인) 보정치

(1) 자연녹지 개발제한구역 주상용(선례 : 424-5번지)

$$\{700,000 \times 1.02100 \times 1.00 \times 1.00 \times (1.00 \times 1.15 \times 1.08 \times 1.00 \times 1.00)\}$$
$$\div \{500,000 \times 1.05238 \times 1.00 \times (1.20 \times 1.05 \times 0.92 \times 0.90 \times 1.03)\} = 1.570$$

(2) 자연녹지 개발제한구역 전(선례 : 500번지)

$$\{240,000 \times 1.02100 \times 1.00 \times 1.00 \times (1.20 \times 1.05 \times 1.11)\}$$
$$\div \{180,000 \times 1.02341 \times 1.00 \times (1.11 \times 1.14 \times 1.00)\} = 1.470$$

3) 토지의 보상감정평가액

(1) 기호#1(350m²)

공시지가		시점		지역		개별		그
500,000	×	1.05238	×	1.00	×	$(1.20 \times 1.05 \times 0.92 \times 0.90 \times 1.03)$	×	1.570

$= @888,000원/m^2$

⟨$\times 350m^2 = 310,800,000$원⟩

(2) 기호#2(450m²)

$300,000 \times 1.05238 \times 1.00 \times (1.00 \times 0.95 \times 1.00 \times 1.03) \times 1.570$[1]

$= @485,000원/m^2$

⟨$\times 450m^2 = 218,250,000$원⟩

*1 이용상황이 상이하나 지목이 '맹'이며, 보상의 형평성에 따라 기타요인(그 밖의 요인) 보정함

(3) 기호#4(900m²)

$180,000 \times 1.02341 \times 1.00 \times (1.11 \times 1.14 \times 1.00) \times 1.470 = @343,000원/m^2$

⟨$\times 900m^2 = 308,700,000$원⟩

III. (물음 2) 건물의 보상 감정평가액

1. 기호#가

① 평임부분(20m²) : 550,000 × 20 × 27/45 = 6,600,000

② 보수비 : 400,000×(9.4×2)+50,000×(50 － 20) = 9,020,000

③ 보상액 : 보수비가 전여분의 가격(550,000×30×27/45 = 9,900,000원)을 하회하므로 일부편입 및 보수비의 합으로 결정함. = 15,620,000원

(일부편입에 따른 전여분의 가치하락은 없는 것으로 전제함.)

[참고 전체 이전비]

4,000,000＋1,500,000＋1,200,000＋(20,000,000 － 5,000,000)＋5,000,000 ＋5,000,000 ＝31,700,000원 미달

※ 상기 항목은 명시적으로 제시된 이전비 항목만을 기준으로 산정하였으나, 별도 제시된 건축허가 비용(12,000,000원)도 포함하여 산출할 수 있다. 건축물의 이전시에도 관련 건축허가가 필요하기 때문이다.

2. 기호#나

① 물건의 가격(40m²) : 450,000×40×11/40 = 4,950,000

② 이전비(시설개선비 제외, 건축허가비용 포함)

2,000,000＋1,200,000－1,000,000＋(15,000,000－5,000,000) ＋3,000,000＋3,000,000＋12,000,000 ＝32,200,000

③ 결정 : 물건의 가격 범위 내 이전비 결정함. = 4,950,000원

IV. (물음 3) 영업 손실의 평가

1. 영업허가를 득하고 영업장소가 적법인 경우

1) 개요

개인영업으로서 영업의 이전에 대한 영업 순실로 평가하며, 휴업기간의 영업이익에 고정적 경비, 이전비, 감손상당액, 부대비용 등을 함하여 평가함.

(2014년 10월 22일 이전으로 종전 범령 기준 휴업기간은 3개월을 적용함)

2) 영업이익

(1) 재무제표기준

① 2004년 : 180,000,000 － 87,000,000 － 35,000,000 = 58,000,000

② 2005년 : 200,000,000 － 95,000,000 － 40,000,000 = 65,000,000

③ 2006년 : 240,000,000 － 113,000,000 － 50,000,000 = 77,000,000

④ 3년 평균 영업이익(3개월) = 16,700,000

(2) 과세표준액 기준

(110,000,000＋120,000,000＋150,000,000)/3×0.2×3/12 = 6,333,000

(3) 동종 유사규모 업종 기준 : 200,000,000×0.3×3/12 = 15,000,000

(4) 최저 한도액(도시근로자 월평균 가계지출비 3인 3개월)

3,000,000×3 = 9,000,000

(5) 영업이익 결정	2) 보상액의 결정
재무제표를 기준으로 한 영업이익은 동종 유사규모 영업의 영업이익과 상호 유사하고 최저 한도에 이상이므로 이를 기준으로 결정함.	10,000,000+8,000,000 = 18,000,000원
= 16,700,000원	3. 무허가 영업이고 영업장소가 적법인 경우
3) 고정적 경비	1) 개요
600,000×3/12+(500,000+1,200,000)×3 = 5,250,000	무허가 영업의 보상특례(시행규칙 제52조)에 의하여 도시근로자가구 월평균 가계지출비 3인 가구 3개월에 해당하는 금액과 이전비용 및 이전비용을 별도로 보상한다.
4) 이전비 + 감손상당액	2) 보상액 : 9,000,000+8,000,000 = 17,0000,000원
3,000,000+2,000,000+30,000,000×0.1 = 8,000,000	4. 무허가 영업이고 영업장소가 무허가 건축물인 경우
5) 부대비용 = 2,000,000	1) 개요
6) 영업 손실액	무허가 건축물에서 임차인이 무허가 영업을 영업하는 경우 영업 손실의 보상대상이 되지 아니하며, 다만 영업시설 및 상품 등의 이전비용 등은 별도로 보상을 한다.
16,700,000+5,250,000+8,000,000+2,000,000 = 31,950,000	2) 보상액 : 8,000,000원
※ 현행 시행규칙 기준	**[문제 2]**
22,222,000(4월분)×(1+0.2)+600,000×4/12+1,700,000×4 +8,000,000+2,000,000 = 43,666,000원	I. 감정평가 개요
2. 영업허가를 득하고 영업장소가 무허가 건축물인 경우	본건은 부동산 운용의 건설임으로서 대상 토지의 활용대안별 작정가격을 산정하고 가치기준에 따라 비교 설명한다.
1) 개요	
무허가건축물에서 허가를 득한(사업자등록을 행한) 임차인의 개인영업의 이전에 대한 것으로서 이 경우 영업에 대한 보상액 중 이전비 및 감손액을 제외한 금액은 1천만원을 초과하지 못한다.	

II. (물음 1) 기준시점 2008. 1. 1차 토지의 정상가격

1. 기준가치

정상가격이란 대상물건이 통상적인 시장에서 충분한 기간 거래된 후 그 대상물건의 내용에 정통한 거래당사자간에 통상 성립한다고 인정되는 적정가격으로서 최유효사용을 전제로 공시지가기준으로 평가함.

※ 현행 감정 기준은 '시준가치'

2. 기호#1

1) 대상물건의 확정
① 이용상황 : 주차장으로 이용중이나 일시적인 이용으로서 주위의 표준적 이용상황 고려 "전"
② 토지특성 : 관리지역, 전, 300㎡, 가장형, 평지, 세로(가)

2) 비교표준지 선정
관리지역 내 전 표준지#1 선정.

3) 평가액

$$62{,}000 \times 1.0000 \times 1.000 \times (1.00 \times 1.04 \times 1.03) \times 1 = @66{,}000원/㎡$$

도　시　형　그

〈×300 = 19,800,000원〉

3. 기호#2

1) 대상물건의 확정
① 이용상황 : 지목이 임야이나 현황 및 인근 이용상황을 종합하여 '토지임야'(개발가능 임야).
② 보존묘지 : 거래가 제한되어 별도의 가치를 가지지 못하는 것으로 판단하여 평가외(300㎡)
③ 토지특성 : 관리지역, 토지임야, 가장형, 평지, 세로(가)

2) 비교표준지 선정 : 관리지역 내 토지임야 표준지#4 선정.

3) 평가액

$$43{,}000 \times 1.0000 \times 1.000 \times (1.09 \times 1.04 \times 1.03) \times 1 = @50{,}000원/㎡$$

도　형　세　그

〈×300 = 15,000,000원〉

4. 합계

= 34,800,000원(묘지부분 30㎡ 평가외)

III. (물음 2) 기준시점 2008. 1. 1차 토지의 기초가액

1. 기준가치

기초가액이란 적산임대료의 기초가 되는 가격으로서 대상물건의 원본가격을 말하는데 계약내용의 해당부분에 대한 제약기간에 한해 성립이 되는 가격으로 평가한다.

2. 기호#1

관리지역의 주차장으로 이용 중인바 표준지#4 선정

$$68{,}000 \times 1.000 \times 1.00 \times (1.00 \times 1.04 \times 1.00) = @71{,}000원/㎡$$

〈× 300 = 21,300,000원〉

3. 기호#2

관리지역의 전으로 이용 중인 바 표준지#1 선정하되, 분모부분도 포함하여 P씨가 사용 중인바, 본건은 330㎡, 부정형, 평지, 전이용임.

62,000×1.0000×1.000×(1.00×1.00×1.03) = @64,000원/㎡

〈×330=21,120,000원〉

4. 합계 = 42,420,000원

IV. (물음 3) 기준시점 2008. 1. 1차 토지의 투자가치

1. 기준가치

투자가격이란 투자자의 요구수익률을 충족할 수 있는 적정가격을 말하며, 투자조건(소득수익률 ≥ 15%)을 검토하고, 투자가치를 산정한다.

2. 투자타당성

1) 순수익

(1) PGI

가능총소득은 조사시점에 관계없이 규모(객실 수)에 따라 차이를 보이므로, 대상의 객실이 30개임을 감안하여 객실당 월 800,000원으로 결정함.

800,000×30×12 = 288,000,000원

(2) 객실점유율

제시자료가 규모를 제외한 가격요인보정 후이므로 조사시점(x)과 점유율(y)의 관계로 회귀분석법을 적용하되, 객실 규모 30호의 사례만을 적용함.

독립변수 x - 조사시점, 종속변수 y - 점유율(%)

$y = a + bx = 82.73\% - 0.34x$

따라서 사용 x=11개월 적용 y= 78.99%.

(3) EGI

288,000,000×0.7899+10,000×30×12 = 231,091,000

(4) OE : 1,200,000+0.4×288,000,000 = 116,400,000

(5) NOI = 114,691,000

2) 부동산 평가액(V) - 제시된 산식에 따름

(1) 개요

투자수익률을 산정하기 위한 것으로 매입비용을 기준으로 산정함.

(2) 토지(물음 1 정상가격 기준) = 39,600,000원

(3) 건물(원가법)

전물과 관련성이 없는 집기비품, 개업 준비금 및 운영자금은 제외함.

730,000,000×(1 - 0.04 - 0.04 - 0.02) = 657,000,000

3) 부동산 평가액 = 696,600,000원

4) 투자타당성 검토

소득수익률 = 114,691,000/696,600,000 = 0.165(16.5%)

VI. (물음 5) 가치기준에 의한 가격비교

부동산의 가격은 다양한 목적에 따라 평가되는데, 이를 통하여 부동산시장에서 나타나는 부동산 가치 다면성을 반영하게 된다.

1. 교환가치와 사용가치

정상가치(시장가치)는 시장에서 합리적인 매도자와 매수자 간의 성립 가능한 교환 가치의 성격으로 볼 수 있으며, 기초가액은 임대차와 임차자 간에 성립 가능한 임대료를 산정하기 위한 특정물건에 대한 사용가치로 볼 수 있다. 따라서 본건의 경우 2008년 1월 1일을 기준시점으로 검토할 때 정상가치가 기초가액보다 작으므로 적정한 소득수익률 수준에서 임대가 가능하다면 시장에서 매도하는 것보다 임대로 활용하는 방안이 토지소유자에게는 유리한 것으로 분석된다.

2. 객관적 가치와 주관적 가치

정상가치는 시장에서 합리적인 매도자와 매수인 간에 형성될 가능성이 큰 객관적인 가치이며, 투자가치는 투자자가 특정 투자안을 상정하여 대상부동산에 부여하는 주관적인 가치로서, 현 토지소유자는 숙박시설로 개발하는 경우 시장에서의 정상가치 보다 높은 투자가치를 달성할 수 있으므로 건물 신축 등의 재반개발비용에서 문제가 없는 한 긍정적으로 검토함이 타당할 것으로 판단된다.

본건 토지를 숙박시설(모텔)로 활용하는 방안의 소득수익률은 투자자의 요구수익률을 상회하므로 투자타당성이 있다.

3. 토지의 투자가치

1) 환원이율

① 토지환원이율 : $0.08 \times 0.1 + 0.1 \times 0.4 + 0.12 \times 0.5$ = 0.108

② 건물환원이율 : $0.1 \times 0.1 + 0.11 \times 0.4 + 0.12 \times 0.5$ = 0.114

2) 투자가격의 산정

$(114,691,000 - 657,000,000 \times 0.114) / 0.108$ = 368,453,000원

건물V　　　　　건물r　　　　토지r

V. (물음 4) 기준시점 2008. 9. 21자 토지의 정상가치

1. 개요

기준시점 2008. 9. 21의 정상가치(시장가치)은 대상 토지의 최유효사용을 전제로 공시지가기준으로 평가한다. (기준시점 현재 건축공정 80% 완료된 관리지역 상업용 전부지, 기부채납 제외)

2. 공시지가기준 평가

관리지역의 상업용 표준지#5 선정

$190,000 \times 1.01000 \times 1.000 \times (0.93 \times 1.04 \times 1.00) \times 1.30$ = @241,000원/㎡

표준지　　시점수정　　지역　　개별　　기타

〈× 560 = 134,960,000원〉

[문제 3]

I. 감정평가 개요

본건은 입목의 취득가격 평가로서 시장가역산법을 적용하여 평가하되, 본건 임목은 제시 자료에 의거 정급을 중등급으로 적용함.

평가액 = 임목재적 × 조재율 × 제적당원목가격 / (1+기업이윤율 + 투하자본수익률(월) × 투하자본회수기간(월)) - 제적당생산비

II. 거래가격

1. 천연림

① 잣나무(시들음병 중 이상은 제외하고 경 이하는 90%로 적용함)

1,653.8×(0.5×0+0.2×0.9+0.3)×0.85×90,000 = 60,727,540

② 기타활엽수 : 3,307.5×0.85×85,000 = 238,966,880

③ 소나무 : 551.3×0.85×95,000 = 44,517,480

④ 계 = 344,211,900

2. 인공림

① 잣나무 : 1,047.4×0.85×90,000 = 80,126,100

② 낙엽송 : 748.1×0.85×95,000 = 60,409,080

③ 리기다소나무 : 1,197×0.85×90,000 = 91,970,000

④ 합계 = 232,105,680

3. 거래가격

1) 적용이율

1+(0.1+0.05+0.07) / 12×6개월 = 1.11

2) 거래가격 결정

(344,211,900+232,105,680) / 1.11 = 519,205,027

III. 생산비용

1. 개요

생산비용에는 벌목조재비, 산지집재비, 운반비, 임도보수 및 설치비, 장비 등을 포함한다.

2. 벌목조재비

8,505.1 / 10×(80,000+80,000+30,000) = 161,596,900

3. 산지집재비

8,505.1 / 10×80,000 = 68,040,800

4. 운반비

8,505.1 / 10×(80,000+110,000) = 161,596,900

5. 임도 보수 및 설치비

2.1 / 0.3×90,000 = 630,000

6. 잔비

$(161,596,900+68,040,800+161,596,900+630,000)\times0.1 = 39,186,460$

7. 계 431,051,060

IV. 임목가격

거래가격 - 생산비용 = 519,208,027 - 431,051,060 = 88,153,967

【문제 4】

I. 리스자산의 평가

리스자산이란, 리스회사가 일정기간동안 리스이용자에게 사용료를 받으면서 이전하는 자산을 말한다. 운용리스와 금융리스로 구분되고, 리스자산의 소유에 따른 위험과 보상이 리스이용자에게 이전된 경우 금융리스로 본다.

리스물건에 대한 감정평가는 평가목적이 자산제평가이거나 대상물건의 일부를 구성하는 때에만 인정되고 있으나, 가끔 리스계약 해지 등이 사유가 발생하여 담보평가의 대상이 되는 경우가 있다. 리스물건의 평가는 채권자측의 문서에 의한 합리적인 조건이나 특수한 목적에 제시되는 때에 한할 것이며, 감정평가서 의뢰인에 리스물건에 대한 계약상의 조건 기준시점까지 리스료 지급금액, 계약기간 및 리스금액 등을 기재하여야 한다.

II. 현장조사 유의사항

1. 실지조사시 실물확인

특정물건의 표시부착 확인하여 의뢰목록과 표시판의 일치여부 및 때여기 간 등을 확인함.

2. 공부에 의한 확인

① 건물이 부대설비인 엘리베이터, 냉난방설비, 공조설비 등이 리스물건인 경우에 리스회사는 채권 보전을 위해 근저당권을 설정하는 경우가 있어 등기부등본을 확인하여 리스관계를 확인.

② 자동차 및 건설기계등에서는 제시된 등록원부 및 등록증에 리스회사 명의의 근저당권이 설정되어 있는지를 확인

3. 서류 및 장부에 의한 확인

평가대상물건의 매매계약서, 세금계산서, 수입면장, 결산서 또는 회계 감사보고서, 고정자산대장 등을 징구하여 리스여부를 판별함.

【문제 5】

I. 개요

표준지 조사평가기준 제19조에서는 표준지의 평가에 있어서 다음의 개발이익을 반영하여 평가하도록 구성하고 있으며, 개발이익이란 공익 사업의

계획 또는 시행이 공고 또는 고시되거나 공익사업의 시행으로 인한 기타 공익사업의 시행에 따른 절차로서 행하여진 토지이용계획의 설정 변경 해제 등으로 인하여 토지소유자가 자기의 노력에 관계없이 지가가 상승 되어 현저하게 받은 이익으로서 정상지가 상승분을 초과하여 증가된 부분을 말한다.

II. 개발이익의 반영

1. 다음의 개발이익은 표준지 평가에 있어서 반영하여 평가한다.

① 공익사업의 계획 또는 시행이 공고 또는 고시됨으로 인한 지가 증가분

② 공익사업의 시행에 따른 절차로 행하여진 토지이용계획의 설정 변경 해제 등으로 인한 지가의 증가분

③ 기타 공익사업의 착수에서 준공까지 그 시행으로 인한 지가 증가분

2. 다만 그 개발이익이 주위환경 등의 사용으로 보아 공시기준일 현재 현실화 구체화되지 아니하였다고 인정되는 경우에는 반영하지 아니한다.

3. 개발이익을 반영함에 있어서 공익사업시행지구안에 있는 토지는 해당 공익사업의 단계별 성숙도 등을 고려하고 인근 토지와 균형이 유지되어야 한다.

제 20회

문제 논점 분석 및 예시답안

💡 20회는 비교적 평이했다고 느끼는 듯하다. 그러나 평이하게 보이는 문제일수록 세부적인 판단사항과 논점을 기술하지 못하는 경우 민족할 만한 점수를 받을 수 없었다. 전체적으로 출제된 주제들은 무난하며 현업에서 최근 이슈가 되던 것이 출제되었다. 필자는 상당히 고민이 되는 문제들이었고 난이도 상당했다고 생각한다.

[문제1]의 경우 개발단계별 공장부지 담보평가는 이행의 정도에 따른 대상물건 의 판단이 중요했다. [문제3]의 NPL 평가의 경우도 당시의 상황을 반영했었다.

1. 문제1번 – 시점별 담보평가(40)

1) (물음 1)

(1) 대상물건의 확정

개발 전 소지상태의 '임야' 중 감정통서 지분, 분할 전 전체 토지 상태 물
건사항·결정(소로 한면, 부정형, 완경사), 전제토지기준 단가 산정, 지분비
율 고려 면적 사정의 판단이 필요하다.

(2) 적용공시지가 선택

기준시점과 현장조사완료일(평가시점)이 동일하다는 단서와 공시일을 볼
도로 제시한 점에 따라 기준시점(09.1.1) 현재 2009년 공시지가가 공시되
지 않은바 2008년 공시지가가 적용하여야 한다.

(3) 용도지역 세분화에 따른 비교표준지 선정

2008년 공시기준일 당시 관리지역이 세분되지 않았고, 추후 기호1은 계획
관리지역, 기호 2는 보전관리지역으로 세분되나 2009년 공시지가에는 세
분된 용도지역으로 표기되었다.

같은 임야라도 공장부지 등으로의 개발이 가능한 계획관리지역이 임야와
개발가능성이 낮은 보전관리지역 내 임야의 가격격차가 존재한다. 대상은
이러한 사정을 통해 계획관리지역으로 세분될 것으로 용도지역의 변화 과정이
유사한 기호#1을 선정하는 것이 타당할 것이다.

2) (물음 2)

(1) 대상물건의 확정

감정동 서 소유인 11번지(7,780㎡) 및 도로부분 11-3번지(600㎡중 1/3)를
공동담보로 한다. 대상을 공장예정지로서 평가하기 때문에 도로부분은 조성
완공을 전제로 전임도로의 역할을 하고 있어 평가의 한다. 임시사용승인 건물
은 제시외건물로 평가의 하고 임시적 이용으로 토지가치에 미치는 영향이 없어
별도로 감가를 고려하지 않는다.

* 도로는 평가의 대상이나 평가목적, 환가성 등을 이유로 '평가외'하는 것
으로 '평가외'의 의미를 정확히 이해하기 바란다.

(2) 원가법

① 소지가격 산정

소지가격은 물음 1에서 구한 임야상태의 가격 수준으로 산정할 것인지, 본
건 매각급애을 기준으로 할 것인지 고민이다. (매매사례가 본건의 매매엿

음을 인지할 필요가 있었다.) "매도인의 이익의 상당부분이 매도자에게 귀속되
있다"를 제시하고 있어 이것에 대한 파악이 필요하다. 본건 매수자가
적정매수가격 이상을 지불한 것으로 사정이 개입되었다고 판단하여 매매
사례를 배제할 수도 있다.(이러한 사정개입으로 인해 (물음 1)의 임야 가격을
산정하는 경우에는 적용이 불가능했다.)

그러나 개발가능성에 따른 프리미엄은 모두 매도자에게 지불하더라도 일반인의
개발의사 및 제시한 원가를 기준으로 타 시선가격의 적정성을 검증하는 것은 원
가성에 기반을 둔 원가방식의 이론과 실무에 부합한다고 본다.

(물음 1 소지 상태의 임야가격을 기준으로 한 가산방식에 의한 토지가격은
타 방식에 의한 가격수준과 현격한 격차가 있다. 따라서 본건 매매사례를
소지가격으로 판단하였다.)

② 조경 바닥포장공사
조경, 마당, 울타리 등 공사비는 시설물로서 토지, 건물 일체에 효용을 증진
시키는 것으로 제외한다.

(3) 담보평가 전례의 활용
공장예정지의 평가선례로 성숙도에 대한 개별요인을 반영하여 기타요인
(그 밖의 요인) 보정자료로 활용이 가능하다.

3) (물음 3)
(1) 대상물건의 확정
공장에 대한 평가로 개별요인 제시자료에 따라 토지의 지목감가는 별도로

고려하지 않고 토지, 건물, 기계기구에 대한 평가를 한다.

(2) 건물의 평가
본건은 사용승인 적법한 건물이나 미등기건물 추후 등기등재 예정으로 건축물
대장에 근거하여 평가할 것을 기재하고 평가가 가능하다.

옹벽은 토지가치에 화체되어 제외하거나 기초부분은 건물의 기초부분에 해당하여
포함하고 수배전설비 및 크레인설비는 실무에서는 실무적으로 기계항목으로 분류하여 목록을
재작성하여 평가한다.

(3) 수배전설비 및 크레인설비
수배전설비는 전물의 효용증진을 위한 것으로 전물에 포함도 가능하다. 그
러나 실무적으로 수배전설비와 크레인설비는 주로 기계목록에 포함시켜
평가한다.

(4) 유휴시설의 처리
공장재당방법에 의한 공장재단이 평가였다면 미설치 기계도 재단목록의 내
용에 포함되어 있는 경우는 평가가 가능하다.

다만, 공장재단의 평가가 아니라면 증설시기가 미정인 상태에서 담보평가
금에는 포함시키지 않고 별도의 동산으로 보아 가격을 평가해 줄 수는
있을 것이다. 이 경우에도 설치비는 포함되지 않아야 할 것이다.

2. 문제2번 - 투자 대안 선택 : 상호 배타적 투자안(25)

본 문제는 상호배타적 투자안으로 쉬운 문제로 볼 수 있으나 다소 논리적 결함을 가질 수 있는 문제였다.

출제자는 토지 매입금액을 미제시하고 둘 중 최고의 가치를 선출하는 대안을 선정하는 것을 의도하고 있지만, 최소 매입금액보다 개발 후 토지가치가 크다는 것이 전제되어야 의사결정을 할 수 있을 것이다.

또, 일반적으로 투자보수는 토지 + 건축비 등 총투자금액(지분투자금액)을 기준으로 소득수익과 자본수익을 바탕으로 분석이 이루어져야 한다.

	수익률	운영소득률	자본수익률	위험률 차감 후 수익률
A 부동산	12%	7% + 0.55%	4.45%	11.45%
B 부동산	12%	7% + 1.10%	3.90%	10.90%

3. 문제3번 - NPL(20)

1) 일체비준가액(대지권만의 가격수준)

거래사례에서 토지, 건물가격구성비를 추출하지 않고 대지권만의 거래사례로 보고(건물이 토지에 화체되 상태의 대지권만의 가격) 토지면적으로 비교하는 논리이다. 일반적으로 건물의 내용연수가 오래되거나, 재개발 예정지역의 경우 대지권만의 가격을 기준으로 시장가격이 형성될 것이다.

2) 낙찰가율 결정

C동만의 낙찰률이 제시되지 않았으므로 B구 전체의 낙찰율과 최근 낙찰사례를 통해 추출하되 최근 낙찰사례 기준 적용하면 된다.

4. 문제4번 - 표준주택 건물 선정기준, 공정가치, 새로이 하천구역에 편입되는 토지의 평가(15)

① 최근 법 개정으로 인하여 표준주택은 감정평가의 대상이 되지 않게 되었다. ② 공정가치의 경우 시장가치 외의 가치 및 평가목적 등에 맞물려 시사성이 살아 있다. ③ 하천구역에 편입 토지의 경우 하천보상특례법의 보상하는 기간도 만료되어 시사성은 상당 떨어진 상태이다.

Chapter 02 예시답안편

217 제 20 회 문제 논점 분석 및 예시답안

【문제 1】

I. 감정평가 개요

임야, 공장예정지 및 완공된 공장에 각 시점별 적정 담보평가액을 물건별
평가에 의하여 산정함

II. (물음 1) 09. 1. 1일 기준시점 담보평가액

1. 대상물건 확정

① 공장신설 승인신청, 지적분할 신청이 아직 진행 중인바, 현황 고려 전체를
"임야"로, 공유지분비율고려(감정동지분, 1/3) 평가

② 소로 한면(대상의 거래사례 참조, 왕복2 차선 고려), 부정형, 완경사

2. 적용공시지가

기준시점(= 현장조사일) 현재 '09년 공시지가가 미공시된 바 《08년》공시
지가적용

3. 비교표준지 선정

관리지역, 임야, S리 소재 《# 1》 선정(#2:지역상이, 09 세분용도지역상이,
#3, 4 : 이용상황 상이)

4. 토지단가

51,000원/㎡×0.98752×1×(1.20×1×1)

*1 시(08.1.1~09.1.1) : 1 − 0.012245×367/366

=60,000원/㎡

5. 감정동시 감정평가액

60,000원/㎡×23,955×1/3

=479,100,000원

III. (물음 2) 09.3.31일 기준시점 담보평가액

1. 대상물건 확정

① 허가 득한 임야로 공장예정부지로 신11번지 임야가 등록전환, 지번분
할된 상태로 김감동 소유 11번지와 11 −3번지의 지번이 평가대상, 단
11 −3번지는 도로로 예정되 바 현가성 등 면에서 평가외(7,780㎡, 사
다리, 평지).

② 건물신축 위한 임시사용승인된 건물(제시외)의 전물은 점유강도 등을 고
려할 때 대상 토지에 미치는 영향 없을 것으로 판단되어 미고려.

2. 공시지가기준법

1) 비교표준지 선정 등

계획관리, 공업용 《#3》선정, 09년도 공시지가 적용, 성숙도 고려하여 산정함.

2) 시산가액

150,000원/㎡×0.99811×1×(1×1.03×1)×1/1.1×1 = 140,000원/㎡
시*1 그*2

*1 (09.1.1~3.31 관리) : 1 − 0.00765×90/365(공법상 제한 유사)

*2 그밖의요인(적정성 검토)

① 평가전례 기준단가 : 120,000원/㎡×0.99811×1×(1×1.03×1.03)×1/0.9 = 141,000원/㎡

② 공시지가 기준가의 시세 적정성을 반영하고 있어 그 밖의 요인 보정치는 1.00으로 결정

3. 조성원가법

1) 개요

본건의 거래사례의 매도인에게 귀속되는 개발이익은 개발이익은 임야를 구 임하기 위한 필요비용으로 보아 소지가격으로 이를 기준함.(공시지가 기준가격도 적용할 수 있으나 원가방식의 특성상 매매가격을 기준함)

2) 소지가액

110,000원/㎡×7,985㎡   =878,350,000원

* 대상토지 거래사례기준
* 기간이자 미고려
* 개별요인 비교 불요
* 23,955㎡/3 = 7,985㎡

3) 조성공사비

45,000,000+150,000,000/1.5+30,000,000+72,000,000 = 247,000,000원

　　기설　　50% 보정*　　옹벽　　건폄

* 조경. 바닥 제외

4) 시산가액

(878,350,000+247,000,000)/7,780㎡   = 145,000원/㎡

4. 감정평가액 결정

조성가액은 소지매입가격이 높고 간접비가 부정확하여 다소 높게 산정되 공 급자 중심의 가격인 점을 고려, 공시지가 기준법에 의한 시산가액을 평가가전 례에 의해 그 적정성이 지지되느바, 이를 기준 140,000원/㎡ 으로 결정함

140,000원/㎡×7,780   = 1,089,200,000원

(* 도로부분은 평가외)

IV. (물음 3) 09.9.6일 기준시점 담보평가액

1. 대상물건의 확정

1) 토지

지목변경을 조건 완공상태 지목잡가 미고려, 공장부지로 소로한면, 사다리형, 평지, 7,780㎡ 기준(도로부분 평가외)

2) 건물

공장건물은 현재 미등기 상태로 금융기관의 담보권 설정이 현재로서는 불 가능하고 이를 감안하여 의퇴된 것으로 건축물대장을 근거로 평가하였으니 업무 진행시 참조 바람.

3) 기계

도입기계 중 현재 미가동 중인 기계는 유휴기계로 평가외하며 건물 건축 비용 항목에 기재된 수배전설비와 크레인설비는 기계 항목으로 목록 제조 정함.

2. 토지(공시지가기준법)

1) 비교표준지 선정 : 계획관리, 공업용 〈#3〉. 09년도 적용

2) CIF 기준 도입가격

$$100,000 \times 132.7669 \times 1 \times 1,405.22/100 = 186,567,000원$$
$$(\$ \to ₩) \quad MR \quad (₩ \to ₩)$$

(3) 도입부대비용 등

$$186,567,000 \times (0.5 \times 0.08 + 0.5 \times 0.08 \times 0.2 + 0.015 + 0.03) = 17,351,000원$$

(4) 적산가액 : (2)+(3) = 203,917,000원

3) 선반

50,000,000×3대 = 150,000,000원

4) Air Compressor

12,000,000×0.858×1대 = 10,296,000원
* 경과년수 1년, 잔가율10%

5) 목록 조정된 기계(수배전설비와 크레인설비)

150,000,000+15,000,000 = 165,000,000원

6) 계 529,213,000원

---

2) 평가액 : $150,000 \times 0.99478 \times 1 \times (1.03 \times 1 \times 1) \times 1$ = 154,000원/㎡

* (09.1.1~9.6 관리) : $1 - 0.00765 \times \frac{249}{365}$ ⟨×7,780 = 1,198,120,000원⟩

3. 건물(원가법)

1) 공장건물

(30,000,000+250,000,000+ … +100,000,000) = 820,000,000원

* 옹벽공사비는 토지조성공사비용으로 제외
* 수배전설비와 크레인설비는 기계 항목으로 각각 제외

2) 사무실 건물

(5,000,000+30,000,000+ … +19,000,000) = 138,000,000원

3) 소계 : 958,000,000원

4. 기계기구

1) 목록 조정

CMC M/C(수치제어 선반) 1대는 설치 않고 보관 중 유휴기계로 평가 제
외, 수배전설비와 크레인설비는 기계 항목으로 포함.

2) CNC M/C(1대)

(1) 처리방침

신고일인 09.2.17기준, 원산지는 일본

5. 감정평가액 (토지+건물+기계)

1,198,120,000+958,000,300+529,213,000 = 2,685,333,000원

[참고 1. 유효기계가격(1대)]

203,917,000 - 186,567,000×0.015 = 201,118,000원

2. 설치비 제외

[문제 2]

I. 개요

두 투자대안 A, B에 대한 투자대안 선택으로, 개발 후 토지가치만을 비교하여 큰 대안을 적정한 투자방안으로 결정함.

II. A 부동산의 개발 후 가치(직접환원법)

1. 순수익

1) 총수익

(1) 지불임대료 및 보증금운용이익

$$(30,000+15,000×2+12,000×2)×\underset{\text{보증금운용이익}}{(12+12×0.08)} × 400 \quad \underset{\text{임대면적}}{\overset{\text{바닥면적}}{}} = 435,456,000원$$

(2) 관리비

9,000×2,000×12 = 216,000,000원

(3) 총수익 : (1)+(2) = 651,456,000원

2) 운영경비

216,000,000×0.8 = 172,800,000원

3) 순수익

651,456,000 - 216,000,000×0.8 = 478,656,000

2. 적용환원율

1) 처리방침

무위험률에 위험할증률을 가산하여 산정하되 위험할증률은 유사부동산 수익률의 표준편차를 이용하여 산정함.

2) 위험할증률(표준편차)

(1) 유사부동산 평균 수익률

$0.7×0.12+0.15×0.13+0.15×0.11 = 0.12$

(2) 위험할증률

$\sqrt{(0.12-0.12)^2×0.7+(0.12-0.13)^2×0.15+(0.12-0.11)^2×0.15} = 0.0055$

(3) 환원율 : 0.07+0.0055 = 0.0755

3. A부동산의 개발 후 가치

478,656,000÷0.0755 = 6,339,815,000원

III. B부동산의 개발 후 가치

1. 순수익

1) 총수익

$$(30,000,000 \times \frac{300,000}{3.5} \times 0.4) \times 0.03 \times 0.02 \times (1 + 0.08) = 666,514,000원$$

가구당 소득　가구수　이용률　매매율 임대료율 보증금운용이율

2) 운영경비

$$617,143,000 \times 0.3 = 185,143,000원$$

3) 순수익

$$666,514,000 - 185,143,000 = 481,371,000원$$

2. 적용 환원율

1) 위험할증률

(1) 유사부동산 평균 수익률

$$0.7 \times 0.12 + 0.15 \times 0.14 + 0.15 \times 0.1 = 0.12$$

(2) 위험할증률(표준편차)

$$\sqrt{(0.12-0.12)^2 \times 0.7 + (0.12-0.14)^2 \times 0.15 + (0.12-0.1)^2 \times 0.15} = 0.011$$

2) 환원율 : 0.07 + 0.011 = 0.081

3. B부동산의 개발 후 가치

$$481,371,000 \div 0.081 = 5,942,852,000원$$

IV. 각 대안별 토지배분 가치(투자가치)

① A부동산 : 6,339,815,000 - (2,000×950,000) = 4,439,815,000원

② B부동산 : 5,942,852,000 - (2,000×700,000) = 4,542,852,000원

V. 투자대안 결정

1. 토지매입비가 동일한 것으로 해석하는 경우

토지의 투자가치가 매입액보다 높은 경우 A부동산과 B부동산은 상호 베타적 투자안인 바, 높은 투자가치를 창출하는 B부동산을 선정하는 것이 타당하다.

2. 토지매입비와 건물의 건축비용의 합이 동일한 것으로 해석하는 경우

개발 후 토지 및 건물가치가 높은 A부동산에 투자하는 것이 타당하다. 또, 유사부동산의 수익률이 A, B 모두 12%이고 위험률이 B부동산이 더 높아 운영소득과 자본소득을 모두 고려하면 위험률이 낮으면서 동일한 수익률을 산출할 것으로 기대되는 A부동산에 투자하는 것이 타당하다.

다만, 투자분석시에는 해당 부동산의 순수익분만 아니라, 위험을 고려하여 투자대상을 판단하여야 함.

[문제 3]

I. 개요

NPL 관련 평가 건으로 현행 대상부동산 평가액을 산정하고 대상 NPL을 통해 경매 진행시 예상되는 현금흐름을 구함(기준시점 09.09.06)

II. (물음 1) 현 대상부동산 가치

1. 개별물건 기준

1) 토지(공시지가기준법)

$5,000,000 \times 1.003 \times 1 \times 1$ $= 5,015,000$ 원/㎡

$\langle \times 250㎡ = 1,253,750,000원 \rangle$

2) 건물(원가법)

$700,000원/㎡ \times 200㎡ \times 21/50$ $= 58,800,000원$

3) 시산가액 : 1)+2)

$= 1,312,550,000원$

2. 일괄 거래사례비교법

$1,455,000,000 \times 1 \times 1.01 \times 1 \times 1 \times (0.95 \times 100/95 \times 100/95) \times 250/300$

$= 1,289,079,000원$

3. 일괄 수익환원법

1) 순수익

$(50,000,000 \times 0.06 + 1,400,000 \times 12) \times 2$ $= 39,600,000원$

---

2) 부동산 수익가액

$39,600,000 \div 0.06$ $= 660,000,000원$

4. 시산가액 조정 및 감정평가액 결정

시산가액 중 수익가액은 임대료는 낮으나 향후 투자가치가 높은 재개발에 정차역인 이유로 낮게 산정됨이 거래관행을 잘 반영하는 비준가액을 중심으로 개별물건 기준에 의한 시산가액을 종합 고려하여 1,300,000,000원으로 결정함

III. (물음 2) 경매 진행에 따른 예상현금흐름

1. 예상낙찰가격

1) 낙찰가율기준 (최근 6개월간 A시 B구 평균낙찰가율, 단독주택 70%)

$1,300,000,000 \times 0.70$ $= 910,000,000원$

2) 낙찰사례기준

$1,070,000,000 \times 1 \times 1.00700 \times 1 \times (1 \times 100/95 \times 100/95) \times 250/350$

$= 853,000,000원$

3) 대상 예상낙찰가격 결정

대상과 권리관계 등 제반 유사하며 최근의 낙찰사례인 사례의 낙찰가격 고려하여 〈881,000,000원〉으로 결정함.

---

2. 예상현금흐름

1) 우선순위 권리 배분액

① 평가수수료, 경매진행비용 : 7,000,000원

② 2순위(소액임차인 최우선 변제) : 16,000,000원

③ 3순위(1순위 근저당) : 400,000,000원

④ 합 : 423,000,000원

2) 현금흐름

881,000,000 - 423,000,000 = 458,000,000원

【문제4】

I. (물음 1)

제10조(표준주택의 선정기준) 제1항 제2호 건물

1. 건물가격의 대표성

표준주택선정 단위구역 내에서 건물가격수준을 대표할 수 있는 건물 중 인근지역 내 가격의 중화를 반영할 수 있는 표준적인 건물

2. 건물특성의 중용성

표준주택선정 단위구역 내에서 개별건물의 구조·용도·연면적 등이 동일 또는 유사한 건물 중 건물특성빈도가 가장 높은 표준적인 건물

3. 건물용도의 안정성

표준주택선정 단위구역 내에서 개별건물의 주변이용상황으로 보아 건물로서의 용도가 안정적이고 장래 상당기간 동일 용도로 활용될 수 있는 표준적인 건물

4. 외관구별의 확정성

표준주택선정단위구역내에서 다른 건물과 외관구분이 용이하고 위치를 쉽게 확인할 수 있는 표준적인 건물

II. (물음 2)

① 공정가치(Fair Value)는 합리적인 판단력과 거래의사가 있는 독립된 당사자 사이의 거래에서 자산이 교환되거나 부채가 결제될 수 있는 금액을 말한다.

② 공정가치는 청산하거나, 사업규모를 중요하게 축소하거나 또는 불리한 조건으로 거래할 의도나 필요가 없는 상태인 계속기업 가정을 전제로 한다.

③ 공정가치의 최선의 추정치는 활성시장에서 공시되는 가격이다. 금융상품에 대한 활성시장이 없다면, 공정가치는 평가기법을 사용하여 결정한다.

④ 활성시장이 없는 지분상품의 경우에도 금융상품에 대한 합리적인 공정가치 추정의 범위의 편차가 유의적이지 않거나 그 범위 내의 다양한 추정치의 발생확률을 신뢰성 있게 평가할 수 있고 공정가치를 추정하는 정치의 발생확률을 신뢰성 있게 측정할 수 있다. 네 사용할 수 있다.

⑤ 합리적인 공정가치 추정치의 범위가 유의적이고 다양한 추정치의 발생 확률을 신뢰성 있게 평가할 수 없다면 금융상품은 공정가치로 측정할 수 없다.

Ⅲ. (물음 3)

하천편입 토지보상 등에 준한 특별조치법 제2조 각 호의 어느 하나에 해당되는 토지에 대한 평가는 그 하천구역 편입당시의 지목 및 토지이용상황, 해당 토지에 대한 공법상 제한, 현재의 토지이용상황 및 유사한 인근 토지의 적정가격 등을 고려하여 평가하되, 다음 각 호에서 정하는 기준에 따른다.

① 가격시점은 특별조치법 제5조에 따라 보상청구권을 통지 또는 공고한 날짜로 하되, 평가의뢰자가 제시한 바에 따른다.

② 편입당시의 지목 및 토지이용상황의 판단은 평가의뢰자가 제시한 내용에 따르되, 하천구역으로 된 시점 당시를 기준으로 하며, 하천구역으로 된 시점 당시의 해당 토지에 대한 공부상 지목과 실제이용상황이 다른 경우에는 실제이용상황을 기준으로 한다. 다만, 하천관리청의 하첨공사에 따라 하천구역으로 된 경우에는 그 하첨공사 시행 직전의 이용상황을 기준으로 한다.

③ 하천구역으로 된 시점 당시의 이용상황의 판단을 위한 편입시점의 확인은 하천관리청이 제시한 기준에 따르되, 1971년 7월 19일 전에는 하천구역으로 공고된 편입시점으로 보며, 하천구역으로 공고 되지 아니하였거나 공고시점이 불분명한 경우에는 1971년 7월 19일을 편입시점으로 본다.

④ 해당 토지에 대한 공법상 제한의 확인은 가격시점 당시를 기준으로 한다.

⑤ 현재의 토지이용상황은 가격시점 당시의 실제 이용상황을 말하는 것으로 원칙적으로 고려하지 아니하나, 편입당시의 이용상황을 알 수 없거나 하천관리청으로부터 편입당시의 이용상황의 제시가 없는 경우에 편입당시의 이용상황을 확인할 때 기초자료로 활용한다.

2) 그 외의 쟁점

목적별 적용공시지가 선정, 도시계획시설 저축(제한/배제), 제시외 창고(제 의/평가), 기타요인보정 시 평가선례 선정, 보상에서는 조서에 따른 면적 으로 평가가 논점이 있다.

물음 2에 대하여 답안작성할 때는 형식이 좀 허물질 수 있었다. 평상시 물을 있던 물자로 물음 1을 해결하면 물음 2에서도 동일한 내용을 반복적으로 쓰여하느지 등 시험장에서는 많은 혼란이 있었을 것으로 보인다.

앞으로도 감정평가서의 내용으로 ( )감정평가표, 이전서, 명세표의 작성 출 제를 염두해 두어야 한다.

3) 그 밖의 요인 보정 및 단가 선정시 유의사항

도시계획시설에 저축된 경우 개별요인에서 반영할 수도 있고, 저축되지 않은 단가를 산정하고 면적에서 적용할 수도 있다. 그러나 후자의 방법으로 단 가를 산정할 것을 권한다. 이는 그 밖의 요인 보정치를 산정하는 경우에 특히 문제될 수 있다. 공법상 제한의 반영에 대한 보정 과정에서 상당한 실수 내지 오류가 날 수 있기 때문이다.

2. 문제2번 – 잔여지 손실보상, 영업손실(일부편입)(20)

토지보상평가지침

제54조(잔여지의 가치하락 등에 따른 손실에의 감정평가) ① 법 제73조제1항 에 따라 잔여지의 가치하락에 따른 손실에의 결정을 위한 감정평가의되가 있는 경우에 그 손실에의 감정평가는 법 시행규칙 제32조에 따라 제53조에 따른 잔여지의 감정평가에서 해당 공익사업의 시행으로 가치가 하락된 전여지 의 감정평가액을 ㅁㅁ으로 한다.

② 제1항에 따라 가치가 하락된 잔여지의 감정평가액을 결정할 때에는 다음 각

제 21 회
문제 논점 분석 및 예시답안

> 🔲 21회 문제는 전반적으로 평이한 문제였다고 본다. 그러나 [문제1]은 다소 매끄럽 지 못하고 [문제]에도 수익률이 용어가 혼란을 가져왔을 수 있다. 그 외는 별조문 과 평소에 공부한 내용으로 충분히 기술하실 수 있었다. 다만, [문제1]에서의 대 상물건이 소요한 경우 상대적으로 및 문제에서의 정확성이 떨어지거나 다 풀지 못했을 것으로 보인다.

1. 문제1번 – 목적별 평가(40)

1) 권리의 태양

1번에서 문제가 되는 것은 기호1토지의 구분소유적 공유관계(상호명의신 탁)를 인정할 것인지가 모호할 수 있다. 분할 부분을 특정하여 점유, 사용하는 것으로 보이지만 공유자간의 "약정 내지 의사의 합치"가 있는 것으로 명시적으로 주거나, 실무적으로는 공유자의 확인을 요한다. 그러나 전반적인 문제의 내용 으로 구분소유적 공유이다. 보상 토지조서에서 이에대한 지분의 제시가 아니 라 100m²를 준 점, 공유지분 토지가 전부지인 경우 ㅁ법적 건축물에 의한 위 치확인이 가능하다는 내용은 구분소유적 공유를 확정할 근거가 되었다.

다만, 이러한 내용을 물음 2에서 이전서 내지 평가방법 내지 기타참고 사항으로 기재를 해야 할 것이다. 참고적으로 문제에서 '을'의 그 밖의 요인 보정치가 같다고 전제 한 것은 '甲' 평가시 용도지역을 하나만 쓰게 한 것으로 구분소유적 공유임을 유추할 수 있다고 본다.

흠의 사항을 조사하여 개별요인의 비교 시에 반영한다.

1. 잔여지의 위치·면적·형상 및 지세·이용상황
2. 잔여지 용도지역등 공법상 제한
3. 잔여지와 인접한 동일인 소유토지의 유·무 및 이용상황
4. (현행과 같음)
5. 해당 공익사업으로 설치되는 시설의 형태·구조·사용 등
6. (현행과 같음)

③ 제1항의 잔여지 가치하락에 따른 손실액의 감정평가 시에 해당 공익사업의 시행으로 발생한 소음·진동·악취·일조침해 또는 환경오염 등(이하 이 조에서 "소음등"이라 한다)에 따른 손실은 관계법령에 따른 소음등의 허용기준, 원상회복비용 및 스티그마(STIGMA) 등을 개별요인의 비교 시에 환경조건 등에 고려한다. 다만, 해당 공익사업이 완료되기 전으로 소음등에 따른 가치하락 여부의 확인이 사실상 곤란한 경우에는 그 사유를 감정평가서에 기재하고 가치하락에 따른 손실액의 감정평가 시에 고려하지 아니할 수 있다.

④ 제1항의 잔여지 가치하락에 따른 손실액의 감정평가 시에 가격시점은 그 손실액의 협의 또는 재결하는 시점으로 하되, 잔여지의 공법상 제한 및 이용상황 등은 공익사업시행지구에 편입되는 토지의 협의하는 또는 재결 당시를 기준으로 한다.

⑤ 제1항의 잔여지 가치하락에 따른 손실액의 감정평가 시에는 가격시점 당시의 현실적인 이용상황 등의 변경에 따른 것 외에도 장래 이용 가능성이나 거래의 용이성 등에 따른 이용가치 및 교환가치 등의 하락요인(제2항에 따른 사업 손실을 환경조건 등에서 따로 고려한 경우에는 그 부분은 제외한다)을 개별요인의 비교 시에 기타조건(장래 동향 등) 등에서 고려할 수 있으나, 해당 공익사업의 시행에 따른 잔여지의 이용가치 및 교환가치 등의 증가요인은 고려하지 아니한다.

⑥ 법 제73조에 따라 잔여지에 대한 시설의 설치 또는 공사에 따른 손실액의 결정을 위하여 감정평가 의뢰되는 경우에 그 손실액의 감정평가는 법 시행규칙 제32조제2항에 따라 그 시설이나 공사에 통상 필요한 비용 상당액으로 한다.

토지보상평가지침

제53조(잔여지의 감정평가) ① 법 제73조제1항 단서 또는 법 제74조에 따라 잔여지의 협의 또는 수용을 위한 감정평가 의뢰가 있는 경우에 그 잔여지에 대한 감정평가는 법 시행규칙 제32조제3항에 따라 다음과 같이 한다.

$$\text{잔여지의 평가가격} = (\text{일단의 토지 전체면적} - \text{공익사업편입면적}) \times \text{단위면적당 적정가격}$$

② 제1항에서 잔여지의 단위면적당 적정가격의 결정은 공익사업시행지구에 편입될 부분을 포함한 일단의 토지 전체의 적정가격을 기준으로 한다. 다만, 공익사업시행지구에 편입될 부분과 잔여부분의 용도지역등을 달리하여 가치가 다른 경우(해당 공익사업과 관련되어 용도지역등이 변경된 경우는 제외한다)에는 잔여부분의 적정가격을 기준으로 결정할 수 있다.

③ 제1항에 따른 잔여지의 감정평가 시에 가치하락이 된 잔여지를 그 전체로서 또는 수용하는 시점으로 하되, 비교표준지의 선정, 적용공시지가의 선택, 지가변동률의 적용, 그 밖의 감정평가기준은 해당 공익사업시행지구에 편입될 경우와 같이 하며, 잔여지의 공법상 제한 및 이용상황 등은 공익사업시행지구에 편입되는 토지(이하 이 조에서 "편입토지"라 한다)의 협의하는 또는 재결 당시를 기준으로 한다.

④ 가격시점 당시의 일단의 토지 전체 및 편입토지의 단위면적당 가치의 변동은 적정가격을 결정할 때 해당 공익사업의 시행에 따른 가치의 변동을 고려하지 아니한다.

문제3번 - 종후자산평가가 조합원 청산금에 미치는 영향(15)

종전자산의 경우 비례율의 구조상 평가금액이 달라진다고 하더라도 조합원의 권리가액(청산금)에 미치는 영향은 없다. 그러나 분양평가가 종후자산평가는 조합원의 권리가액 및 청산금에 미치는 영향이 크다고 할 수 있다. 비례율이 커질수록 종전자산신가치가 높은 조합원이 유리해진다.

전체 총계는 '0'이나 분담금의 비율이 달라지기 때문이다.

상기의 이유 때문에 현업에서는 재개발 사업의 종후자산의 평가를 원가법을 기준으로 평가하여 종후평가시 비례율을 '1'로 산정하고 있다. (본래적 의미의 권리가액 산정을 위한 비례율은 일반 분양분 및 근린생활시설 분양수입이 포함되고 현금청산액과 확정되는 것으로 확정되는 것으로 전자의 비례율과 차이가 있음에 유의할 것)

재개발에서의 분양예정자산 중 공동주택의 평가는 원가법을 적용하여야 한다. 관련 서울시 조례에 근거해서도 그러하지만, 조합원에 대한 설득력도 있는 방법이 되고 있다. 재건축에서는 종후자산평가를 거래사례비교법을 혼용해서 쓰고 있다.

4. 문제4번 - 요구수익률에 따른 최대매수가격(15)

요구수익률에 따른 최대 매수가능금액의 산정 방법이 고민될 수 있다. 예시답안에서는 요구수익률이 cap rate로 가치상승분(자본소득)이 없다는 가정하에 풀이한 것 이다. 즉, "요구수익률=운영소득+0"을 가정한 것 이다. 계속적으로 수익률에 대한 개념이 모호한 상태로 기술되고 있다. 아래는 "요구수익률=운영소득률+가치상승률(자본수익률)"의 구조로 풀이해 보았다.

---

(2) 최대매수가능금액
1) 자본수익률(가치상승분 : X)

$$0.15 = \underset{\text{운영소득}}{0.1} + \underset{\text{자본수익률}}{X} \quad \langle X=5\% \rangle$$

2) 최대매수가능 금액(토지+건물 매입가=P)

$$\underset{\text{운영소득}}{132{,}480{,}000} + \underset{\text{자본소득}}{P\times0.05} = \underset{\text{총소득}}{P\times0.15}$$

$$\langle P=1{,}324{,}800{,}000 \rangle$$

〈토지 최대매수가능 금액=1,324,800,000 - 550,000,000
=774,800,000〉

【문제 1】

I. (물음 1)

1. 담보평가

1) 기본적사항의 확정

(1) 기준시점

가격조사완료일 2010년 9월 2일(감칙§9②)

(2) 대상 물건 확정 : 이대한씨 지분

① 토지
- 기호1 (54번지) : 일반상업, 상업용, 도시계획시설저촉 반영, 광대한면 250m²(구분소유적 공유로 위치 특정된 것으로 봄)
- 기호2(산75) : 자연녹지, 임야 2800×1/2 지분(면적은 토지대장 기준)

② 건물

기호㉮ : 철근조 80m²(中 20m²도시계획시설 저축 반영)

③ 제시외 : 창고는 평가외

(3) 평가목적 : 담보

2) 토지

(1) 54번지

기준시점 당시 최근<2010.1.1>, 일반상업, 상업용 <표A> 선정

$$1,100,000 \times 1.05500 \times 1 \times 1 \times 0.95 \times 1.244 = @1,371,000$$

(일성　광대한면　*1)

*1 그 밖의 요인: 최근 일반상업, 상업용 <선례A>

$$\frac{1,300,000 \times 1.05500 \times 1 \times 1}{1,100,000 \times 1.05500 \times 1 \times 0.95} = 1.244$$

- 평가액 : 1,371,000×(210+40×0.85) = 334,524,000원

(저축)

(2) 산74번지

기준시점 당시 최근<2010.1.1>, 자연녹지, 임야 <표C> 선정

$$50,000 \times 1.07500 \times 1 \times 1.12 \times 1.244 = @74,000$$

- 평가액 : 74,000×2,800×1/2 = 103,600,000원

3) 건물

$$700,000 \times 42/50 = @588,000$$

- 평가액 : 588,000×(60+20×0.85) = 45,276,000원

4) 감정평가액 : 483,400,000원

2. 보상 평가

1) 가격시점 : 가격조사완료일 2010년 9월 2일

2) 토지

(1) 54번지

기준시점 당시 최근<2010.1.1>, 일반상업, 상업용 <표A> 선정

2) 토지

(1) 적용공시지가

사업인정의제일(2009.09.15)이나 공고공람일 이후 지가가 현저히 변동되어 공고공람일(2008.12.01) 전 공시된 가격시점 최근 공시지가 〈2008.1.1〉 적용 〈법§70⑤〉

(2) 기호 1

일반상업, 상업용, 〈표A〉 선정. 도시계획시설저촉은 개별적제한으로 미반영. 100㎡(구분소유적 공유로 위치 특정된 것으로 봄 조서상 제시면적)기준

$900,000 \times 1.15500 \times 1 \times 0.95 \times 1.287 = @1,270,000$

그*1

*1 그 밖의 요인 :

① 보상선례 선정

2010.1.1, 2009.1.1 보상선례는 상승률을 보건데 개발이이이 반영된 것으로 판단되는 바, 개발이익 배제와 적정보상(시세반영)을 위해 적용공시지가 선례와 동일한 기준 적용 2008.1.1 일반상업, 상업용〈선례 1〉 선정

② 그 밖의 요인 보정치

$\dfrac{1,100,000 \times 1.15500 \times 1 \times 1}{900,000 \times 1.15500 \times 1 \times 0.95} = 1.287$

- 평가액 : $1,270,000 \times 100 = 127,000,000$원

(3) 기호2(산75)

자연녹지, 임야 〈표 C〉 선정, 500×1/2 지분(편입면적 기준)

$38,000 \times 1.25500 \times 1 \times 1.12 \times 1.287 = @68,000$

- 평가액 : $68,000 \times 500 \times 1/2 = 17,000,000$원

3) 지장물

(1) 건축물

편입면적 20㎡도시계획시설 저촉 미 반영, 시설개선비 배제, 일부편입에 따른 잔여건축물 보수비 5,000,000원 반영

① 편입부분 : $588,000 \times 20 = 11,760,000$원

② 잔여보수 : $5,000,000 - 2,000,000 = 3,000,000$

③ 합계 : $14,760,000$원

(2) 창고

무허가건축물이나 행위제한일(2008.12.1) 이전 신축으로 보상대상. 도시계획시설 저촉 미반영.

$350,000 \times 22/30 = @256,000$

- 평가액 : $256,000 \times 10 = 2,560,000$원

4) 감정평가액 합계 : $161,320,000$원

Ⅱ. (물음 2) 감정평가서의 작성

1. 담보

1) 감정평가업자의 사무소 또는 법인의 명칭 : 공정감정평가법인

2) 의뢰인 : 한강은행

3) 감정평가목적 : 담보

4) 감정평가조건 : -

5) 기준시점 : 2010.09.02
- 조사기간 2010.08.30~2010.09.02,
- 작성일자 : 2010.09.04.

6) 대상물건의 내용(소재지·종별·수량 기타 필요한 사항)
본건은 갑구 을동 소재 54번지 산75번지 이대한씨 소유 지분 토지 및 건물에 대한 평가임.

기호1 54번지(250㎡), 기호2 산75(1,400㎡) 기호 '가' 80㎡

7) 감정평가액 :

483,400,000원

8) 감정평가액의 선출근거 및 그 결정에 관한 의견

(1) 본건의 평가는 "부동산 가격공시 및 감정평가에 관한 법률", "감정평가에 관한 규칙" 및 제반 감정평가이론 등에 의거하여 평가하였음.

(2) 감정평가액 결정의 주된 방법

① 본건 토지는 해당 토지와 유사한 이용가치를 지닌 표준지공시지가를 기준으로 해당 토지의 용도지역, 이용상황, 주위환경, 도로조건, 위치, 규모, 지형, 지세 등 제반 가격형성요인과 공시기준일로부터 기준시점까지의 지가변동추이 및 기타 사항을 종합 고려하여 평가하였음.

② 본건 건물은 구조, 사용자재, 시공상태, 부대설비, 용도, 현상 및 관리상태 등을 참작하여 원가법으로 평가하였음.

(3) 기타의견 :

① 54번지(기호1토지)는 구분소유적 공유 전부지로 위치가 특정된 것으로 판단(상임용)하여 이대한씨 점유부분을 평가하였음.

② 산75(기호2) 토지(임지) 상에 소재하는 입목은 일반적인 거래관행을 고려하여 토지에 포함하여 평가하였음.

③ 기호⊙은 제시외 건물로 평가의 하였음.

※ 기타(상기 Ⅰ - 1.담보평가 답안 참조)

9) 대상물건목록의 표시근거
토지 등가부등본, 대장 및 건물 등가부등본, 대장

2. 보상

2) 의뢰인 : 갑 구청

3) 감정평가목적 : 보상

6) 대상물건의 내용(소재지·종별·수량 기타 필요한 사항)
본건은 갑구 을동 소재 54번지 산75번지 이대한씨 소유 지분 토지 및 건물에 대한 평가임.

기호1 54번지(100㎡), 기호2 산75(250㎡) 기호 '가'(20㎡) 기호⊙(10㎡)

7) 감정평가액 :

161,320,000원

8) 감정평가액의 선출근거 및 그 결정에 관한 의견
감정평가액의 산출근거 선택, 비교표준지선정, 시점수정, 지역, 개별요인 산정, 그

지를 종래의 목적에 사용하는 것이 현저히 곤란한 때에는 해당 토지소유자는 사업시행자에게 잔여지를 매수하여 줄 것을 청구할 수 있으며, 사업인정 이후에는 관할 토지수용위원회에 수용을 청구할 수 있다. 이 경우 수용의 청구는 매수에 관한 협의가 성립되지 아니한 경우에 한하되, 그 사업의 공사완료일까지 하여야 한다.

밖의 요인 보정치 등

(상기 I -2. 보상평가 답안 참조)

9) 대상물건목록의 표시근거

귀 제시목록

【문제 2】

(물음 (1)-1))

1. 잔여지의 손실과 공사비 보상

법 제73조(잔여지의 손실과 공사비 보상) ① 사업시행자는 동일한 토지소유자에 속하는 일단의 토지의 일부 취득 또는 사용됨으로 인하여 잔여지의 가격이 감소하거나 그 밖의 손실이 있는 때 또는 잔여지에 통로·도랑·담장 등의 신설 그 밖의 공사가 필요한 때에는 국토해양부령이 정하는 바에 따라 그 손실이나 비용을 보상하여야 한다. 다만, 잔여지의 가격 감소분과 잔여지에 대한 공사의 비용을 합한 금액이 잔여지의 가격보다 큰 경우에는 사업시행자는 그 잔여지를 매수할 수 있다.

② 제1항 본문에 따른 손실 또는 비용의 보상은 해당 사업의 공사완료일부터 1년이 지난 후에는 청구할 수 없다

2. 잔여지 수용청구

법 제74조(잔여지 등의 매수 및 수용청구) ① 동일한 토지소유자에 속하는 일단의 토지의 일부가 협의에 의하여 매수되거나 수용됨으로 인하여 잔여

※ 종래의 목적에 사용하는 것이 현저히 곤란한 때(시행령 §39)

1. 대지로서 면적의 과소 또는 부정형 등의 사유로 인하여 건축물을 건축할 수 없거나 건축물의 건축이 현저히 곤란한 경우

2. 농지로서 농기계의 진입과 회전이 곤란할 정도로 폭이 좁고 길게 남겨나 부정형 등의 사유로 인하여 영농이 현저히 곤란한 경우

3. 공익사업의 시행으로 인하여 교통이 두절되어 사용 또는 경작이 불가능하게 된 경우

4. 제1호 내지 제3호와 이외 유사한 정도로 잔여지를 종래의 목적대로 사용하는 것이 현저히 곤란하다고 인정되는 경우

(물음 (1)-2))

1. 잔여지의 손실 등에 대한 평가

토지보상법 시행규칙 제32조(잔여지의 손실 등에 대한 평가) ① 동일한 토지소유자에 속하는 일단의 토지의 일부가 취득됨으로 인하여 잔여지의 가격이 하락된 경우의 잔여지의 손실은 공익사업시행지구에 편입되기 전의 잔여지의 가격(해당 토지가 공익사업시행지구에 편입됨으로 인하여 잔여지의 가격이 변동된 경우에는 변동되기 전의 가격을 말한다)에서 공익사업시행지구에 편입된 후의 잔여지의 가격을 뺀 금액으로 평가한다.

② 동일한 토지소유자에 속하는 일단의 토지의 일부가 취득 또는 사용됨으로 인하여 잔여지에 통로·구거·담장 등의 신설 그 밖의 공사가 필요하게 된 경우의 손실은 그 시설의 설치나 공사에 필요한 비용으로 평가한다.

③ 동일한 토지소유자에 속하는 일단의 토지의 일부가 취득됨으로 인하여 종래의 목적에 사용하는 것이 현저히 곤란하게 된 잔여지에 대하여는 그 일단의 토지의 전체가격에서 공익사업시행지구에 편입되는 토지의 가격을 뺀 금액으로 평가한다.

2. 청구가능 손실보상액

1) 편입분 :   75,000,000

2) 잔여지
(1) 가치하락 보상액 : 800,300×100   =80,000,000
(2) 수용청구 시 : 1,500,003×100   =150,000,000
※ 건축이 불가능한 상태가 되어 관할 토지수용위원회에 수용을 청구할 수 있다. 그 사업의 공사완료일까지 하여야 한다.

3) 손실보상액
잔여지 가치하락 보상액을 받는 경우는 155,000,000원
(수용청구를 하는 경우 225,000,000원을 보상금으로 받을 수 있음.)

(물음 2) 영업손실보상(10점) (현행 법령 기준)

1. 시행규칙 제47조(영업의 휴업 등에 대한 손실의 평가)
① 공익사업의 시행으로 인하여 영업장소를 이전하여야 하는 경우의 영업

손실은 휴업기간에 해당하는 영업이익과 영업장소 이전 후 발생하는 영업이익감소액에 다음 각 호의 비용을 합한 금액으로 평가한다.
1. 휴업기간중의 영업용 자산에 대한 감가상각비·유지관리비와 휴업기간중에도 정상적으로 근무하여야 하는 최소인원에 대한 인건비 등 고정적 비용
2. 영업시설·원재료·제품 및 상품의 이전에 소요되는 비용 및 그 이전에 따른 감손상당액
3. 이전광고비 및 개업비 등 영업장소를 이전함으로 인하여 소요되는 부대비용
③ 공익사업에 영업시설의 일부가 편입됨으로 인하여 잔여시설에 그 시설을 새로이 설치하거나 잔여시설을 보수하지 아니하고는 그 영업을 계속할 수 없는 경우의 영업손실 및 영업규모의 축소에 따른 영업손실은 다음 각 호에 해당하는 금액을 더한 금액으로 평가한다. 이 경우 보상액은 제1항에 따른 평가액을 초과하지 못한다.
1. 해당 시설의 설치 등에 소요되는 기간의 영업이익
2. 해당 시설의 설치 등에 통상 소요되는 비용
3. 영업규모의 축소에 따른 영업용 고정자산·원재료·제품 및 상품 등의 매각손실액

2. 조사사항(영업손실보상평가지침 제7조)
① 영업장소의 소재지·업종·규모
② 수입 및 지출 등에 관한 사항
③ 과세표준액 및 납세실적
④ 영업용 고정자산 및 재고자산의 내용
⑤ 종업원 현황 및 인건비 등 지출내용
⑥ 그 밖의 필요한 사항

3. 자료의 수집(영업손실보상평가지침 제8조)

① 법인 등기사항전부증명서 및 정관

② 최근 3년간의 재무제표(제무상태표·손익계산서·이여금처분계산서 또는 결손금처리계산서·현금흐름표 등) 및 부속명세서 (제조원가명세서·이여금명세서 등)

③ 회계감사보고서

④ 법인세과세표준 및 세액신고서(세액조정계산서) 또는 종합소득과세표준확정신고서

⑤ 영업용 고정자산 및 재고자산 목록

⑥ 취업규칙·급여대장·근로소득세원천징수영수증 등

⑦ 부가가치세과세표준증명원

⑧ 그 밖에 필요한 자료

「감정평가 실무기준 해설」

① 조사자료

가. 법인 등기사항증명서 및 정관

나. 최근 3년간 재무제표(제무상태표·손익계산서·자본변동표·현금흐름표 등) 및 부속명세서(제조원가명세서·이여금명세서 등)

다. 회계감사보고서

라. 법인세과세표준 및 세액신고서(조정계산서) 또는 종합소득과세표준확정신고서

마. 고정자산대장 및 재고자산대장

바. 취업규칙·급여대장·근로소득세원천징수영수증 등

사. 부가가치세과세표준증명원

아. 기타 필요한 자료

② 조사사항

가. 영업장소의 소재지·업종·규모

나. 수입 및 지출 등에 관한 사항

다. 과세표준액 및 납세실적

라. 영업용 고정자산 및 재고자산의 내용

마. 종업원 현황 및 인건비 등 지출내용

바. 기타 필요한 사항

【문제 3】

Ⅰ. 비례율의 산정

1. 1안

$$\frac{(160 \times 3 + 200 \times 7) - 1,500}{80 + 140 + 180} = 0.95$$

2. 2안

$$\frac{(140 \times 3 + 200 \times 7) - 1,500}{80 + 140 + 180} = 0.8$$

Ⅱ. 2안으로 변경 시 유리한 조합원의 순서 및 이유

1. 검토근거

1) 1안 청산액 : 160 - 80 × 0.95 = 84,000,000원

2) 2안 청산액 : 140 - 80 × 0.8 = 76,000,000원

3) 검토 : (+)8,000,000원 유리

2. 이대한씨
1) 1안 청산액 : 160 - 140×0.95 = 27,000,000원
2) 2안 청산액 : 140 - 140×0.8 = 28,000,000원
3) 검토 : (-)1,000,000원 불리

3. 박조선씨
1) 1안 청산액 : 160 - 180×0.95 = 11,000,000원 환급
2) 2안 청산액 : 140 - 180×0.8 = 4,000,000원 환급
3) 검토 : (-)7,000,000원 불리

4. 순서판별 및 이유
1) 순서판별 : 김한국 - 이대한 - 박조선

2) 이유
분양예정가격(종후자산평가)가는 조합원의 권리가액 및 청산금에 미지는 영향이 크다고 할 수 있다. 비례율이 커질수록 종전자신가치가 높은 조합원이 유리해진다. 종전자신이 가치가 낮을수록 권리가액 하락분이 낮아진다. 전체 총계는 '0'이나 분담금의 비율이 달라지기 때문이다.

【문제 4】

Ⅰ. 수익가치

1. NOI
(10,000,000×0.04+800,000×12)×18호×0.92×0.8 = 132,480,000원

2. 환원이율
0.25×220/2000+0.25×180/2000+0.5×180/1800 = 0.1

3. 수익가치
1,324,800,000원

Ⅱ. 구형 단독주택의 최대매수가능금액

1. 이대한씨의 요구수익률
투자결합법 : (0.1+0.2)×0.5 = 0.15
※ 물리적 투자결합법에서 건물부분의 수익률도 토지부분과 동일하다고 보아 상가와 수익률을 동일 한 것으로 봄.

2. 최대 매수가능금액
132,480,000÷0.15 - 550,000,000 = 333,200,000원
※ 요구수익률이 cap rate로 가치상승분(지본소득)이 없다고 가정함.

[문제 5]

I. (물음 1)

① 범위 : 180,000원~238,000원

② 평균 : 204,000원

II. (물음 2)

① 중위값 : 205,000원

> 항의 수를 n이라 할 때, 중위치란 n이 홀수일 때는 (n+1)/2번째의 변량,
> n이 짝수일 때는 n/2번째와 (n+2)/2번째의 변량의 평균을 말함.

② 최빈치 : 210,000원

III. (물음 3)

1. 결정 : 210,000원

2. 결정사유

적정가격이라 함은 해당 토지 및 주택에 대하여 통상적인 시장에서 정상적인
거래가 이루어지는 경우 성립될 가능성이 가장 높다고 인정되는 가격을 의
미한다.

2) 토지평가 - 일괄평가, 그 밖의 요인 보정

219-1번지, 219-3번지는 일단지로 볼 수 있으나 여타 필지는 일단지의 개념에 부합하는 것은 아니다. 또, 일부 필지는 사실상 사도에 해당한다.

각 부분을 구분하여 감정평가하는 것이 원칙이다. 그러나 본건의 효용을 발휘하기 위한 토지들로서 상호 연관관계를 고려 (개별요인 비교치를 보전 전체 기준 0.78로 제시)하여 일괄평가 하도록 한 것이 출제 의도이다.

아래의 감정평가실무기준 610-1.7.4 사도의 감정평가 구성을 보면 해당 출제의도를 이해하는데 도움이 될 것이다

① 사도가 인근 관련 토지와 함께 의뢰된 경우에는 인근 관련 토지와 사도부분의 감정평가에 충효을 전반적에 균등 배분하여 감정평가할수 있으며 이 경우에는 그 내용을 감정평가서에 기재하여야 한다.

② 사도만 의뢰된 경우에는 다음 각 호의 사항을 고려하여 감정평가할 수 있다.

1. 해당 토지로 인하여 효용이 증진되는 인접 토지와의 관계
2. 용도의 제한이나 거래제한 등에 따른 적절한 감가율
3. 「공익사업을 위한 토지 등의 취득 및 보상에 관한 법률 시행규칙」제26조에 따른 도로의 감정평가방법

이물러, 〈자료2〉의 본건 담보평가 전체는 해당 감정평가의 단순 참고사항에 그치며, 〈자료5〉의 인근거지역 가격수준은 그 밖의 요인 보정치 결정표도 감정평가역결정장에서 언급할 수 있는 자료이다.

3) 건물 내용년수 산정

앞서 기출되 16회2번 문제를 차용한 것이다. 건물의 내용년수 내지 연간감가액을 시장추출법으로 선정하는 경우 사례는 대상과 유사성이 높아야 한다. 〈매매사례#3〉, 〈매매사례#4〉을 선정하도록 출제자는 그러한 의도로 〈매매사례#4〉을 선정하도록 하였을

제 22회
문제 논점 분석 및 예시답안

22회는 실무 점수가 당락을 좌우하였다. 과락이 어느 때보다 많았던 시험이었다. 그만큼 어려웠다고 볼 수도 있었지만, [문제1]에서는 해석의 여지가 많았고 [문제2]는 출제 당시 현업에서도 평가방법이 정립되지 않고 견해가 대립되는 문제를 출제했다는 점에서 어려움이 있었다. 하지만 이런 부분도 시험이 한 부분으로 받아들이는 자세와 준비가 필요하다.

[문제1]은 쉬운기에 점에는 모델의 평가, [문제2]는 재개발사업에서의 정비기반시설 부지 등의 무상양수수(귀속)관련 평가, [문제3]은 분양전환 문양가 저해 반환 소송관련 평가, [문제5], [문제6] PF컨설팅보고서, 담보평가의 적정성 저해 요인을 물었다. 전반적으로 시사성이 있는 문제였다.

1. 문제1번 - 시점별 담보평가(40)

문제1에서는 일부기출문제 형태의 지역분석 및 개별분석, 건물내용년수 산정, 시산가액 조정 및 감정평가에 결정과정을 요구하였다. 지역특성, 대상부동산의 성격(개별성), 평가목적, 각 평가방식의 유용성 및 한계 등이 전형적으로 패턴화한 시산가액조정의 목차의 표현이 필요했다.

1) 지역개황 및 대상 현황에 대한 언급

지역개황과 대상에 대한 설명이 장황하게 언급된 문제였다. 논리적인 답안 구성이 필요한 문제로 문제로 지역개황과 대상상황을 답안 처음부터 언급하여 시산가에 조정 및 결정까지 수미상관 식의 답안 작성도 좋은 전략이라고 생각된다.

론으로 하고 현업에서 모델이 평가에서는 매출로도 수익방식을 적용하고 있다.

다만, 이런 경우 적용 환원율은 일반부동산(임대료 기준)의 환원율보다 높은 값을 적용하는 등 비부동산 가치의 배제를 고민하여야 한다.

(2) ROSS 환원율

투자수익률이 주어져 있어 엘우드라고 생각할 수도 있었다. 그러나 엘우드를 적용하기 위해서는 저당의 구체적 조건 등을 가정해야 하는 부가가 있고 이때는 지분환원율을 활용하지 못하게 된다. 지분환원율을 적용하기 위해서는 ROSS의 환원율을 산정해야 한다.

(3) 부동산 잔여법

투자수익률은 환원방법을 달리하여 부동산 잔여법으로 활용할 수 있다. 대상 부동산의 성격과도 이론상 부합하는 방법이다.

6) 시산가액 조정 및 감정평가액 결정의 중요성

물음에서 '시산가치조정을 통한 최종감정평가액을 산출하되 평가방식 적용 시 필요한 경우 그 판단에 대한 의견을 의견을 평가하도록 하고 있어 이에 대한 구체적 답안 작성이 필요했다.

2. 문제2번 - 재개발사업의 정비기반시설 부지의 무상양도·양수(귀속) 평가(20)

현업에서도 평가방법이 통일되지 않은 무상양도·귀속의 감정평가 문제의 출제는 당시 수험생들에게는 부담이 되는 문제였다. 현재에도 해당 감정평가 방법이 한 가지 방식(시가(현황)평가, 공법상제한 배제 평가)으로 정리된 것으로 볼 수는 없다.

것이다. 필자가 시험장에 있었다면 당연 사례#3, 4를 선정하여 문제를 풀었을 것이다. 그런데 사례를 분석해 경제적 내용년수를 10년으로 결정하게 되면 경제적 내용년수가 정과한 사례(사용승인일자와 매매일자 비교)로 해석할 수 있는 여지가 발생하게 된다.

경제적 내용년수가 정과한 사례를 배분법을 적용하여 전물가격, 내용년수를 산정하는 것이 논리적일 수는 없다.

다만, 현 영업중인 상태는 기준시점을 기준한 것으로 매매시점을 영업을 중단한 상태로 해석하면 문제본석이 어려워지는 부분이 있다.

4) 일괄 거래사례비교법

전물 내용년수 산정을 위한 사례 선정과 일괄 거래사례비교법의 사례 선정을 같이 고민해 볼 필요가 있다. 앞서 전물에서 사례#3,4를 선정했다면, 비준가액 사례로도 #2를 선정하였을 것이다.

〈자료12〉 기타에서 '비교방식' 중 개별요인 내용연수 만료 시 잔존가치율 1%'를 언급한 것도 사례#2를 적용하도록 한 것이 출제 의도로 보인다.

다만, 앞서 제기한 논리적 문제점으로 전물 내용년수 산정을 위한 사례를 #2로 선정하였다면, #3, 4 중 가장 유사하다고 판단되는 사례를 일체비준 사례로 선정이 가능하다.

5) 일괄 수익환원법

(1) 모델 평가 시 대상소득과 환원율

부동산의 평가는 매출이 아니라 임대수익을 기준하여야 한다. 문제에서는 본건은 무상으로 임대 중에 있다. 부동산의 평가와 기업평가의 개념은 별

정비사업관련 평가에서는 공시지가 선택, 용도지역 및 용도폐지(이용상황)의 결정, 공법상 제한의 처리가 중요하다.

1) 기준시점 : 사업시행인가고시 예정일

무상양도 귀속(용도폐지)되는 정비기반시설 및 새로이 설치되는 정비기반 시설 부지)의 평가는 사업시행인가를 위한 평가로 사업시행인가 전에 평가가 이루어지지만 기준시점은 사업시행인가고시일을 기준한다. 현실적으로 사업시행인가고시 예정일이 기준시점이 된다.

2) 적용공시지가 및 비교표준지선정(이용상황)

사업시행인가고시일이 기준시점이다. 따라서 적용공시지가는 기준시점 최근 것을 쓰면 된다. 주의할 것은 보상평가가 적용공시지가 선택을 준용하는 것은 아니라는 점이다.

비교표준지선정은 특별한 지시 사항이 없는 한 사업구역 내를 선정한다. 다만, 종 상향(용도지역 변경)이 있는 경우 종전 용도지역을 기준으로 평가한다면 필연적으로 구역 밖의 표준지를 선정할 수 밖에 없다. 이용상황은 용도폐지된 상태를 기준으로 보되, 도로조건에 유의하여 표준적 이용상황을 기준으로 한다.

3) 공법상 제한

(1) 용도지역

해당 구역 지정으로 인한 종 상향(1종일주→2종일주)을 배제하여 용도지역이 상향된 토지는 종전의 용도지역(1종일주)을 기준으로 예시답안을 작성하였다. 실무적으로 논란이 있는 부분이나 현황으로도는 사건이나 시가 현재에 따라 평가임이 타당하다고 본다. 다만 종 하향이 된 경우라면 문제는 달라질 수 있다.

또 재개발사업에서의 개발이익 배제의 정당성 내지 당위성에 문제를 제기하는 이견이 높고 있다. 국공유재산의 처분 등과 관련하여 시가평가가 원칙이 강조되고 있는 사회적 요청과도 함께 고민되어야 할 사항이라고 본다. 출제자의 당초 의도는 현황(2종일주)를 기준으로 평가한 것으로 분석된다. 출제당시는 종전 및 현 상태 모두 정답으로 처리하였었다.

(2) 도시계획시설저촉

도시계획시설은 해당 정비사업(대규모 사업)과 관련한 도로, 근린공원시설 이다. 대규모 사업과 관련된 도시계획시설 저촉 제한은 그 제한으로 없으는 상태로 평가한다. 정비구역(대규모 사업) 내 표준지 공시지가 평가 시 해당 사업과 관련하여 도시계획상 저촉물은 조사하되 그에 따른 감가는 반영하지 않고 있다. 표준지공시지가 자체에 감가물이 반영되지 않은 상태인바, 별도의 보정을 할 필요가 없다.

참고로 택지개발사업은 확정예정지번 부여, 환지사업은 환지처분 전 환지 예정지지정, 정비사업은 실공사 착공 전(前)의 당초(종전)의 이용상태를 기준으로 평가하게 된다. 이 경우 대규모 사업과 관련된 도시계획시설 저촉 부분과 사업구역 내 저촉되지 않은 부분은 행위제한 등 공법상제한 정도가 다르지 않아 저촉부분을 별도로 감가 평가할 필요는 없다. 다만, 평가목적 및 소유관계 등에 따라 합리적인 사유가 있는 경우에는 저촉부분의 가치를 달리하여 감정평가를 할 수 있다.

3. 문제3번 - 일조권 침해 평가(20)

4. 문제4번 - 분양가 일부 반환 소송(10)

절대적인 정답은 없어 보인다. 약술의 형태로 본인의 논리를 펼칠 필요가 있다.

[문제 1]

I. 감정평가 개요

① 인근지역의 기능이 쇠퇴하고 있는 지역에 소재하는 숙박시설의 평가로 3방식에 의한 각 시산가액을 지역분석 개별분석 등을 기반으로 시산가액을 조정 및 결정함.

② 기준시점 : 2011.9.4.

③ 지역개황 : 용도전환 이전의 상태로 숙박시설 표준적 규모는 3층 객실 30~35개임.

④ 대상현황 : 대상은 일단의 토지를 숙박시설로 이용 중이며 3층 29개의 객실로 이용중임(경과년수 : 14년).

II. 개별물건 기준

1. 토지(나지상정 토지가격)

1) 공시지가기준법

(1) 기준시점 당시 최근 2011.1.1. 적용

---

(2) 시산가액

$430,000 \times 1 \times 1 \times 0.78 \times 1$

시 지 개 그[*1]

≒@335,000원/㎡

*1 그 밖의 요인 보정

- 공시지가는 대상과 마찬가지로 "00번 국도"변에 소재하며 시세를 적정히 반영한다고 판단하여 별도의 보정 안함.

- 담보평가 전체는 평가목적이 상이하며 시점간의 괴리가 커 고려안함.

2) 거래사례비교법

$481,100,000 \times 1 \times 1 \times 0.78/1.15 \times 1/974$

≒@335,000원/㎡

3) 나지 토지가액 검토

본건 전체를 기준으로 도로 등의 개별성을 고려하는 경우 "00번 국도"변에 접하는 토지의 가격수준을 반영하며, 위와 같이 공시지가는 충분히 시장성을 반영하여 평가목적에 부합하는바

《335,000원/㎡ × 2,294 = 768,490,000원》으로 결정.

2. 건물

1) 재조달원가

(1) 기호(가) : @1,060,000 × 1,254.3
≒1,329,558,000

(2) 기호(나) : @850,000 × 1.05 × 72.24
= 64,474,000

2) 경제적 내용년수

(1) 사례 선정

대상과 유사성이 있는 〈매매사례 #3, #4〉 선정

3) 건물가액

인근지역의 건물 경제적 내용년수 10년을 경과하여(14년 경과) 건물가격은

토지가치와 함께 거래되는 관행을 가지거나 건부감가를 발생하는 것으로

판단.

3. 개별물건기준에 따른 시산가액

① 건물의 경제적 내용년수를 경과한 점, ② 토지의 평가는 공시지가와 매

매사례 #1을 통해 나온 가격을 상정 가격을 산정하여 ③ 철거비를 고

려한 개량물의 가치를 결정함

768,490,000 - 15,000×(1254.3 + 72.24) = 748,591,000

Ⅲ. (일괄) 거래사례비교법(감칙 §72)

1. 사례선정

합리적 배분법 적용(토지건물가격구성비 산정)이 가능한 일체 거래사례 #2

선정

2. 사례 토지 건물 가격구성비

1) 사례 토지가격(매매당시 최근 공시지가2010.01.01)기준

425,000×1×1×1.07 ≒@454,000원/㎡

〈×1,327 = 602,458,000원〉

(2) 사례 건물 재조달원가

① 사례#3 : 1,060,000×1.03 @1,091,000원/㎡

② 사례#4 : @1,060,000원/㎡

(3) 사례 토지 가격

① 사례#3(매매당시 최근 2009.1.1 공시지가 기준)

420,000×1×1×0.97×1,405 = 572,397,000원

② 사례#4(매매당시 최근 2011.1.1 공시지가 기준)

430,000×1×1×0.95×1,258 = 513,893,000원

(4) 사례 건물 가격

① 사례#3 : 685,100,000 - 572,397,000 =112,703,000원

〈÷975.24 =@115,000원/㎡〉

② 사례#4 : 850,100,000 - 513,893,000 = 336,207,000원

〈÷2,410.27 =@139,000원/㎡〉

(5) 사례 경제적 내용년수

① 사례#3 : {(1,091,000 - 115,000)/10년/1,091,000}⁻¹ ≒11년

② 사례#4 : {(1,060,000 - 139,000)/8년/1,060,000}⁻¹ ≒9년

(6) 대상의 경제적 내용년수 결정

본건과 유사한 건물의 경제적 내용년수는 관리상태 등에 따라 9~11년으로

산정되어 평균 10년으로 판단함.

2) 가격구성비 : 0.667 : 0.333

3. 시산가액

$903,500,000 \times 1 \times 1 \times [0.667 \times 1 \times 0.78/1.07 \times 2,294/1,327 + 0.333$
　　　　토지가　　전가구
$\times 0.01/(1 - 0.99 \times 5/10) \times 1,326.54/1,349.74] \times 1$　≒765,285,000원
　전가율　　　알률

IV. (일괄) 수익환원법(감칙 §7②)

1. 영업이익

$(5,500,000 - 4,500,000) \times 12$　= 12,000,000

2. 직접환원법

1) 환원율(Ross)

$0.12 \times 0.55 + 0.0673 \times 0.45$　≒0.096

2) 숙박시설 전체 가치

$12,000,000/0.096$　≒125,000,000

3) 부동산 가치

$2) - 600,000 \times 29$　= 107,600,000

3. 부동산잔여법(동산 고려)

$12,000,000 \times pvaf(15\%,5년) + 768,490,000 \times 0.65/1.15^5 - 600,000 \times 29$　= 271,175,000

※ 기말복귀 가치를 미지수(X)로 적용가능.

4. 부동산 잔여법의 적정성 및 수익가액 결정

① 내용년수가 정과된 부동산에 대한 평가로서 부동산 잔여법 적용이 용이하며,

② 환원 대상 소득이 부동산 순수익이 아닌 숙박시설의 영업이익이므로 이에 대응되는 올과 환원방법으로는 직접환원법보다 부동산잔여법이 타당함.

③ 따라서, 수익가액은 부동산잔여법에 의한 271,175,000원으로 결정

V. 시산가액 조정 및 감정평가액 결정

1. 시산가액 조정의 주안점

1) 시장분석

(1) Y시 지역분석(경제적 요인)

도소매업의 증가가 두드러지며 숙박업은 지속적인 감소세를 나타냄

(2) 인근지역 분석

숙박시설은 2층 30~35개 규모가 일반적 이용으로, 숙박시설의 전반적인 영업상황의 악화로 인근지역의 AGE-CYCLE은 쇠퇴기에 접어들어 영업을 중지하는 숙박시설 증가 추세. 노인전문요양원등 타 용도로 전환을 시도 중이나 이에 대한 성숙은 미진한 상태임.

[문제 2]

I. 감정평가 개요

① 주택재개발 정비사업구역의 사업시행인가 신청을 위한 국공유지의 무상양도·양수(용도폐지되는 정비기반시설 및 새로이 설치되는 정비기반시설 부지)의 평가로 기준시점(사업시행인가고시 예정일)은 2011년 11월 30일임

② 제시된 조건에 따른 평가를 하되 해당 사업에 따른 용도지역 변경은 배제하고, 정비사업구역지정에 따른 도시계획시설에 저촉된 표준지공시지가에는 저촉감가율이 반영되지 않은 것을 기준.

II. 용도폐지되는 정비기반시설 부지

1. 기호 1

1) 비교표준지 선정 등

① 적용공시지가 : 기준시점 최근 2011.1.1 선택

② 용도지역 : 해당사업으로 인한 종상향 전 1종일주 기준

③ 이용상황 등 : 용도폐지된 상태("주거용), 소로각지, 사다리 기준

*1 동일노선의 표준지 등이 이용상황을 기준으로 소로에 접하여 주거용의 가격 수준이 적정할 수 있으나 다소 광폭수의 토지이며 후면부분은 주거용으로 가치를 지니는 바 전체를 주거용으로 판단함.

④ 1종일주, 단독, 인접 <#380> 선정

2) 대상부동산의 특성 - 내용년수 경과한 부동산

본건은 00번 국도에 접한 모델로 토지가 6필지가 상호 연관관계를 가지고 일괄로 이용중이며, 경제적 내용년수 경과한 부동산인 점을 고려.

3) 평가목적 고려 - 건물의 가치가 토지가격에 반영되어 거래되는 관행

따라서 토지가격을 기준으로 거래되는 시장의 관행이 형성되어 일체비준가액의 적정성이 인정될 수 있고, 평가목적수 일반거래(매매참고용)인 점에도 부합될 수 있으나, 매매사례#2는 경제적 내용년수 경과하지 않은 부동산으로 대상과 다소 차이가 있음.

4) 각 평가방식의 유용성 및 한계

① 개별물건 기준에 의한 시산가에는 일체의 효용을 반영하지는 못하나 경제적 내용년수가 경과하여 철거비 등을 고려한 토지가격 중심의 실질을 반영

② 일체비준가에는 시장성을 충분히 반영할 수 있으나 적용사례(매매사례 #2)는 경제적 내용년수가 경과하지 않은 사례로 본건과 비교가능성의 제한이 있을 수 있음.

③ 일체수익가에는 대상소득이 임대수익이 아닌 매출을 기준으로 산정하여 적정임대료 등의 논란 가능성 문제, 한인방법의 문제 등이 있을 수 있음.

융합원 성격의 논란 가능성 문제, 한인방법의 문제 등이 있을 수 있음.

5) 감정평가액 결정

상기와 같이 시장의 행태, 인근지역의 AGE-CYCLE, 대상부동산의 성격, 평가목적, 각 감정평가방식의 유용성 및 한계 등을 종합참고려하여 750,000,000원으로 결정.

2) 평가액

990,000×1.02061×1×(0.85×1.03/0.75×1×0.92/0.96×1)

시*1　도　용　형　지　　≒@1,130,000원/㎡

〈×3,216 = 3,634,080,000〉

*1 1.01584×(1+0.00160×91/31)

2. 기호 2

1) 비교표준지선정 등

① 적용공시지가 2011.1.1기준, 동일노선 인근 (#372)

② 2종일주, 주거용*1, 소로한면, 부정형 기준

*1 동일노선변은 주상용이나 형상 및 주변지를 고려할 때 주거용으로의 지가수준을 기준함.

2) 평가액

1,330,000×1.02061×1×(1/1.03×1/1.08×0.78/0.98×1)

획축보정*1

≒@971,000원/㎡

〈×1,303.3 = 1,265,504,300〉

*1 재개발 구역 내 표준지는 해당 사업에 따른 도시계획시설 저축 감가율을 반영하지 않는다. (이하 동일).

3. 용도 폐지되는 정비기반시설 부지 평가액

1)+2)　　= 4,899,584,300원

Ⅲ. 새로이 설치되는 정비기반시설 부지

1. 기호 3

① 기준시점 최근 2011.1.1 동일노선 인접필지, 2종일주, 상업용 〈#371〉

② 도시계획시설 저축 없는 상태기준(이하 동일)

2,350,000×1.02061×1×(1/1.03×1×1)　　≒@2,330,000원/㎡

〈×95.6 = 222,748,000원〉

2. 기호 4

① 기준시점 최근 2011.1.1, 본건 표준지, 주상용 〈#372〉

1,330,000×1.02061×1×(1×1×1×1)　　≒@1,360,000원/㎡

〈×91.5 = 124,440,000원〉

3. 기호 5

기준시점 최근 2011.1.1 동일노선 인접필지, 2종일주, 주거용 〈#373〉

1,180,000×1.02061×1×(1×0.96/1×1×1)　　≒@1,160,000원/㎡

〈×138.7 = 160,892,000원〉

4. 새로이 설치되는 정비기반시설

1.+2.+3.　　= 508,080,000원

【문제 3】

I. 감정평가 개요

감칙 25조, 관련 법령 및 판례 근거, 기준시점 2011.8.1

II. 환불대상세대

연속입주시간 및 총입주시간 모두 제한되는 〈101동-301호, 401호〉, 〈102동-602호〉, 〈110동-602호〉

III. 환불금액

1. 101-301

1) 가치 하락 전 평가액

$$322,000,000 \times 1.01001 \times 1 \times 96/99 \times 98/98 \times 1 = 315,368,000$$
   시   동   호   타입

*1 2011.6.25.~8.1 : (120+31/30)/(119+29/30)

2) 환불액

① 가치하락율 : 0.06×(1 - 165/240)≒1.88%
② 환불액 : 1)×1.88%=5,929,000

2. 101- 401

1) 가치 하락 전 평가액

$$322,000,000 \times 1.01001 \times 1 \times 98/99 \times 98/98 \times 1 = 321,938,000$$
   시   동   호   타입

2) 환불액

(1) 가치하락율 기준

$$1) \times 1.75\%^{*1} = 5,730,000$$

*1 하락율 : 0.06×(1 - 170/240)≒1.75%

(2) 거래사례비교법

$$1) -305,000,000 \times 1.04061 \times 1 \times 1 = 4,552,000$$
   시*1

*1 시 : 2011.3.12.~8.1 : (120+31/30)/(116+0.8×12/31)

(3) 결정 : 최소 4,552,000원으로 결정

3. 102-602

1) 가치 하락 전 평가액

$$322,000,000 \times 1.01001 \times 1 \times 100/99 \times 100/98 \times 1 = 335,213,000$$
   시   동   호   타입

2) 환불액

① 가치하락율 : 0.06×(1 - 160/240)≒2.00%
② 환불액 : 1)×2.00%=6,704,000

4. 110- 602

1) 가치 하락 전 평가액

$$322,000,000 \times 1.01001 \times 1 \times 100/99 \times 100/98 \times 104/100 \times 110/85 = 451,157,000$$
   시   동   호   타입   면적

2) 환불액

① 가치하락율 : 0.06×(1 - 160/240) ≒2.00%

② 환불액 : 1)×2.00% =9,023,000

[문제 4]

I. (물음 1) 원고의 주장 타당성, 후면 분양가 적정성

① 원고 주장 : 타당하지 않음

② 후면 상가 분양가 적정성 : 적정

II. (물음 2) 적정한 근거

1. 임대수익률 기준(운영소득률)

① 전면 : $(3.97+3.72)\times0.5=3.845\%$

② 후면 : $(3.81+3.80)\times0.5=3.805\%$

③ 판단 : 전면과 후면의 임대 수익률이 거의 유사하여 후면 분양가가 높았
다고 볼 수 없다

2. 연간 가격상승률 기준(자본소득률)

① 전면(1층4호) : $10.44\%\times12/23=5.4\%$

② 후면(1층14호, 17호) : $(8.24\%\times12/8+8.7\%\times12/13)\times0.5=10.2\%$

③ 판단 : 분양 후 실거래는 후면가격의 연간 가격상승률이 높아 후면의 분
양가가 높았다고 볼 수 없음.

3. 투자수익률(=운영소득률+자본소득률)

① 전면 : $3.845+5.4=9.245\%$

② 후면 : $3.805+10.2=14.005\%$

③ 판단 : 연간 투자수익률은 후면이 전면보다 높아 기초투자에(분양가격)
이 적정 오히려 저가 분양되었다고 판단할 수 있음.

[문제 5]

① 부동산 시장 추세분석 및 예측

② 상가와 관련한 인근지역의 수요 및 공급분석

③ 상가의 흡수율 분석(공실률 등 포함)

④ 상권의 이동 분석

⑤ 만기시 상환 가능성(DCR과 금융조건 분석)

⑥ 미래 현금흐름 예측

[문제 6]

I. 부적정한 담보평가가 국민경제에 미치는 영향

① 과다 대출로 인한 인플레, 부동산 가격 상승 버블 우려

② 미국 서브프라임 사태와 같이 대출 회수 불능으로 손실 발생

③ 금융부 및 실물 부분에 충격

④ 가계뿐만 아니라 기업들의 부실화

II. 적정한 담보평가 저해요인

① 최근 담보평가 수수료의 은행부담이전으로 인한 담보평가 서비스의 질 하락 우려

② 담보평가의 가격경쟁(고액 평가)

③ 수수료 할인 및 경쟁 등

④ 촉박한 시간, 이해관계인의 협조 부족

⑤ 탁상자문으로 인한 가격 구속

문제 논점 분석 및 예시답안

규모와 위치(지하1층/철역과의 거리등)에 따라 등급이 나눠지며 등급에 따른 사례선정 내지 가치형성요인을 반영한 평가가 이루어 져야 한다.

오피스 빌딩은 매매시장 및 임대시장에 대한 분석 보고서가 다양하게 발표 되고 있다. 매매(임대)동향, 수급동향(신축, 공실률) 및 각종 수익률에 대한 내용을 분석하여 감정평가가 이루어 져야 한다.

대상 부동산의 경우 Master Lease 임대, Rent Free 등 다양한 임대 계약조건을 반영하는 것은 예외적이라 볼 수 없을 정도로 일반화 되어 있다. 관련 방법에 따라 수익방식을 주된 방법으로 하여 자산의 운영효율을 반영한 사 모펀드 또는 부동산리츠 관련 자산의 감정평가가 그 대표적 예에 속한다.

물음(1)에서는 제시된 계약조건에 따라 대상의 임대자료로 NOI를 산정하고 대상물건과 관련하여 조사된 용을 활용하여 WACC를 적용하면 된다.

물음(2)에서는 시장의 임대사례의 임대자료를 바탕으로 시장의 상황을 반 영한 NOI를 산정하고 오피스빌딩 하위시장 WACC를 적용하게 된다.

물음(1), 물음(2) 공통사항으로 제시된 임대료는 현행(0기)의 임대료로 보고 주 어진 임대료 상승률을 반영하였다. 영업경비에서 고정경비는 공실률에 영향을 받지 않고 변동경비는 공실률에 영향을 받는 것에 차이를 두어 접근하였다.

또, 대체충당금은 2년차, 4년차에만 설정되는 것으로 현금흐름을 제시하고 있다. 비용의 안정화를 고려하여 평균비용을 매년 발생하는 것으로 현금흐름을 산정하는 것은 무리한 가정이라 본다. 수익과 비용의 안정화(균등화) 개념은 직 접환원법에서나 사용되는 개념이고, 특히 DCF법은 예측기간의 연도별 예상

[문제1]은 오피스 평가 및 투자타당성 검토, [문제2]는 담보평가서의 평가검토 및 감정평가서 작성 [문제3]은 개별부동금산정을 위한 개념공시지가 산정 또는 감정 평가 [문제4]에서는 개별이이 배제 빠방, EBITDA 약술로 구성되었다. [문제1]은 DCF법 및 타당성 분석의 개념과 체계를 가지고 전반적 흐름을 이해하고 있 어야 득점에 유리했다. 개별부동금 논점에 대해 충분히 준비가 되어있는 상태였다면, [문제3]에서 시간을 아낄 수 있으므로 [문제2]에 더 많은 시 간을 투자할 수 있었다.
23회에서는 문제분석의 전략, 해당 논점에 대한 준비 여부에 따라 점수 차등이 발생하였다.

1. 문제1번 - 오피스 매매예정금액의 타당성 검토(40)

출제 당시 오피스 빌딩 시장에서 비교적 많은 매물이 쏟아지고 있어 시사 성이 있었다. 12회, 17회의 출제 패턴을 봤을 때 수익률 및 타당성이 중심된 1번 급 문제가 출제될 것을 예상할 수 있었지만 계산의 복잡성이 시간의 부 족을 가져왔다. 계산이 어느 정도 범주에만 들어간다면 비교적 좋은 점수를 받을 수 있었다.

1) (물음 1) 계약임대료 기준 VS (물음 2) 시장임대료 기준

오피스 빌딩은 광역적 범위로 독자적 시장을 형성하고 있고 테헤란로, 여 의도, 마포권, 광화문/임대 등과 같이 집단화를 이루어 각 권역을 형성하고 있다. 따라서, 권역별 시장분석 및 사례선정이 필요하다. 아울러, 오피스빌딩의

또는 현금흐름을 각각 추정하여 현가하는 것으로 비용은 각 해당 발생시점에서 인식하는 것이 객관적이기 때문이다.

2) (물음 3) NPV·IRR 산출

물음(1), 물음(2) 각각의 현금흐름을 바탕으로 제시된 "거래예정금액"을 지출(투입비용(P))으로 하는 NPV·IRR를 산출하도록 하였다. 주의할 것은 NPV법과 IRR법에 따른 타당성 여부의 결과를 도출하는 것이 아니라 단순 NPV·IRR의 산정을 요구하고 있다는 것이다. 물음(3)의 배점도 5점에 불과했다.

또, 물음에서 '감정평가액과 거래예정금액'을 이용하여'라고 한 것을 '감정평가액'만을 이용하는 것이 아니라 현금흐름을 기준으로 해 IRR을 도출 된 다는 것에 대한 이해를 요구하고 있다.

또, 제시된 거래예정금액 지급조건 중 타인자본이 있다고 해서 지분투자(Equity, 자기자본)금액에 BTCF와 기대자본귀속액을 대응시켜 풀이하는 것은 출제자의 의도가 아니었다.

CAPM이 아닌 WACC를 산정하여 물음(1), 물음(2)를 평가하도록 하였고, 특히 이 문제에서는 물음(5)을 DCF법시 활용되는 요구수익률의 개념으로 '벤치마크 투자수익률'을 오피스빌딩의 권역별로 제시하였기 때문이다. 오피스 시장 분석 보고서에 제시되는 투자수익률은 종합수익률의 개념임을 알았다면 좀 더 명확한 접근이 가능했을 것으로 본다.

3) (물음 4) 벤치마크 투자수익률 실현을 위한 거래예정금액

물음(4)도 물음(3)과 마찬가지로 타당성 파트의 개념정리가 되어 있어야 물음의 지문('벤치마크 투자수익률을 내부수익률로 실현하기 위해')을 읽고 흔

진의 거래예정금액을 산정하라는 것으로 보아야 한다.

물음(4)는 주어진 배점이 10점이라는 것을 고려했어야 한다. 이미 현금흐름을 앞에서 분석했기 때문에 간단한 결과 값만 보여줄 것이 아니라 '제시'할 거래예정금액' 결정의 충분한 논리를 기술하여야 했다.

2. 문제2번 – 평가검토(30)

처음 출제된 유형으로 문제분석과 답안작성 방법을 어떻게 할 것인가에 대한 판단이 선행될 필요가 있었다. 이런 경우 욕심부리지 않고 주요논점만 중심으로 문제분석 및 답안작성을 하는 것이 합리적인 전략이 될 것으로 보인다. 다만, 예시답안은 실무적 관점에서 충분한 내용을 제시하고 수험의 관점에서 필수적으로 기재해야하는 사항을 구분하였으니 참고 바란다. 평가검토도 보상평가 등 다른 논점으로도 출제될 수 있을 것으로 본다.

3. 문제3번 – 개발부담금(20)

개발부담금 산정을 위한 개발지가 산정(또는 감정평가)은 시험 출제 당시 업계에서 정리가 되고 있던 부분이었다. 특히 실무적으로 물음(1)관련 "개시시점 및 종료시점의 개별지가가 없는 경우" 이외에(해당 지자체)의 의뢰 요청(공문)에 따라 ① '개별지가 산정 의뢰'된 경우에는 개별지가산정이 아닌 일반 감정평가를 하는 것으로 구분하여 업무를 진행하고 있었다. 당시 국토부의 유권해석은 '개별지가 산정 요청'이 없는 한 '감정평가'를 하는 것으로 정리되었다.

물음(1)의 예시답안은 '감정평가'를 기준으로 제시하였다.

개별이의 환수에 관한 법률 (법령)

제10조(지가의 선정) ① 종료시점지가는 부과 종료 시점 당시의 부과 대상 토지와 이용 상황이 가장 비슷한 표준지의 공시지가와 공시지가를 「부동산 가격공시에 관한 법률」 제3조제7항에 따른 표준지공시지가와 대상토지의 지가변동 요인에 관한 표준적인 비교표에 따라 산정한 가액(價額)에 해당 연도 1월 1일부터 부과 종료시점까지의 정상지가상승분을 합한 가액으로 한다. 이 경우 종료시점지가와 표준지의 공시지가가 균형을 유지하도록 하여야 하며, 개발이익이 발생하지 않을 것이 명백하다고 인정되는 경우 등 대통령령으로 정하는 경우 외에는 종료시점지가의 적정성에 대하여 감정평가업자의 검증을 받아야 한다.

② 부과 대상 토지를 분양하는 등 처분할 때에 그 처분 가격에 대하여 국가나 지방자치단체의 인가등을 받는 경우 등 대통령령으로 정하는 경우에는 제1항에도 불구하고 대통령령으로 정하는 바에 따라 그 처분 가격을 종료시점지가로 할 수 있다.

③ 개시시점지가는 부과 개시 시점이 속한 연도의 부과 대상 토지의 개별공시지가(부과 개시 시점으로부터 가장 최근에 공시된 지가를 말한다)에 그 공시지가의 기준일부터 부과 개시 시점까지의 정상지가상승분을 합한 가액으로 한다. 다만, 다음 각 호의 어느 하나에 해당하면 그 실제의 매입 가액에 취득 가에 그 매입일이나 취득일부터 부과 개시 시점까지의 정상지가상승분을 더하거나 뺀 가액을 개시시점지가로 할 수 있다.

1. 국가·지방자치단체 또는 국토교통부령으로 정하는 기관으로부터 매입한 경우
2. 경매나 입찰로 매입한 경우
3. 지방자치단체나 제7조제1항제2호에 따른 공공기관이 매입한 경우
4. 「공익사업을 위한 토지 등의 취득 및 보상에 관한 법률」에 의하여 취득한 경우 5. 실제로 매입한 가액이 정상적인 거래 가격이라고 객관적으로 인정되는 경우로서 취득세 등의 부과기준으로 인정되는 경우 등 대통령령으로 정하는 경우

④ 제1항 및 제3항에 따라 종료시점지가와 개시시점지가를 산정할 때 부과 대상 토지에 국가나 지방자치단체에 기부하는 토지나 국공유지가 포함되어 있으면 그 부분 종료시점지가와 개시시점지가의 산정 면적에서 제외한다.

⑤ 제1항 및 제3항에 따라 종료시점지가와 개시시점지가를 산정할 때 해당 토지의 개발공사가 없는 경우 등 대통령령으로 정하는 경우에는 국토교통부령으로 정하는 방법으로 산정한다.

물음(2)는 '개별지가' 산정으로 시점수정하는 '개발이익환수에 관한 법률과 정'에 따라 용도지역별지가변동률이 아닌 평균지가변동률을 적용하여야 한다. 또, 별도의 그 밖의 요인 보정을 하지 않는다.

다만, 물음(2) 대상(30-4번지)의 2012년 당시 개별지가의 성격(이용상황)이 명확하지 않다. 토지 조성에 따른 지목변경은 건물완공 및 개발부담금 납부 후에 이루어 진다.

그러나 개별지가는 건축허가 후 건물착공이 이루어 지면 이용상황을 '대지'로 선정하는 것을 원칙으로 한다. 따라서, 규정상 2012년 당시 대상의 개별지가는 착공 후의 상태이므로 지목 '답', 이용상황은 '공업나지'로 공시되어야 한다.

그러나, 실무적으로 한계가 있다.

이 물음의 2012년 개별지가 수준이 전년도와 크게 다르지 않아 당해의 개별지가로 공시된 것으로 보고, 공법용 비교표준지를 재선정한 후 종료시점 개별지가 산정을 하는 형태의 예시답안을 제시하였다.

물음(3) (30-5번지)은 개시시점지가를 실제대가 수준(시세)으로 신고하게 되면 종료시점지가는 반드시 감정평가(시세)로 산정되어야 한다. 즉 개시시점지가가 개별지가 수준이면 종료시점지가도 개별지가 수준이에야 되고 개시시점이 시가수준이면 종료시점지가도 시가수준인 감정평가에야 산정되어야 한다.

현재 개발부담금 관련 지가의 산정 기준은 개시시점과 종료시점 지가를 관할 시군구에서 감정평가업자가 검증하는 것을 원칙으로 포함하고 국가 등으로부터 매입, 경매 입찰 등에 해당하는 경우 개시시점지가를 실제 매입가에이나 취득가액을 기준으로 산정 할 수 있다. 이때 후자의 경우 종료시점 지가는 감정평가로 하여야 한다.

[문제 1]

I. 개요

본건은 오피스빌딩의 수익가액 평가 및 타당성 분석으로서, 기준시점은 거래예정시점인 2012년 9월 30일 기준

> 오피스 빌딩은 광역적 범위로 독자적 시장을 형성하고 있고 티해란로, 여의도, 마포권, 광화문권임대 등과 같이 집단화를 이루어 각 권역을 형성하고 있다. 따라서, 권역별 시장분석 및 사례선정이 중요하다. 아울러, 오피스빌딩의 규모와 위치(지하철역과의 거리 등)에 따라 등급이 나뉘지며 등급에 따른 사례선정 내지 가치형성요인을 반영한 평가가 이루어 져야 한다.

II. (물음 1) 제약임대료에 따른 감정평가

1. 처리방침

1) 기준임대료 : 기준임대료는 현행 제약임대료를 기준
2) 임대료 및 영업경비 상승률 : CPI 기준 3.5% 상승률 적용
3) 할인율 : WACC산정에 있어 현행 임대차 관계의 개별성을 반영하여 대상물건 조사 수익률 기준

2. WACC(할인율)

$$\frac{1,100}{2,750} \times 0.0625 + \frac{1,650}{2,750} \times 0.05 \fallingdotseq 0.055$$

3. 운영소득 현금흐름

1) 0기 가능총수입
(1) 보증금 운용이익 : $(240,000 \times 0.05) \times 49,587 \fallingdotseq 595,044,000$
(2) 연 지불임대료 : $24.00C \times 12 \times 49,587 \fallingdotseq 14,281,056,000$

(3) 연 관리비 : $10,000 \times 12 \times 49,587 \fallingdotseq 5,950,440,000$
(4) 제 : $\fallingdotseq 20,826,540,000$

2) 현금흐름표(단위 : 백만원)

	0기	1기	2기	3기	4기	5기	6기
PGI	20,827	21,555	22,309	23,090	23,898	24,734	25,600
EGI		20,801	21,528	22,282	23,062	23,868	24,704
OE							
-고정	2,390	2,463	2,549	2,638	2,730	2,826	2,925
-변동	1,723	1,783	1,846	1,910	1,977	2,046	2,118
-대체충당금			100		150		
NOI		16,555	17,033	17,734	18,205	18,996	19,661

※ 공실률 3.5% 반영, 고정경비는 공실률에 관계없이 발생

> 대체충당금은 2년차, 4년차에만 설정되는 것으로 현금흐름을 제시하고 있다. 비용의 안정화를 고려하여 평균비용을 매년 현금흐름으로 산정하는 것으로 안정화된 것으로 본다. 수익과 비용의 안정화(균등화) 개념은 직접환원법에 무리한 가정이라 볼때, 특히 DCF법은 예측기간의 연도별 예상되는 현금흐름을 각각 추정하에 현가하는 것으로 비용은 각 해당 발생시점에서 인식하는 것이 객관적이기 때문이다.

4. 기말복귀가액

1) 기출 환원율 : $0.055 + 0.005 = 0.060$
2) 기말복귀가액 : $(19,661,000,000/0.060) \times (1 - 0.02) \fallingdotseq 321,130,000,000$

5. 평가액 결정

1) 산식 : $\sum \frac{\text{매기}NOI_t}{1.055^t} + \frac{\text{기말복귀가액}}{1.055^5}$

2) 평가액 : 321,035,000,000원

III. (물음 2) 시장임대료에 따른 감정평가

1. 처리방침

1) 기준임대료

본건과 동일 하위 시장(규모), 사용승인일, 전용률 등에서 유사한 <임대사례 #2>의 기준임대료로 활용

2) 임대료 및 영업경비 상승률

1, 2년차는 5%, 3년차 이후는 4% 적용

3) 할인율

동일 오피스 하위시장 조사 수익률 기준

2. WACC(할인율)

$$\frac{1,100}{2,750} \times 0.0650 + \frac{1,650}{2,750} \times 0.0567 \fallingdotseq 0.060$$

3. 운영소득 현금흐름

1) 0기 가능총수입

(1) 보증금 운용이익 : (210,000×0.05)×49,587 ≒ 520,663,500

(2) 연 지불임대료 : 21,000×12×49,587 ≒ 12,495,924,000

(3) 연 관리비 : 8,000×12×49,587 ≒ 4,760,352,000

(4) 계 : ≒ 17,776,939,500

2) 현금흐름표(단위 : 백만원)

	0기	1기	2기	3기	4기	5기	6기
PGI	17,777	18,666	19,599	20,383	21,198	22,046	22,928
EGI		17,733	18,619	19,364	20,138	20,944	21,782
OE							
- 고정	1,904.0	1,999	2,099	2,183	2,270	2,361	2,455
- 변동	1,357.0	1,425	1,496	1,556	1,618	1,683	1,750
- 대체충당금			100		150		
NOI		14,309	14,924	15,625	16,100	16,900	17,577

※ 공실률 5% 반영, 고정경비는 공실률에 관계없이 발생

4. 기말복귀가액

1) 기출환원율 : 0.060+0.005 = 0.065

2) 기말복귀가액 : (17,577,000,000/0.065)×(1 - 0.02) ≒ 265,004,000,000

5. 평가액 결정

1) 산식

$$\sum \frac{\text{매기}NOI_t}{1.06^t} + \frac{\text{기말복귀가액}}{1.06^5}$$

2) 평가액 : 274,786,000,000원

IV. (물음 3) NPV, IRR 산출

1. 제약임대료 기준 NPV, IRR

1) NPV

321,035,000,000 - 275,000,000,000 = (+)46,035,000,000원

V. (물음 4) 벤치마크 투자수익률 실현을 위한 거래예정금액

1. 처리방침

1) 계약임대료 및 시장임대료를 기준한 현금흐름을 각각 적용

2) 할인율 : 벤치마크 투자수익률 YS부부 7% 적용

타당성 파트의 개념정리가 되어 있어야 '벤치마크 투자수익률을 내부수익률로 실현하기 위해' '할인율'을 알고 혼돈을 피할 수 있다. 벤치마크 투자수익률을 적용한(할인율로 하는) 대상물건의 거래예정금액을 산정하라는 것으로 바로 인지할 수 있어야 한다.

2. 시산가액

1) 산식 : $\sum \dfrac{\text{매기}NOI_t}{1.07^t} + \dfrac{\text{기말복귀가액}}{1.07^5}$

2) 계약임대료 기준 : 301,219,000,000원

3) 시장임대료 기준 : 252,439,000,000원

3. 거래예정금액 결정

1) 지역분석(시장동향 및 예측)

일반경기가 회복지연으로 공실률 증가 추세에 있음. 향후 오피스빌딩시장의 가격변동률이 하락할 것으로 예상

2) 개별분석(대상부동산의 성격)

대상물건은 양호한 임차인이 임주하고 있어 오피스빌딩 하위시장의 공실 및 대손충당금비율에 비해 낮은 상태를 유지하고 있음

---

2) IRR

$$(-)275,000,000,000 + \sum \frac{\text{매기}NOI_t}{(1+X)^t} + \frac{\text{기말복귀가액}}{(1+X)^5} = 0$$

⟨X≒9.1%⟩

2. 시장임대료 기준 NPV, IRR

1) NPV

274,786,000,000 - 275,000,000,000 = (-)214,000,000원

2) IRR

$$(-)275,000,000,000 + \sum \frac{\text{매기}NOI_t}{(1+X)^t} + \frac{\text{기말복귀가액}}{(1+X)^5} = 0$$

⟨X≒4.9%⟩

주의할 것은 NPV법과 IRR법에 따른 타당성 여부의 결과를 도출하는 것이 아니라 단순 NPV·IRR의 산정을 요구하고 있다는 것이다.(5점배점)

또한, 제시된 거래예정금액 지급조건 중 타인자본이 있다고 해서 지분투자(Equity, 자기자본)금액에 BTCF와 기말지분복귀액을 대응시켜 풀이하는 것은 출제자의 의도가 아도가 아니다.

CAPM이 아닌 WACC를 산정하여 물음(3), 물음(2)를 평가하도록 하였고, 특히 문제에서는 물음(4) DCF법이 활용되는 요구수익률의 개념으로 '벤치마크 투자수익률'을 오피스빌딩의 연내별로 제시하였기 때문이다. 오피스시장 분석 보고서에 제시되는 투자수익률을 종합수익률의 개념임을 알았다면 좀 더 명확한 접근이 가능했을 것으로 본다.

[문제 2]

I. (물음 1) 부적정 평가내용 등

1. 감정평가 개요

1) 토지에 관한 사항 ☞ 필수

① 도로 지분의 공동담보 포함 : 본건은 토지에 줄이기 위하여 필요한 진입도로부지(소유자乙 지분1/2)를 담보취득(공동담보) 대상에 포함시켜야 함.

② 도로 평가 : 다만, 도로지분에 대하여는 평가목적상 '평가외'함을 부기

③ 소유권의 권리(법정지상권)의 성격, 토지가격에 미치는 영향 및 그에 따른 처리방법 등을 기술함 필요성 있음.

2) 건물에 관한 사항(평가조건 검토) ☞ 필수

① 일반건축물대장 첫의 조건 합리성 검토 :
일반건축물대장에 등재될 첫을 조건으로 감정평가하였으나 합리성, 합법성, 실현가능성 측면의 검토 이전에 제시되어야 함.
[멸실]일반건축물대장에 등재 된 미등기 건물은 진행시 건물은 담보 진행시 일반건축물대장을 기준으로 일반건축물대장에 등재할 수 있으나 일반건축물대장에 미등재는 그 사유 특이 직접적 성 여부 등에 대한 판단이 필요함.

② 제시외 건물의 처리 여부, 토지가격에 미치는 영향 등에 대한 연급 필요할 수 있음.

③ 감칙§12②③의 적용 필요

3) 물건별 주된방법 외 다른방법에 의한 시산가액의 합리성 검토 필요.

---

3) 계약임대료 기준한 평가액

대상부동산의 임차자 구성 등 개별성을 반영하고 있음. 다만, 시장의 통상적인 상황을 반영하지 못하고 매도자 중심의 가격의 성격을 가진다고 볼 수 없음.

4) 시장임대료 기준한 평가액

시장의 상황을 반영한 가격으로 볼 수 있으나, 임대료의 산정시 구체적 요인 비교의 과정이 생략되어 대상의 개별성을 적절히 반영하고 있는지에 대한 검토가 추가적으로 요구됨.

5) 할인율의 적정성

벤치마크 투자수익률로 하위시장의 할인율(7%)을 적용하고 있어 회사채 금리 등과 비교해 볼 때 대형 오피스 투자에 따른 일반적 수익률보다 다소 높아 평가액이 다소 낮게 산출될 수 있음.

6) 거래예정금액 결정

시산가액의 범위가 252,439,000,000원~301,219,000,000원으로 산출되었는바 현재 거래예정금액은 적정 범주 안에 있는 것으로 판단됨. 다만, 거래 당사자의 협상 능력에 따라 매매금액이 변동될 수 있으며 시장상황을 고려하는 경우 보수적인 투자전략이 필요할 수 있음.

> 물음(4)는 주어진 배점이 10점이라는 첫을 고려해야 한다. 이미 현금흐름을 앞에서 분석했기 때문에 간단한 결과 값만 보여줄 첫이 아니라 '제시할 거래예정금액' 결정의 충분한 논리를 기술하여야 했다.

2. 평가대상 물건 현황

1) 제시받은 확인사항에 따라 평가 대상물건에 대한 확정이 달라질 수 있음.

[필자주] 토지의 도로 포함여부, 건물의 제시외 처리 여부, 토지에 미치는 영향 등

2) 대상부동산의 현황

(1) 이용상황

인근의 표준적 이용상황을 기준으로 판단하는 경우 공업기타 또는 주상기타로 판단 가능.

[필자주] 인근의 표준적 이용상황이 공업용 등으로 판단되나 본건에 대한 이용상황을 상업용으로 판단한 것은 주관개입의 소지가 있음.

(2) 형상 및 접면도로

현장조사시 판단사항이나 제시된 지적개황도 등을 기준할 때, 본건은 진입도로가 따로 존재하고 막다른 막다른 도로에 따른 도로 폭의 판단과 연동되어 토지의 형상이 지적도상 '자루형' 또는 '장방형'으로 판단할 수 있음.

3. 감정평가 산출근거

1) 개별요인 비교

비교표준지 이용상황 '주상용'과 대상의 이용상황 '상업용'의 격차 반영이 적절히 이루어 졌는지에 대한 판단이 모호함.

[필자주] 대상의 이용상황을 인근 표준적 이용상황 대비 독점적 위치인(우세한) '상업용'으로 판단하였으나, 이와 관련된 개별요인비교치는 0.99가 적용되어 비교표준지 대비 다소 열세한 것으로 비교가 되었음.

2) 그 밖의 요인 보정치

(1) 평가선례의 선택

선정된 평가선례는 평가목적이 상이하여 가격 성격에 대한 판단이 필요함.

[필자주] ① 기호1은 수목 등의 가격이 포함되어 토지만의 가치를 산정하기 부적합, ② 기호2는 보상평가서 3개 법인의 평균단가를 적용할 필요가 있음.

(2) 그 밖의 요인 보정치 산출근거

그 밖의 요인 보정치의 구체적 산출근거를 제시하여야 함.

3) 토지가격 결정

산출단가는 503,000원/㎡, 결정단가는 500,000원/㎡로 구분

4) 재조달원가 산정부분 ☞ 필수

① 간접법 적용 : 직접법의 주관 개입 배제 및 적정성 검토를 위해 간접법 (신축단가표)에 의한 재조달원가의 산정이 필요함.

② 직접법 적용 시 추가 고려사항 :

  - 옹벽공사비 및 조경공사비 : 토지가격에 화체되어 제외

  - 설계 및 비품비 : 건물가격과 무관하여 제외

  - 이에 따른 일반관리비도 적정비율 배제

4) 감정평가액 결정

주된방법에 의한 시산가액을 다른방식에 의한 시산가액, 감정평가선례, 인근의 지가수준, 감정평가목록, 대상부동산의 성격 기타 정배나질가용 등을 종합고려하여 합리성 검토 후 감정평가액이 결정되어야 함.

② 평가선례(그 밖의 요인) : 기호① 경매 사례에는 지상 부가물이 포함되어 있고, 기호② 보상 사례는 평가목적 상 작용이 부적정함. 따라서, 평가 선례의 보완이 필요함.

③ 그 밖의 요인 보정치 구체적 산출 내역 보완.

④ 제조답원가 : 전물 외 항목(비부동산 등)을 제외하여야 하며, 신축단가 표준 건설원가에 의한 제조답원가를 보완할 필요 있음.

Ⅳ. 감정평가 명세표 보완 사항

① 기준시점 기재

② 도로 부분 추가 기재와 평가의 처리, 해당 비교란 구분지상권 표기

Ⅲ. (물음 2) 다른 방식에 의한 평가

1. 처리방침

수익환원법을 적용하되, 운영경비 수집 불가로 조소득 및 조소득 승수를 기준하여 산정함

2. 수익환원법

1) 본건 유효총수익 : 인근 공실률을 적용(15%)

59,000×300×(1 - 0.15) ≒15,045,000원

2) 유효총수익승수(EGIM)

$$(\frac{304}{15\times0.85} + \frac{345}{20\times0.85}) \div 2 = 22.07$$

※ 수험용 답안 목차

Ⅰ. 감정평가 개요

1. 부적정한 내용

① 감정평가 조건 검토 누락 : 현재 일반건축물대장 미등재

② 도로 지분 누락 ③ 구분지상권 처리

2. 사유 및 보완

① 조건 : 대상 건축물은 현재 사용승인을 득하고 일반건축물대장에 미등재되었으나 일반건축물대장에 적법하게 등재된 것을 조건

② 조건 검토 : 상기 감정평가조건은 현재 사용승인을 득한 건물이 적법하게 등재될 것을 조건으로 하는바 합리성, 적법성, 실현가능성이 있는 것으로 판단하였음.

③ 도로 : 대상 토지의 출입을 위한 도로로 이용 중인 토지를 공동담보로 취득하여야 하는 바 대상목록에 포함하되, 감정평가 목적등 고려 '평가외'하였음.

④ 구분지상권 : 도로에 구분지상권이 소재하나 담보가치에 미치는 영향이 미미하여 고려하지 아니함.

※ 감칙 제12조제2항 합리성 검토 추가 기재 가능.

Ⅱ. 평가대상 물건현황 (수용 가능)

토지 이용상황을 지상 건축물의 용도만을 기준으로 판단하였으나 인근 표준적 이용 상황 등을 통해 '공업기타' 또는 '주상기타'로 판단 가능.

Ⅲ. 감정평가액 선출근거

1. 부적정한 내용 : ① 개별요인 격차율, ② 그 밖의 요인, ③제조답원가

2. 사유 및 보완 :

① 개별요인 비교 : 대상토지가 독점적 위치를 가진 토지로 판단하였음에도 불구하고 '주상용' 비교 표준지 대비 열세로 비교한 것은 보완할 필요 있음.

② 토지 상에 제시외 건물이 소재하거나 소유자가 동일하고 사용승인을 득하여 이에 따른 가치에 영향이 없는 상태의 가격을 제시하였으나 제시외 건물의 소유자의 진위에 따른 지상권 설정 가능성 및 공동담보 설정 여부 등에 대하여는 추후 확인을 요함.

③ 다만, 지상 제시외 건축물의 소유권이 상이한 사유 등으로 인해 별정지상권 설정 가능성 기타 토지가치에 미치는 영향 등으로 인해 별정지 감정평가명세표 비고란에 제시하였으니 업무진행시 참조 바람.

[필자주] 업무 협약 사항 등에 따라 지상권 설정 등에 따라 본 토지에 미치는 영향이 심각할 것으로 예상되는 경우 평가 제한(반려)될 수 있음.

2) 건물 : 공부상 미등재된 제시외 건물은 평가외 평가외 하였음.

3. 감정평가명세표

일련번호	소재지	지번	지목용도	용도지역구조	면적		감정평가액		비고
					공부	사정	단가	금액	
1	K시 H구 A동	103-1	전종지	준공업지역	400	400	400,000	160,000,000	현황'대'
2	"	105	도로	준공업지역	180	×1/2 90	–	감정평가 외	현황도로 乙소유지분 구분지상권소재
	계							160,000,000	

3) 시산가액

15,045,000 × 22.07 ≒ 332,043,000원

IV. (물음 3) 평가조건 미동의시 평가액 및 감정평가서 수정

1. 평가조건 미동의시 감정평가액

1) 나지 상정 단가 결정

제시된 비교표준지선정 및 개별요인비교치, 그 밖의요인 보정치 적정하다고 전제하여 <500,000원/㎡> 적용

[필자주] (물음 2)에서 선정한 일괄 수익가격에서 건물가격 차감 후 토지의 수익가격을 산정하고 토지 단가를 결정할 수도 있으나 배점 상 배제

2) 지상 건물에 따른 감가율

(1) 지상권 사용료와 토지가격 비율

(90,000 ÷ 18㎡) ÷ 250,000 ≒ 0.02

(2) 감가율 : 0.02 × 10배 ≒ 0.2(20%)

3) 지상 건물 제한에 따른 토지 단가

500,000 × (1 - 0.2) ≒ 400,000원/㎡

2. 평가 개요 중 달라지는 항목

1) 토지

① A동 105번지(乙지분)와 공동으로 담보취득하여 평가 목록에 포함하나 금액은 평가외

【문제3】

I. 기준시점

1. 개시시점 : 개발사업인가일(2011년 10월 1일)

2. 종료시점 : 준공인가일(2012년 8월 30일)

II. (물음 1) 30-2번지 : 개별공시지가가 없는 경우

"개시시점 및 종료시점의 개별지가가 없는 경우" ① 개별지가 산정 의뢰 된 경우에는 개별지가를 산정하고, ② '감정평가의뢰'된 경우에는 개별지가산정이 아닌 일반 감정평가를 하는 것으로 구분하여 업무를 진행하고 있었다. 물음(1)의 예시 답안은 '감정평가'를 기준으로 제시하였다.

1. 개시시점 지가

1) 비교표준지 선정

기준시점 당시 최근 2011년 계획관리, 답 〈표준지 #1〉 선정

2) 시점수정치

B시 계획관리(2011.1.1.-2011.10.1.) 1.07500

3) 그 밖의 요인 보정치

① 선례 선정 : 기준시점 최근 2011, 계획관리, 답 〈평가선례 #1〉 선정

② 그 밖의 요인 보정치

$$\frac{65,000 \times 1.0750 \times 1 \times 1}{50,000 \times 1.075 \times 1.00 \times (1.00 \times 0.96 \times 0.97)} \fallingdotseq 1.396$$

위 산식에 따라 그 밖의 요인 보정치 〈1.40〉으로 결정

4) 개시시점 지가 평가액

$50,000 \times 1.07500 \times 1.00 \times (1.00 \times 0.96 \times 0.97) \times 1.40 \fallingdotseq 70,000원/㎡$

〈×(3,500 - 500) = 210,000,000원〉

※ 기부채납면적 제외

2. 종료시점 지가

1) 비교표준지 선정

기준시점 당시 최근 2012년 계획관리, 공업용 〈표준지 #2〉 선정.

2) 지가변동률 : B시 계획관리(2012.1.1.~2012.8.30.) 1.09500

3) 그 밖의 요인 보정

① 선례 선정 : 기준시점 최근 2012, 계획관리, 공업용 〈평가선례 #4〉 선정

② 그 밖의 요인 보정치

$$\frac{270,000 \times 1.09500 \times 1 \times 1}{210,000 \times 1.09500 \times 1 \times (1.07 \times 1.00 \times 1.00)} \fallingdotseq 1.202$$

위 산식에 따라 그 밖의 요인 보정치 〈1.20〉으로 결정

4) 종료시점 지가 평가액

$210,000 \times 1.095 \times 1.00 \times (1.07 \times 1.00 \times 1.00) \times 1.20 \fallingdotseq 295,0000원/㎡$

〈×(3,500 - 500) = 885,000,000원〉

III. (물음 2) 30-4번지 : 개별공시지가 기준 정상지가상승분 반영

개별공시지가 기준 정상지가상승분 반영

1. 개시시점 지가

45,000 × 1.10   ≒50,000원/㎡

⟨×3,000=150,000,000원⟩

※ 정상지가상승분: B시 평균(2011.1.1.~2011.10.1)

'개별지가 산정으로 시점수정치는 「개발이익환수에 관한 법률규정에 따라 용도지역별지가변동률이 아닌 평균지가변동률을 적용하여야 한다. 또, 별도의 그 밖의 요인 보정을 하지 않는다.

2. 종료시점 지가

210,000 × 1.105 × 1.00 × (1.07 × 1.00 × 1.00)   ≒248,000원/㎡

⟨×3,000=744,000,000원⟩

※ 정상지가상승분: B시 평균(2012.1.1.~2012.8.30)

※ 기부채납면적 제외

물음(2) 대상(30-4번지)의 2012년 당시 개별지가의 성격(이용상황)이 명확하지 않다. 토지 조서에 따른 지목변경은 건물완공 및 개별부담금 납부 후에 이루어진다. 그러나 개별지가는 건축허가 후 건물착공이 이루어지면 이용상황을 '대지'로 산정되는 것을 원칙으로 한다. 따라서, 구성상 2012년 당시 대상의 개별지가는 착공 후의 상태이므로 지목 '답', 이용상황은 '공업나지'로 공시되어야 한다. 그러나, 실무적으로 한계가 있다.

아울러 2012년 개별지가 수준이 전년도와 크게 다르지 않아 '답'상태의 개별지가로 공시된 것으로 보고, 공업용 비교표준지를 개선정 후 종료시점 개별지가 산정을 하는 형태의 예시답안을 제시하였다.

IV. (물음 3) 30-5 번지 : 매입가로 개시시점 대체의 경우

1. 개시시점 지가

60,000 × 1.025   ≒62,000원/㎡

⟨×1,000=62,000,000원⟩

※ 경매 낙찰가 대체

※ 정상지가상승분 : B시 평균(2011.6.10.~2011.10.01)

2. 종료시점 지가

1) 비교표준지 선정

기준시점 당시 최근 2012년 계획관리, 공업용 ⟨표준지 #2⟩ 선정.

2) 종료시점 지가 평가액

210,000 × 1.095 × 1.00 × (1.07 × 1.00 × 1.00) × 1.20   ≒295,0000원/㎡

⟨×1,000=295,000,000원⟩

개시시점지가를 실제매가 수준(시세)으로 신고하게 되면 종료시점지가는 반드시 감정평가액(시세)로 산정되어야 한다. 즉 개시시점지가가 개별지가 개별지가 수준이면 종료시점지가도 시가수준인 감정평가에 산정되어야 한다.

【문제 4】

Ⅰ. (물음 1) 개발이익 배제

1. 개발이익 배제의 원칙 : 토지보상법 67조 2항

2. 구제적 방법

1) 적용공시지가 선택 : 토지보상법 제70조 3, 4, 5항

2) 비교 표준지 선정

3) 지가변동률 선택 : 시행령 제37조 2항

4) 해당 사업에 따른 공법상 제한 배제 : 시행규칙 제23조

5) 그 밖의 요인 보정치 : 토지보상법 시행규칙 제 22조 3항에 따라 적용
   공시지가 선택기준과 동일

Ⅱ. (물음 2) EBITDA

1. Earnings Before Interest, Taxes, Depreciation and Amortization

   (= 법인세 이자·감가상각비 차감 전 영업이익)

   EBITDA는 '세전·이자지급전이익' 혹은 '법인세 이자 감가상각비 차감 전
   영업이익'을 말한다. 이것은 이자비용(Interest), 세금(Tax), 감가상각비용
   (Depreciation & Amortization) 등을 빼기 전 순이익을 뜻하는 것이다.

2. EBITDA는 영업이익에 순금융비용과 감가상각비를 더해서 계산한다.

제 24회

문제 논점 분석 및 예시답안

[문제1] 골프장의 평가 및 컨설팅, [문제2] 재개발 컨설팅, [문제3] 미보상용지, [문제4] 보상가격과 예상낙찰가에 산정에 관한 문제였다. 출제 당시 현업에서 이 미 이슈가 되었던 평가목적 물건이 출제되었다. 현업이나 실무에도 관심을 가지고 그 트렌드에 관심을 가져야 하는 이유를 재차 확인해 볼 수 있었다. 상담한 특징을 가졌던 기출이었지만 당시 수험에 이미 많이 소개했던 내용들이기에 충분히 접 근할 수 있는 문제들이었다고 본다.

1. 문제1번 – 골프장의 감정평가 및 타당성 분석(35)

1) (물음 1) 甲법인 소유 토지 감정평가

(1) 일괄 및 구분평가

사업계획승인을 받은 부분만 골프장으로 개발이 가능하다. 따라서 사업계 획승인 면적(주축 등록면적)에 대해서는 용도상 불가분 관계가 인정되어 일괄평가하며, 산 100-2번지 중 제외지 부분은 사업승인부분과 가치를 달리하 므로 구분평가하는 문제였다. 물음(1)에서는 甲법인 소유 토지의 평가를 요 구하고 있어 '골프장'뿐만 아니라 '제외지'도 평가의 대상이 된다.

(2) 골프장의 감정평가

감정평가 기준시점(평가시점) 2013.1.1. 당시 골프장 개발이 준공된 상태 이다. 따라서 평가 대상은 골프장(토지, 건물, 기계기구 등)이 된다.

그러나, 문제에서 전문은 별도로 고려하지 않는 것으로 제시하고 있어 '골

표준용지'(토지가치)를 기준으로 평가방식을 적용하면 된다. 골프장평가 시

통상 쟁점으로 등장하는 등록면적, 일단지, 공시지가기준별(면건 표준지 여부), 조성원가법, 일괄감정평가의 수준을 넘어서지 않는 문제였다.

제시된 〈계약내용〉의 권리관계(임대권, 임차권)는 현황 골프장 및 제외지의 감정 평가에서는 고려될 사항이 이념을 사전적으로 인지하여야 전체적인 문제풀이가 용이했을 것이다.

(3) 감정평가방법

당시 감정평가규주이 개정되면서 3방식을 병용이 규정화되었다. 이에 따라 감칙 개정 취지에 맞게 감정평가방법을 선정, 적용하는 것이 필요했다. 골프장의 감정평가방법뿐만 아니라 감칙 제3항 및 제2항 및 제3항과 관련한 내용의 기 술도 필요했다.

2) (물음 2) 토지개발임대차에 따른 타당성

토지개발임대차에서는 개발업자의 임장에서 사업타당성을 검토하게 된다.

개발대차(제시) 조건 수익의 타당성을 검토하게 된다.

개발업자 임장에서 ① 유입항목은 사업수익이(매출)이고 ② 유출항목은 각종 개발비용, 부담금 및 토지임대료가 된다. 소유자(임대인) 임장에서 ① 유입 항목은 토지임대료 및 기임에 보유하게 되는 자신(기존 토지소유권 + 개량 물)이 되고 ② 유출항목은 기초 보유자산가에(현재 매각의 대안)이 된다.

다만, 해당 문제에서는 甲법인이 기임에 개발비용의 일정 부담분(30%)이 있어

이 항목의 처리만 판단하면 생각보다 쉽게 접근 가능하다. 타당성 검토기에에 따른 결과뿐만 아니라 이견의 개선점에 점수를 받을 수 있다.

2. 문제2번 – 재개발 관련 대안의 선택

조합원입장에서 ① 물음(1)은 현금청산으로 누리는 권리, ② 물음(2)는 분양신청(조합원)으로 누리는 권리, ③ 물음(3)은 단순 매각방안을 비교하는 문제이다. 물음을 읽고 나서 비교기준이 이해되지 않는 다면 충분한 고민을 하고 문제풀이에 들어가야 결론을 낼 수 있다.

특히 조합원으로서 분양을 받게되는 ②의 경우에는 "권리가액(종전자산×비례율) + 분양권프리미엄(일반분양가-조합원분양가)"을 누리게 된다. 물음(2)의 제시문 "현금청산에 포함한 종후자산 가치"는 전자와 같은 내용이다. 현금청산에 '권리가액-조합원분양가'이고 종후자산 가치가 곧 일반분양가이기 때문이다.

1) (물음 1) 현금청산평가

토지, 건물, 제시외 물건에 대해서는 종전 기출과 다른 형태는 아니있다. 지장물은 보상대상여부(토지나 건물에 포함평가도 가능하나 실무적으로 제 시조서에 따라 구분평가) 구조, 면적 등은 제시된 조서에 따른다. 특히 수목은 이식가능수령을 초과하여 이식이 불가능한 경우라는 것을 잊기 쉽다. 제개 발등에서 현금청산은 보상평가를 준용하지만 재건축에서는 실현되 개념이 익을 반영한 시가평가임에 유의해야 한다.

2) (물음 2) 현금청산액을 포함한 종후자산 가치

종전자산 건물을 평가시에는 보상평가와 달리 실측면적이 아닌 공부면적을 기준 하는 것을 유의하여야 한다. 도정법상 종전자산은 조합의 정관에서 정한 것을 제외하고는 원칙적으로 공부에 등재된 것이기 때문이다.

종후자산가격은 제시되어 있었다. 종후자산(분양예정자산)평가는 일반분양가 수준이 아니라 조합원분양가를 기준으로 평가하게 된다. 일반분양가격은 종 래에는 분양가상한제 적용대상이있으나 법개정을 통해 제외되어 조합(시 공사)에서 결정(시군구 승인)하게 된다. 현재 일부지역은 분양가상한제가 재시행 되있다.

3) (물음 3) 대안 결정

해당 물음도 단순 숫자 값으로 결론을 내는 것이 아니라 그 결론에 대한 이유를 서술해야 한다. 조합원지격을 유지하여 분양받는 것이 가장 합리적이라는 결론이 나왔다. 그 이유는 정비사업의 수익성(비례율)이 높고 그로인해 조합원의 권리가액과 '분양권프리미엄'까지 결정되기 때문이다.

"정비사업의 수익성을 결정하는 주요 요인은 종전자산 가에어 아니라 ① 정비구역 지정에 따른 지구단위계획의 용적률, 그로인한 일반분양 세대수, ② 사업소요기간과 사업비용(특히 시공사와 도급공사비)이 된다. 물론 ③ 분양시장의 활성화(일반 분양가격)도 주요변수가 될 것이다.

3. 문제3번 – 미보상용지(20)

해당 문제의 출발점은 미지급용지와 미보상용지의 차이점에 대한 이해에 서부터 시작된다. 미지급용지는 새로운 공익사업의 시행을 이유로 보상하게 됨에 따라 당초 사업에서 지급하지 못한 보상을 하게 되는데 이는 손실보상의 절차로 보상이 진행되는 것이다.

그러나, 미보상용지는 사전보상의 원칙을 위배한 것이며, 공사의 시행 또는 사업의 완료로 토지소유자에게 손해를 입혀 불법행위를 구성하는 것으로서

해당 소의 법적 성질은 손실보상이라는 용어를 사용하였다고 하여도 민사상의 손해배상청구로 보아야 한다.

따라서, 미보상용지의 전반적인 흐름은 일반평가의 흐름으로 평가가 이뤄져야 한다. 그러나, 용도지역과 이용상황(89.1.24을 종전상태로 보는 것은 "수익자가 변동하여야 할 부당이득의 범위는 손실자가 없은 손해의 범위에 한정되며, 손실자의 손해는 사회통념상 손실자가 해당 자산으로부터 통상 수익할 수 있을 것으로 예상되는 이익 상당액(대법원 2014.07.16.)"이기 때문이다.

그 외 이번 문제에서는 물음(3)의 실무상 개별요인비교치 산정방법적용을 요구하고 있었다.

3. 문제4번 - 경매평가(10)

건물이 소재한 부지 중 일부의 소유권을 갖고 있지 못한 경매 물건이었다. 일단지 평가 시 소유권이 존재없이 평가할 수 있다. 그러나 지상 건축물로 인한 영향, 토지가치에 미치는 영향을 고려하지 않는 것은 아니다. 구체적 사실관계에 따라 달리 판단되어져야 한다.

해당 문제에서는 "토지소유자와 건물소유자가 다른 경우 건물소유자는 토지의 시장가치에 적정지료를 지불하고 정상적으로 사용·수익할 수 있는 것으로 조사 되었으며"가 제시되어 있다. 이 제시 자료가 상기에서 언급한 토지가치에 미치는 영향 없이 평가할 수 있게 될 것이다. 실무 상 감정평가를 한다면 제시 조사사항을 감정평가 조건 내지 전제로 해결했어야 할 가늠 한다면 제시 조사사항을 감정평가 조건 내지 전제로 해결했어야 할 일이다.

【문제 1】

I. (물음 1) 甲 소유 토지 평가

1. 기준시점 및 기준가치 : 2013.1.1. 시장가치

2. 대상물건의 확정

1) 골프장 : 체회관리, 골프장, 일단지, 등록면적 1,450,000㎡

2) 제외지 : 체회관리, 임야(자연림). 산100-2 일부 71,250㎡

> 사업계획승인을 받은 부분만 골프장으로 개발이 가능하다. 따라서 사업계획승인 면적(추후 등록면적)에 대해서는 용도상 불가분 관계가 인정되어 일괄평가하며, 산 100-2번지 중 제외지 부분은 사업승인부분과 가치를 달리하므로 구분평가하는 문제였다. 물음(1)에서는 甲소유 토지의 평가를 요구하고 있어 '골프장'뿐만 아니라 '제외지'도 평가의 대상이 된다.

3. 골프장 부분

1) 공시지가기준법에 의한 시산가액

(1) 비교표준지 선정 : 체회관리, 골프장 〈#1〉 선정

(2) 시산가액 : $50,000×1×1×1.02×1$ ≒51,000원/㎡

　〈$×1,450,000 = 73,950,000,000$〉

2) 원가법에 의한 시산가액

(1) 소지가격

　$30,000×1×1×1.03×1.1$ ≒34,000원/㎡

　〈$×10,700=363,800,000$〉

① 전 부분(비교표준지 #2)

② 답 부분(비교표준지 #3)

　$20,000×1×1×1.02×1.1$ ≒22,000원/㎡

　〈$×6,050=133,100,000$〉

③ 골프장 내 임야(비교표준지 #4)

　$12,000×1×1×1.01×1.2$ ≒15,000원/㎡

　〈$×1,433,250=21,498,750,000$〉

④ 계 : 21,995,650,000

(2) 개발비용 : $7,500,000,000 + 1,400,000,000×27홀 = 45,300,000,000$

(3) 시산가액 : (1)+(2) $=67,295,650,000$원(46,000원/㎡)

3) 수익환원법에 의한 시산가액

(1) 개요

　甲乙 간의 계약된 임대료는 골프장 임대가 아닌 토지만의 임대로 이룰 적용하지 않고 골프장 영업소득을 기준으로 평가함.

(2) 매기 운영소득의 현가

　$2,000,000,000×3×(1-(1.01/1.07)^{10})÷(0.07-0.01)×1.07$ $= 46,916,000,000$원

(3) 기말복귀가액 현가

　$2,200,000,000×3÷0.08×0.5083(10년, 7\%)$ $=41,935,000,000$원

(4) 시산가액 : (2)+(3)   = 88,851,000,000원

4) 시산가액 조정 및 감정평가액 결정

감칙§12②에 의하여 토지의 감정평가는 감칙§14에 따라 산정한 공시지가 기준법에 의한 시산가액이 원가법에 의한 시산가액 보다 다소 높고, 수익 환원법에 의한 시산가액 보다 다소 낮으나 공급자 중심의 원리인 원가법과 매출을 기반하여 적용될 수익환원법의 한계 점이 있어 주된 방식에 의해 산정된 가액을 기준으로 감정평가액을 결정함〈73,000,000,000원〉

4. 제외지 가격(비교표준지 #4)

15,000×71,250   = 1,068,750,000원

5. 甲소유 토지 가격 : 3+4   = 74,068,750,000원

6. 평가방법

1) 골프장 용지

토지는 감칙§14에 따라 공시지가기준법 등 규칙 §12 ②에 근거하여 원가법에 의한 시산가액 및 수익환원법에 의한 시산가액과 비교하여 합리성을 검토한 후 감정평가액을 결정하였음.

- 공시지가기준법은 대상토지와 가치형성요인이 같거나 비슷하여 유사한 이용상황인 골프장용지의 공시지가를 기준으로 비교하였음.

- 원가법은 소지가액에 개발비용을 더하여 산정하는 감정평가방법으로 홀 당 개발비용 등 공급자 입장에서의 가치형성요인 유리하나, 과거의

= 값에 불과하여 가치의 정의에 부합되기 어렵다는 한계가 있음.

- 수익환원법은 장래 영업소득 및 기말 복귀가액을 할인하여 산정하는 감 정평가방법으로 가치의 정의에 부합되나, 영업이 증가율의 정확성 측 면에서 한계가 있음.

2) 제외지

제외지의 경우 다른 감정평가방법의 적용이 곤란하거나 불필요한 경우에 해당한다고 판단하여 감칙§12조 2항 및 §14조 의거 공시지가기준법에 의한 시산가액으로 결정하였음.

II. (물음 2) 타당성 검토

1. 甲법인 타당성

개발업자 입장에서 ① 유입항목은 사업수익(매출)이고 ② 유출항목은 각종 개발 비용, 부담금 및 토지임대료가 된다. 다만, 해당 문제에서는 甲법인이 기맘에 개 발비용의 일정 부담분(30%)이 있어 이 항목의 처리만 판단하면 생각보다 쉽게 접 근 가능하다.

1) Outflow

(1) 토지 소지상태 가격(전, 답, 임야 1,521,250㎡)

363,800,000 + 133,100,000 + 15,000×1,504,500   = 23,064,400,000원

(2) 인허가비용 :   7,500,000,000원

(3) 합계 : 30,564,400,000원	## 2. Z법인 타당성
	소유자(임대인) 입장에서 ① 유휴향목은 토지임대료 및 기말에 보유하게 되는 자산(기초 토지소유권 + 개량물)이 유입물이 되고 ② 유출향목은 기초 보유자산가액(현재 매각의 대안)이 된다. 다만, 해당 문제에서는 매당인이 기말에 개량물이 일정 부분(30%)이 있어 이 향목의 처리만 판단하면 생각보다 쉽게 접근 가능하다.
2) Inflow	
(1) 매기 토지 임차료 현가	1) Outflow(조성비용+토지인자료) : 14억×27홀+8,139,000,000 = 45,939,000,000
1,000,000,000×(1-(1.02/1.07))÷(0.07-0.02)×1.07 ≒ 8,139,000,000원	
(2) 기말복귀가액	2) Inflow
(73,000,000,000×1.1 - 1,400,000,000×27홀×0.3)×0.5083(10년.7%)	(1) 매기 운영소득 현가 : (상기에서 산정) 46,916,000,000
≒35,052,000,000원	(2) 기말복귀가액 : (1,400,000,000×27홀×0.3)×0.5083(10년, 7%) = 5,764,000,000
(3) 합계 : 43,191,000,000원	(3) 합계 : 52,680,000,000
3) NPV : 2) - 1) = 12,626,600,000원	3) NPV : 2) - 1) = 6,741,000,000
4) 투자의사 결정	4) 투자의사 결정
NPV>0 인바, 토지의 임대가 <타당함>	NPV>0 인바, 토지의 임자 및 개발이 <타당함>
① 이는 개발과 관련된 대부분의 비용을 Z법인이 부담하여, 甲법인의 비용 부담이 적은 점 ② 토지의 임차료 및 기말골프장의 귀속 등으로 인한 甲법인이 익을 향유할 수 있는 점 ③ 기말 복귀가액으로 골프장 개발에 따른 자본소득 및 개발이익을 甲법인이 대부분 향유하기 때문이라고 판단됨.	① Z법인이 조성비만을 투자하여 골프장 개발에 따른 10년간 운영소득을 향유할 수 있는 점, ② 甲법인이 개량비용의 일부를 부담하여 Z법인이 낮은 비용으로 골프장 운영을 향유할 수 있는 점 ③ 시장의 수요·공급에 의해 현행 영업이익 증가율이 계속해서 유지될 것으로 분석된 점 때문이라고 판단됨.
타당성 검토기법에 따른 결과뿐만 아니라 의견의 개진해야 좋은 점수를 받을 수 있다.	

[문제 2]

I. (물음 1) 2013 . 7. 31. 현금청산

1. 감정평가개요

① 도정법 §47에 따른 현금청산을 위한 감정평가로 동법 §40외가 토지보상법을 준용하여 평가함.

② 개별적제한은 토지보상법 시행규칙§23에 따라 배제함.

③ 사업인정 의제일 : 사업승인일 2012. 4. 5

> 재개발등에서 현금청산은 보상평가를 준용하지만 재결속에서는 실현된 개발이익을 반영한 시가평가임에 유의해야 한다.

2. 토지

1) 적용공시지가 선택 : 토지보상법 §70④ 근거 〈2012.1.1〉 적용

2) 비교표준지 선정 : 용도지역, 이용상황, 도로조건 등 유사 〈#1〉 선정

3) 시점수정 : 동대문구 상업지역 2012.1.1.~2013.7.31.

$1.02240 \times 1.00512 \times (1+0.00155 \times 122/31) ≒ 1.03390$

4) 그 밖의 요인 보정

(1) 보상선례 기준 격차율 (사업승인일 이전 보상선례 〈#C〉)

$$\frac{9,500,000 \times 1.02796^{1)} \times 1 \times 100/102}{6,000,000 \times 1.03390 \times 1 \times 1} ≒ 1.543$$

※ 1) $1.02240 \times 1.00512 \times (1+0.00155 \times 122/31)/1.00572/(1+0.0018/30)$

(2) 실거래가 검토 : 동 지역은 해당 사업승인 후 지가가 상당히 상승하였느바 직접적용은 어려우나 상기 보상선례 및 그 격차율은 적용한 것으로 판단됨.

(3) 결정 : 인근 보상사례 및 실거래가등을 종합 고려하여 그 밖의 요인 보정치는 1.54 적용함.

5) 시산가액 : $6,000,000 \times 1.03390 \times 1 \times 1 \times 1.54 ≒ 9,550,000원/㎡$

〈×820=7,831,000,000〉

3. 건물 : $950,000 \times 18/50 \times 650$

$= 222,300,000원$

별속

4. 제시외 건물

$320,000 \times 13/40 \times 10 + 600,000 \times 13/40 \times 60 = 12,740,000$

5. 기타 지장물

$40,000 \times 110 + 90,000 \times 530 + 120,000 \times 54 = 58,580,000$

6. 수목

1) 토지보상법§75, 칙§37 이가 이전비와 물건의 가격 중 작은 금액으로 결정

2) 소나무(이전비) : $(4,200,000 + 15,000,000 \times 0.2) = 7,200,000$

3) 감나무, 매주나무(이식가능수령 초과로 물건의 가격 기준)

4) 수목 보상액 : $7,200,000 \times 3 + 500,000 \times 5 + 200,000 \times 5$ $= 25,100,000$

7. 보상평가액 $= 8,149,720,000$

II. (물음 2) 조합원 분양시

1. 현금정산액

8,000,000,000

$7,956,400,000 \times 0.95 - 8,000,000,000 \times 720 = 1,798,580,000$유입

종전자산 건물을 평가시에는 보상평가와 달리 실측면적이 아닌 공부면적을 기준 하는 것은 유의하여야 한다. 도정법상 종전자산은 조합의 정관에서 정한 것을 제외하고는 원칙적으로 공부에 등재된 것이어야 하기 때문이다.

2. 종후자산 가치(일반분양가)

1) 조합원분양기준

$8,000,000 \times 1.45 \times 720 = 8,352,000,000$

2) 거래사례비교법 : 1층 거래사례 <#>선정

$7,040,000,000 \times 1 \times 1.02^5 \times 1 \times 100/95 \times 720/640 = 9,205,000,000$

3) 종후자산가치 결정

분양가는 5년전 원가 기준으로 시장상황 반영에 미흡한 바, 시장성 반영하는 거래사례 기준 결정

9,205,000,000

3. 현금정산액을 포함한 종후자산 가치

$9,205,000,000 + 1,798,580,000 = 11,003,580,000$원

III. (물음 3) 적정방안 결정(2013.4.30. 기준)

1. 방안별 비교검토

- 매각   8,000,000,000
- 보상 : $8,149,720,000 \div 1.005^3 = 8,028,687,000$
- 분양 : $11,003,580,000 \div 1.06^5 = 8,222,515,000$

2. 방안 제시 및 이유

1) 결정 : 현금등가액이 가장 큰 '분양' 받는 방안으로 결정

2) 이유

① 보상액은 해당 사업에 따른 개발이익을 배제하여 산정되어 다소 낮게 나타났으며, 토지보상법에 따라 평가한 금액을 기준으로 매수 제시에이 형성됨비 향후의 개발이익 상승분이 완전히 반영되지 않은 것으로 보임.

② 또한 매입예정가액은 매수가가 분양에 따른 개발이익을 일부 향유할 수 있다는 점에서 분양받는 것인에 비해 타당성이 낮은 것으로 판단됨.

③ 첫째 일반분양가가 조합원 분양가 대비 45% 높다는 점, 둘째 향후 5년 간 상가 상승률이 연 2%로서 상당한 차이 실현이 예상되는 점, 셋째 관리처분이 확정된 현 시점에서 양호한 분양률(70%)을 보이는 점 등에서 분양 받는 방안의 편익이 높게 나타난 이유를 찾을 수 있음.

④ 결론적으로 해당 정비사업은 수익성이 높고 그에 따라 조합원들은 높은 권리가액을 인정받게 되면서 일반분양가 대비 분양권프리미엄을 향유할 수 있기 때문임.

해당 물음도 단순 숫자 값으로 결론을 내는 것이 아니라 그 결론에 대한 이유를 서술해야 한다. 조합원적격·격을 유지하여 분양받는 것이 가장 합리적이라는 결론이 나왔다. 그 이유는 정비사업의 수익성(비례율)이 높고 그로인해 조합원의 권리가 나왔다. '분양권프리미엄'까지 결정되기 때문이다.

"정비사업의 수익성을 결정하는 주요 요인"은 종전자산 가에이 아니라 ① 정비구역 지정에 따른 지구단위계획의 용적률, ② 사업소요기간과 사업비용(특히 시공사의 도급공사비)이 된다. 물론 ③분양시장의 활성화(일반 분양가)도 주요변수가 될 것이다.

[문제 3]

미지급용지는 새로운 공익사업의 시행을 이유로 보상하게 됨에 따라 당초 사업에서 지급하지 못한 보상을 하게 되는데 이는 손실보상의 절차로 보상이 진행되는 것이다. 그러나, 미보상용지는 사전보상의 원칙을 위배한 것이며, 공사의 시행 또는 사업의 완료로 토지소유자에게 손해를 입혀 불법행위를 구성하는 것으로서 해당 소의 법적 성질은 손실보상이라는 용어를 사용하였다고 하여도 민사상의 손해배상 성격으로 보아야 한다.

따라서, 미보상용지의 흐름은 일반평가의 흐름으로 평가가 이뤄져야 한다.

I. (물음 1) 비교표준지 선정사유

1. 적용공시지가 선택

"미보상"토지로서 사업이 완료된 상태로 기준시점 현재 최근 공시된 〈2013.1.1〉 적용

2. 비교표준지선정

1) 선정기준(감칙§14②, 토지보상법 시행규칙§22③)
(1) 용도지역, 용도지구, 용도구역 등 공법상 제한이 같거나 유사할 것
(2) 평가대상 토지와 실제 이용상황이 같거나 유사할 것
(3) 평가대상 토지와 주위 환경 등이 같거나 유사할 것
(4) 평가대상 토지와 지리적으로 가까울 것

2) 용도지역(토지보상법 시행규칙§23② 준용)
종전 사업에 따른 용도지역 변경 배제 〈일반주거지역〉기준

3) 이용상황(토지보상법 시행규칙§24 및 부칙 준용)
89.1.24 이전 무허가 건축물부지는 적법 건축물 부지로 의제 "단독주택" 부지 준용

일반평가임에도 용도지역과 이용상황(89.1.24)을 종전상태로 보는 것은 "수익자가 반환하여야 할 부당이득의 범위는 손실자가 입은 손해의 범위에 한정되며, 손실자의 손해는 사회통념상 손실자가 해당 자산으로부터 통상 수익할 수 있을 것으로 예상되는 이익 상당액"이기 때문이다.

4) 비교표준지 선정 : 일반주거, 단독주택 〈#1〉 선정
※ 미보상용지는 미불용지(현 미지급용지) 규정 준용

II. (물음 2) 대상토지 토지특성

① 종전 편입당시 기준

② 지목 : '임야',

③ 이용상황(실제용도) : 89.1.24 이전 무허가로 '주택부지'

④ 지형 : '부정형',

⑤ 지세 : '완경사'

⑥ 편입면적 : 10,000㎡ 中 '1,000㎡'

III. (물음 3) 개별요인 비교

1. 가로조건 : 가로의 폭 등 본건은 비교표준지 대비 "열세" (100/105)

2. 접근조건 : "대등"   (1.00)

3. 환경조건 : 인근환경 등 본건은 "미개발지대", 표준지는 "개발된 주거지 대" 본건은 비교표준지 대비 "열세" 감보율 고려 (0.60)

4. 획지조건 : 지형, 지세, 규모, 접면도로상태가 표준지 대비 "열세" 형상, 지세, 규모 : 0.95 - 0.10(1/1.1) - 0.15 = (0.70)

5. 행정조건 : "대등"   (1.00)

6. 기타조건 : "대등"   (1.00)

7. 개별요인 비교치

$$100/105 \times 1.00 \times 0.6 \times 0.70 \times 1.00 \times 1.00 ≒ 0.400$$

가   접   환   획   행   기

IV. (물음 4) 보상액 산정

$$1,000,000 \times 1.00000 \times 1.00 \times 0.400 \times 1.00 ≒ 400,000원/㎡$$

〈×1,000 = 400,000,000원〉

[문제 4]

I. 시장가치

1. 대상물건 확정

1) 토지

(1) 일단지

① 일단지 : 4필지 위 지상 건물 소재로 일단지인바 〈일괄평가〉함

② 토지 특성 : 정방형, 중로각지

(2) 건물 : 적정 임대료를 지불하고 사용할 수 있으므로 정상 평가함

"토지소유자와 건물소유자가 다른 경우 건물소유자는 토지의 시장가치에 적정지료를 지불하고 정상적으로 정상적으로 사용·수익할 수 있는 것으로 조사 되었으므"가 제시되어 있다. 이 제시 자료가 상기에서 연급한 토지가치에 미치는 영향 없이 평가할 수 있게 될 것이다.

2) 권리의 태양 : 일단지를 기준으로 지분 3/4만을 평가함

2. 토지

1) 비교표준지 선정 : 상업용, 동일 중로변 및 가격수준 유사 〈#1〉 선정

2) 평가액

$$5,200,000 \times 1.00000 \times 1.00 \times 1.00 \times 1.05 \times 1.00 ≒ 5,460,000원/m^2$$

$$〈\times 600 = 3,276,000,000원〉$$

3. 건물

$$1,400,000 \times 40/50 \times (480 \times 4) ≒ 2,150,400,000$$

4. 계

$$3,276,000,000 + 2,150,400,000 = 5,426,400,000$$

II. 낙찰가액 및 산출방법

1. 예상 낙찰가

$$5,426,400,000 \times 0.75 = 4,069,800,000$$

2. 낙찰가액 산출방법

예상 낙찰가액의 산출 방법은 낙찰 사례를 본건에 맞게 비교하는 방법이 있으나, 사안은 대상 건물 중 일부에 대해 타인 토지를 임차하여 사용하고 있는 특성 상 유사한 낙찰 사례를 수정하여 예상 낙찰가액에서 낙찰가율을 적용하는 방식을 적용하였음.

법사가액은 「부동산 가격공시 및 감정평가에 관한 법률」에 따라 감정평가 하여 결정함. 낙찰가율은 인근 시·군·구 평균 낙찰가율을 고려하여 결정하되, 대상 물건의 개별성을 고려함.

예상낙찰가는 타인소유 토지를 시장에서 매입하거나 시장임대료로 임대하여야 하므로 추가비용이 필요하다는 점을 감안할 때 평균 낙찰가율에 비해 낮아 질 수 있으나, 800m² 전체 토지를 매입하는 것보다 매입금액이 낮다는 점에서 인근 낙찰가율과 유사한 수준을 유지할 수 있다고 보이는바 평균 낙찰가율을 적용하였음.

제 25회
문제 논점 분석 및 예시답안

[문제1] 재개발사업의 공유재산 처분 목적 감정평가, [문제2] 현매권 성립으로 인한 손해배상액, [문제3] 합병으로 인한 한정가격과 특수 설비를 갖춘 건물의 감정평가. [문제4] 평균 수익률에 대한 통계적 해석문제와 임차권과 관련된 문제였다.

통상의 수험생은 25회 문제가 쉬운 문제라고 평하고 있다. 이때 개산상이 상당히 관련 법령을 정확하게 숙지하고 적용하면서 감정평가서 형태로 답안을 쓰는 전략이 필요했다. 답안작성 시 단순 숫자로 선지의 나열로는 절대 좋은 점수를 받을 수 없기에 평균적 수준의 수험생에게는 상당히 버거운 문제다.

상당히 적어서 그럴 것 같다. 그러나 당시 많은 수험생과 평가사들이 보상평가로 문제를 풀었다. 최근 실무적인 쟁점을 놓치고 있었더라면 과락을 넘기 힘든 시험이 있다.

1. 문제1번 - 재개발사업의 공유재산 처분 목적 감정평가(30)

도시정비법 제65조 및 제66조(현재 법 제97조 및 제98조), 국유재산법 및 공유재산물품관리법을 정확히 알고 있어야 했다.

관련 법령을 정확하게 숙지하고 적용하면서 감정평가서 형태로 답안을 담아내는 절대 버거운 문제다.

국공유지 처분평가는 원칙적으로 "시가평가"이다. 물론 "보상평가를 준용하여 처분할 수 있다."는 규정이 있다. 과거에는 보상평가를 준용하여 평가하기도 하였다.

그러나, 당시 최근 감사원 감사 결과 등을 통해 국공유지의 합리적 관리가 강조되고 국공유재산의 헐값 매각 매각 등의 문제가 대두됨과 동시에 국공유재산 처분평가에도 상당한 영향을 주게 되었다.

사업시행자가 의뢰하는 보상평가(사인 소유 토지와 함께 의뢰)가 아니라 국가(자산관리공사) 또는 지자체가 의뢰하는 국공유지는 공익사업에 편입되었다 하더라도 원칙적으로 "시가평가", "현황평가(공물성제한 및 이용상황)" 원칙이 적용되어야 함을 명심하기 바란다.

국가 또는 지자체가 공익사업에 편입된 국공유지의 평가를 의뢰하는 경우 통상 현황이 조성이 진행 중이거나 완료된 상태가 많다. (사전보상의 원칙 위배 내지 국공유지 무단사용 문제는 발생하지 않는다.)

이때 국공유재산(공유재산물품관리법) 상 처분평가가 진행되면 현 이용상황은 사업(조성된)부지가 된다. 감정평가는 사업(조성된)부지를 기준으로 이루어져야 한다.

조성비 등 개량비는 "매수하려는 자의 신청을 받아 중앙관서의 장등이 심사·결정"하므로 감정평가 시에는 현황평가에 충실하면 될 일이다. 개량비는 보상 평가에서의 개간비와는 구분할 수 있어야 한다.

용도지역 역시 현재를 기준으로 평가한다. 예외적으로 현 용도지역이 종후향 되어있다면 당초의 용도지역을 고려할 수도 있을 것이다.

아울러, 국공유지 평가에서 반드시 고려해야하는 사항은 '기여도'이므로 항상 답안에 기술하는 습관을 기르기 바란다.

예시답안은 감정평가서 형태에 준하여 제시하고있으니 기타 관련 쟁점은 답안을 참조하길 바란다.

2. 문제2번 – 환매권 상실로 인한 손해배상액(30)

환매권은 아주 기본적인 쟁점이다. 환매권 상실로 인한 손해배상에 대한 문제는 플러스 중급에서도 소개한 적이 있으니 참고 바란다.

다만, 해당 문제는 환매시점에 다른 공익사업에 편입(변경)된 토지로서 환매시점의 평가는 변경된 공익사업의 보상평가 기준에 따라 평가하여야 한다. 공익사업이 예정된 지역의 시가는 예상 보상가액으로 이뤄진다고 보기 때문이다.

그러나 현재 토지보상법 순으로는 법 제91조 제6항에서 공공기관이 시행하는 대부분의 공익사업으로 변경된 경우 환매권 행사를 제한하고 있어 해당 문제와 같은 사안은 현실적으로 상당히 예외적인 경우에 해당하게 되었다.

3. 문제3번 – 지역배분법, 공장설비(20)

지역배분법과 관련하여 한정가치(가격)의 개념으로 출제되었으나 시사성이 있다는 점에 주목할 필요가 있다. 국공유지 평가와 관련한 '기여도'반영 문제를 한정가치의 개념으로 접근하려는 아이디어가 있었다.

또, 주후 감정 개정을 통해 가치기준과 시장가치외의 가치의 개념을 재정립하고 '시장가치 외의 가치'가 '비시장가치'라는 오해를 줄여 시장가치 외의 가치의 활용을 넓히게 될 것이다. 아울러 수익배가 방식을 전제한 구 공유지 평가의 경우 '시장가치 외의 가치'의 개념을 명확히 쓸 수 있도록 하려는 업계의 고민이 있는 상태이다.

4. 문제4번(20)

1) (물음 1) 평균 수익률에 더한 통계적 해석

2) (물음 2) 임대권과 임차권

[문제 1]

도시정비법 제65조 및 제66조(현재 법 제97조 및 제98조), 국유재산법 및 공유 재산물품관리법을 정확히 알고 있어야 했다.
관련 법령을 정확히 숙지하고 적용하면서 감정평가서 형태로 답안을 쓰는 전략이 필요했다. 답안작성 시 단순 숫자와 산식과 나열로는 절대 좋은 점수를 받을 수 없는 문제였다.

I. 감정평가개요

1. 감정평가 목적
대상물건은 서울특별시 A구 B동 소재 "B12주택재개발정비사업"의 시행으로 인하여, 「도시 및 주거환경정비법」 제66조(현재 §98) 및 「공유재산물품관리법」 제30조에 따른 공유재산(공유지)의 처분을 위한 감정평가임.

2. 감정평가 기준
「공유재산물품관리법」, 「도시 및 주거환경정비법」, 「부동산 가격공시 및 감정평가에 관한 법률」 및 동법 제31조의 규정에 의한 「감정평가에 관한 규칙」 등 관계법령의 규정 및 제반감정평가이론에 근거하여 평가하였음.

3. 관련 규정
① 「도시 및 주거환경정비법」 제66조(현재 §98) 제6항은 "제4항에 따라 정 비사업의 목적으로 우선 매각하는 국유지·공유지의 평가는 사업시행인 가의 고시가 있은 날을 기준으로 한다. 다만, 사업시행인가의 고시가 있은 날부터 3년 이내에 매매계약을 체결하지 아니한 국유지·공유지는 「국유재산 법」 또는 「공유재산 및 물품 관리법」에서 정하는 바에 따른다."

② 「공유재산물품관리법」 제30조는 "일반재산을 처분할 때 그 가격은 대 통령령으로 정하는 바에 따라 시가(時價)를 고려하여 결정한다."

③ 「공유재산물품관리법」 시행령 제27조 제1항은 "일반재산을 매각하거나 교환하는 경우의 해당 재산의 예정가격은 「일반재산」의 장의 시가로 결정하고 공개하여야 한다. 이 경우 시가는 2인 이상의 감정평가업자에게 의뢰하여 평가한 감정평가액을 산술평균한 금액 이상」으로 하는 것으로 구성하고 있음.

국공유지 처분평가는 원칙적으로 "시가평가"이다. 사업시행자가 의뢰하는 보상평 가가 아니라 국가 또는 지자체가 의뢰하는 국공유지 공유사업에 편입되었다고 하 더라도 원칙적으로 "시가평가", "현황평가(공법상제한 및 이용상황)" 원칙이 적용 되어야 함을 명심하기 바란다. 국가 또는 지자체가 공유사업에 편입된 국공유지 의 평가를 의뢰하는 경우 통상 현황 조성이 진행 중이거나 완료된 상태가 많다. 국유재산법 상 처분평가가 진행되면 현 이용상황은 조성된 부지가 된다. 감 정평가는 조성된 부지를 기준으로 이해하여야 한다.

4. 감정평가 방법
토지는 「감정평가에 관한 규칙」 제14조에 따라 감정평가의 대상이 된 토 지와 가치형성요인이 같거나 비슷하여 이용가치를 지닌다고 인정 되는 표준지의 공시지가를 기준으로 대상토지의 현황에 맞게 시점수정, 지 역요인 및 개별요인 비교, 그 밖의 요인의 보정을 거쳐 대상토지의 가액을 산정하는 "공시지가기준법"을 주된 방법으로 적용하되, 동 구칙 제12조 제 2항의 다른 감정평가방법의 적용은 곤란하거나 불필요한 경우에 해당한다고 판단하여 공시지가기준법에 의한 시산가격을 토지가격으로 결정하였음.

5. 기준가치

「감정평가에 관한 규칙」 제5조 제1항에 따라 대상물건에 대한 감정평가액은 시장가치를 기준으로 결정하였음.

6. 기준시점

「감정평가에 관한 규칙」 제9조 제2항에 따라 대상물건의 가격조사를 완료한 날짜인 2014.09.05임.

7. 기타사항

① 「도시 및 주거환경정비법」 제2조 제4호의 "정비기반시설"에 해당하는 경우에는 동법 제65조(현재 §97)에 따라 "국·공유재산법" 및 「공유재산 및 물품 관리법」에도 불구하고 종래의 정비기반시설은 사업시행자에게 무상으로 귀속되고, 새로이 설치된 정비기반시설은 그 시설을 관리할 국가 또는 지방자치단체에 무상으로 귀속될 수 있으나,

② 평가대상은 "정비사업의 시행으로 새로이 정비기반시설을 설치하거나 기존의 정비기반시설에 설치되는 정비기반시설을 설치한 경우"에 해당하지 않는 바, 동법 제66조(현재 §98)(국유·공유 재산의 처분 등) 및 「국유재산물품관리법」 제30조에 따라 시가(時價)를 고려하여 결정하였음.

③ 평가대상은 종래 "공용주차장"으로 이용 중이었으나, 현황 "일단의 사업부지"로 이용 중인바, 「감정평가에 관한 규칙」 제6조 제1항에 따라 "기준시점에서의 대상물건의 이용상황 및 공법상 제한을 받는 상태를 기준"으로 평가하였음.

④ 국·공유지의 경우 해당 국·공유지의 위치, 형상, 환경 등 토지의 객관적 가치 형성에 영향을 미치는 개별적인 요인과 재개발사업 등에 부지로서 일단으로 이용되는 것에 따른 기여도 등을 고려한 가격으로 평가하였음.

> 국·공유지 평가에서 반드시 고려해야하는 사항은 '기여도'이므로 향상 답안에 기술하는 습관을 기르기 바란다.

⑤ 평가대상(공유재산)은 현황 개량한 상태로 평가하였는바, 정당한 사유로 점유하고 개량한 자의 개량비의 평정 등을 통해 공유재산 매각가액을 결정하기 바람.

> 조성비 등 개량비는 "매수하려는 자의 신청을 받아 중앙관서의 장등이 심사·결정" 하므로 감정평가 시에는 현황평가에 충실하면 될 일이다. 개량비는 보상평가에서의 개간비와는 구분할 수 있어야 한다.

II. 감정평가액 산출 근거

1. 토지 감정평가

1) 공시지가기준법에 의한 시산가액

(1) 개요

「감정평가에 관한 규칙」 제12조 및 제14조에 따라, 평가대상토지와 용도지역·이용상황·주변환경 등이 같거나 비슷한 표준지의 공시지가를 기준으로 대상토지의 현황에 맞게 시점수정, 지역요인 및 개별요인 비교, 그 밖의 요인의 보정을 거쳐 대상토지의 가액을 산정하는 공시지가기준법을 적용함.

(2) 비교표준지 선정

① 본건 평가를 위한 비교표준지는 기준시점 당시 공시된 공시지가 중 최근 공시된 〈2014.1.1〉 공시지가를 적용하되,

② 「감정평가에 관한 규칙」 제14조 제3항 제1호에 의거 평가대상 토지와 용도지역·이용상황·주위환경 등이 같거나 비슷한 표준지를 비교표준지로 선정하되 평가대상 토지와 제 가격형성요인의 비교가능성이 가장 높다고 판단되는 비교표준지로 본건 사업구역 내 표준지(주거나지/일단의 사업부지) 〈기호2〉를 선정하였음.

용도지역 역시 현재를 기준으로 평가한다. 예외적으로 편 용도지역이 종하향 되었다면 당초의 용도지역을 고려할 수도 있을 것이다.

(3) 시점수정(지가변동률 결정 : 2014.01.01.~2014.09.05)

비교표준지가 속한 서울특별시 A구 주거지역 지가변동률을 적용함.

(시점수정치 : 1.00057)

(4) 지역요인 비교

비교표준지와 평가대상토지는 인근지역에 소재하여 지역요인 대등함. (1.00)

(5) 개별요인 비교

본건 및 비교표준지는 동일함. (1.00)

(6) 그 밖의 요인 보정

① 비교사례의 선정 : 기준시점으로부터 비교적 가까운 시점에 평가된 사례 중 일단의 사업부지(아파트 예정지)로서 가치형성요인의 비교가능성이 가장 높다고 판단되는 〈사례#㉠〉 선정.

② 비교표준지의 격차율

$$\frac{5,700,000 \times 1.00057 \times 1 \times 1/1.18}{3,220,000 \times 1.00057 \times 1 \times 1} \fallingdotseq 1.50$$

③ 그 밖의 요인 보정치 결정

감정평가선례#㉠에 의해 산출된 표준지 공시지가 가격격차율을 기준하되, 인근지역 유사 감정평가사례와 인근지역 지가수준, 부동산시장 동향 등을 종합적으로 참작 참작하여 그 밖의 요인 보정치로 50.0% 증액보정함. (1.50)

(7) 공시지가기준법에 의한 시산가액

$3,220,000 \times 1.00057 \times 1 \times 1 \times 1.50 \fallingdotseq 4,830,000$원/㎡

2) 거래사례비교법에 의한 시산가액(배제사유)

인근 거래사례는 본건(일단 사업부지/아파트예정지)과 이용상황 등 가격형성요인에 차이가 있어 사례선정이 부적합하다고 판단하여 배제하였음.

※ 수험 목적 상 적용이 가능함

[문제2]

Ⅰ. (물음1) 환매권 상실 당시 토지평가 기준 등

1. 공익사업 변환 규정(토지보상법 제91조 제6항) 적용 검토

① 토지보상법 제91조 제6항은 "국가 등이 사업인정을 받아 공익사업에 필요한 토지를 협의하여 또는 수용한 후 해당 공익사업이 제4조제1호 내지 제5호에 규정된 다른 공익사업으로 변경된 경우 제1항 및 제2항 의 규정에 의한 환매권 행사기간은 관보에 해당 공익사업의 변경을 고 시한 날부터 기산한다." 되어 있으나 이 법 시행일 2010.04.05 이후 변경되는 사업부터 적용되는 바,

② 다른 사업(택지개발사업)은 토지보상법 제4조 제5호에 해당하는 사업 으로 2010.04.05 이전에 변경된 사업이나 중전 토지보상법 제91조 제 5항이 적용되어 공익사업 변환 규정 적용 대상이 아님. 따라서 환매권 이 발생되었음.

2. 기준시점(환매권 상실시점)

도시계획시설 도로사업에 필요 없게 되었으나 통지하지 아니하여 환매권 상실 시점은 취득시점(2001.09.20.)으로부터 10년 후 2011.09.20이 환매권 상실 시점임.

3. 비교표준지 선정 등

1) 환매(상실)당시 토지 평가 방법

환매토지가 다른 공익사업에 편입되는 경우에는 비교표준지의 선정은 그

---

3) 감정평가액 결정

기호	결정단가(원/㎡)	면적(㎡)	평가액
1	4,830,000	106.0	511,980,000
2	4,830,000	48.0	231,840,000
3	4,830,000	151.0	729,330,000
4	4,830,000	72.0	347,760,000
5	4,830,000	108.0	521,640,000
합계			2,342,550,000

「감정평가에 관한 규칙」제12조 제2항 단서에 따라 대상물건의 특성 등으로 인하여 다른 감정평가방법(거래사례비교법 등)을 적용하는 것이 곤란하거나 부적절한 경우에 해당하는 것으로 판단하였으며, 동 규칙 제14조에 따른 공시지가기준법에 의한 시산가액의 합리성이 인정되는 것으로 판단하여 그 시산가액인 2,342,550,000원을 감정평가액으로 결정하였음.

다른 공익사업(H택지개발사업)에 편입되는 경우와 같이 함.

II. (물음2) 환매권 상실 당시 토지평가액

1. 평가방법
환매토지가 다른 공익사업에 편입되는 경우에는 비교표준지의 선정, 적용 공시지가의 선택, 지가변동률의 적용 그 밖의 평가 기준은 그 다른 공익사업(H택지개발사업)에 편입되는 경우와 같이 한다.

2. 평가액
$530,000 \times 1.05000 \times 1.000 \times 1.050 \times 1.30$

⟨×315 = 239,400,000원⟩

≒760,000원/㎡

III. (물음3) 환매금액

1. 환매대상 : 지장물은 환매대상 제외

2. 환매금액 결정 방법
환매당시의 평가가격이 지급한 보상금액에 인근 유사토지의 지가변동률을 곱한 가격보다 적거나 같은 경우에는 지급한 보상금액으로 결정하며, 환매당시의 평가가격이 지급한 보상금액에 인근 유사토지의 지가변동률을 곱한 금액보다 많을 경우에는 다음 산식에 따라 산정된 금액으로 하였음

3. 환매당시 금액 :
239,400,000원

4. 보상금 :
56,700,000원

해당 문제는 환매시점에 다른 공익사업에 편입(변경)된 토지로서 환매시점의 평가는 변경된 공익사업의 보상평가 기준에 따라 평가하여야 한다. 공익사업이 예정된 지역의 시가는 예상 보상금액으로 이뤄진다고 보기 때문이다.

2) 적용공시지가
택지개발사업에 따른 사업인정의제일(2007.10.27) 이전 공시된 공시지가로 기준시점 당시 최근 공시된 ⟨2007.1.1⟩ 공시지가 적용.

3) 비교표준지 선정

(1) 용도지역
용도지역의 변경은 택지개발사업과는 무관한 것으로 보아 현황 ⟨제2종일반주거지역⟩ 기준

(2) 이용상황
공부상 지목(전)에도 불구하고 환매권 상실 당시 현황 및 인근 표준적 이용 상황 ⟨주거용⟩(단가구주택) 기준

(3) 비교표준지 선정
제2종주거지역 내 단독주택 ⟨표준지 5⟩선정

5. 인근 유사 토지 지가변동률(정상지가상승분)

1) 표본지 선정

(1) 선정기준

① 환매토지의 인근지역에 있는 것으로서 그 공부상 지목 및 이용상황 등이 유사한 토지로,

② 해당 공익사업과 직접 관계가 없는 것으로서 인근지역에 있는 공시지가 표준지로 함을 원칙으로 하되, 그 환매토지가 취득 이후 환매당시까지 해당 공익사업과 직접 관계없이 용도지역 또는 용도지구 등이 변경된 경우에는 그 환매토지와 용도지역 또는 용도지구가 같거나 유사한 인근지역에 있는 공시지가 표준지등을 표본지로 선정

(2) 표본지 선정 : 상기기준에 따라 〈표준지 6〉 선정

2) 취득당시 표본지 가격(2001.9.20)

$360,000 + (380,000 - 360,000) \times 263/365 ≒ 374,411$원/㎡

3) 환매당시 표본지 가격(2011.9.20)

$550,000 + (600,000 - 550,000) \times 263/365 ≒ 586,027$원/㎡

4) 인근 유사토지의 지가변동률 : (3) / (2) ≒ 1.56520

6. 환매금액

1) 보상금 × 인근 유사 토지 지가변동률

$56,700,000 \times 1.56520 ≒ 88,747,000$원

2) 환매금액

(1) 개요

환매당시 금액(239,400,000원)≥"보상금×인근 유사토지 지가변동률"인 바

"환매금액 = 보상금액 + [환매당시의 평가액 - (보상금액×(1+지가변동률))]"로 결정함

(2) 환매금액 : $56,700,000 + (239,400,000 - 88,747,000) = 207,353,000$원

IV. (물음 4) 환매권 상실로 인한 손해액

1. 손해배상액(위례) 결정 기준

환매권 상실 당시 토지가격과 환매권 행사시 환매금액의 차이

2. 손해배상액 : $239,400,000 - 207,353,000 = 32,047,000$원

[문제 3]

I. (물음 1) B토지의 적정매입가격

1. 합병으로 인한 증분가치

$18,000,000,000 - 9,000,000,000 - 4,000,000,000 = 5,000,000,000$

2. 적정매입가격

1) 기여도 비율

$$\frac{18,000,000,000 - 9,000,000,000}{18,000,000,000 \times 2 - 9,000,000,000 - 4,000,000,000} \fallingdotseq 0.391$$

2) 결정

$4,000,000,000 + 5,000,000,000 \times 0.391 = 5,955,000,000$

II. (물음 2) 공장

1. 재조달원가

1) 직접공사비 및 (직·간접공사)경비

$2,000,000,000 + 1,000,000,000 + 1,000,000,000 = 4,000,000,000$

2) 일반관리비

(1) 일반관리비율 산식 : 일반관리비 / (직접공사비 + 경비)

(2) 결정

① 4억÷40억 = 10%로 5%초과함

② $4,000,000,000 \times 0.05 = 200,000,000$

3) 이윤

(1) 이윤율 산식 : 이윤 / (직접공사비 + 경비 + 일반관리비)

(2) 결정

① 4억÷42억 = 9.5%로 15% 이내임

② 따라서 소유자 제시 이윤 기준 $400,000,000$

4) 계 $4,600,000,000$원

2. 감가수정 : $4,600,000,000 \times (1 - 0.1^{1 \div 20}) = 500,246,000$

3. 평가액 : $4,600,000,000 - 500,246,000 = 4,099,754,000$

【문제 4】

I. (물음1)

1. 평균수익률 자료의 채택

산술평균이란 변수들의 총합을 변수의 개수로 나눈 값이다. 기하평균이란 n개의 양수가 있을 때, 이들 곱의 n제곱근의 값이다. 산술기하평균 정리에 따르면 산술평균값은 기하평균값보다 크거나 같다.

만약 주식이 1년간 50%하락하였고, 그 다음해 1년간 100% 상승하였다고 가정하자. (배당은 없다고 본다) 그렇다면 시점의 현재 주식가격은 2년전과 동일하지만 산술평균 수익률에 의하면 수익률은 25%가 된다. 이와 같이 산술평균으로 수익률을 구하게 되면 수익률이 과대평가될 가능성이 있고, 시안과 같이 장기간의 수익률을 산정할 경우 산술평균 수익률이 더 과대평가되는 경향이 크다. 따라서 정확한 수익률을 구하기 위해서는 기하평균을 적용함이 타당하다.

2. 표준편차 및 시계열 상관계수 자료 분석

REITs란 부동산투자를 전문으로 하는 뮤추얼펀드로 부동산이 증권화된 형태 중 하나이다. 부동산이 증권화됨으로써 주식시장과 통합되는 과정에서 주식과 유사한 수익률과 위험이 할당되었기 때문에 표준편차가 유사하다. 또한 주식 및 리츠시장은 과거 가격보다 장래 수익에 영향을 미치는 정보에 더 민감하다. 따라서 시계열상관계수(전기의 수익률이 당기의 수익률을 설명할 수 있는 정도)가 낮은 것이다.

반면에 부동산은 필수재로서 일정한 수준의 수요가 유지되는 경향이 있다.

이로 인해 투자자산(주식 등)에 비해 위험이 낮아지고 표준편차도 낮은 수준으로 계측될 것으로 보인다. 뿐만 아니라 감정평가액은 과거 감정평가선례에 기속되는 경우가 많고, 표준공시지가나 시세는 지가 안정을 목적으로 전년도 가격과의 균형을 유지하기도 한다. 이러한 평가관행으로 인해 시계열 상관계수가 가장 높게 측정될 것이다.

II. (물음 2)

1. 임차권 수익률

1) 임대권 가치

$9,000,000 \times PVAF(9\%,10) + 120,000,000 \div 1.09^{10} = 108,448,000$

2) 임차권 가치 : $120,000,000 - 108,448,000 = 11,552,000$

3) 임차권 수익률

$11,552,000 = (12,000,000-9,000,000) \times PVAF(y\%, 10)$ ⟨y = 22.6%⟩

2. 임차권과 임대권 가치의 합이 소유권의 가치와 다른 이유

1) 자본환원율 차이

임대권의 기초가 되는 계약임대료는 비교적 안정적으로 위험이 낮으나, 임차권의 기초가 되는 귀속소득은 시장 상황에 따라 변동하므로 위험이 높을 수 있다.

2) 임차자의 질

소유권의 가치는 전형적인 임차자를 기준하나 임대권의 가치는 실제 임차자를 고려한 임대료를 기준하여 형성된다.

3) 최고최선의 이용

소유권의 가치는 최고최선의 이용을 전제하나, 임대권의 가치는 현재의 이용상태를 전제한다.

🖊 [문제1]은 HPM을 적용한 집합건물의 평가, [문제2]은 기성선하지에 대한 보상평가, [문제3]은 토지와 통업손실보상, [문제4]에서는 경매평가에서의 제시의 건물 처리를 물었다.

출제위원 채점평에서는 수험생의 기본적인 실무능력을 평가하는데 중점을 두고 실제 현업에 종사하는 경우 필요한 지식을 출제하였다고 하였다. 특히한 사항이라 할 것은 아니나 실무공부의 지향점을 다시 한번 확인할 수 있었다.

1. 문제1번 – 집합건물의 감정평가(40)

중별효용지수의 결정, 집합건물의 감정평가방법 적용, 시산가액 조정 등이 주요 논점이 있었다. 자료(data)분석 및 해석, 감정평가액을 도출하는 일련의 과정뿐만 아니라 오피스빌딩 평가 시 일반적으로 적용되는 연면적(전체면적)을 기준한 시장의 거래 관행 등 실무적 관점이 반영된 문제였다.

1) (물음 1) 중별 효용지수

오피스빌딩 또는 제4축 중추자산 평가 등 대규모 집합건물 평가 시 개관적이며 신뢰성 있는 결과를 도출하기 위해 선물을 기준이는 부분이 중별효용비의 결정이다. 실무적으로 중별효용요비를 결정할 때에는 분양사례, 거래사례, 평가사례, 통계자료 및 각종 연구자료를 분석하여 결과를 도출하고 있다. 물음(1) 역시 이런 실무적 능력을 판별 위해 중별효용요비 결정을 독립 되된 물음으로 상당한 배점을 두어 출제하였었다. 채점 결과 고득점을 받기 위 해서는 물음(1) 풀이의 견고함이 반드시 필요했던 것으로 보인다. 그러나 물음(1)은 생각보다 많은 실무적 경험이 필요하다. 실무적으로는 너무나 당연한 것이지만 단순 이론과 수험적 접근으로 접근하여서는 출제자가 정답을 가지고 자료를 제시하였다.

물음(1) 예시답안은 실무적인 중별효용요비 결정 중급과 유사하게 제시하였다. 통계적으로 유의한 계량분석 결과(중별 단가)의 상대적 비율 수준은 중별효용요비 결정의 중심에 두고 일반적 중별효용요비의 패턴(역전 현상 보임)과 평가사례 및 기타 제시자료를 근거로 예시답안과 같은 수치를 도출하되 결정의 근거를 중론이 기술하여야 할 것이다.

2) (물음 2) 시산가액조정을 통한 감정평가액 결정

(1) 대상물건 확정과 평가방식의 적용

대상은 구분소유권 등기가 된 집합건물로 물건의 단위는 호이기 때문에 호별 시산가액을 산정함을 원칙으로 한다. 다만, 대형부동산의 경우 1동 전체의 평가시 부동산의 종류(전함, 복합부동산)가 실질적 가치형성요인인 차이가 없다(일팔).

따라서, 집합건물이더라도 실무적으로 호별 시산가액의 산정이 불필요하거나 적정하지 아니한 경우에는 1동 전체의 가격을 산정하기도 하니 참고 바란다. 그러나, 해당 문제에서는 최소한 거래사례비교법의 시산가액은 호별로 보여줘야 할 것이다.

월판리비는 전체면적기준'을 제시해 주고 있다.

동시에 적용 비교면적 기준에 따라 전용물의 비교 방법도 달라진다. 비교면적 기준이 ① 연면적(전체면적)인 경우 전용률 비교는 정(正)방향 비교가 되지만 ② 전용면적인 경우 전용률 비교는 역(逆)방향(또는 공용면적 비율)비교가 되어야 한다.

(3) 시산가액 조정

22조와 같이 시산가액 조정에 활용 할 수 있게 지역 개황이 주어졌다. 하지만 본 시험에서는 계량분석내용이 1페이지 넘게 제시된 만큼 가치형성요인 및 유의수준에 대해 언급하도록 요구한 것으로 보인다.

2. 문제2번 – 구분지상권이 설정된 토지 보상평가(30)

1) (물음 1) 선하지(구분지상권)의 보상평가방법

구분지상권이 설정되어 기 보상금을 전기사업자가 보상한 상태에서 해당 토지의 소유권을 취득하는 경우의 보상에 대한 문제이다. 해당 문제는 실무에서도 상당한 혼란을 가져오고 있고 이에 대한 기준을 수립하기 위해 많은 논의가 이어지고 있다.

구분지상권이 설정된 토지의 보상평가와 관련해서는 여러 가지 이론적 평가방법에 대한 이해도 중요하지만 수험생이라면 해당 물건에 적용 될 수 있는 「토지보상법시행규칙」 제28조(토지에 관한 소유권외의 권리의 평가), 제29조(소유권외의 권리의 목적이 되고 있는 토지의 평가), 제31조(토지의 지하·지상공간의 사용에 대한 평가)의 구성을 상세히 이해하고 각 평가방...

---

(2) 가치형성요인의 계량분석(선정 기준 및 비교치 활용 등)

<자료3>은 해당 문제를 대표하는 자료는 아닐 수 있다.

그러나, 해당 자료가 가치형성요인을 분명히 하고 있어 요인비교시 자료로 활용될 동시에 선정기준으로도 활용될 수 있음을 잡아두고 분석할 필요가 있었다.

또, 문제분석 시 <자료3>의 "2.토지이면의 거래사례를 이용", "3.집합건물인 업무시설의 거래사례를 이용'을 구분하여 각각 토지, 오피스 해당 자료로 구분하여 분석할 필요가 있었다. 그 이때 목차 체계에 우물호('1')에서는 각 단락이 어떤 요인인지를 분명히 하는 분석이 필요하다.

즉, ① '토지'는 '면적', '지하철과의 거리', ② '집합건물'은 '용', '지하철거리', '전용률' 및 '전체면적'에 따른 가치형성요인이 제시되었음이 분석된 후에 평가방식 적용 단계에 들어갔어야 한다. 자료 하나가 상당한 분량을 차지하고 있을 때 이런 체계를 보고 분석하려는 연습이 필요하다.

구체적 항목에서 실무 접근할 수 있는 부분은 '전용률 비교'와 '적용 비교 면적'이다.

우선 면적 비교방법에 대해서 전용면적을 기준할 것인지 연면적을 기준하여 비교할 것인지가 문제된다. "전체면적이 전용면적의 증가는 유의", "전용면적이 통제된 상태에서 공용면적으로 유의하지 않다"는 문구를 통해 출제자는 실무적 방법인 연면적(전체면적)을 비교기준으로 적용하도록 하였다. 또 연면적 비교기준을 명확히 하기 위해 출제자는 <자료10>에서 '1.임대면적 : 3,000㎡(전체)', '5. 보증금, 월임대료,

법들이 가지고 있는 법적 근거를 우선 정리할 필요가 있다.

토지보상법 시행규칙

제28조(토지에 관한 소유권외의 권리의 평가) ① 취득하는 토지에 설정된 소유권외의 권리에 대하여는 해당 권리의 종류, 존속기간 및 기대이익 등을 종합적으로 고려하여 평가한다. 이 경우 점유는 권리로 보지 아니한다.

② 제1항의 규정에 의한 토지에 관한 소유권외의 권리에 대하여는 거래사례비교법에 의하여 평가함을 원칙으로 하되, 일반적으로 양도성이 없는 경우에는 해당 권리의 유무에 따른 토지의 가격차액 또는 권리설정계약을 기준으로 평가한다.

제29조(소유권외의 권리의 목적이 되고 있는 토지의 평가)
취득하는 토지에 설정된 소유권외의 권리의 목적이 되고 있는 토지에 대하여는 제22조 내지 제27조의 규정에 의하여 평가한 해당 권리가 없는 것으로 하여 제22조 내지 제27조의 규정에 의하여 평가한 소유권외의 권리의 목적이 되고 있는 토지에 대하여는 제22조 내지 제27조의 규정에 의하여 평가한 금액에서 제28조의 규정에 의하여 평가한 권리의 가액을 뺀 금액으로 평가한다.

제31조(토지의 지하·지상공간의 사용에 대한 평가)
① 토지의 지하 또는 지상공간을 사실상 영구적으로 사용하는 경우 해당 공간에 대한 사용료는 제22조의 규정에 의하여 산정한 해당 토지의 가격에 해당 공간을 사용함으로 인하여 토지의 이용이 저해되는 정도에 따른 적정한 비율(이하 이 조에서 "입체이용저해율"이라 한다)을 곱하여 산정한 금액으로 평가한다.

② 토지의 지하 또는 지상공간을 일정한 기간동안 사용하는 경우 해당 공간에 대한 사용료는 제30조의 규정에 의하여 산정한 해당 토지의 사용료에 입체이용저해율을 곱하여 산정한 금액으로 평가한다.

필자는 사견으로 해당 구분지상권은 관한 소유권외의 권리의 평가 규정인 시행규칙 제28조가 우선 적용되어야 한다고 본다. 이에 시행규칙 제31조는 준용 내지 고려할 사항 정도로 적용되는 것이 보상의 형평성 및 합리성을 맞출 수 있는 방안이라고 생각한다.

해당 물음과 관련된 질의회신 및 판례 등을 소개한다.

○ 토지정책팀-3859, 2007.9.7.
[질의요지]
지상권 및 구분지상권이 설정되어 있는 토지(선하지)에 대한 평가는 「토지보상법」시행규칙 제29조(소유권외의 권리의 목적이 되고 있는 토지의 평가)를 적용하여야 하는지 같은 규칙 제31조(토지의 지하·지상공간의 사용에 대한 평가)를 적용하여야 하는지 여부

[회신내용]
「토지보상법시행규칙」제29조는 취득하는 토지에 설정된 소유권외의 권리의 목적이 되고 있는 토지에 대하여는 해당 권리가 없는 것으로 하여 제22조 내지 제27조의 규정에 의하여 평가한 소유권외의 권리의 목적이 되고 있는 토지에 대하여는 제22조 내지 제27조의 규정에 의하여 평가한 금액에서 제28조의 규정에 의하여 평가한 권리의 가액을 뺀 금액으로 평가하도록 규정하고 있고, 같은 규칙 제31조 제1항의 규정은 토지의 지하 또는 지상공간을 사실상 영구적으로 사용하는 경우 해당 공간에 대한 사용료는 제22조의 규정에 의하여 산정한 해당 토지의 가격에 해당 공간을 사용함으로 인하여 토지의 이용이 저해되는 정도에 따른 적정한 비율을 곱하여 산정한 금액으로 평가하라는 규정입니다.

따라서, 취득하는 토지에 설정된 소유권외의 권리의 목적이 되고 있는 토지에 대한 평가는 같은 규칙 제29조의 규정에 의하여야 한다고 보나, 개별적인 사례에 대하여는 사업시행자가 사실관계를 조사하여 판단·결정할 사항이라고 봅니다.

○ 감정평가사 협회 회신내용

1. 토지보상법 시행규칙 제28조(토지에 관한 소유권 외의 권리의 평가) 제1항에서 취득하는 토지에 설정된 소유권 외의 권리에 대하여는 해당 권리의 종류, 존속기간 및 기대이익 등을 종합적으로 고려하여 해당 권리한다고 구성하고 있으며, 제2항에서 거래사례비교법을 원칙으로 하되, 일반적으로 양도성이 없는 경우에는 해당 권리의 유무에 따른 토지의 가격차액 또는 권리설정계약을 기준으로 평가한다고 규정하고 있으며, 우리 협회의 내부규정인 「토지보상평가

2. 토지보상법 시행규칙 제28조제3항에서 구정한 "…권리설정계약능을 기준으로 평가한다."의 의미는 권리설정계약금액을 감안하라는 것이 아니라 권리설정 계약 내용을 고려하여 해당 권리로 인한 기대이익 등을 판단하여 평가하라는 의미이므로 단순히 권리설정금액을 감안하는 방법으로 평가하는 것은 타당하지 않다고 사료됩니다.

그리고, 다른 시업자구역의 보정률의 차이는 구분지상권의 설정계약내용에 따라 담라질 수 있는 것이므로 구체적인 사실관계를 파악할 수 없는 협회에서 답변하기는 어려운 것으로 보입니다. 다만, 사용료평가인 선하지의 구분부분 사용에 따른 손실보상평가(OO공사 보상평가)와 토지의 소유권 외의 권리의 평가인 구분지상권 평가(을산시 감가평가)가는 평가대상이 상이한 것이므로, 양 평가 간의 차이를 단순히 보정률 차이로 볼 수는 없을 것입니다.

따라서, 공익사업으로 취득하는 토지에 설정된 구분지상권의 평가는 토지보상법 시행규칙 제28조제2항 및 토지보상지침 제47조제2항을 근거로 평가되어야 하나. 현실적으로는 구분지상권의 설정시점, 위치 및 면적, 존속기간, 지료의 지급방법 등 제약내용이 다양하여 이를 일률적으로 구정하기 어려운 점이 있습니다. 다만, 어떠한 방법으로 사용하든 해당 권리의 종류, 존속기간 및 기대이익 등이 종합적으로 고려되어야 할 것입니다.

지침(이하 "토지보상지침"이라 한다) 제47조제1항에서는 사업시행자 등의 요청에 따라 토지보상법 시행규칙 제28조 따라 토지에 관한 소유권 외의 권리를 따로 평가하는 경우에는 토지보상법 시행규칙 제29조에 따라 "평가가격=해당토지의 나지상태의 평가가격 - 해당토지에 관한소유권외의 권리에 대한 평가가격"으로 규정하고 있고, 제2항에서 소유권 외의 권리가 「민법」제289조의2 제1항에 따른 구분지상권인 경우에는 토지보상지침 제50조(도시철도의 구분지상권에 따른 지하사용료의 평가가)와 제51조(임대이용저해율의 산정)를 준용하여 해당 토지에 관한 소유권 외의 권리에 대한 평가가격을 결정할 수 있다고 규정하고 있습니다.

---

2) (물음 2) 택지개발사업에 따른 보상액

(1) 대상의 이용상황 및 비교표준지 선정

용도지대의 관점에서는 인근지역은 택지예정지 정도로 볼 수 있다. 그러나 보상 평가에서는 도로능 이용상황이 상위단계의 표준지 보다는 낮은 단계의 표준지를 선정함이 일반적이다. 주거나지를 선정하는 경우에는 단독주택부지 등으로 이행하는 과정에서 감보 내지 기타 가치변동 사항이 있을 수 있기 때문에 이를 함부로 고려하지 않는다.

문제에서는 원칙적으로 현재 이용상황을 "전"으로 제시하였고, 제시된 현황 평가에 따라 비교표준지는 "전(기호'가')"을 적용하였다. 아울러 제시된 공시지가의 가격 수준을 보면 "전(기호'가')', '주거나지(기호'나')'의 격차가 크지 않고, 표준지를 각각 적용한 단가를 산정해보면 오히려 표준지는 "전(기호'가')"을 적용한 단가가 높게 산정된다.

따라서, 이행과정에 있는 지역의 특성 및 가치형성요인이 비교표준지에 반영된 것으로 보는 것이 합리적이다.

(2) 보정률 선정 기준

인근지역의 표준적 이용상황의 변경(단독주택)은 해당 사업과 무관하다고 제시하여 반영되어야 할 사항임은 명백하다.

비교표준지는 "전"(이행과정의 가치가 포함)으로 선정하였으나, 보정률의 적용은 용도지대의 관점에서 "주택지"가 합리적이다. "주택지"는 가까운 장래에 택지화가 예상되는 지역을 포함하기 때문이다.

(3) 추가보정률 고려 여부

추가보정률은 토지의 지상 및 공중공간을 사용함에 따라 발생하는 지료이

성격이 아닌 설정면적 이외의 공간에 해당하는 토지소유권에 대한 보정률
으로 보는 것이 합리적이다. 즉 지상권자의 권리부분에 해당하지 않는다.
따라서 예시답안에서는 입체이용저해율(기본율)만 적용하였고 추가보정률
을 적용하는 경우 답안은 아래와 같다.

※ 추가보정률을 고려하는 경우
1) 토지 가격 : 142,500,000원
2) 보정률
  (1) 입체이용저해율 : 0.1125
  (2) 추가보정률
    ① 쾌적성 : 10.35m로 10m 초과 20m 미만 '중'
    ② 시장성 : 송전선로가 필지의 중앙 통과 '상'
    ③ 기타 : 존속기간 30년 초과 '상'
    ④ 결정 : 0.075 + 0.1 + 0.1 = 0.275
  (3) 계 : 0.1125 + 0.275 = 0.3875
3) 평가액 : 142,500,000 × 0.3875 = 55,219,000원

3. 문제3번 - 토지 및 농업손실 보상평가(20)

1) (물음 1) 토지 보상

2) (물음 2) 농업손실 보상

(물음 2-1) 보상대상여부 검토

지목 '임야'이나 현황 '농지'의 농업손실보상과 관련하여 「농지법」상 '농지'의
개정으로 인해 앞으로는 아래의 내용이 추가되어야 한다.
기타 [농업손실보상]상에 대하여는 11회 해설 참조.

□ 지목이 '임야'인 토지

(1) 「농지법」의 개정
「농지법」 제2조제1호가목의 단서에 따라 농지를 "농작물 경작지 또는 다년생식물 재
배지로 이용되는 토지 중 농지로 보지 않는 경우를 「농지법 시행령」 제2조제
2항에서 규정하고 있으며, 이 조항이 2016.1.19자로 개정(시행2016.1.21.)
되었다

(2) 적용
① 2016.1.21. 이전
개정 「농지법 시행령」 제2조제2항, 부칙 제1조 및 제2조에 따라
2016.1.21 이전에 지목이 임야인 토지로서 i)농작물 경작지 또는 다년생
식물 재배지로 계속하여 이용되는 기간이 3년 이상인 경우 및 ii)형질을
변경하고 다년생식물 중 과수·뽕나무·유실수 그 밖의 생육기간이 2년 이
상인 식물이나 조경목적으로 식재한 것이 아닌 조경 또는 관상용 수목과
그 묘목 등이 재배에 이용되고 있는 토지는 농지로 본다.

② 2016.1.21. 이후
2016.1.21 이후에는 「산지관리법」에 따른 산지전용허가 또는 다른 법률에
따라 산지전용허가가 의제되는 인가·허가·승인 등을 가져 농작물의 경작 또는
다년생식물의 재배에 이용되는 토지에 농지로 본다.

(물음 2-2) 농업손실보상액

사업인정고시일 등 이전부터 재결일까지 계속하여 영농을 지속한 임차인
인바 협의가 원치이나 협의가 이루어지지 않은 경우의 문제였다. 개정 전
시행규칙 48조 4항에서는 협의가 이루어지지 않은 경우 "농지의 소유자와
실제 경작자에게 각각 영농손실액의 50퍼센트에 해당하는 금액을 보상"하
도록 하고 있어 임차인이 각자인의 노력균 농가 소득에 비례 높은 소득을 받
도록 하고 있어 임차인이 각자인의 노력균 농가 소득에 비례 높은 소득을 발
생기고 있는데도 불구하고 이러한 보상액 등 절반이 농지의 소유자에게

귀속된다는 문제가 있었다. 법령의 개정으로 2013.4.25. 이후 법 16조에

따라 협의 통지를 한 경우 농가평균 수입을 초과하는 부분에 대해서는 임

차인에게 귀속되도록 하였다.

본 문제는 개정 법령이 적용되는 경우이므로 농지의 소유자에게는 도별 연

간 농가평균 단위경작면적당 농작물 총수입의 50%에 해당하는 금액을 보

상하고, 실제 경작자에게는 임증된 실제소득에 따라 결정된 영농손실액 중

농지의 소유자에게 지급한 금액을 제외한 나머지에 해당하는 금액을 보상

한다.

4. 문제4번 – 경매 목적 감정평가(10)

[문제 1]

I. 감정평가개요

1. 감정평가 목적 : 매각목적 집합건물(오피스) 일반시가 참조 목적

2. 감정평가 방법

1) 감칙12조 1항에 따라 집합건물의 감정평가는 동칙16조에 따라 구분소 유권의 대상이 되는 전물부분과 그 대지사용권을 일괄하여 감정평가 할 때에는 거래사례비교법을 주된 방식으로 적용

2) 감칙12조 2항에 주된 방식의 시산가액과 다른 감정평가방식(원가법, 수 익환원법)으로 산출된 시산가액을 비교하여 합리성을 검토하였음.

3) 원가방식에서는 토지는 감칙14조 공시지가기준법, 전물은 감칙15조 원 가법으로 산출한 개별물건의 합계액을 총별효용비율을 적용하여 각 구 분전물의 가액으로 안분하였음.

3. 기준시점 및 기준가치 : 2015.08.20 시장가치

4. 기타사항

제랑분석을 통해 ①토지는 '면적', '지하철과의 거리', ②집합전물은 '층', '지하철거리', '전용률' 및 '전체면적'에 따른 가치형성요인을 감안하여 평 가하였음.

II. (물음 1) 총별효용비 결정

1. 제랑분석 결과에 따른 총별효용비 분석 결과

지하1	1층	2층	3층	4층	5층	6층
75	100	88	92	89	90	89

2. 총별효용지수 참고자료 분석 결과

1) 평가사례

① 1층 100을 기준으로, ② 2층 85-90, ③ 3층 83-90, ④ 4층 87-90,

⑤ 5층 이상 85-90

2) 실무기준해설서

① 1층 100을 기준으로, ② 2층 51-60, ③ 3층 50-51, ④ 4층 45-51,

⑤ 5층 이상 42-51을 보이고 있음.

3. 총별효용비 결정

물음(1) 예시답안은 실무적인 총별효용비율 결정 흐름과 유사하게 제시하였다. 통 계적으로 유의한 제랑분석 결과(총별 단가)의 상태적 비율 수준은 총별효용비 결 정의 중심에 두고 일반적 총별효용비율의 패턴(역전 현상 보완)과 평가사례 및 기타 제시자료를 근거로 예시답안과 같은 수치를 도출하되 결정의 근거를 충분히 기술 하여야 할 것이다.

1) 총별 효용비의 일반적 형태

일반적으로 다른 조건이 동일한 경우 층에 따른 효용(가격, 임대료)의 격차가 발생하고 있고, 상층부 효용지수는 저층부 대비 작은 것이 일반적임.

2) 시점수정 : 오피스 자본수익률 적용

3) 401호 기준 단가(전용률 비교 전)

$6,780,000,000 \times 1 \times 1.00664 \times 1 \times 1 \div 2,500 = 2,730,000원/㎡$

4) 각 층별 시산가액(층, 지하철거리, 전용률, 전체면적 각각 비교)

호수	비교치	층별효용비	단가(원/㎡)	전체면적	총액
B101	0.95	75	2,161,000	5,000	10,805,000,000
101		100	3,033,000	3,000	9,099,000,000
201		90	2,730,000	2,700	7,371,000,000
301		90	2,730,000	2,700	7,371,000,000
401	0.97	90	2,648,000	2,700	7,149,600,000
501		90	2,730,000	2,700	7,371,000,000
601		90	2,730,000	2,000	5,460,000,000
				20,800	54,626,600,000

* 전용률은 4층 : 41%, 그 외 부분 : 45%임

자료에서 제시한 문구들(위 분석자료 참조) 통해 층제는 전용면적이 아닌 연면적(전체면적)을 적용하도록 하였다.

동호에 적용 적용면적 기준에 따라 전용률의 비교 방법도 달라진다. 비교 면적 기준이 ① 연면적(전체면적)인 경우 전용률 비교는 정(正)방향 비교가 되지만 ② 전용면적인 경우 전용률 비교는 역(逆)방향(또는 공용면적 비율비교가 되어야 한다.

---

2) 실무기준해설서의 효용지수의 한계

실무기준해설서의 경우 통상적인 효용지수를 반영할 뿐, 지역의 특성 및 대상부동산의 개별성을 반영하지 못하는 한계를 가지고 있음.

3) 대상 층별 효용비 결정 의견

계량분석 결과는 통계적으로 유의하나 상층부 효용비가 저층부 이상인 점을 감안할 때 일부 조정이 필요함. 따라서 인근지역의 지역특성 및 업무시설 (사무실)로서의 대상 부동산 개별성 및 최근 부동산 시장의 동향을 반영하기 위하여 최근 감정평가사례(평가사례3)를 종합 감안하여 아래와 같이 설정 하였음.

지하1층	1층	2층	3층	4층	5층	6층
75	100	90	90	90	90	90

Ⅲ. (물음 2) 감정평가 결정에 관한 의견

대상은 구분소유권 등기가 된 집합건물로 물건의 단위는 호이기 때문에 호별로 시산가액을 산정함을 원칙으로 한다. 다만, 집합건물이더라도 실무적으로 호별 시산가액의 산정이 불필요하거나 결정하지 아니한 경우에는 1동 전체의 가격을 산정하기도 한다. 그러나, 해당 문제에서는 최소한 거래사례비교법의 시산가액은 호별로 보여줘야 할 것이다.

1. 거래사례비교법

1) 사례선정

동일 용도지역, 통계적 유의성 기준 지하철역거리 고려하고 용도 동일한 <사례B> 선정(A : 용도지역 상이, C : 용도 상이, D : 지하철역까지의 거리 사유로 배제)

2. 원가법

1) 1동 전체 가격(대지권 목적 토지 및 1동 건물)

(1) 토지(공시지가기준법)

① 비교표준지 선정 : 용도지역, 이용상황 및 가격형성요인 보정 가능〈다〉

[딸자주] 도로조건 유사한 〈나〉 선정도 가능해 보이나 동일노선인지 여부 불분명하며, 가격형성요인으로 지하철역 거리 보정 어려워(유의한 수준이 아니면 보정안 하는 것도 방법일 수 있음) 선정의 기준으로 삼았음.

② 시점수정 : 지가변동률 기준   〈1.00448〉

③ 그 밖의 요인 보정치(거래사례 기준)

$$\frac{5,800,000 \times 1.00021 \times 1 \times (1.01 \times 1/0.98 \times 0.97)}{2,800,000 \times 1.00448 \times 1 \times (1/0.9 \times 1.1)} \fallingdotseq 2.04$$

④ 평가액

$2,800,000 \times 1.00448 \times 1 \times 1 \times (1/0.9 \times 1/1.1) \times 2.04$ = 5,796,000원/㎡

(×3,637=21,080,052,000원)

(2) 건물(원가법) : 1,540,000×53/55×20,800   = 30,867,200,000

(3) 1동 전체 가격 : 토지 + 건물   = 51,947,252,000

3. 수익환원법

1) 대상 1층 전체면적 당 PGI

(1) 대상 1층 PGI

100,000×0.03+(10,000+6,000)×12   = 195,000원/㎡

2) 각층 총별효용비율

호수	총별효용비	비교치	전체면적	직수	총효용비율
B101	75	0.95	5,000	356,250	0.198
101	100		3,000	300,000	0.167
201	90		2,700	243,000	0.135
301	90		2,700	243,000	0.135
401	90	0.97	2,700	235,710	0.131
501	90		2,700	243,000	0.135
601	90		2,000	180,000	0.100

3) 각 총별 시산가액

호수	총효용비율	총액	단가(원/㎡)
B101	0.198	10,285,556,000	2,057,000
101	0.167	8,675,191,000	2,892,000
201	0.135	7,012,879,000	2,597,000
301	0.135	7,012,879,000	2,597,000
401	0.131	6,805,090,000	2,520,000
501	0.135	7,012,879,000	2,597,000
601	0.100	5,194,725,000	2,597,000
계	1	51,947,252,000	

② 개별분석 : 업무시설 집합건물로 층, 지하철거리, 전용률, 전체면적 등에 따른 가치형성요인이 주요 가격변수임이 통계적 분석에 의해 증명되었음.

22회와 같이 시산가액 조정에 활용 할 수 있게 지역 개황이 주어졌다. 하지만 본 시험에서는 계량분석내용이 1페이지 넘게 제시된 만큼 가치형성요인 및 유의수준에 대해 언급하도록 요구한 것으로 보인다.

③ 각 시산가액의 유용성 및 한계
㉠ 거래사례비교법 : 시장의 거래사례가 풍부하여 시장증거력을 가지고 있고, 통계적 분석에 의하여 주요 가격형성요인을 충분히 고려하였음

㉡ 원가법 : 토지의 거래사례는 풍부하여 증거력이 인정되나, 원가법에 의한 시산가액은 1동 전체가격의 총액을 단순 가격비율로 안분한 것으로 부동산의 종류가 집합건물인 대상의 가격을 충분히 지지하기에는 한계가 있음.

㉢ 수익환원법 : 대상의 수익성을 기반으로 주요 가격형성요인을 고려한 수익을 추정하였으나, 가치형성요인 비교시 활용한 제반분석자료는 임대사례를 기반한 것이 아닌 거래사례를 기반한 것으로 다소간의 차이가 있을 수 있음.

④ 감정평가 목적 : 일반거래(시가참고) 목적의 한-구00공사의 부동산 매각을 위한 감정평가임을 고려함.

⑤ 시산가액 조정 및 결정
감칙 12조 1항 및 16조에 의한 집합건물의 감정평가 주된 방법인 거래사례비교법에 의한 시산가액은 통계적 계량분석에 의하여 주요 가치형성요인을 충분히 고려하고, 증거의 양으로도 그 객관성이 개관되며, 감칙

---

2) 대상 1층 전체면적 당 단가

(1) 대상 1층 NOI(단가)

$$195,000 \times 0.9 - 6,000 \times 12 \times 0.8 = 117,900원/㎡$$

(2) 대상 1층 전체면적 당 단가 : $117,900 \div 0.04 = 2,947,500원/㎡$

3) 각 층별 시산가액

호수	비교치	층별효용비	단가(원/㎡)	전체면적	총액
B101	0.95	75	2,100,094	5,000	10,500,468,750
101		100	2,947,500	3,000	8,842,500,000
201		90	2,652,750	2,700	7,162,425,000
301		90	2,652,750	2,700	7,162,425,000
401	0.97	90	2,573,168	2,700	6,947,552,250
501		90	2,652,750	2,700	7,162,425,000
601		90	2,652,750	2,000	5,305,500,000
계				20,800	53,083,296,000

4. 시산가액 조정 및 감정평가액 결정

1) 각 시산가액 및 감정평가액 결정

거래사례 비교법	원가법	수익환원법	결정 감정평가액
54,626,600,000	51,947,252,000	53,083,296,000	54,000,000,000

※ 각 시산가액 총액만 기재

2) 시산가액 조정 및 감정평가액 결정

① 지역분석 : 인근지역은 새롭게 조성된 상업·업무지대로 업무시설 가격은 상승과 하락을 반복하고 있음.

12조 2항에 따른 다른 감정평가방식에 의한 시산가액으로도 그 합리성이 인정되는바 주위 방법에 의한 거래사례비교법에 의한 시산가액으로 감정평가액을 결정함.

[문제 2]

I. (물음 1) 구분지상권 평가방법

1. 나지상정 가격에 보정률(임제이용저해률)을 고려하는 방법
(기준시점에서 구분지상권의 가치로 감정평가하는 방법 : 則§31)

1) 평가방법
해당 토지의 가격에 임제이용저해률을 곱하여 보상액을 산정하는 방법.

※ 공용제한에 따른 손실보상의 성격으로 가치감소분을 보상하고 있다는 보아야 하고 토지의 지상 또는 지하에 일부 공간에 대한 영구적인 사용권의 가치와 그 가치를 표상하고 있는 구분지상권의 가치가 달라야 할 이유가 없으므로 구분지상권의 보상평가도 같은 방법을 적용하여야 한다는 것이다.

오래전에 설정된구분지상권의경우수예에보상금이지급되있으나, 기준시점에 서 토지가치가 많이 상승한 경우 토지소유자에게 수인할 수 없는 과다한 희생을 강요하게 되고, 이러한 결과로 토지의 합리적인 공간사용을 어렵게 할 수 있다.

2) 장점
추가보정률의 경우 송전선로가 다른 구분지상권에 비해 토지소유권에게 미치는 피해가 추가적으로 발생한다고 보기 때문에 지급하는 부분이다. 해당 방법은 선하지의 보상액 산정시 추가되는 추가보정률을 배제하여 토지소유자의 보호하는데 유리하다는 장점이 있다.

3) 단점
구분지상권은 용익물권으로서 토지가치의 상승분을 향유해서는 안 될 것이다. 가치상승분은 소유권에 귀속될 문제다. 그러나 이 방법에 의하면 권원이 없는 지상권자가 가치상승분을 향유하게 되어 사용자에게 과다보상 되는 문제점이 있다. 구분지상권자가 대토를 할 때 다시 추가보정률을 지급해야하므로 과다한 비용부담이 발생한다는 문제도 있다.

2. 기 지급한 전세금(설정금 비교)으로 산정하는 방법
(권리설정계약을 기준으로 감정평가하는 방법 : 則§28①, ②후단)

1) 평가방법
① 기 지급액(전세금) (or 설정사례 비교)
② 기 지급액(전세금)×MC×PVAF
(or 기 지급액×전존재약기간 / 전내용년수(계약기간))
③ 기 지급액(전세금) × 일시금 이자율

※ 구분지상권의 설정계약에 의해 기 지급된 보상금액을 기준으로 구분지 상권의 경과년수 등을 고려하여 감정평가하는 방법이다.

2) 장점

기 지급하는 권리설정계약(전세금)을 기준하는 방법은 권리설정계약유일의 최근일 경우에는 가장 설득력이 있는 방법이다.

3) 단점

기 지급한 보상금을 전세금과 유사한 것으로 본다면 전세금과 달리 존속기간이 만료되더라도 환불되는 것이 아니므로 개념적인 한계가 있다. 기 보상금을 사용료를 선별한 것으로 볼 경우에는 사용기간에 해당하는 지료를 삭감하지 않고 전액으로 평가하는 것이므로 이론상 문제점이 발생한다.

특히, 공익사업으로 인하여 시설물을 이전하여야 할 경우 구분지상권의 보상금과 새로운 구분지상권의 설정을 위한 보상금 사이에 상당한 적차가 발생할 가능성이 높아 한구분권리에게 과다한 추가부담이 예상된다는 문제점도 있다. 일반 이론적 권리의 감정평가 방법과 맞지 않는 점도 지적된다.

3. 지료의 차이로 보상하는 방법

1) 평가방법 : (정상실질임대료 - 지불임대료) × PVAF

※ 정상지료와 실제지료의 차이를 자본환원하여 구분지상권의 가치를 감정평가하는 방법이다.

즉, 정상임료는 기준시점에서의 신남지료(구분지상권의 신규설정에 대한 보상금)를 연금의 현가화 방법을 적용하여 산정하고, 지불임료는 실제 신남지료 연금의 현가를 방법으로 연간지료를 계산하여 그 차액을 자본환원 방법으로 보고 이를 자본환원 하여 구분지상권의 가치를 감정평가하는 방법이다.

2) 장점

이 방법은 일반적인 권리의 평가방법과 같이 실정임대료와 지불임대료의 차액을 현가하는 방법으로 이론에 충실한 평가방법이다.

3) 단점

그러나 일반적으로 구분지상권의 존속기간이 해당 시설물의 존속기간까지로 등기되고 있어 매년의 지료의 차이를 산정하는 잇서 적정률에 대한 결정이 어려운 현실적인 한계가 있다.

최근 구분지상권이 설정된 토지가 다른 공익사업에 편입될 경우에는 실질임료와 지불임료가 맞등할 것이므로 사실상 구분지상권의 가치가 없는 것으로 감정평가 된다는 문제점이 있다. 즉, 송전선 등이 구분지상권지는 앞으로 장기간 송전선로 등을 사용할 수 있는 구분지상권을 가지고 있음에도 현실적으로 거의 보상을 받을 수 없다는 문제점이 있다.

4. 기타

1) 구분지상권 유무에 따른 토지가액의 차이로 감정평가하는 방법
(則§28①, ②주단)

소유권외의 권리의 가격과 권리가 설정된 토지가격의 합이 권리가 설정되지 않은 토지가격이라는 점에 근거하고 있으므로 가장 이론적인 감정평가 방법이다.

현실적으로는 커버사례를 통하여 구분지상권의 유무에 따른 토지가액의 차이를 파악하는 것이 쉽지 않고, 그 차이를 기준시점에 하여 기준시점에서 구분지상권의 경우 오래전에 설정된 구분지상권의 경우 소액의 보상금이

지급되어 있으나, 기준시점에서 토지가치가 많이 상승한 경우 토지소유자에게 수인할 수 없는 과대한 희생을 강요하게 되고, 이러한 결과로 토지의 합리적인 공간사용을 어렵게 할 수 있다.

2) 구분지상권의 등기 없이 사용하고 있는 경우

기설 선하지의 보상이 공익사업에 해당하는 경우는 미불(미지급)용지에 해당하는 것으로 보상하고, 공익사업에 해당하지 않는 경우는 상태대로 평가해야 한다.

당해는 것으로 토지의 지상공간에 대한 제한이 없는 상태대로 평가해야 한다.

3) 이론상 설정사례 비교법 (해§28①, ②전단)

구분지상권이 설정된 거래사례를 기준으로 비교 가능하다.

II. (물음 2) 택지개발사업에 따른 보상액

1. 사업인정 의제일 : 택지개발지구지정·고시일 2011.09.09

2. 임체이용저해율을 고려하는 방법

1) 토지 가격(기조가격)

(1) 적용공시지가 : 토지보상법 §70④의거 사업인정고시일 이전 〈2011〉

(사업지구면적 20만㎡ 미만인바, 법§70⑤은 적용되지 않음)

(2) 비교표준지 선정

① 해당 사업으로 인해 용도지역 변경되나 칙 §23② 단서 이격 〈자연녹지〉

② 현황 "전" 기준 〈표준지 #가〉선정

용도지역의 관점에서는 인근지역의 택지예정지 정도로 볼 수 있다. 그러나 보상 평가에서는 되도록 이용상황이 상위단계의 표준지 보다는 낮은 단계의 표준지를 선정함이 일반적이다. 문제에서는 원칙적으로 현재 이용상황을 "전"으로 제시하였고, 제시된 현황 평가의 원칙에 따라 비교표준지는 "전(기호가)"을 적용하였다. 아울러 제시된 공시지가의 가격 수준을 보면 '전(기호가)', '주거나지(기호 나)'가 격차가 크지 않다. 따라서, 이행과정에 있는 지역의 특성 및 가치형성요인이 비교표준지에 반영된 것으로 보는 것이 합리적이다.

(3) 토지가격

$$300,000 \times 1.10677 \times 1 \times 1.1 \times 1.3 = 475,000원/㎡$$

$$(\times 300 = 142,500,000원)$$

2) 임체이용저해율

인근지역의 표준적 이용상황의 변경(단독주택)은 해당 사업과 무관하다고 제시하여 반영되어야 할 사항임은 명백하다. 비교표준지는 "전"으로 선정하였으나, 보정률의 적용은 용도지대에서 "주택지"가 합리적이다. 또한 추가보정률은 토지소유권에 대한 보정률을 보는 것이 합리적이다. 즉 지상권자의 권리부분에 해당하지 않는다. 따라서 예시답안에서는 임체이용저해율(기본율)만 적용하였다.

(1) 건축가능층수

① 이격거리 : $3 + ((154 - 35) \div 10] \times 0.15 = 4.785m$

② 건축가능층수 : $(15 - 4.785) \div 3.5 = 2층$

(2) 건물 등 이용저해율 및 지하이용저해율

최유효이용 층수는 인근 표준적 이용 기준 2층으로 저해 층수 없으며, 지상 공간 사용으로 지하사용에 지장 없음

(3) 결정 : 0.15×3/4(최대치)   = 0.1125

> 추가보정률은 토지소유권에 대한 보정률으로 보는 것이 합리적이다. 즉 지상권자의 권리부분에 해당하지 않는다. 따라서 예시답안에서는 임제이용저해율(기본율)만 적용하였다.

정금액 및 설정사례를 종합 고려하여 〈32,000,000원〉으로 결정한다.

3) 평가액 : 142,500,000×0.1125   = 16,031,000원

[문제 3]

I. 감정평가 개요

가격시점은 토지보상법 67조 1항 수용재결일 기준 2015.08.25

3. 기성정 금액을 기준하는 방법   32,000,000원

II. (물음 1) 토지 보상평가액

1. 사업인정의제일 : 2014.01.02.

※ 해당 구분지상권의 존속기간, 특약사항(존속기간 동안 구분지상권 설정 대가의 증감은 없음) 고려

2. 취득할 토지의 가격 변동 여부

1) 개요 : 공익사업지구 면적 20만m² 이상, 도로·철도사업 등 선저사업에 해당하지 않으므로 의견청취 공고일(2013.06.19.)로 가격변동 여부 판단

4. 설정사례를 비교하는 방법

$37,400,000×1.00079×1.1×1/280 = 147,000원/m²$

($×300 = 44,100,000원$)

2) 사업구역 내 표준지 변동률(2014/2013)
- 가 : 74,000/68,000-1   ≒0.088
- 나 : 213,000/21,000-1   ≒0.095
- 다 : 17,000/15,000-1   ≒0.133
- 평균 :   10.6%

5. 결정

임제이용저해율을 적용하는 방법은 적용 토지의 지가 상승분의 일부가 사용권자에게 귀속되게 된다는 문제점이 있다. 또한 시행규칙 31조 1항에서 임제이용저해율을 곱하여 산정한다는 규정은 토지의 공중·지하 공간을 영구사용할 경우의 평가방법을 규정한다는 의미이지 이를 공중사용권에 대한 보상방법으로 보기 어렵다고 사료된다.

3) 시군구 표준지 전체 변동률(P시 : 2014/2013) :   3.51%

해당 사안은 토지보상법 시행규칙 28조에 따라 취득하는 토지에 설정된 소유권 외의 권리에 대한 보상평가 방법이 적용된다고 보이며, 승전신로의 이용 및 권리설정계약의 성격을 고려하였을 때 동조 2항에 의거 양도성이 없는 경우에 해당하므로 권리설정계약을 기준함이 타당하다. 따라서 기설

4) 변동여부 : (2), (3)의 평균변동률과의 차이가 3% 이상, 30% 이상 높거나 낮은 등 "토지보상법 시행령 제38조의2"의 요건을 충족하여 해당 공익

6. 토지 평가액

$$21{,}000 \times 1.08499 \times 1 \times (0.75/0.72 \times 1^{1)}) \times 1.8 \fallingdotseq 43{,}000원/㎡$$

  1) 15도 이하로 완경사

$$(\times 1{,}200 = 51{,}600{,}000원)$$

III. (물음 2) 농업손실보상

1. (물음 2-1) 보상대상여부 검토

공부상 지목이 '임야'이나 농지(「농지법」 제2조 제1호 가목)로 이용 중인 토지는 영농손실을 보상함. 다만, 산지로서의 관리 필요성 등 전반적인 사정을 고려할 때 손실보상을 하는 것이 사회적으로 용인될 수 없다고 인정되는 경우에는 보상대상에서 제외. (例例)

해당 토지는 당근을 재배하고 있는 「농지법」 상 농지이며, 토지소유자가 이 대한씨와 김민국씨는 모두 「농지법」 상 농업인으로서 사업인정 전부터 농업 활동을 영위하기 위함으로 「농지보상평가 시행규칙 제48조 "농업손실보상 대상 요건"에 부합하여 보상 대상.

※ 개정 농지법(2016.1.21.시행) 상 지목 '임야', 산지관리법 상 산지는 사실상 농지로 보지 않으며 농업손실보상대상에서 제외됨. (부칙에 따라 시행일 당시 행위일 기준 판단)

사업 공고로 사업구역 내 표준지 공시지가가 현저히 변동된 것으로 볼 판단됨

3. 적용공시지가 선택

법§70⑤에 따라 의견청취일 전의 시점을 공시기준일로 하는 공시지가로서 가장 가까운 시점에 공시된 <2013.01.01.>

4. 비교표준지 선정

1) 토지 보상 기준

공부상 지목이 '임야'이나 '농지'로 이용 중인 토지는 「산지관리법」 부칙 제2조 '불법전용산지에 관한 임시특례' 구정에서 정한 설치에 따라 불법전용산지 신고 및 심사를 거쳐 '농지'로 지목 변경된 경우(해당 공익사업을 위한 산지전용허가 의제협의를 사유로 임시특례규정 적용이 불가한 경우 토서 시장·군수·구청장이 임시특례규정 적용대상 토지임을 확인하는 경우를 포함)에 한하여 '농지'로 평가하고 제외체결일 또는 수용재결일까지 위 절차를 거치지 아니하여 공부상 지목이 '임야'인 경우에는 불법형질변경 토지로 보아 공부상 지목대로 평가하여 보상

2) 비교표준지 선정 : 계획관리 자연림 <나> 선정

5. 시점수정(생산자물가상승률은 미제시로 생략)

비교표준지가 소재하는 시·군 또는 구의 지가가 해당 공익사업으로 인하여 변동된 경우에 해당하지 아니하여, 비교표준지 소재 시군구(P시) 계획관리

지가변동률 적용

<1.08499>

2. (물음 2-2) 농업손실보상액

1) 평균 소득 2배 초과여부

① 실제소득 : 6,847,050×0.542÷1,200 = 3,093원/㎡

② 작물별 평균소득 : 1,885,742÷1,000 = 1,886원/㎡

③ 적용 : 실제소득이 작물별 평균소득 2배 미만으로 시행규칙 §48② 본문에 따라 실제소득의 2년분을 곱하여 산정한 금액으로 보상

2) 개인별 보상

(1) 소유자(이대한) : 도별 연간 농가 평균 농작물총수입 기준

3,402×1,200÷2 = 2,041,200원

※ 칙 48조 3년 평균 개정 전 별표 적용(보상계획공고 2015.4.28. 이전)

(2) 실제경작자(김민국)

6,847,050×0.542×2 - 2,041,200 = 5,381,000원

[문제 4]

I. 기본적 사항의 확정

1. 기준 시점 및 평가목적 : 2015. 09. 19, 경매 목적

2. 대상 물건

(1) 토지 : S동 1210번지 200㎡

(2) 건물 : 2층 주택

(3) 제시외 : 보일러실㉠ 및 주택㉡

3. 기타사항

① 건물의 구분평가 : 2층 증축되나 가치를 달리하는 경우에 해당하여 감칙 7조 3항에 따라 구분평가함

② 기존 건물의 정과년수 : 완공일과 사용승인일 1년 이상 차이나는 바 완공일 기준 7년 정과

③ 제시외

㉠ 면적 및 구조(보일러실) 등으로 보아 부합물로서 토지가치에 미치는 영향은 미미할 것으로 판단되나, 소유권외이 별도 필요함.

© 견고한 구조로 주택 등으로 이용 중으로 토지가치에 미치는 영향이 다소 있을 것으로 판단되나, 소유권 확인 및 일괄 경매 여부에 따라 토지가치가 달라지는바 제시 외 건물로 인한 토지가치에 미치는 영향이 없는 상태(일괄경매)를 기준으로 평가하되, 소유권이 상이한 등 토지 가치에 미치는 영향이 있는 경우의 토지단가를 비교단위에 평가하였음.

Ⅱ. 토지

1. 소유자가 동일한 경우

$6,530,000 \times 200$ $= 1,306,000,000$

2. 소유자가 상이한 경우

$6,530,000 \times 0.88$ $= 5,746,000원/㎡$

$(\times 200 = 1,149,200,000원)$

※ 기호⑤에 따른 토지가치에 미치는 영향 1%는 미미한 것으로 반영하지 아니하였으나 감안 가능함.

Ⅲ. 건물

1. 기존 부분 : $750,000 \times 43/50 \times 100$ $= 64,500,000$

2. 증축 부분 : $600,000 \times 43/(43+3) \times 12$ $= 6,730,000$

3. 계 : $71,230,000$

Ⅳ. 제시 외 건물

1. ① : $100,000 \times 4$ $= 400,000$

2. ② : $600,000 \times 20/45 \times 48$ $= 12,800,000$

3. 계 : $13,200,000$

Ⅴ. 감정평가액 결정

1. 소유자가 동일한 경우

$1,306,000,000 + 71,230,000 + 13,200,000$ $= 1,390,430,000$

2. 소유자가 상이한 경우

$1,149,200,000 + 71,230,000$ $= 1,220,430,000$

제 27회
문제 논점 분석 및 예시답안

2016년도 감정평가사시험는 출제자가 자료를 축소하는 과정에서 발생한 이유겠지만 '지역분석자료' 내지 '현장조사사항' 등 대상물건에 대한 중요한 이해와 사례선정 논거를 제시하는 자료들이 명확하지 않았다. 일부 자료의 미제시 등은 전반적인 시험의 난이도가 쉬운 수준임에도 불구하고 시험장에서는 생각 부담으로 작용했을 것으로 보인다.

27회는 특히 특이 물음을 정확히 읽고 그에 따른 답안을 작성할 필요가 있었다. 그래서, 우리는 물음을 정확히 읽는 습관과 체계적인 문제분석 연습을 통해 시험을 대비하여야 한다. 실전 시험에서는 문제가 아무리 쉬워도 어렵게 느껴지기 마련이며, 과락률이 80%에 달했다는 것은 실무이론과 현업 실무에 대한 깊이 있는 이해와 연습이 필요하다는 것을 반증하는 것이다.

1. 문제1번 - 3방식 및 투자계획에 대한 의견(40)

문1은 물음을 정확히 이해하고 답안을 작성할 필요가 있었다. (물음 1)에 서는 평가방식을 제시하고 있어 그 순서에 따라 답안작성이 이루어져야한다.

(물음1)에서는 "1. 비교방식(일괄 거래사례비교법)", "2. 수익방식(일괄 수익환원법(직접환원법))", "3. 개별물건기준"의 순서를 요구하고 있어 목차의 순서와 주된방식이 이를 따라 가야 한다. (물음 2)에서는 "1.NPV", "2. 의견 개진"으로 답안 작성이 되어야 한다. 해당 문제는 전반적으로 투자의사 결정에 관한 사항으로 (물음 1)에서는 시산조정 및 결정이 필요 없다. 문제에 "각각 제시하시오."로 요구하고 있음을 확인했어야 한다.

(물음 1) "비교방식"예시는 사례 선정(거래사례#1)은 무리가 없었다. 시점수정을 자본수익률로 적용하여 했고, 토지와 건물 개별요인을 구분하여 적용하여야 한다. 경제적 내용년수의 제시가 없어 이에 대한 검토를 하였다.

시장추출법에 의한 내용년수 산정하였으나 통상의 내용년수를 넘어선 것으로 보아 내용년수 산정은 출제의도가 아니었다. 일괄 거래사례에 따른 합리적 배분문제, 통상의 경제적 내용년수를 넘어서는 사유로 50년을 적용하였다. 이 여겨되었다. 내용년수를 산정해보는 것은 당연 수험 답안이 했던 기본이라고 생각된다.

"수익방식"예시는 임대사례비교법을 통해 PGI를 산정하고 시장의 공실률 등을 작용하여 NOI를 산정하고, 시장추출법으로 환원율을 산정하면 별다른 쟁점은 없다고 보여진다.

"개별물건기준"예시는 노선상가지대, 지리적인접성을 기준 표준지#4를 선정한다. 그 밖의 요인 보정은 물작사항이 유사하고 최근 일반거래 목적의 선례#1을 선정한다. 실례#2의 선정도 가능하다. 그러나 평가선례는 토지특성만 제시되면 충분함에도 불구하고 건물현황을 제시하였다는 것은 출제자가 건물의 유사성을 강조하고자 한 것이다.

토지의 거래사례비교법은 (물음 1)의 물음만 보면 적용하지 않는 것으로 해석할 수 있으나 그대로 적용하는 것이 리스크를 피하는 방법이 된다.

(물음 2) "NPV"에서 "매입가격"을 먼저 제시해 보여준다. (물음 1)에서 산정한 PGI를 활용하여 보유기간(3년) 및 기말의 현금흐름을 산정한다. 현재 대상의 임대차는 이미 임대계약이 종료된 것으로 적용하지 않는다.

준하여 가치(NOI)가 산정되어야 하는 것이다. 환원율은 NOI에 직접 적용하는 것으로 대상을 기준으로 산정되어야 한다. 따라서, 환원율은 대상 임대료와 매매사례를 통해 산정한 가격의 비율로 산정하려는 의도가 반영되어 있는 것이다.

즉시 물음(1)에서 산정한 수익률에 가치변동률을 차감하여 환원율을 산정할 수 있다고 생각하는 것은 잘못된 생각이다. 1년(단기)의 현금흐름을 기준으로 수익률을 산정했다면 가능하나 물음(1)은 3년간의 현금흐름에 기초한 수익률이므로 수익률과 환원율의 관계(Y=R+G)가 성립될 수 없다.

(물음 3)에서 임차권 가치는 물음 1,2를 통해 산정하고 내재된 임차권 수익률은 시장임대료와 실제지불임료의 차이를 기준로 산정이 가능하다. 임차권수익률과 임대권수익률의 차이에 대하여는 제시된 시장금리 및 이론상 자본환원율(수익률)의 차이, 임차자의 질에 따른 차이, 최고최선의 이용의 차이 등을 언급하면 될 것이다.

3. 문제3번 – 기계기구의 감정평가(20)

문3에서 '감정' 상 '감정평가액의 산출근거 및 결정의견'이 개정되어 실무적인 이슈가 있음을 강조한 바가 있다. 기준시점, 기준가치, 감정평가방법은 일반적인 내용으로 기술하고 그 밖의 사항으로 제조달원가 산정시 제외사항, 자본적지출의 포함여부, 1단위의 해체비 등을 적용 사유를 기술하여야 한다.

제시 자료상 '단위당 매각가능가격'은 진존가치와 유사한 것으로 주어져 해체·철거비 등을 포함한 것(별도 고려 필요 없는 것)으로 오해할 수 있으나 전용불가능한 시설의 감정평가의 실무기준에 이들을 차감하는 것이 타당하다 본다.

"이런 개선"에서는 물음 1에서 산정한 시장가치와 매입가격(42억)이의 비교, 매가격과 DCF에의한 가격비교, 기타 임대계약의 내용 및 구성률, 요구수익률 등 주요 변수 변동에 따라 예측이 달라질 수 있음을 언급하고, 추가적으로 고려해 볼 사항으로 '자업성' 가능성 또는 민감도 분석에 따른 '주요 독립변수의 포착' 및 그 관리를 언급하면 최선이 될 것으로 보인다.

2. 문제2번 – 임대권과 임차권 수익률(30)

문2는 수익률에 대한 개념과 할인현금수지분석에 대한 종합적 이해가 있어야 누리적인 접근이 가능한 문제였다. 내가 알고 있는 것이 모든 것이 아니라는 접을 항상 견지하고 있었으면 한다.

기술에서 수익률의 개념을 출제자 마다 달리 가지고 있고 그에 따라 시험장에서 많은 혼란을 가져왔기 때문이다. 그래서 우리는 항상 물음의 내용에서 문제의 실마리를 찾아야 할 것이다.

(물음 1)에서는 "투자수익률(IRR)"과 요구수익률을 적용한 DCF법(매매가격을 적용한다. IRR 산정시에는 현재 가치를 매매사례#3을 활용하여 산정(-P)하고 기업의 현금흐름을 산정하여야 한다. DCF법에 의한 매매가격을 보유기간 및 기말현금흐름이 동일한 상태에서 요구수익률을 적용하여 할인하면 간단히 해결된다. 참고적으로 개별요인은 매매사례#1이 0.5로 제시된 것으로 봐서 대상 비교시 바로 적용할 수치(개별요인 비교치)를 기재한 것으로 보인다.

(물음 2) 물음에 "직접환원법에 의한 수익가치"를 요구하고 있다. NOI와 환원율을 산정해야 한다는 것이다. 완전소유권가치는 통상의 시장임대료를 기

이 문제는 숫자가 간단해 보이나 생각보다 맞추기 쉽지 않다. 실무적 경험이
없이는 제조단원가를 정확히 구하기 어렵다고 본다. 그러나 이 문제의
득점이 포인트는 숫자가 아니라 "감정평가액의 산출근거 및 결정의견" 작성에
있다.

4. 문제4번-영업보상(10)

직47조 제3항을 정확히 적용하여야 한다. "일부편입 = 영업이익+통상 비
용+매각손실"로 산정하면 된다. 다만, 통상비용에 "고정비"를 포함하는
지에 대한 규정이 모호하나 보수기간에 투하되는 비용은 인정하는 것이 일
반적이며, 영업보상평가지침에는 별도 가산하는 것으로 규정되어 있다.

일부편입의 한도로서 산정하는 제1항의 영업순실에서 영업이익 감소액은
구장상 "20%를 적용하되(한도 천만원)"로 되어 있어 문제에서 제시된 10%를
적용하지 않고 법규정이 적용되어야 한다고 본다.

[문제 1]

I. (물음 1) 2016. 07. 01 시장가치

1. 감정평가개요

1) 기준가치 : 시장가치

2) 감정평가방법 : 3방식

3) 대상물건 획득
① 토지 : 노선상가지대, 일단지, 800m², 소로한면, 부정형
② 건물 : RC조, 사용승인 05. 05. 01(11년 경과)

2. 비교방식

1) 사례 선정 : 노선상가, 규모·등급 유사한 〈#1〉

2) 시점 수정 : 자본수익률(16.01.01~16.07.01)

$$1.02113\times(1+0.00356) = 1.02477$$

3) 건물 내용년수 결정

(1) 사례 선정 : 건물 유사성 있는 〈#1〉 선정

(2) 건물 가격 : $5,600,000,000\times0.4 = 2,240,000,000$

(3) 전 내용년수

$$770,000\times1.00000\times1.00\times(1-0.9\times9/N)\times3,200 = 2,240,000,000$$

$$\therefore N=89.1년$$

※ 토지·건물배분과정의 오류가능성 및 한국감정원 신축단가표상 RC조(업무용)의 내용년수 고려시 통상의 내용년수를 넘어선 바, 일반적 RC조

내용년수 〈50년〉 적용

> 경제적 내용년수의 제시가 없어 이에 대한 검토를 하였다. 시장추출법에 의한 내용년수를 산정하였으나 통상의 내용년수를 넘어선 것으로 보아 내용년수 산정은 출제의도가 아니라서 있다. 일괄 거래사례에 따른 합리적 배분문제, 통상의 경제적 내용년수를 넘어서는 사유로 50년을 적용하였다.

4) 요인 비교치

(1) 토지 : $100/103\times(1\times1\times1)\times800/900 = 0.863$

(2) 건물

$$1\times\frac{1-0.9\times11/50}{1-0.9\times9/50}\times\frac{2.740}{3,200} = 0.819$$

5) 비준가액

$$56억\times1.02477\times(0.6\times0.863+0.4\times0.819)\times1 = 4,852,000,000$$

3. 수익방식

1) 방침
① 직접환원법, 최근 임대사례 적용
② 2,480m²를 임대면적으로 봄

2) NOI

(1) PGI

$[(160{,}000 + 120{,}000 + 100{,}000 \times 2) \times 520 + 90{,}000 \times 400] \div 1.1$ = 259,636,000

(2) EGI : (1) × (1 − 0.05) = 246,654,000

(3) OE : 25,000 × 2,480 = 62,000,000

(4) NOI : (2) − (3) = 184,654,000

3) 환원율(시장추출법, 사정개입 사례 배제)

$[\frac{140{,}000}{3{,}500{,}000} + \frac{88{,}000}{2{,}200{,}000}] \div 2$ = 4%

4) 수익가액 : 2) ÷ 0.04 = 4,616,000,000

4. 개별물건 기준

1) 토지

(1) 공시지가기준법에 의한 시산가액

① 사례 선정 : 용도지역·이용상황, 동일지역 내 노선상가지대 〈#4〉

선례#2의 선정도 가능하다. 그러나 평가선례는 토지특성만 제시되면 충분함에도 불구하고 건물현황을 제시하였다는 것은 출제자가 건물의 유사성을 강조하고자 한 것이다.

② 그 밖의 요인

감정평가목적, 건물 규모, 최근 시점 고려 〈#1〉 선정

$\frac{3{,}600{,}000 \times 1.00979 \times 100/103 \times (0.9 \times 1 \times 1)}{3{,}000{,}000 \times 1.02015 \times 1 \times (0.97 \times 1 \times 1)}$ = 1.07

③ 토지가액

3,000,000 × 1.02015 × 1 × (0.97 × 1 × 1) × 1.07 = @3,180,000

(2) 거래사례비교법에 의한 비준가액

토지의 거래사례비교법은 (물음 1)의 물음만 보면 적용하지 않는 것으로 해석될 수 있으나 그대로 적용하는 것이 리스크를 피하는 방법이 된다.

① 사례 : 노선상가지대 위치한 〈#3〉 선정

② (2,850,000,000 + 30,000,000) × 1 × 1.00647 × 1 × (0.96 × 1 × 1) ÷ 750 = @3,710,000

※ 철거비 매수자 부담

(3) 토지 감정평가액 결정

거래사례비교법 적용시 건부감가(철거비)의 주관개입 가능성 등 고려, 규준성 있는 공시지가기준법에 의한 시산가액을 중심으로 결정함.

∴ = @3,200,000 × 800 = 2,560,000,000

2) 건물

770,000 × (1 − 0.9 × 11/50) × 2,740 = 1,692,000,000

3) 합계 : 토지 + 건물 = 4,252,000,000

2. 투자 계획에 대한 의견

"의견 개진"에서는 물음 1에서 산정한 시장가치와 매입가격(42억)의 비교, 매입가격과 DCF에의한 가격비교, 기타 임대계약의 내용 및 요구수익률 등 주요 변수 변동에 따라 예측이 달라질 수 있음을 언급하고, 추가적으로 고려해볼 사항으로 '차입을 통한 채매니지'가능성 또는 민감도 분석에 따른 '주요 독립 변수의 포착' 및 그 관리를 언급하면 최선이 될 것으로 보인다.

1) 시장가치와 매입가격 검토

(1) 시장가치의 기준

① 대상 물건의 특성

사무실 임대를 주 용도로 하는 〈업무용〉, 현황 규모를 고려시 소규모 업무용 부동산으로 노선상가지대 내 위치하여, 일체적 효용이 반영된 비교방식이 대상의 적정성시장가격을 적용할 것으로 사료됨.

다만, 이러한 수익성 부동산은 적정 수익률에 의해 담보될 때 거래가격의 적정성이 임증되므로 수익방식과의 균형이 중요할 것으로 사료됨.

② 주된 방식에 의한 시장가치

원가방식은 전물 내용년수의 주관개입 가능성, 일체 효용 미반영 등의 사유로 배제하고, 비교방식을 주된 방식으로 하되, 수익방식에 의해 적정성이 인정되는 바 〈4,800,000,000원〉을 기준으로 검토.

Ⅱ. (물음 2) 2016. 07. 01 매입타당성

1. NPV

1) 매입금액(현금유출) :

4,200,000,000

2) 현금유입 현가

(1) 보유기간 현금흐름 현가

	1기	2기	3기	4기
PGI	259,636	272,618	286,249	300,561
EGI	246,654	258,987	271,936	285,533
OE	62,000	64,480	67,059	69,742
NOI	184,654	194,507	204,877	215,792

현금흐름은 물음 1에서 산정한 PGI를 활용하여 보유기간(3년) 및 기말의 현금흐름을 산정한다. 현재 대상의 임대료는 이미 임대계약이 종료된 것으로 적용되지 않는다.

(2) 기말 복귀가액

$215{,}792{,}000 \div (0.04+0.005) \times 0.97$ = 4,652,000,000

(3) 현가 합

$$\sum \frac{매기NOI_t}{1.06^t} + \frac{기말복귀가액}{1.06^3}$$

= 4,425,000,000

3) NPV : 2 - 1

= 225,000,000

[문제 2]

I. (물음 1) 투자수익률 및 요구수익률 충족 매매가격

1. 투자수익률(IRR)

1) 매입(시장)가격

(1) 사례 선정 : 규모 등 물적 유사성 높은 <#3>

(2) 매입 가격 : 540,000,000×1×1×1/1.03×100/92 = 569,900,000

2) 현금흐름

(1) 운영소득 : 100,000,000×0.02+1,500,000×12 = 20,000,000

(2) 기말복귀가격 : 569,900,000×0.95 = 541,400,000

(3) 투자수익률 :

$$\sum_{n=1}^{4} \frac{20,000}{(1+x)^t} + \frac{541,400}{(1+x)^4} - 569,900 = 0$$

<x = 2.30 %>

2. 요구수익률 충족 매매가격

1) 요구수익률 : 1.39%+1.20% = 2.59%

2) 매매가격

$$\sum \frac{20,000}{(1.0259)^t} + \frac{541,400}{1.0259^4} = 563,800,000$$

---

(2) 매입가격과의 검토

현재 매입가격은 42억으로 시장가치에 미달됨. 다만, 기존 저당권의 인수 여부가 불분명하나, 이를 인수하는 조건으로 거래되었다 하더라도 (48 - 47억)으로 1억원의 매입 차익을 얻을 수 있을 것으로 보임.

2) 투자가치와 매입가격의 검토

투자가치는 약 44억, 현황 매입가액은 42억으로 현재 乙의 투자계획으로 타당성 있음.

또한 저당인수 조건 또는 추가 저당설정 등이 있는 경우 leverage 효과로 수익률의 증폭이 있을 것으로 판단됨.

3) 타당성 확보를 위한 Risk 고려사항

본건의 시장상황은 VS상권에 유동인구 유출이 있는 상황임. 이러한 시장 조건은 W등에 지역적 호황을 가져올 수 있는 점에서 낙관적일 수 있으나, 유동인구의 단절 등의 사유로 개별 부동산 측면에서 비관적일 수 있음.

따라서 시장의 객관적 수익률(IRR)과 투자자 요구 수익률(6%)와의 비교를 통한 수익률의 적정성을 검증할 필요가 있어 보임.

4) 추가적 고려사항

① 통상 부동산 투자는 타인자금을 차입하여 레버리지효과를 향유하며 이를 통해 안정적 자본수익률 확보가 된다면 타당성 여부를 극대화

② NPV 산정시 적용될 할인율 및 환원율, 임대변동 등에 따라 타당성 여부가 변동될 수 있으며, 민감도분석, 확률분석 등을 통한 주요 변수율을 판단하고 해당 변수를 관리하는 선택과 집중 전략 등 고려 필요

II. (물음 2) 직접환원법에 의한 수익가치

완전소유권가치는 통상의 시장임대료를 기준하여 산정해야 하는 것이다. 환원율은 NOI에 직접 적용하는 것으로 대상의 가치(NOI)가 산정되어야 하는 것이다. 따라서, 환원율은 대상 임대료와 매매사례를 통해 산정한 가격의 비율로 산정하며 NOI로 직접 반영되어 있는 것이다.

혹시 물음(1)에서 산정한 수익률에 환원율을 산정할 수 있다고 생각하는 것은 잘못된 생각이다. 1년(단기)의 현금흐름을 기초로 수익률을 산정하였으나 물음(1)은 3년간의 현금흐름에 기초한 수익률이므로 수익률과 환원율의 관계(Y=R+G)가 성립될 수 없다.

1. 완전 소유권 기초 수익률(환원율)

20,000,000 / 569,900,000 = 3.5%

2. 완전 소유권 가치(수익가치)

1) 시장 임대료 기준

1,100,000×100×0.02+16,500×100×12 = 22,000,000

2) 수익가치 : 22,000,000÷0.035 = 628,800,000

III. (물음 3) 임차권 수익률 및 임대권 수익률 비교

1. 임차권 수익률

1) 임차권 가치 : 완전소유권 - 임대권 가치 = 65,000,000

2) 임차자 귀속 소득 : 22,000,000 - 20,000,000 = 2,000,000

3) 임차권 수익률 : 2)÷1) = 3.1%

임차권 가치는 물음 1,2를 통해 산정하고 내재된 임대권 수익률은 시장임대료와 실제지불임료의 차이를 기초로 산정이 가능하다.

2. 임차권 수익률이 임대권 수익률보다 높은 이유

① 수익률 차이 : 임대권 수익률은 2.3%, 임차권 수익률은 3.1%로 임차권 수익률이 높음

② 향유 귀속소득의 차이(가치 변동분)

임차권은 시장임대료와 실제 지불임대료의 차이에서 귀속소득이 발생하나 임대권은 실제지불임대료 및 기말가치변동에 따른 임대료차익을 향유

③ 수익률 구조의 차이

임대권은 보유기간의 임대소득, 가치 변동분(운영소득률+자본수익률)

임차권은 귀속소득률을 향유하여 수익률 구조 및 기간이 상이

④ 리스크의 차이

해당 물건의 경우 기말 가치 하락으로 임대권(소유자)은 가치의 하락에 따른 손실, 리스크, 임차자의 질 등에 영향

[문제3]

이 문제는 숫자가 간단해 보이나 생각보다 맞추기 쉽지 않다. 그러나 이 문제의 특징이 포인트는 숫자가 아니라 "감정평가액의 산출근거 및 결정의견" 작성에 있다.

I. (물음 1) 제1라인 적정가격

1. 대상물건 개요

1) 대상현황 및 이용상황 등
대상물건은 생산설비 등 시출기로 현재 과잉유휴시설임

2) 기준시점 결정 및 그 이유
귀 제시일인 2016. 07. 01(감칙 제9조 제2항 단서)

3) 그 밖의 사항
현황 전용붙등 유휴시설로 철거 후 매각 예정

2. 기준가치 및 감정평가 조건
1) 기준가치 결정 및 그 이유 : 시장가치(감칙 제5조 제1항)
2) 감정평가조건 : -

3. 감정평가액 산출 근거
1) 감정평가방법의 적용
감칙 §19① 및 실무기준 620-1.3.3 에 근거
① 기계기구를 감정평가할 때에 원가법을 적용함.

② 다만, 전용 붙가능한 과잉유휴시설은 철거비, 해체비, 운반비 등을 고려하여 감정평가함.

2) 감정평가액 산출 과정
(1) 재조달원가(단위당)
- 처분 대상으로 ①설치비 ②시험 운전비는 제외 ③부가가치세는 제외
- 자본적 지출은 포함 평가

(2) 감정평가액
- 전용 붙가능한 과잉유휴시설은 해체비, 철거비, 운반비 등 고려하여 평가

제시 자료상 '단위당 매각가능가격'은 잔존가치와 유사한 것으로 주어져 해체·철거비 등을 포함한 것(별도 고려 필요 없는 것)으로 오해할 수 있으나 전용불가능한 시설의 감정평가의 실무기준에 입각한다면 이들을 차감하는 것이 타당하다 본다.

① 단가
$[(50,000,000 + 20,000,000) \times 1.1 + 20,000,000] \times 0.1 - 3,000,000$
$= 6,700,000$

② 감정평가액(1라인 전체) : $6,700,000 \times 10 = 67,000,000$

II. (물음 2) 제2라인 적정가격

1. 대상물건 개요

1) 대상현황 및 이용상황 등 : 설치가동, 유지상태 양호

2) 기준시점 결정 및 그 이유 : 상동

3) 실지조사 내용 : 설치가동 중이며 유지상태는 양호함

2. 기준가치 및 감정평가 조건 : 상동

3. 감정평가액 산출 근거
1) 감정평가방법의 적용
① 기계기구를 감정평가 할 때 원가법 적용하며 감칙 제12조 제2항 단서에 따라 다른 감정평가방법을 적용하는 것이 곤란하거나 불필요한 경우에 해당하여 다른 감정평가방법에 의한 합리성 검토는 생략함.

② 제조달원가 산정 : 기준시점 당시 같거나 비슷한 물건을 재취득하는데 드는 비용으로 함

③ 감가수정
- 기계기구는 정률법으로 감가수정 원칙, 다만 관리상태 등 고려 관찰감가 병용 가능
- 내용년수는 경제적 내용년수 기준
- 장래 보존연수는 대상물건 내용년수 범위 내 사용·수리 정도, 관리상태 등 고려

2) 감정평가액 과정
(1) 재조달원가
① 사업체 평가로 계속가치 산정하는 바 부대설비, 설치비, 시험운전비, 자본적 지출 포함
② 부가가치세는 제외

③ 산정 : $80,000,000 + 30,000,000 + 5,000,000 \times 2 + 10,000,000$
$= 130,000,000$

(2) 감정평가액
① 단가 : $130,000,000 \times 0.1^{\frac{5}{10}}$
$= 41,100,000$
② 감정평가액(2라인 전체)
$41,100,000 \times 10$기
$= 411,000,000$

【문제 4】

1. 방침

① 토지보상법 시행규칙 §47③근거

영업이익 (4월 + 20%) + 통상소요비용 + 매각손실액

② 축소에 대한 영업손실 성격 고려

2. 영업이익 등

$60,000,000 \times 4/12$ = 20,000,000

3. 통상소요비용(고정비 포함)

$18,000,000 + 2,000,000 \times 4월$ = 26,000,000

통상비용에 "고정비"를 포함하는지에 대한 규정이 모호하나 보수기간에 투하되는 비용으로 인정하는 것이 일반적이며, 영업보상평가지침에는 별도 가산하는 것으로 규정되어 있다.

4. 매각손실액 :   5,000,000

5. 합계 :   51,000,000

6. 결정

1) 한도액 검토(휴업보상액)

$60,000,000 \times 4/12 \times 1.2 + 2,000,000 \times 4월 + 4,000,000 + 1,000,000$ = 37,000,000

일부 영업의 한도로서 산정하는 제1항의 영업손실에서 영업이익 감소액은 규정상 "20%를 적용하되(한도 천만원)"로 되어 있어 문제에서 제시된 10%를 적용하지 않고 별 규정이 적용되어야 한다고 본다.

2) 결정

토지보상법 §47③ 근거 휴업보상 한도 내 보상   〈37,000,000원〉

2017년도 감정평가사시험은 한동안 출제를 대기했던 보상평가와 현업에서 관심을 기울이고 있는 오염부동산에 대한 감정평가, 감정평가메뉴얼 시행에 따른 임대료 감정평가, 기본적인 점합건물(0마트) 감정평가가 출제되었다.

기본적으로 많은 수험생들이 준비하고 연습하고 향상 그 불듯 출제의도가 명확히 드러나지 않은 몇몇의 표현들이 있어 편안한 시험은 아니었다고 본다.

1번, 2번의 약술이 부담스럽게 느껴졌어야 했다. 관련 내용을 충실히 기재하지 못하고 숫자 중심의 답안을 기술했다면 좋은 점수를 받기 어렵다고 보여진다.

1. 문제1번 – 토지보상(특수토지)

문제1번은 상당히 쉬운 문제로 볼 수 있다. 그러나, 보상평가 문제의 경우에도 관련 문제에 유행이 있다. 기본 출제 유형은 쟁점과 관련된 내용을 서술하고 관련 평가액을 산출하는 문제유형이다. 단순 숫자표현 뿐만 아니라 관련 약술을 체계적 체계적으로 표현해야 좋은 점수를 받을 수 있을 것으로 보인다.

물음1은 '미지급용지'평가였다. 24회 기출되었던 '미보상용지'와 개념적 차이는 인지하고 있어야 한다. 물음2의 경우 '사실상 사도·관련 시행규칙의 4가지 기준을 명확히 제시하고 여력이 된다면 사실상 사도에 대한 판례도 부가할 필요가 있다.

다만, 물음3의 예정공로의 경우 문제상의 표현으로 인해 '사실상 사도'로 착각했을 수 있다. 그러나 '공통자료'의 '도시관리계획결정'이 이미 있었던 것을 전제로 문제풀이가 되어야 한다.

이울러 세부적 쟁점으로 '개발이익 30%'의 해석이 어려울 수 있다.

비교표준지와 평가사례등에는 해당 사업에 따른 개발이익이 반영되지 않은 것을 전제로 했기 때문에 그 해석이 혼란스러웠다. 그러나, 도로율(환지율) 개념으로 이해하여 실무적으로 공도평가에 적용하는 개별요인비교치 수준 0.7을 반영하도록 한 것이 출제의도로 파악된다.

2. 문제2번 – 오염부동산

문제2번은 실무상 이슈가 있었던 오염부동산의 평가였다. 그러나 사견으로는 수험에서의 오염부동산평가는 실무적이지 못한 이론적 부분에서 머무를 수밖에 없는 한계가 있음에도 이슈만 부각되어 출제된 점은 아쉽다고 생각한다.

오염부동산의 평가가 출제 되면 채점의 어려움이 있을 수 있다. 묵자가 크게 두가지로 만들어질 수 있기 때문이다. 첫째는 감정평가방식을 기준(1.거래사례비교법, 2.원가법, 2.7가지하락분)으로 표현될 수 있기 때문이다. 전체적으로 어렵지는 않지만 세부적 쟁점으로 '스티그마'의 산정 방법이 순간 혼란스러웠을 수 있다. 그러나, 문제 지시사항에 충실하여 문제를 풀었어야 했다.

물음2의 예시답안에서는 오염된 거래사례를 활용하여 오염 정도의 차이에 따른 보구비를 반영하는 방법을 적용하였다.

그러나, 거래사례 1,2는 정상거래 사례임을 제시하지 않았고 오염 정도(규모)에 따른 격차를 반영하는 투령한 방법이 제시되지 않은 점을 볼 때 출제자는 '원가방식'으로만 '가치하락분'을 산정하고 '오염 후 토지가격 = 오염 전(물음1) - 가치하락분(원가방식)'의 흐름을 의도한 것으로 보인다.

향후에도 제시된 거래사례 자료 중 정상적인 것으로 판단한 거래사례와 단순 실거래가를 구분하여 문제에 접근하는 전략도 고려해 볼 만하다.

3. 문제3번 - 작산법

문제3번은 모든 수험생이 준비했던 부분이고 상당히 쉬운 단어이도였다. 다만, 기대이율 결정 부분에서 출제자는 요구하는 정답을 가지고 출제한 것으로 보인다. 여러 방법에 따른 율이 산출되나 단순 종합고려가 아니라 한 가지 율을 선정(선택)하도록 문제의 지시문을 요구하고 있다고 본다. 결과적으로 정답은 '기대이율 적용기준율표'를 활용하는 것이있다고 본다.

4. 문제4번 - 거래사례비교법

문제4번은 사례선정이 가장 큰 쟁점이었다. 발코니확장, 관리상태, 층, 향, 동에 따른 격차를 반영하기 위해서는 거래사례선정시 #3을 선정해야만 한다. 가치형성요인 중 '동'에 따른 격차는 보정할 수 없어 동일 동에 의뢰 소제하는 거래사례 선정을 출발점으로 가치형성요인을 분석해야만 했다.

[문제 1] (40)

28회 출제 유형은 쟁점과 관련된 내용을 서술하고 관련 평가액을 산출하는 문제 유형이다. 단순 숫자표현 뿐만 아니라 관련 약술을 체계적 목차로 표현하여 점수를 받을 법한 수 있을 것으로 보인다.

[물음 1] 미지급용지

I. 개념 및 평가기준

1. 개념

미지급용지란 종전에 시행된 공익사업의 부지로서 보상금이 지급되지 아니한 토지를 말한다.

물음은 '미지급용지'를 평가였다. 24회 기출되었던 '미보상용지'와 개념적 차이는 인지하고 있어야 한다.

2. 감정평가 기준

(1) 토지보상법 시행규칙 제25조

① 종전에 시행된 공익사업의 부지로서 보상금이 지급되지 아니한 토지에 대하여는 종전의 공익사업에 편입될 당시의 이용상황을 상정하여 평가한다. 다만, 종전의 공익사업에 편입될 당시의 이용상황을 알 수 없는 경우에는 편입될 당시의 지목과 인근토지의 이용상황 등을 참작하여 평가한다.

② 사업시행자는 제1항의 규정에 의한 미지급용지의 평가를 의뢰하는 때에는 제16조제1항의 규정에 의한 보상평가의뢰서에 미지급용지임을 표시하여야 한다.

(2) 구체적 평가방법

① "종전의 공익사업에 편입될 당시의 이용상황"을 상정하는 때에는 편입 당시의 지목·실제용도·지형·지세·면적 등의 개별요인을 고려하여야 하며, 가격시점은 계약 체결당시를 기준으로 하고 공법상 제한이나 주위환경 그 밖에 공공시설 등과의 접근성 등은 종전의 공익사업의 시행을 직접 목적으로 하거나 당해 공익사업의 시행에 따른 절차 등으로 변경 또는 변동이 된 경우 외에는 가격시점 당시를 기준으로 한다.

② 미지급용지의 비교표준지는 해당 공익사업의 시행에 따른 개발이익이 포함되지 않은 표준지를 선정하여야 한다.

③ 주위환경변동이나 형질변경 등으로 대상토지가 종전의 공익사업에 편입될 당시의 이용상황과 비슷한 이용상황의 표준지 공시지가가 인근지역에 없어서 인근지역의 표준적인 이용상황의 표준지 공시지가를 비교표준지로 선정한 경우에는 그 형질변경 등에 드는 비용등을 고려하여야 한다.

(3) 미지급용지 제외 관련 판례

시행자가 적법한 절차를 취하지 아니하여 아직 공유사업의 부지로 취득하지도 못한 단계에서 공유사업을 시행하여 토지의 현실적인 이용상황을 변경시킴으로써, 오히려 토지의 거래가격이 상승된 경우까지 미보상용지의 개념에 포함되는 것이라고 볼 수는 없다.

Ⅱ. 감정평가액 결정

1. 기본적 사항의 확정

(1) 용도지역 : 종전 공익사업을 위한 변경으로 직§23② 〈2종일주〉

(2) 이용상황 : 편입당시 이용상황 〈주거나지〉

(3) 개별요인 : 편입 당시 〈부정형, 맹지〉

2. 적용 공시지가

(1) 사업인정 의제일 : 도로사업 실시계획인가고시일 〈2016.12.15.〉

(2) 적용공시지가 선택 : 토지보상법 §70④ 의거 〈2016.1.1〉

3. 비교표준지 : 2종일주, 주거나지 〈A〉

4. 시점수정치 : $1.03257 \times 1.01426 \times 1.00431 = 1.05181$

5. 지역요인 비교 : 1.00

6. 개별요인 비교 : $0.92 \times 0.93 = 0.856$

7. 그 밖의 요인 보정치

(1) 사례 : 2종일주, 주거나지 〈ㅂ〉

(2) 보정치

$$\frac{1,000,000 \times 1.01863 \times 1 \times (0.95 \times 1.03)}{770,000 \times 1.05181 \times 1 \times 1} = 1.23$$

8. 단가 : $770,000 \times 1.05181 \times 1 \times 0.856 \times 1.23 = $ @853,000원/㎡

$$(\times 381㎡ = 324,993,000원)$$

[물음 2] 사실상 사도

Ⅰ. 개념 및 평가기준 :

1. 개념 :

물음2의 경우 '사실상 사도'관련 시행규칙의 4가지 기준을 명확히 제시하고 여력이 되던면 사실상 사도에 대한 판례도 부가할 필요가 있다.

사실상의 사도란 「사도법」에 따른 사도 외의 도로로서 아래 어느 하나에 해당하는 도로를 말한다.

① 도로개설 당시의 토지소유주가 자기 토지의 편익을 위해 스스로 설치한 도로

② 토지소유주가 그 이외에 의하여 타인의 통행을 제한할 수 없는 도로

③ 「건축법」제45조의 구성에 의하여 건축허가권자가 그 위치를 지정·공고한 도로

④ 도로개설 당시의 토지소유자가 대지 또는 공장용지 등을 조성하기 위하여 설치한 도로 〈ㅂ〉

2. 감정평가 기준

1) 시행규칙 §26 ① 2호에 따라 인근토지에 대한 평가금액의 1/3 이내로 평가

2) 인근토지란 해당 도로부지가 도로로 이용되지 아니하였을 경우에 예상되는 표준적인 이용상황의 토지로서 대상토지와 지리적으로 가까운 토지를 의미

Ⅱ. 감정평가액 결정

1. 기본적 사항의 확정

(1) 사실상 사도 여부 : 칙§26① 도로개설 당시의 토지소유자가 자기 토지의 편익을 위해 스스로 설치한 도로로서 사실상 사도에 해당함.

(2) 인근토지 : 100-2 기준

100-2 의 건축을 위해 도로 개설한 바, 100-2 기준

〈장방형, 세로(가)〉

2. 비교표준지 : 준주거, 다세대   〈B〉

3. 개별요인 비교 : 1.02×C.33 = 0.336

4. 그 밖의 요인 보정치

(1) 사례 : 준주거, 다세대   〈ㄴ〉

(2) 보정치

$$\frac{1,500,000×1.01863×1×1}{1,050,000×1.05181×1×1} = 1.38$$

5. 단가 : 1,050,000×1.05181×1×0.336×1.38 = @512,000원/㎡

(×381㎡ = 195,072,000원)

[물음 3] 예정 공도

Ⅰ. 개념 및 평가기준

1. 개념

예정공도란「국토계획법」에 따른 도시·군관리계획에 의해 도로로 결정된 후부터 도로로 사용되고 있는 도로를 말한다.

2. 감정평가 기준

(1) 토지보상법 시행규칙 제26조 제1항 제3호 준용

공도부지의 감정평가방법을 준용하여「시행규칙」제22조의 구정에서 장하는 방법에 따라 감정평가 한다.

(2) 구체적 평가기준

① 공도의 부지가 도로로 이용되지 아니하였을 경우에 예상되는 인근지역에 있는 표준적인 이용상황의 표준지 공시지가를 기준으로 당해 도로의 위치·면적·형상·지세, 도로의 폭·구조·기능·계통 및 연속성, 편입당시의

분석이 되는 것이 합리적이다. 다만, 전체 사업이 시행이 없는 상태로 보는 경우에는 사실상 사도로 처리는 가능하다.

〈B〉

2. 비교표준지 : 준주거, 다세대

3. 개별요인 비교 : 사다리, 세로가 기준

$0.99 \times (1 - 0.3) = 0.693$

[필자주] 문제 상 "당해 도로의 개설로 인한 개발이익 30%"의 해석문제가 발생한다. 평가방법·이론 상 개발이익에 대한 해석은 개발이익으로 배제이어야 한다. 〈공통자료〉에서는 비교표준지 등에 당해 개발이익으로 배제된 것으로 제시되어있기에 이미 배제된 상태로 볼 수 있다. 다만, 출제자는 해당 도로개설과 관련하여 해당 토지의 도로율(현지율)의 개념에서 개발이익을 표현한 것으로 판단된다.

4. 단가 : $1,050,000 \times 1.05181 \times 1 \times 0.693 \times 1.38$ = @ 1,060,000원/㎡

(×381㎡ = 403,860,000원)

지목 및 이용상황, 용도지역·지구·구역 등 공법상 제한, 인근토지의 이용상황, 그 밖에 가격형성에 영향을 미치는 제요인을 고려하여 평가한다.

이 경우 공작물 등 도로시설물의 가격은 그 공도부지의 평가가격에 포함하지 아니하며, 당해 토지가 도로부지인 것에 따른 용도적 제한은 고려하지 아니한다.

② 인근지역의 표준적인 이용상황이 "대" 및 이와 유사한 용도의 것일 경우에는 그 표준적인 이용상황의 토지와 유사한 이용상황의 표준지 공시지가를 기준으로 한 적정가격에 도로율(비율)과 위치조건 등을 고려한 가격수준으로 결정한다. 이 경우 도로의 지반조성 등에 통상 필요한 비용 상당액은 고려하지 아니한다.

③ 평가사 적용하는 인근지역내 표준적 이용상황의 표준지 공시지가에 당해 도로의 개설로 인한 개발이익이 포함되어 있는 경우에는 이를 배제한 가격으로 평가한다.

II. 감정평가액 결정

1. 기본적 사항의 확정

(1) 표준적인 이용상황 : 물리적 거리 가깝고, 도로조건 등이 유사한 "바, 사"기준 〈다세대〉

(2) N구청장의 보상평가의뢰서에 따라 예정공도를 기준으로 감정평가하였음.

[필자주] 문제 상 "도시계획시설사업의 시행절차등이 없는 상태"를 재시하고 있지만 문제의 흐름 상 〈공통자료〉의 도시계획시설결정 이후 시행절차가 없는 상태로 문제

1. 거래사례비교법

〈#1〉

(1) 사례 : A구, 오염규모 규모 유사

(2) 오염 요인 비교 전 단가

$1,722,000 \times 1.09264 \times 1 \times 100/95$ = @1,980,000원/㎡

(3) 정화비용 차이 : $600,000 \times 1,000 \times PVAF(6\%, 3) / 9,999$ = @160,000원/㎡

(4) 비교 후 단가 : (2) - (3) = @1,820,000원/㎡

$(\times 9,999㎡ = 18,198,000,000원)$

2. 원가법

(1) 오염 전 토지 가격 :

대상 토지 매입비는 인근 토지가격과 비교하였을 때 주변부지로 이행으로 인한 개발이익이 매도자에게 귀속되어 적정하지 않다고 판단되는 바, (물음1) 토지가격 기준함

32,486,000,000원

(2) 가치 하락 분

1) 조사비용 : $1,000,000 \times 2,000$ = 2,000,000,000원

2) 정화비용 : $600,000 \times 2,000 \times PVAF(6\%, 3)$ = 3,207,000,000원

【문제 2】(30)

I. (물음 1) 오염 전 토지가격

1. 사례 : 오염 전 토지 거래사례 〈#3〉

2. 시점수정치 :

사례가 소재하는 C구 공업지역 지가변동률 기준 〈1.08133〉

3. 지역요인 비교치 : 100/115 = 0.870

4. 개별요인 비교치 : 100/135 = 0.741

5. 감정평가액 :

$4,666,000 \times 1.08133 \times 0.87) \times 0.741$ = @3,252,000원/㎡

$(\times 9,999㎡ = 32,487,000,000원)$

II. (물음 2) 오염 후 토지가격

예시답안에서는 거래사례비교법과 원가법 모두 적용하였으나 거래사례 1,2는 정상거래 사례임을 제시하지 않았고 오염 정도(규모)에 따른 격차를 반영하는 부적한 방법임이 제시되지 않은 점을 볼 때 출제자는 '원가방식'으로만 '가치하락분'을 산정하고 '오염 후 토지가격 = 오염 전(물음1) - 가치하락분(원가방식)'의 흐름을 의도한 것으로 보인다. 향후에도 제시된 거래사례 자료 중 정상적인 것으로 판단한 거래사례와 단순 실거래가를 구분하여 문제에 접근하는 신중도 고려해 볼 만하다.

3) 임대료 순실 현가

$(3,000,000,000 \times 0.02 + 600,000,000) \times PVAF(6\%, 4)$

= 2,286,000,000원

(3) 스티그마

① 업체 보고서 기준 : 32,486,000,000×0.3 = 9,745,000,000원

② 시장조사 자료 기준 : 32,486,000,000×0.2 = 6,497,000,000원

③ 평균 8,121,000,000원

[필자주] 스티그마의 이론상 개념은 오염으로 인한 대중의 불리한 인식으로 정화비용 투입으로도 복구될 수 없는 것으로 가치하락분의 일부로 보는 경우에는 문제상 "정화공사 후"가 적용되어야 한다고 볼 수 있다. 그러나 이 경우 제시 문제에 서 "스티그마가 정화후 존속기간 1년"으로 한정하여 스티그마의 변동성을 전 제하고 있다. 즉, 무형의 불리한 인식으로서 스티그마가 '오염된 상태'부터 '정화공사 후까지 변동될 수 있는 것으로 해석이 가능하다. 따라서, 문제의 제시조건에 따라 "오염된 상태"를 적용하였다.

(3) 단가 : [(1) - (2) - (3)] / 9,999 = @1,687,000원/㎡

(×9,999㎡ = 16,868,000,000원)

3. 토지가액 결정

거래사례비교법에 의한 시산가액은 오염부동산의 거래관행을 시장성을 그 거 래한 가액으로서 산출되었으며, 원가법에 의한 시산가액은 비용성 및 스티 그마 등을 구체적 항목에 따라 산출하였음. 따라서, 양자를 종합고려하여 〈170억원〉으로 결정함.

Ⅲ. (물음 3) 스티그마 감정평가방법

1. 스티그마의 의의

환경오염의 영향을 받는 부동산에 대해 대중들이 갖는 무형의 또는 양을 잴 수 없는 불리한 인식

2. 조건부가치평가법(CVM : Contingent Valuation Method)

가상적으로 시장을 만들어 비시장재화를 화폐화하여 평가하는 방법으로 주로 설문조사 방법으로 행하여지며, 환경재 정량화 등 비시장재화 평가시 심리적 요인의 반영 등 유용성이 있으나 편의(bias) 및 집단의 이익에 치우 칠 수 있는 한계가 있다.

3. 특성가격접근법(HPM : Hedonic Price Method)

특성변수가 종속변수에 미치는 영향을 분석하여 다중회귀모형으로 가치 등을 산정하는 통계적 기법으로서, 객관성과 정확성의 장점이 있으나, 현 존하지 않거나 특수한 상황에서의 실증적 자료의 부족으로 그 신뢰성의 한 계가 나타날 수 있다.

【문제 3】 (20)

Ⅰ. (물음 1) 기초가액

1. 2013. 07. 01 토지 기초가액

(1) 적용공시지가 : 기준시점 최근 2013

(2) 비교표준지 : 2종일주, 단독주택, 주택 상가지대 〈라〉

(3) 그 밖의 요인 보정치 (사례 #2)

$$\frac{4{,}000{,}000\times1.00000\times1\times(0.88/0.85\times1.01)}{2{,}650{,}000\times1.02012\times1}=1.55$$

(4) 단가 : $2{,}650{,}000\times1.02012\times1\times0.85/0.88\times1.55$

$$≒@4{,}050{,}000원/㎡$$

$$(\times200㎡=810{,}000{,}000원)$$

2. 2017. 07. 01 토지 기초가액

(1) 적용공시지가 : 기준시점 최근 2017

(2) 비교표준지 : 2종일주, 단독, 주택 및 상가지대 〈나〉

(3) 그 밖의 요인 보정치 (사례 #4)

$$\frac{5{,}400{,}000\times1.00142\times1\times0.85/0.88\times1/1.01}{2{,}920{,}000\times1.01703\times1}=1.74$$

(4) 단가

$$2{,}920{,}000\times1.01703\times1\times1.01\times1.74 ≒ @5{,}220{,}000원/㎡$$

$$(\times200㎡=1{,}044{,}000{,}000원)$$

Ⅱ. (물음 2) 기대이율, 임대료 결정

1. 기대이율 결정

(1) 2013년

1) 기대이율 적용기준율 : 일반단독주택, 최유효이용 4%

2) CD금리 기준 기대이율표 : 단독주택, 표준적이용, 2.5%

3) 국고채수익률 : 2013.07.01. 기준 3.1%

(2) 2017년

1) 기대이율 적용기준율 : 일반단독주택, 최유효이용 2.5%

2) CD금리 기준 기대이율표 : 단독주택, 표준적이용, 1.5%

3) 국고채수익률 : 2013.07.01. 기준 2%

(3) 결정

국고채수익률 및 CD 유통수익률 기대이율 적용기준율을 검토하였음.

2%를 초과하지 못하여 신뢰성 없는 지표는 제외하되, 기초가액을 시장가치로 산정한 경우 가장 신뢰성 있는 지표인 기대이율 적용기준표를 기준 〈2013년 : 4%, 2017년 : 2.5%〉로 결정함.

> 여러 방법에 따른 율이 산출되나 단순 종합고려가 아니라 한가지 율로 선정(선택)하도록 문제의 지시문이 요구하고 있다고 본다. 결과적으로 정답은 '기대이율 적용기준율'을 활용하는 것이다.라고 본다.

2. 토지 임대료

(1) 2013.07.01 : 810,000,000×0.04 = ⟨32,400,000원⟩

(2) 2017.07.01 : 1,042,000,000원×0.025 = ⟨26,050,000원⟩

[문제 4] (10)

Ⅰ. 평가개요

1. 기준시점 : 2017.7.1.

2. 평가방법

감칙 제7조제2항 및 제16조에 따라 거래사례비교법으로 감정평가하되, 대상부동산의 건물부분과 대지권을 일괄평가하였음.

Ⅱ. 거래사례비교법

1. 거래사례 선정

동일 10동 소재 가격형성요인 비교가 가능하고 가장 최근 거래사례인

⟨# 3⟩ 선정

문제4번은 사례선정이 가장 큰 쟁점이었다. 발코니확장, 관리상태, 층, 향, 동에 따른 격차를 반영하기 위해서는 거래사례선정시 #3을 선정해야만 한다. 가치형성요인 중 '동'에 따른 격차는 보정할 수 없어 동일 동에 소재하는 거래사례 선정을 출발점으로 가치형성요인을 분석해야만 했다.

2. 시점수정치 : 105/104.5 = 1.00478

3. 가치형성요인비교

(1) 지역요인 : 1.00

(2) 개별요인

1) 발코니 확장 정도 : 기준시점 발코니 확정 격자

선정 가능 사례(#4 #.5 선정)

$$\frac{345,000,000}{338,000,000} \times 101/102 = 1.03$$

2) 관리상태 : 100/101

3) 층 : 1.00

4) 향 : 1.00

5) 동 : 1.00

6) 개별요인 비교치 : 1.020

4. 감정평가액(시산가액)

350,000,000×1.00478×1.00×1.020 = ⟨358,710,000원⟩

= 1.00478

🔖 2018년도 감정평가실무는 지하사용보상, 임대료감정평가, 선하지 해제처분 가역평가, 조소득승수법이 출제되었다.
기본적으로 많은 수험생들이 준비하고 연습해온 쟁점들임에도 불구하고 향상 그 결코 숨겨진 출제의도를 파악하기에는 평이한 시험이 아니었다. 특히 올해는 외견상으로는 난이도가 높아 보이지 않았으나 구체적으로 문제저에 들어가서는 상당한 함정이 많이 있었다. 실제 난이도는 상당했던 것으로 생각했던 것으로 보인다.

1. 문제1번 – 토지보상(공법상제한 및 구분지상권이 설정된 토지)

문제 1번은 문제의 취지와 시사성에는 공감하나 수험의 관점에서 개별요인 비교와 관련해서는 해석의 여지가 상당히 있을 수 있다. 수험생 입장에서는 논리적 답안구성에 중점하고, 시간이 많이 소요될 것으로 예상되는 풀이 방법에 대해서는 적절한 주석처리 내지 전제를 활용하여 시간 내에 답안 작성을 하여야 했다. 수험 전략상 약술문제인 물음1과 물음4에 상당한 비중을 두어 답안 작성을 하는 것이 필요했다.

문제1번은 개인적으로 상당히 어려운 것으로 본다. 특히 물음2번의 경우 ① 비교표준지 선정, ② 지가변동률의 적용, ③ 개별요인비교치의 산정에 상당한 내용이 반영된 문제다.

비교표준지 선정에서는 물음1에서의 인근지역의 범위 설정 및 공법상제한을 어떻게 볼 것인지 개별요인비교를 어떻게 해결할 것인지에 따라 접근이 달라졌을 것으로 보인다.

본 예시답안에서는 인근지역에 도로를 기준으로 구분하되 지역적 격차는 없는 것으로 보고 인근지역에 소재하며 일반적 제한인 '도시자연공원'이 아닌 표준지(#1)를 선정하는 것이 이론과 실제에 부합한다.

도시(군)계획시설(개별적 제한)인 '도시공원'과 용도구역(일반적 제한)인 '도시자연공원구역'은 구분하여야 한다.

개별요인비교 가능성을 보고 표준지(#2)를 선정할 수 있지만 '인근지역의 범위 판단'의 쟁점과 시행규칙 제22조의 비교표준지 선정기준을 중심에 뒀을 때 (칙23조는 별개의 판단 부분) 표준지(#1)이 선정되어야 한다.

무엇보다 개별요인 비교치의 산정이 어려웠다고 본다. 임야의 가치형성요인으로는 '방위'가 중시되고 개별공시지가 산정시 '임야에서는 형상에 따른 토지가격 비준표 격차가 반영되지 않는 이유등 실무적 관점에서 접근할 필요가 있다.

해당 문제에서는 가치형성요인에서 다소간의 차이가 있는 개별요인 비교 항목들이 주요 가치형성요인이 아닌 것으로 판단하고 넘어가는 것이 필요했다.

구분지상권이 설정된 것에 대한 해석도 다양할 수 있다. 표준지 공시지가는

...나자산정 평가이나 '지상권설정이 되지 않은 상태의 가격'으로 보는 견해도 있을 수 있고, 송전선로는 '도시계획시설 중 전기공급설비'로 공법상 제한 자축의 문제로도 볼 수 있으며, 문제에서 표현한 것처럼 '시장에서의 감가올'로 볼 수 있다.

그러나, 해당 제시문은 시장조사 결과로서 구분지상권이 설정된 토지가 감가되어 거래되는 현실적인 시장관행을 표현한 것이다.

2. 문제2번 - 임대료 감정평가

물음1에서 적산법을 먼저 묻고 물음2에서 임대사례비교법을 활용하여 시산가액을 결정하도록 하였다.

임대사례비교법의 경우 임대료 평가의 주된 방법임에도 불구하고 임대사례에 대한 정확한 정보(계약내용-물적사항 및 권리의 태양)를 정확히 수집하여야 적용이 가능하기에 이러한 현실적인 부분을 담아 문제에 출제한 것으로 보인다.

구체적으로는 임대사례의 임대면적의 이마를 정확히 암수 없었고 물음1이 아닌 물음2에서 적용하여 시산조정을 하도록 요구한 부분에서 그 의도가 있었다고 보여진다. 아울러 충분한 배점으로 시산조정에 대한 내용을 기술했어야 한다고 본다.

3. 문제3번 - 해제처분가격

문제3번은 배점에 비해 답안 작성 분량과 숫자가 적었다. 따라서, 꼼꼼한 지문 해석이 없었다면 오히려 득점이 상당히 어려울 수 있었다.

4. 문제4번 - 조소득승수법

문제4번은 어렵지 않으나 임대료 산정 기준을 '방'개수로 적용하게 되면 '호수'를 기준으로 제시한 지문과 다르게 답안을 작성하게 된다.

【문제 1】 (40)

I. (물음 1) 지역요인 분석

1. 인근지역 개념
인근지역이란 대상부동산이 속한 지역으로서 부동산의 이용이 동질적이고 가치형성요인 중 지역요인을 공유하는 지역을 말한다.

2. 인근지역 판정기준

1) 기준

인근지역의 판단은 토지의 용도적 관점에서 동일성을 기준으로 하되, 다음 사항을 확인함

2) 확인 사항

① 지반·지세·지질 등

② 하천, 수로, 철도, 공원, 도로, 광장, 구릉 등

③ 토지의 이용상황

④ 공법상 용도지역, 지구 등

⑤ 역세권, 통학권 및 통작권역

3) 보상지역의 분류

보상지역은 현장여건, 개발잠재력 등 객관적 상황을 고려 ① 고층시가지 ② 중층시가지 ③ 저층시가지 ④ 주택지 ⑤ 농지·임지로 구분

3. 인근지역 여부 판단

- 보상대상 지역 분류 : 농지·임지

- 공법상 제한 : 자연녹지 등

- 용도적 관점 : 자연림 지대로 가치형성요인 동일·유사 하나 〈국도〉(분리 대)로 양측이 구분됨. 따라서

① 인근지역 : 대상토지, 표준지#1이 속한지역

② 유사지역 : 표준지 #2 보상선례가 속한지역으로 판단하되, 지역적 적 차이율은 대등함

II. (물음 2) 대상토지 적정가격

1. 가격시점 :   2018.06.01.

2. 적용공시지가 선택

1) 사업인정 전 협의 : 실시계획승인고시 전 보상

2) 적용공시지가 선택

① 취득할 토지 지가변동 여부 : 토지보상법 시행령 제38조의 2 해당하지 않는 철도사업

② 따라서 가격시점 이전 공시기준일로 하는 공시지가 중 가격시점 최근 공시된 〈2018.01.01.〉 적용 (토지보상법 제70조 제3항)

3. 비교표준지 선정

용도지역·이용상황 등일, 공법상제한 유사 〈표준지#1〉을 선정

인근지역은 도로를 기준으로 구분하되 지역적 격차는 것으로 보고 인근지역에 소재하며 일반적 제한인 '도시자연공원'이 아닌 표준지(#1)를 선정하는 것이 이론과 실제에 부합한다. 개별요인비교 가능성을 보고 표준지(#2)를 선정할 수 있지만 '인근지역의 범위 판단'의 쟁점과 시행규칙 제22조의 비교표준지 선정기준을 중심으로 볼 때 〈칙23조는 별개의 판단 부분〉 표준지(#1)이 선정되어야 한다.

4. 시점수정치

(지가변동률, B시 녹지 2018.01.01.~2018.06.01. 시행령 제37조 제1항)

$$1.00890 \times \left(1 - 0.00005 \times \frac{32}{30}\right) ≒ 1.00885$$

5. 지역요인 비교치

비교표준지 및 대상은 인근지역 내 소재하므로 지역요인은 대등 (동일)

〈1.00〉

6. 개별요인 비교치

1) 방위 등 토지특성

가치형성요인에서 개별요인 비교항목들이 다소간의 차이가 있으나 주요 가치형성요인이 아닌 것으로 판단하여 〈1.00〉 결정

2) 구분지상권으로 인한 감가율 :

0.80

3) 공익지축보정 : 1/0.6

≒ 1.67

4) 개별요인 비교치

1.00 × 0.80 × 1.67

≒ 1.336

임야의 가치형성요인으로는 '방위'가 중시되고 개별공시지가 산정시 '임야'에서는 향상에 따른 토지가치 비준표 격차가 반영되지 않는 이유 등 실무적 관점에서는 근결 필요가 있다. 해당 문제에서는 가치형성요인에서 다소간의 차이가 있는 개별요인 비교항목들이 주요 가치형성요인이 아닌 것으로 판단하고 넘어가는 것이 필요했다.

구분지상권이 설정된 것에 대한 해석도 다양할 수 있다. 표준지 공시지가는 나지 상정 평가이거나 '지상권설정이 되지 않은 상태의 가격'으로 보는 견해도 있을 수 있고, 송견선도는 '도시계획시설 중 전기공급설비로 공법상 제한 저촉의 문제로도 볼 수 있으며, 문제에서 표현한 것처럼 '시장에서의 감가율을 반영', 그러나, 해당 제시문은 시장조사 결과로서 구분지상권이 설정된 토지가 감가되어 거래되는 현실적인 시장관행을 표현한 것이다.

7. 그 밖의 요인 보정치

1) 격차율

$$\frac{80,000 \times 1.00002 \times 1 \times (1.67 \times 0.8)}{66,000 \times 1.00885 \times 1 \times 1.336} ≒ 1.201$$

* 보상사례 소재 〈E시, 녹지지역〉 (2018.05.01.~06.01)

** 보상선례 대비 대상은 공원구역 없는 상태, 구분지상권 반영

2) 결정

인근의 보상사례 및 지가수준 등 종합 고려하고 구분지상권 설정에 따른 시장성 및 공법상 제한 고려 그 밖의 요인 보정치는 〈1.20〉 결정.

8. 대상토지 적정가격

66,000 × 1.00885 × 1 × 1.336 × 1.20 = 106,000원/㎡

시*1   지   개   그   〈×1,200=127,200,000원〉

III. (물음3) 지하사용료 보상

1. 입체이용 저해율

1) 개요 : 농지·입지 기준, 토피심도 18m (평균)

2) 입체이용저해율

$$0.025 + 0.1 \times \frac{1}{2} = 0.075$$

지하이용   기타

2. 지하사용 보상액

106,000 × 0.075 = 7,950원/㎡

〈×1,200=9,540,000원〉

IV. (물음 4) 감정평가 기준의 문제점

1. 한계심도초과 토지의 보상문제

1) 현행규정

① 토보침, 철도건설을 위한 지하부분 토지사용 보상기준에서는 한계심도 초과 토지의 경우 단순 일정비율을 적용함

② 이에 대한 구체성, 법규성 결여

2) 형평성 문제 (토지보상 적용)

① 서울시 조례, 경기도 조례에는 '공동주택 세대에는 세대당 100,000원, 단독 1,000,000원을 최저 보상액으로 지급할 수 있다' 고 규정

② 그러나 임의적 규정으로 적용기준 미비하고 그 외 지역의 적용이 없어 형평성의 문제가 남음

2. 시장성 하락의 반영 등 토지가액 산정 기준

1) 토지보상법 시행규칙 성 규정

토지보상법 시행규칙 제31조에서는 동법 시행규칙 제22조에 따른 토지가액에 입체이용저해율을 적용하도록 규정

2) 토지가격 산정의 구체적 방법 부재

3. 일괄된 적용기준의 부재

산정기준이 산정하고 보상방법이 지역별·사업종류별로 달라 일관성, 형평성 문제

4. 기타 문제점

① 잔여지 가치하락, 사업손실 보상문제

② 보상대상 범위, 추가보상금 미적용(지상공간 보상과 형평성)

③ 영구사용보상의 성격, 기한, 제재약 등 문제

[문제 2] (30)

I. 감정평가개요

1. 접합건물 제1층 제101호의임대료 산정목적 평가건임.

2. 기준시점 〈2018.07.01.〉

II. (물음1) 적산법에 의한 임대료

1. 1동 전체 가액

1) 기본적사항 확정

① 최유효이용 전제한 시장가치 산정

② 토지 : 350㎡, 광대한면, 부정형, 평지

③ 건물 : 사용승인 2000.05.08. (32년 잔존), 1,740㎡

④ 토지 공시지가기준법, 건물 원가법

⑤ 건물의 재조달원가는 간접법 적용

2) 토지

(1) 비교표준지 선정 : 용도지역, 이용상황, 주위환경 고려 《#1》선정

(2) 시점수정치 : (S구, 2018.01.01.~2018.07.01.)

$$1.01396 \times (1 + 0.00227 \times \tfrac{31}{31}) = 1.01626$$

(3) 지역요인 비교지 : 대등 $= 1.000$

(4) 개별요인 비교지 : $1.03 \times 0.96 \times \dfrac{1}{(0.2 \times 0.85 + 0.8)} = 1.020$

(5) 그 밖의 요인 보정치

① 평가목적, 용도지역, 이용상황 고려 《#B》 선정

② 보정치

$$\frac{7,000,000 \times 1.02756^{*1} \times 1 \times 0.98^{*2}}{4,300,000 \times 1.01626} = 1.61$$

*1) S구 2017.01.01.~2018.07.01. : $1.01112 \times 1.01396 \times (1 + 0.00227 \times \tfrac{31}{31})$

*2) 개별요인 : $1.01 \times [(0.2 \times 0.85 + 0.8) \div 1]$

(6) 토지기액

$$4,300,000 \times 1.01626 \times 1 \times 1.020 \times 1.61 = 7,176,000원/㎡$$
$$시 \quad 지 \quad 개 \quad 그$$

$$(\times 350 = 2,511,600,000원)$$

3) 건물

(1) 재조달원가

① 간접법, 시례연면적 1,980㎡, 신축시점 2019.07.01.

② 현금등가액

$$5억 + 15억 \times MC(4\%,10) \times PVAF(5\%,5) \times 1/1.05 + 15억 \times (1 - \frac{1.04^5 - 1}{1.04^{10} - 1})$$
$$\times \frac{1}{1.05^6} \;] = 1,876,913,000원$$

③ 대상적용 건물단가

$$1,876,913,000 \times 1 \times 1 \div 1,980㎡ = 948,000원/㎡$$
$$시 \quad 개 \quad 면$$

(2) 건물가액

① 단가 : $948{,}000 \times \dfrac{32}{50}$ = 606,000원/㎡

② 건물평가액 : 1)×1,740 = 1,054,440,000원

4) 1동 전체 가액 : '2)'+'3)' = 3,566,040,000원

2. 해당 층수 기준가액

$$3{,}566{,}040{,}000 \times \underset{*0.272}{\dfrac{100 \times 188}{69{,}166}} \times \underset{*0.337}{\dfrac{100 \times 60}{17{,}795}} = 326{,}877{,}000원$$

3. 적산법에 의한 임대료

326,877,000×0.05×(1+0.07) = 17,488,000원

Ⅲ. (물음2) 임대사례비교법 및 시산가액조정 및 감정평가액결정

1. 임대사례비교법에 의한 임대료

1) 사례실질임료단가

$$\left[30{,}000{,}000 \times 0.04 + \dfrac{2{,}750{,}030}{1.1}\right] \times 12月 \div 70 = 445{,}714원/㎡$$

* 임대면적은 전용면적 가정

2) 시점수정

$$\left(1 + 0.02930 \times \dfrac{333}{365}\right) \times 1.00731 \times \left(1 + 0.00731 \times \dfrac{91}{90}\right) \times \left(1 + 0.00227 \times \dfrac{1}{90}\right) = 1.04197$$

3) 개별요인

0.75×0.90×0.91 = 0.61

4) 대상 실질임료

(1) 단가 : 445,714×1.04197×0.61 = 283,000원/㎡

(2) 임대료 : 283,000×60 = 16,980,000원

2. 시산가액 조정 및 감정평가액 결정

임대사례비교법의 경우 임대료 평가의 주된 방법임에도 불구하고 임대사례에 대한 정확한 정보(계약내용·물적사항 및 권리의 태양)를 정확히 수집하여야 작용이 가능하기에 이러한 현실적인 부분을 담아 문제에 출제한 것으로 보인다. 구체적으로는 임대사례의 임대면적의 이매를 정확히 알수 없었고 물음1이 아닌 물음2에서 작용하여 시산조정을 하도록 요구한 부분에서 그 의도가 있었다고 보여진다. 아울러 충분한 배점을 반영한 내용을 기술했어야 한다고 본다.

1) 주된 방법 : 감정평가에 관한 규칙 제22조 임대사례비교법

2) 주된 방법과 다른 감정평가방식의 유용성 및 한계

① 감칙상 구성된 임대사례비교법은 시장에서 추출된 임료를 기준하는바, 신뢰성이 높은 장점이 있으나 선정된 사례와 평가대상간의 제약내용의 차이 및 개별요인 주관개입성 등에서 신뢰도 문제가 제기됨.

② 실무기준상 부방식 중 하나로 적산법을 구성하고 있으며, 이 방식은 개별물건의 특성을 반영하여 기초가격을 산정하므로 직관적이며, 신뢰도가

있으나, 기대이율·필요제경비 등 결정시 해당 부동산의 개별성을 반영하지 못하고, 시장의 판행·통제 평균치 등에 의존한다는 문제가 있음.

특히 기대이율의 성격 및 요율 등 적용에 어려움이 있음.

3) 평가 대상 1층 101호의 임대료 결정

본건과 임대사례간 전용률 비교, 임대사례의 공용부분 제어내용 등에 명확한 제시가 없는바, 사례의 제어조건내용 변동시 임대료가 변동될 가능성이 있으며, 보증금운용이율의 투자수위험 반영 정도에 따라 사례설정임료의 변동가능성이 있음. 따라서 대상의 투하된 비용, 즉 시장가치에 근거한 적산법에 의한 임대료가 본건 부동산의 개별성 고려시 적절한 것으로 사료됨. 이에

〈17,000,000원〉으로 결정함.

[문제 3] (20)

I. (물음1) 해체처분가격의 성격 및 시산가액

1. 해체처분가격의 성격

1) 의의

대상물건의 일체가 아닌, 해체된 상태로서 개별적으로 매도될 때 갖는 가격

2) 성격

① 본래 용도로서의 가치가 아닌 해체된 상태의 가치

② 2차시장(중고시장)에서 정상적인 처분과정을 거쳐 처분되는 것을 가정

③ 해체처분 시장에 따라 운송비, 자체비 등이 달라질 수 있음

2. 매각처별 시산가액 (LWT기준)

1) 파키스탄 : $260,000 \times 15,000 - 9억$ $= 3,000,000,000원$
2) 한국 : $240,000 \times 15,000 - 6억$ $= 3,000,000,000원$
3) 상가폴 : $200,000 \times 15,000$ $= 3,000,000,000원$

II. (물음 2) 분리매각시 시산가액 및 매각방식 결정

1. 분리매각시 시산가액

1) 기관 : $(300,000 \times 2,000hp \times 0.178) \times 2대$ $= 213,600,000원$
2) 저장품 : $5,000,000,000 \times 0.2$ $= 1,000,000,000원$
3) 잔여 scrap : $200,000 \times (15,000 - 1,000)$ $= 2,800,000,000원$
4) 시산가액 : $1)+2)+3) - 2억 \times 4月$ $= 3,213,600,000원$

2. 매각방식 결정

분리매각에 따른 시산가액이 가장 큰 바, 재사용 가능부분 분리 매각방식이 유리함.

[문제 4] (10)

I. (물음 1) 가치산정과정 및 결과 검토 및 최종 조소득승수 산정

1. 조소득승수

1) 사례a : 12억/(700,000 × 12 × 20) = 7.14

2) 사례b : 16억/(900,000 × 12 × 20) = 7.41

3) 평균 : [7.14+7.41]÷2 = 7.28

2. 시산가치 : 500,000 × 12 × 20 × 7.28 = 873,600,000원

II. (물음2) 검토의견

1. 물의 구획수에 따라 면적이 달라지므로, 평균 단가를 구하는 것은 물의 개별성을 반영하기 어려움.

2. 따라서 1동 전체를 기준하는 조소득승수법이 타당함

임대료 산정 기준을 '방'개수로 적용하게 되면 '호수'를 기준으로 제시한 지문과 다르게 답안을 작성하게 된다.

제 30회
문제 논점 분석 및 예시답안

📖 2019년도 감정평가실무는 수험가에서 많이 준비하던 문제들로 1번 기업가치, 특허권 영업권 2번 공원보상, 3번 타당성, 4번 임대료 등의 문제가 출제되었다. 특히 1번 기업가치의 경우 논점으로는 이미 준비되었던 문제이지만 상대적으로 산식의 표현과 숫자의 정확성이 필요하였다. 수험은 상대적 우위에 대한 싸움이다. 비교적 쉬운 문제라면 담안작성의 형식적 측면에 대한 전략 수립 및 연습이 필요한 대목으로 본다. 2번 공원보상의 경우 현재 공원보상의 실무적 쟁점이 있는 문제였다. 보상에 있어 점을 볼 때 어느 정도로 난이도를 가지고 있는 문제였다.

1. 문제1번 – 기업가치, 특허권, 영업권

1번은 일반거래(시가참고) 목적의 감정평가로 대상기업의 기업가치와 특허권 가치, 영업권 가치 평가에 초점을 두고 기업가치와 무형자산 평가 등에 대해 논리적인 접근을 필요로 하는 주제였다.

무형자산의 평가 문제의 담안은 숫자 중심으로 작성되는 경우가 많다. 각종 산정방법 및 산식을 기제하고 목차의 흐름에 신경을 쓰는 전략적 담안작성이 필요한 부분이다.

물음1에서도 감정평가 방법에서 수익방식 이외 다른 방식으로의 검토여부에 대해 언급할 필요가 있다. WACC 산정시 타인자본 비용의 세금효과를 누락하거나 기업가치를 도출할 때 비영업용 자산의 처리를 하지 않은 실수가 있어서는 안된다.

물음2에서는 특허권의 유효잔존수명 산출시 법적 잔존기간과 경제적 잔존기간의 비교 및 경과연수 처리가 중요하다. 특허권(또는 기술가치)에서는 기술기여도에 대한 처리가 특징적인 부분이다.

물음3은 영업권 가치 평가인데 영업투하자본(=영업자산 - 영업부채)의 개념이 정립이 되어야 한다.

① 영업권 = 기업의 영업가치 - 영업투하자본
② 영업투하자본 = 영업자산 - 영업부채(무이자부부채, 유동부채)
   = 자기자본(자산) + 이자부(자본)

2. 문제2번 – 도시계획시설 공원 보상

해당 문제는 공원 조성사업 보상 목적의 감정평가이다. 공원보상의 경우 현재 공원보상의 실무적 쟁점에 대한 보정을 정에 있어 점을 볼 때 어느 정도의 난이도를 가지고 있고, 도시계획시설 공원은 일물제가 예정되어 상당한 시사성이 있는 문제였다.

사업인정 전 협의, 작용공시지가 선택(법70조 5항 및 령38조의2) 검토, 비교표준지 선정(사업구역 내 선정), 지가변동률(사업인정 전 협의는 령37조 3항 적용 없음), 개별요인 비교지(공원 자축 보정률이 선정), 그 밖의 요인 보정치 (필요성, 선정, 격차율, 시세와 검토, 결정)까지 토지 보상 전반이 출제되었다.

도시계획시설 설계과 관련해서 '도시군관리계획결정 고시' 및 지형도면 고시', '실시계획인가고시'를 정확히 정확히 구분하여야 한다. 해당 문제는 사업인정 의 제일인 실시계획인가고시 전의 사업인정 전 협의 보상이었다.

현재 일물제가 이슈되고 있는 공원은 7·80년대에 도시관리계획으로 결정 최근 일물제가 이루어지고 있어

요인 보정치 담인은 예시답안과 같이 Full Set으로 작성할 필요가 있다.

해당 문제에서는 특히 거래사례 등의 선정이 중요했다. 많은 수험생이 감점을 당한 부분이라고 본다. 보상사례에서는 협의사례 낮음이 'ㄴ'보다 최근의 'ㄴ'이 선정되어야 한다. 또, 정상 거래사례 '나'를 선정하여 적정율을 다시 산정하면서 적정성 검토가 이뤄어져야 한다.

3. 문제3번 – 타당성

해당 문제는 개별법 논리의 토지유형의 타당성이다. 전형적인 패턴을 숙지하고 해당 문제 구조를 빠르게 파악하는 것이 필요하다.

기준 건물의 매수가격 처리, 환원율(엘우드법) 산정, 기준시점으로의 현가 등 세부사항 처리리가 중요하다.

4. 문제4번 – 임대권 등

해당 문제는 대상의 1년 전 임대차 제약이 체결되어 있는 오피스텔에 제약 임대료 기준 환원율과 시장임대료 기준 환원율의 차이가 의미하는 바를 물었다.

먼저, 매매가가 시장 수익률 5.0%를 기준으로 산출되는 임대권의 가치를 기준으로 결정되었다고 제시하고 있으나 수익률과 환원율의 개념을 명확히 잡지 못하고 직접환원법으로 접근해서는 안된다.

물음 2의 환원율의 차이가 의미하는 바에 대해서는 단순 이론적 접근이 아니라 문제의 개별성을 담아 제약임대료와 시장임대료 간 위험의 차이로도 설명이 필요하다.

고시된 상태대 토지보상법 제70조 제5항의 적용이 없는 사업이다. 그러나

해당 문제에서는 2018년 결정 고시되어 현재 토지보상법 제70조 제5항이 적용되며 개발이익이 아니라 손실의 관점에서 출제되었다.

비교표준지 선정과 관련해서는 토지보상법 제70조 제5항이 적용된다면 필연적으로 '사업구역 내' 표준지를 선정하는 것은 원칙이다. 동 규정 "계획.

공고·고시" 이전에 공시된 표준지는 해당 사업과 관련하여 무관할 수밖에 없는 논리적 구조를 가지고 있기 때문이다.

해당 문제는 특이점 내지 약간의 오류가능성을 가지는 부분에 있다. 적용 공시지가를 2018.1.1.을 적용하게 되면 원직적으로 해당 공익사업(공원 저축)에 따른 제한이 없는 상태이어야 한다. 그러나, 해당 문제에서는 비고되면에 공원 100%저축을 제시하면서 2018년도 및 2019년도 공시지가의 지가 차이가 없고 문제 후단에서 공원저축에 따른 적치율 산정을 요구하고 있어 2018년 공시지가에도 해당 사업과 공원저축은 관련은 되어 있는 상태로 해석하여야 한다.

공원저축 저자(행정적요인)는 ① 2019년 표준지공시지가 (#2, #4)의 대상, ② 거래사례의 대상, ③ 인근 기준 공원 유무에 따른 가치 상승분을 고려할 수 있다. 대다수의 수험생은 저감을 산정하지 못했거나 접근하지 못했다. 필자의 사견으로는 거래사례의 대상·정들의 접근도의 공원저축 기준시점 대사례 '가'는 정상거래 사례'의 연급이 없어 적정가격으로 공시된 기준시점 최근 2019년 표준지 공시지가의 공원저축 유무에 따른 적치율로 산정하는 것이 출제 의도이다.

그 밖의 요인 보정치 결정에도 상당한 배점이 있었다. 보상평가에서 그 밖의

[문제 1] (40)

(물음 1) A기업의 기업가치

I. 개요

1. 기준시점 : 2020.01.01.

2. 근거 법령 : 「감칙」 제24조 제3항 및 실무기준 등

3. 평가 방법 : 주된 방법은 수익방식, 다른 방법에 의한 검토
   물건의 성격 등에 의해 생략

4. 기업가치 산정 산식

① 기업가치 = 기업의 영업가치(영업관련가치) + 비영업자산

② 기업의 영업가치(영업자산가치) : FCFF 모형 적용

> 감정평가 방법에서 수익방식 이외 다른 방식으로의 검토여부에 대해 언급할 필요 하다. WACC 산정시 타인자본 비용의 세금효과를 누락하거나 기업가치를 도출 할 때 비영업용 자산의 처리를 하지 않은 실수가 있어서는 안된다.

5. 주요가정

① 추정기간: 5년

② 추정기간 이후 성장률 : 0%

II. WACC의 산정

1. 자기자본비용 (CAPM)

1) β : (0.9654+0.9985+0.9763)÷3 = 0.9767

2) 자기자본비용 : 3.5%+0.9767×(12.0% - 3.5%) = 11.80%

2. 타인자본비용 (세후) : 7%×(1 - 0.22) = 5.46%

3. WACC = 0.4×11.80%+0.6×5.46% = 8.00%

III. 기업의 영업가치(영업관련가치)

1. 방침

① 영업이익 = 매출 - 매출원가 - 판관비

② FCFF = 영업이익×(1 - 0.22)+감가상각비 - 자본적지출 - 추가운전자본

④ 자본적지출 : 매출액×3%

⑤ 추가운전자본 : 매출액 증가×운전자본 소요율

2. 각종 요율의 정리

1) 매출증가율

① 대상기업기준

 - 2017~2018 : 2,100/2,000 - 1 = 5%

 - 2018~2019 : 2,205/2,100 - 1 = 5%

 - 결정 : 과거평균 증가율 5%

② 동종 및 유사업종 기준 : (4.92+4.82+5.24)÷3 = 5%

③ 매출액 증가율 : (①+②)÷2 = ⟨5%⟩

2) 매출원가율 : 대상기업의 과거비율 기준
- 2017 : 1,000/2,000 = 50%
- 2018 : 1,050/2,100 = 50%
- 2019 : 1,102.5/2,205 = 50%
- 결정 : 과거 매출원가율이 매기 동일한바 〈50%〉 적용

3) 판매 및 관리비율
- 2017 : 200/2,000 = 10%
- 2018 : 210/2,100 = 10%
- 2019 : 220.5/2,205 = 10%
- 결정 : 매기 판매 및 관리비율이 동일한 바 〈 10% 〉 적용

4) 운전자본 소요율 = 1/8 + 1/10 - 1/20 = 17.50%

3. FCFF (단위 : 백만원)

구분	1	2	3	4	5
매출액	2,315	2,431	2,553	2,681	2,815
(매출원가)	1,157.50	1,215.50	1,276.50	1,340.50	1,407.50
(판관비)	231.50	243.10	255.30	268.10	281.50
세전영업이익	926.00	972.40	1,021.20	1,072.40	1,126.00
(세금)	203.72	213.93	224.66	235.93	247.72
세후영업이익	722.28	758.47	796.54	836.47	878.28
감가상각비	115	120	125	130	135
(자본적지출)	69.45	72.93	76.59	80.43	84.45
(추가운전자본)	19.25	20.30	21.35	22.40	23.45
FCFF	748.58	785.24	823.60	863.64	905.38

4. 기업의 영업가치(영업관련 기업가치)

1) 추정기간 영업가치

FCFF	748.58	785.24	823.60	863.64	905.38
현가율	0.92593	0.85734	0.79383	0.73503	0.68058
현재가치	693.13	673.22	653.80	634.80	616.19
합계액	3,271,000,000원				

2) 추정기간 후 영업가치

905.38백만원÷(8% - 0%)×1/(1+0.08)^5 = 7,702,000,000원

3) 기업의 영업가치

3,271,000,000 + 7,702,000,000 = 10,973,000,000원

5. 기업가치

1) 비영업가치 : 단기금융 + 장기투자자산 = 7억 + 3억 = 10억원

2) 기업가치 : 1,000,000,000 + 10,973,000,000 = 11,973,000,000원

(물음 2) A기업의 특허권 가치

특허권의 유효존속수명 산출시 법적 존속기간과 경제적 존속기간의 비교 및 경과연수 처리가 중요하다. 특허권(또는 기술가치)에서는 기술기여도에 대한 처리가 특징적인 부분이다.

I. 특허권 유효존속 수명

1. 경제적 존속 수명

1) 기술수명 영향요인 평점 : 1×6+0×4 = 6점

2) 경제적 수명 : $9 \times (1 + 6/20)$ = 11.7년(약 11년)

3) 경제적 잔존 수명 : 11년 - 6년 = 5년

2. 법적 잔존 수명 : 2020.01.01~2033.05.26.(약 13년)

3. 특허권 유효 잔존 수명 : MIN(5년, 13년) = 5년

II. 특허권 가치

1. 방법 : 기업영업가치 × 기술기여도

2. 기술기여도

1) 산업기술요소(식품류 제조업 C10) : 51.3%

2) 개별기술강도

$[(4 \times 3 + 6 \times 4) + (4 \times 4 + 3 \times 6)] \div 100$ = 70%

3) 기술기여도 : 51.3%×70% = <35.91%>

3. 특허권 가치

1) 방법

① 특허권 가치 = 기업의 영업가치 × 기술기여도

② 특허권의 잔존기간 동안의 기업의 영업가치를 기준함.

2) 특허권 가치 : 3,271,000,000 × 35.91% = <1,175,000,000원>

(물음 3) A기업의 영업권 가치

I. 방법

1. 영업권 = 기업의 영업가치 - 영업투하자본

2. 영업투하자본 = 영업자산 - 영업부채 (무이자부부채, 유동부채)

= 자기자본(자본) + 이자부부채

3. 재무상태표상 유동부채는 모두 영업부채로 판단

II. 영업투하자본

1. 영업자산

① 산식 : 당좌자산(그외) + 재고자산 + 유형자산 + 특허권

② 산정 : 5억 + 6억 + 25억 + 10억 + 8억 + 11.75백만원

= 6,575,000,000원

2. 영업부채 : 1,100,000,000원

3. 영업투하자본 : 6,575,000,000원 - 1,100,000,000원

= 5,475,000,000원

III. 영업권 가치

10,973 백만원 - 5,475 백만원 = <5,498,000,000원>

[문제 2] (30)

I. 감정평가개요

1. 감정평가목적

공원조성사업에 대한 사업인정 전 보상 목적(협의)의 감정평가임.

2. 감정평가 근거

「토지보상법」, 「부동산가격공시법」, 「감정평가사법」, 「감칙」 등

3. 감정평가 방법

「토지보상법」 제70조 및 시행규칙제22조 등에 따라 토지의 보상평가는 표준지 공시지가를 기준으로 감정평가함.

4. 가격시점

「토지보상법」 제67조 제1항에 따라 2019.06.29.

5. 그밖의 사항 :

① 계획공고고시일은 귀 제시일 2018.01.10.이며 사업인정 전 협의.

② 「토지보상법시행규칙」제23조에 따라 해당 공익사업에 따른 공법상 제한은 배제

> 도시계획시설과 관련해서 '도시군관리계획결정 고시 및 지형도면 고시', '실시계획인가고시'를 정확히 구분하여야 한다. 해당 문제는 사업인정 의제일인 실시계획인가고시 전의 사업인정 전의 협의로 보상함의 수 있다.

II. 적용공시지가 선택

1. 취득할 토지의 지가 변동 여부(령 38조2 요건 검토)

1) 해당 사업지구 내 표준지 공시지가 평균변동률 : 3.05% (기호 1,2,3)

2) 시군구 표준지 전체 변동률 : 7.216%

3) 지가 변동 여부 : 해당 공익사업은 공원사업으로, 20만㎡ 이상, 상기 양자 3%P 이상, 30% 이상 높거나 낮아 취득할 토지의 지가가 변동 되었다고 인정됨.

2. 적용공시지가 선택 : (「토지보상법」 제70조 5항)

「토지보상법」 제70조 제3항 및 제4항에도 불구하고 공익사업의 계획 또는 시행이 공고되거나 고시됨으로 인하여 취득하여야 할 토지의 가격이 변동 되었다고 인정되는 경우에는 제1항에 따른 공시지가는 해당 공고일 또는 고시일 전의 시점을 공시기준일로 하는 공시지가로서 그 토지의 가격시점 당시 공시된 공시지가 중 그 공익사업의 공고일 또는 고시일과 가장 가까운 시점에 공시된 공시지가로 <2018.1.1.> 적용함.

> 최근 일몰제가 이루어지고 있는 공원은 7·80년대에 도시관리계획으로 결정고시 된 상태라 토지보상법 제70조 제5항의 적용이 없는 사업이다. 그러나 해당 문제에서는 2018년 결정 고시되어 현재 토지보상법 제70조 제5항이 적용되며 개발이익이 아니라 순철의 관점에서 출제되었다.

Ⅲ. 비교표준지 선정

비교표준지 선정과 관련해서는 토지보상법 제70조 제5항이 적용된다면 발령적으로 '사업구역 내' 표준지를 선정하는 것은 원칙이다. 동 규정 "계획·공고·고시" 이전에 공시된 표준지는 해당 사업과 관련하여 무관할 수밖에 없는 논리적 구조를 가지고 있기 때문이다.

1. 선정기준 (시행규칙 제22조제3항)

표준지는 특별한 사유가 있는 경우를 제외하고는 다음 각 호의 기준에 따른 토지로 한다.

1) 용도지역, 용도지구, 용도구역 등 공법상 제한이 같거나 유사할 것
2) 평가대상 토지와 실제 이용상황이 같거나 유사할 것
3) 평가대상 토지와 주위 환경 등이 같거나 유사할 것
4) 평가대상 토지와 지리적으로 가까울 것

2. 선정

사업구역 내 소재한 표준지로서 상기 요건을 충족하는 〈#1〉 선정

(#2는 2단계 사업부지, #3은 이용상황 상이, #4는 사업구역외 이용상황 상이로 제외)

Ⅳ. 시점수정치(생산자물가지수 검토 제외)

1. 시군구 지가가 해당 공익사업으로 변동 여부

사업인정 전 협의로 시행령제37조 3항 적용 없음.

2. 지가변동률 (령 37조1항)

비교표준지 소재 시(C시) 녹지지역 2018.1.1.부터 2019.6.29.까지

(1.04202)

Ⅴ. 지역요인비교치

대상 및 비교표준지는 인근에 소재하여 지역요인은 대등 (1.000)

Ⅵ. 개별요인비교치 (대상 / 비교표준지)

작용공시지가를 2018.1.1.을 적용하게 되면 원칙적으로 해당 공익사업(공원 저축)에 따른 제한이 없는 상태이어야 한다. 그러나, 해당 문제에서는 비교란에 공원 100%저축을 제시하면서 2018년도 및 2019년도 공시지가의 지가 차이가 없고 문제 후단에서 공원저축에 따른 저치를 산정을 요구하고 있어 2018년 공시지가가 문제 후단에서 사업과 관련은 없으나 공원저축이 되어 있는 상태로 해석하여야 한다.

1. 행정적 요인(공원 저치)

1) 2019 표준지공시지가 기준 (#2, #4 비교)

$$\frac{290,000 \times 1.01470 \times 1 \times 0.9}{171,000 \times 1.01470 \times 1 \times 0.95} = 1.60$$

2) 거래사례 기준 (기준시점 #가,#나 비교)

$$\frac{360,000 \times 1.03892 \times 1 \times 1/1.08}{280,000 \times 1.02847 \times 1 \times 1/1.04} = 1.25$$

3) 인근 시세 기준 : 인근 시세 기준 대 80%~임약 20% 수준

4) 결정

거래사례 기준 25% 격차이나 사업구역내 사례의 적정성 여부에 이문에 있고, 인근 시세 수준 기준 대 80%~임서 20% 수준이며, 공시지가의 격차율이 60%인점을 종합 고려하여 1.50으로 결정

2. 개별요인비교치 : 1 × 1.50 ≒ 1.50

VII. 그 밖의 요인 보정치

1. 그 밖의 요인 보정의 필요성 및 근거

판례는 보상의 형평성, 시가보상을 위해 인정, 실무기준 810-5.6.6, 토지보상평가지침, 감정평가 일반이론 등 근거

2. 거래사례 등 선정

1) 선정 기준

거래사례등은 다음 각 호의 요건을 갖추어야 한다. 단만, 제4호는 해당 공익사업의 시행에 따른 가격의 변동이 반영되어 있지 아니하다고 인정되는 사례의 경우에는 적용하지 아니한다

(1) 용도지역등 공법상 제한사항이 같거나 비슷할 것
(2) 실제 이용상황 등이 같거나 비슷할 것
(3) 주위환경 등이 같거나 비슷할 것
(4) 적용공시지가의 선택기준에 적합할 것

2) 선정

상기의 요건을 모두 충족하며 해당 공익사업은 공원사업으로 개발이익이 발생하지 않는 사업으로 공원사업으로 공람 공고(2018.1.10.) 이후 해당 공익사업의 시행에 따른 가격의 변동이 반영되어 있지 아니하다고 인정되는 보상사례('ㄴ') 선정

(#'ㄱ'은 협의 체결률이 상대적으로 낮아 보상중으로 배제)

3) 격차율(1번법 : 대상기준)

$$\frac{380,000 \times 1.03112 \times 1 \times 1/1.12}{156,000 \times 1.04202 \times 1 \times 1.50} ≒ 1.43$$

4) 실거래가 검토 (공원저촉 없는 매매사례 '나' 기준)

$$\frac{360,000 \times 1.03892 \times 1 \times 1/1.08}{156,000 \times 1.04202 \times 1 \times 1.50} ≒ 1.42$$

5) 그 밖의 요인 보정치 결정 :

해당 공익사업의 지가에 미치는 영향, 보상사례 및 매매사례 등을 종합적 검토한 결과 보상사례에 의한 격차율이 적절한 것으로 판단되어 그 밖의 요인 보정치로 <1.43> 결정함.

보상평가에서 그 밖의 요인 보정치 답안은 예시답안과 같이 Full Set으로 작성할 필요가 있다.
해당 문제에서는 특히 거래사례 등의 선정이 중요했다. 많은 수험생이 감점을 당한 부분이라고 본다. 보상사례에서는 협의율이 낮은 'ㄱ'보다 최근의 'ㄴ'이 선정되어야 한다. 또, 정상 거래사례에 격차율을 다시 산정하면서 신정성이 적정성 검토가 이뤄져야 한다.

VIII. 보상 평가액

1. 결정 단가

$156,000 \times 1.04202 \times 1 \times 1.50 \times 1.43$ ≒348,000

2. 토지 보상 평가 금액

$348,000 \times 1.235$ ≒429,780,000

[문제 3] (20)

I. 용역의 개요

1. 용역의 목적

본 용역은 귀 제시 개발계획의 타당성 검토로 해당 사업에 따른 현금흐름을 분석하여 NPV법에 따라 검토함.

2. 기준시점 : 2019.08.01.

II. 매수가액

1. 토지

(1) 공시지가기준법

1) 비교표준지 선정 : 용도지역, 이용상황, 도로조건 등 유사 〈#2〉 선정

2) 시산가액 : $1,870,000 \times 1.01752 \times 1 \times 0.99 \times 1.25$ ≒2,350,000

〈×530 = 1,245,500,000원〉

(2) 거래사례비교법

1) 금융보정 : $1,150,000,000 \times (0.7+0.3/1.08)$ = 1,124,444,000

2) 시산가액 : $2,294,785 \times 1.00697 \times 1 \times 1.02$ ≒2,350,000

〈×530 = 1,245,500,000원〉

(3) 토지가액 결정

감정평가에 관한 규칙 제12조 제1항에 따른 주된방법에 의한 시산가액이 다른 방법에 의한 시산가액과 유사하여 합리성이 인정되는바 주된방법(공시지가기준법)에 의한 시산가액 〈1,245,500,000 원〉으로 결정함.

2. 매수가액 : 토지+건물(1.5억)   = 1,395,500,000

III. INFLOW (개발 후 부동산 가치)의 현가

1. 산출방법

완공후 부동산 가치는 직접환원법에 의하므로 환원율은 엘우드법에 의함.

2. NOI : $145,000 \times (2700 \times 0.7)$ ≒274,050,000

3. 환원율

1) 산식 : $R = y - L/V \times (y - p \times SFF - MC) \pm \Delta SFF$

2) 환원율 : 6.53%

(2) 시장상황 금리 변동 등에 따른 레버리지 효과의 구체적 분석 필요할 수 있음.

(3) 계속적 타당성 확보를 위한 제언 : 계속적 타당성 확보를 위해서는 민

4. INFLOW (개발후 부동산 가치)의 현가 :

감도 분석 결과 등에 따라 사업에 영향을 미치는 주요변수를 분석하고

1) 개발 후 가치 NOI / R   = 4,196,784,000 원

그에 대한 관리를 통해 계속적 타당성 확보를 하는 등 사업과정에서

2) 현가 : 4,196,784,000 /1.08   = 3,885,911,000 원

각 비용과 수익의 관리가 필요함.

IV. OUTFLOW (매수가격+건축비 등)

1. 매수가액 :   1,395,500,000

2. 건축공사비 등 :

900,000×2,700×(0.3+0.7/1.08)   = 2,304,000,000

3. OUTFLOW   = 3,699,500,000

V 타당성 검토

1. NPV 법 :

① NPV = INFLOW - OUTFLOW   = 186,411,000 원 > 0

② NPV가 0보다 큰바 개발의 타당성 인정됨

2. 타당성 검토 의견 개진

(1) 타당성 결과의 한계 : 본 결과는 주어진 상황하에서 분석된 결과로서

매수비용, 임대료, 환원율, 건축비 등 변수의 변동에 따라 결과값은 달

라질 수 있음.

[문제 4] (10)

I. 물음1 : 시장보정률

2. 차이의 의미

1. 시장보정률 산식

(1) 신규임대료와 계속임대료의 리스크

$$시장보정률 = \frac{실제\ 매매가격 - 정상\ 매매가격(시장가치)}{정상\ 매매가격(시장가치)}$$

(2) 계약임대료와 시장임대료의 차이

(3) 임차자의 질

(4) 대상의 개별성, 임대계약의 개별 특성 반영

2. 실제 매매가격 (임대권 가치)

(5) 임대 계약당시 및 기준시점의 시장상황(매매가, 임대가) 변동

2,200만원×PVAF(5%,4년)+6,500만원/1.05⁴   = 612,768,000

환원율의 차이가 의미하는 바에 대해서는 단순 이론적 접근이 아니라 문제의 개별성을 담아 계속임대료와 시장임대료 간 위험의 차이로도 설명이 필요하다.

3. 정상 매매가격 (시장가치)

3,000만원×PVAF(5%,4년)+6,500만원/1.05⁴   =641,135,000

매매가가 시장 수익률 5.0%를 기준으로 산출또는 임대권의 임대권의 가치를 기준으로 결정되었다고 제시하고 있으나 수익률의 개념을 명확히 잠지 못하고 직접 환원법으로 접근해서는 안된다.

4. 시장보정률 = (2. - 3.) / 3.   = - 4.4%

II. 물음2 : 환원율 및 이 차이의 의미

1. 환원율

(1) 계약임대료 기준 : 3.6%

(2) 시장임대료 기준 : 4.7%

(3) 차이 : 1.1%

2. 문제2번 - 수익방식 적용률 산정

2번은 수익성 부동산을 감정평가함에 있어 수익가에에서 가치 결정의 중심이 되는 적용률의 결정 근거를 구체적으로 물어보는 문제였다.

적용률의 구체적 결정근거를 문제에서 제시된 자료를 바탕으로 구체적으로 기술해야하는 문제로 논술적 접근이 필요하였다.

3. 문제3번 - 사실상사도 보상평가

3번은 현실적인 사례에 기반하여 토지보상법 시행규칙 제26조 제2항의 구체적인 적용을 물었다.

도면을 통해 구체적인 사실관계를 찾아내어 사실상사도의 쟁점을 구체화 시킨 문제로서 쉽지 않은 문제로 사료된다.

4. 문제4번 - 일부편입 영업손실보상

4번은 일부편입에 대한 영업보상으로 시행규칙 제47조 제3항의 구체적 적용이 출제되었다. 문제 자체는 어렵지 않으나 앞선 문제들에서 시간 분배가 안된 경우 답안을 작성하지 못한 경우도 있을 것으로 사료된다.

제31회
문제 논점 분석 및 예시답안

2020년도 감정평가실무는 실무작인 이슈가 반영된 문제가 출제되었다. 전반적으로 2018년과 2019년에 비해 다소 난이도는 올라갔다고 본다.

감정평가실무 시험 전반을 기준으로 봤을 때 난이도는 중 또는 중상 정도로 보여진다. 그러나, 29,30회의 시험 준비했다면 상당히 어렵게 느껴졌을 수 있었던 시험이었다. 단순 문제의 분량도 19페이지인 점을 봤을 때 31회를 기점으로 실무를 가볍게 공부해서는 안된다는 것을 느낄 수 있다.

감정평가실무 시험은 전략적 접근이 우선되어야 한다. 문제의 논점과 유형에 따라 기술해야하는 것을 알아야하고 거기에 맞는 공부방법과 문제분석, 답안작성 연습이 필수적이다. 그럼에도 불구하고 아직도 실무시험을 숫자에만 연연하거나 본인의 약점을 정확히 파악하지 못하고 무작정 실무문제만 독립은 방법으로 풀어가는 공부방법을 고집하는 수험생이 아직도 대부분으로 보여진다. 전략적이고 전략적 학습방법을 진정 고민해야할 것이다.

1. 문제1번 - 유형자산 자산재평가, 영업권

1번은 유형자산 재평가 재평가 결과를 반영하여 개념상 영업권을 영업권을 산출하는 실질을 반영한 문제였다.

유형자산(집합건물)의 정확한 평가에 기반하여 영업자산과 비영업자산, 영업부채등의 처리를 중심으로 영업권 평가의 개념을 물어 정확한 개념이 필요했다.

[문제 1] (40)

I. 감정평가개요

1. 상업업무용 부동산의 공정가치를 산정하여 비유동자산을 확정하여 영업투하자본을 결정, 영업권을 산정함.

2. 기준시점 〈2020.09.19〉

II. (물음1) 비유동자산의 공정가치 평가

1. 방침

감정평가 3방식에 의거하여 각 방식별 호별가액을 산정함.

2. 비교방식(거래사례비교법)

(1) 사례선정

본건과 주위환경 및 규모, 신축일자 등을 고려
근린생활시설(B101호, 101호)의 경우 〈#2〉,
업무시설(201~501호)의 경우 〈#4〉 선정

(2) B101호

$$@13,000,000 \times 1.00652 \times 35/100 = @4,570,000$$
$$\langle \times 1200 = 5,484,000,000원 \rangle$$

* 사례 단가 = 9,750,000,000원/750㎡
** 시(2020.03.20.~2020.09.19., 접합·상가 자본수익률)
$$(1 + 0.0035 \times 12/91) \times 1.0032 \times (1 + 0.0032 \times 81/91)$$

(3) 101호

$$@13,000,000 \times 1.00652 \times 100/100 = @13,100,000$$
$$\langle \times 950 = 12,445,000,000원 \rangle$$

(4) 201호

$$@6,500,000 \times 1.01340 \times 50/50 = @6,580,000$$
$$\langle \times 1,200 = 7,896,000,000원 \rangle$$

* 사례 단가 = 6,825,000,000원/1,050㎡
** 시(2020.01.20.~2020.09.19., 오피스 자본수익률)
$$(1 + 0.0054 \times 72/91) \times 1.0048 \times (1 + 0.0048 \times 81/91)$$

(5) 301호 $= 7,896,000,000원$

(6) 401호 $= 7,896,000,000원$

(7) 501호

$$@6,500,000 \times 1.01340 \times 50/50 = @6,580,000$$
$$\langle \times 1,000 = 6,580,000,000원 \rangle$$

(8) 합계액 〈= 48,197,000,000원〉

2. 원가방식

(1) 토지

1) 공시지가기준법

① 비교표준지: 용도지역 이용상황 등 고려 〈#A〉선정

② 시점수정 (20.01.01~20.09.19 상업)

1.01323×(1+0.00254×19/31)　　　　　= 1.01481

③ 지역요인 : 인근지역 1.000

④ 개별요인(광대소각, 가장형/광대세각, 가장형, 도로저촉)

1.05/1.03×1.02/1.02×1/i(0.85*1+0.15*0.85)　= 1.040

　도로　　　형상　　　도로저촉

⑤ 그 밖의 요인

- 상업지역내 업무용, 평가목적 및 규모 등 유사한 〈#ㄴ〉 선정

$$\frac{(19,800,000×1.01481×1×(1.05/1.05×1.02×1.02/1.00))}{14,500,000×1.C1481×1×1.040} = 1.339$$

- 산정

⑥ 시산가액

14,500,000×1.01481×1.000×1.040×1.339 = @20,500,000

2) 거래사례비교법

① 사례선정 : 용도지역, 이용상황, 규모고려 〈#b〉선정

② 사례토지단가

(12,500,000,000 - 1,300,000×32/55×3250)÷520　= @19,300,000

③ 대상토지단가

a. 사정보정　　　　　　　　　　　　　　　　　1.000

b. 시점수정(19.03.31~20.09.19 상업)　　　= 1.03252

1.01745×1.01481

c. 개별요인(광대소각,가장형/광대한면,가장형)　= 1.050

1.05/1.00×1.02/1.02

d. 시산가액

19,300,000×1×1.03252×1×1.050　　　　= @20,900,000

3) 토지가격결정

본건의 평가목적 및 감평법 제3조 및 감칙 제14조 근거 거래사례비교법에
의한 가액과 균형성을 이루므로 공시지가기준법에 의한 가액으으로 결정.

∴ 토지가액 = @20,500,000×1800=36,900,000,000

(2) 건물 (경과년수 19년)

1) 전물 단가

① 근린생활시설(B1F, 1F)

1,300,000×1×36/55　　　　　　　　　= @851,000

② 업무시설(2~5F)

1,500,000×1×36/55　　　　　　　　　= @982,000

③ 주차장, 기계실(B2F)

1,300,000×1×0.7×7×36/55   =@596,000

2) 전물 가액

@851,000×(0.7×1695+1150)+@982,000×(1500×3+1250×1)

+@596,000×1695   =8,644,000,000원

(3) 토지건물 총액 [(1)+(2)]   =45,544,000,000원

(4) 호별 배분액

1) 호별배분율 결정

층	전유면적	효용비	적수	배분율
B101	1,200	35	42000	0.11
101	950	100	95000	0.26
201	1,200	50	60000	0.16
301	1,200	50	60000	0.16
401	1,200	50	60000	0.16
501	1,000	50	50000	0.14
합계			367000	1.00

2) 호별가액

• B101   =5,192,000,000원

• 101   =11,755,000,000원

• 201   =7,417,000,000원

• 301   =7,417,000,000원

• 401   =7,417,000,000원

• 501   =6,161,000,000원

* 토지건물 총액 × 호별 배분율

4. 수익방식(수익환원법)

(1) 방침

대상부동산 제시수익의 표준적으로 적정성 인정, 자가사용부분은 총별효
용비를 통하여 표준적임료 적용산정

(2) 환원율 등의 결정

1) 시장추출법에 의한 환원율 결정

① 업무시설 (사례#2로부터 추출)   =5%

600/12000

② 근린생활시설 (사례#1 및 사례#3 비교결정)

a. 사례 #1 : 750/15,000=5%

b. 사례 #3 : 660/11,000=6%

c. 결정

현재 시장상황, 즉 상가부분의 매출금리 상승 및 상가의 수요가 오피스텔
매비 하락 국면인 점을 고려시 업무시설과 동일 환원율이 산정되는 사례
#1의 적정성을 떨어뜨림. 따라서 현재 시장상황을 반영하고 있다고 사료되는
사례#3의 환원율을 적용. ∴ 6% 적용함.

2) 기타 고려사항

① 공실율 등 : PGI의 10%

② 영업경비 : 연간관리비의 75%

2) 감정평가액 결정

본건의 평가목적 및 물건 특성 등을 고려시 감정 제16조에 의거한 거래사례비교교법에 의한 시산가액이 수익가액에 근거한 수익가액에 의해 지지받는 바, 비준가액으로 가액결정

∴ 총액 48,102,000,000원 결정

- 임대부분 (B101,101,201호) 합계액 : 25,730,000,000원
- 자가사용부분(301,401,501호) 합계액 : 22,372,000,000원

Ⅱ. (물음 2) 영업권 산정

1. 방침

① 영업권 = 기업가치 - 영업투하자본
② 영업투하자본 = 영업자산 - 영업부채

유형자산(집합건물)의 정확한 평가에 기반하여 영업자산과 비영업자산, 영업부채 등의 처리를 중심으로 영업권 평가의 개념을 붙여 정확한 개념이 필요 했다.

2. 영업투하자본의 결정

1) 영업자산

① 방침 : 영업자산 = 유동자산 + 비유동자산으로 비유동자산의 경우 기준시 점현재 재평가된 가액을 차용함.

② 재평가금액(유형자산(자가사용)) : 22,372,000,000원

---

(3) 호별 NOI 결정

(단위: 천원)

호수	계약	총효율	보유율	년임료	년 관리비	PGI	공실	경비	NOI
B101	1830	1	5,490	329,400	65,880	400,770	40,077	49,410	311,283
101	1450	1	13,050	783,000	87,000	883,050	88,305	65,250	729,495
201	1830	1	6,954	417,240	109,800	533,994	53,399	82,350	398,244
301	1830	1	6,954	417,240	109,800	533,994	53,399	82,350	398,244
401	1830	1	6,954	417,240	109,800	533,994	53,399	82,350	398,244
501	1520	1	5,776	346,560	91,200	443,536	44,353	68,400	330,782

(4) 호별 수익가액

호수	계약	환원율	수익가액
B101	1830	6%	5,188,000,000
101	1450	6%	12,158,000,000
201	1830	5%	7,964,000,000
301	1830	5%	7,964,000,000
401	1830	5%	7,964,000,000
501	1520	5%	6,615,000,000
합 계			47,853,000,000

5. 시산가액 및 감정평가액 결정

1) 시산가액

호수	비준가액	자산가액	수익가액
B101	5,484,000,000C	5,192,000,000	5,188,000,000
101	12,350,000,000C	11,755,000,000	12,158,000,000
201	7,896,000,000C	7,417,000,000	7,964,000,000
301	7,896,000,000C	7,417,000,000	7,964,000,000
401	7,896,000,000C	7,417,000,000	7,964,000,000
501	6,580,000,000C	6,161,000,000	6,615,000,000
합 계	48,102,000,000C	45,359,000,000	47,853,000,000

[문제 2] (30)

I. (물음1) 적용 할인율 및 환원율 결정

1. 적용 할인율 및 환원율 결정

(1) 결정 방법

투자자의 성향(위험 회피), 지역상황을 고려

목표배당수익률을 활용하여 금융적 투자결합법으로 결정

(2) 할인율(장기 목표배당수익률 적용)

1) a점포 (A지역) : $0.35 \times 8\% + 0.65 \times 3.5\%$ = 5.1%

2) b점포 (B지역) : $0.35 \times 8.3\% + 0.65 \times 3.5\%$ = 5.2%

3) c점포 (C지역) : $0.35 \times 8.6\% + 0.65 \times 3.5\%$ = 5.3%

(3) 환원율(초기 목표배당수익률 적용)

1) a점포 (A지역) : $0.35 \times 6.8\% + 0.65 \times 3.5\%$ = 4.7%

2) b점포 (B지역) : $0.35 \times 7.5\% + 0.65 \times 3.5\%$ = 4.9%

3) c점포 (C지역) : $0.35 \times 7.8\% + 0.65 \times 3.5\%$ = 5.0%

2. 결정 사유

적용률의 구체적 결정근거를 문제에서 제시된 자료를 바탕으로 구체적으로 기술 해야하는 문제로 논술적 접근이 필요하였다.

---

③ 영업자산

$35,000,000,000 + 22,372,000,000$ = 57,372,000,000원

2) 영업부채

① 방침

단기차입금은 영업에 통상적으로 유용되는 금액으로 영업부채에 포함함.

② 영업부채(유동부채)

$20,000,000,000 + 5,000,000,000$ = 25,000,000,000원

3) 영업투하자본

$57,372,000,000 - 25,000,000,000$ = 32,372,000,000원

3. 영업권 평가액

1) 비영업자산(재평가금액, 투자자산) = 25,730,000,000원

2) 영업권 평가액

$70,000,000,000원 - 32,372,000,000 - 25,730,000,000$

= 11,898,000,000원

(1) 환원율과 할인율 구분 (장/단기) :

할인율은 장기 현금흐름에 적용되고, 환원율은 단기의 부동산 가치 산정에 활용

(2) 사전수익률과 사후수익률의 구분

공공기관 발표 수익률은 사후적 수익률이며, 목표 배당수익률은 사전적 수익률임의 성과로 미래 현금흐름에 반영할 적용률은 사전적 수익률을 적용하는 것이 타당.

(3) 투자자 및 시장참여자 성향 :

위험회피자로서 시장의 변동성에 따른 리스크 인식으로 높은 변동성이 있는 지역에서는 높은 수익률(할인율)을 요구함.

(4) 지역분석과 시장참여자 성향을 반영한 목표배당수익률

A, B, C지역분석에 따르면 시장의 변동성은 A<B<C 순서이며, 시장참여자의 성향에 따르면 변동성에 따라 높은 변동성에 대해 높은 할인율(환원율)을 요구함.

(5) 공공기관 통계 와 제시자료(목표배당수익률) 비교

① 공공기관 통계는 과거의 사후수익률이며, 시장 변동성과 반대 A>B>C의 수치로 나타남.

② 목표배당수익률은 예측과 위험선호도를 반영한 사전수익률로서 시장 변동성과 같은 A<B<C 순서로 나타나고 있음.

(6) 건물 회수율고려 적용 할인율의 균형성 검토

대상 a, b, c는 각각 경과년수가 14년, 8년, 4년이며 원가구성비율이 각각 20.2%, 40.6%, 69.2% 이므로 자산가치 하락 가능성 및 회수율은 A<B<C 순서인 목표배당수익률에 반영되어 균형성이 있는 것으로 나타남.

(7) 종합 결정

상기의 검토 결과와 같이 수익률의 성과와 부동산 지역시장 상황, 시장참여자의 위험 기피 성향 및 전문가 진단을 잘 반영하고 있는 목표배당수익률을 지분수익률로 보고 타인자본 차입은 고려하여 결정함.

구체적으로 할인율은 장기 목표배당수익률, 환원율은 조기 목표배당수익률을 적용하였음.

II. (물음 2) 시산가액 조정 및 검토

1. 수익환원법에 의한 시산가액 (단위 : 백만원)

(1) a 점포

	1	2	3	4	5	6
NOI	3,800	3,857	3,915	3,974	4,034	4,095
재매도가액		4.095 / 0.047 x (1-0.013) =			85,995	
현재가치율	0.9515	0.9053	0.8614	0.8196	0.7798	
시산가액				83,942		

※ 환원율 4.7%, 할인율 5.1%

(1) 수익가액과 적산가액 검토 (일괄평가 및 수익성을 반영)

수익환원법에 의한 시산가액이 원가법에 의한 시산가액보다 약20.5% 높게 산출되었음.

감정 제7조 제1항 개별물건기준에 따른 원가법에 의한 가액은 토지 및 건물의 원가성을 반영하나 대상부동산은 수익성 부동산으로서 펀드 편입되는 매행할인점인바 토지 및 건물이 일체로 거래되는 관행 및 용도상 불가분관계를 반영하고 (감정 제7조제2항) 수익성을 반영하는 수익환원법에 의한 시산가액이 합리성이 인정됨.

(2) 각 점포별 시산가액의 균형 검토

자산 a, b, c 점포는 각각의 시산가액이 83,942백만원, 76,574백만원, 72,962백만원으로 시산되었음. 이는 자산의 수익, 지역분석, 시장점여자 성향 및 건물의 화수를 반영하여 적정하게 산출되었음.

적정한 수익률과 할인율을 적용한 결과이며 공공기관 통계를 적용하는 경우 자산 a, b, c의 시산가액의 가액 크기 순서가 역전될 수 있음.

(2) b 점포

	1	2	3	4	5	6
NOI	3,600	3,654	3,709	3,765	3,821	3,878
재매도가액		3,878 / 0.049 × (1−0.013) =			78,114	
현재가치율	0.9506	0.9036	0.8589	0.8165	0.7761	
시산가액			76,574			

※ 환원율 4.9%, 할인율 5.2%

(3) c 점포

	1	2	3	4	5	6
NOI	3,500	3,553	3,606	3,660	3,715	3,771
재매도가액		3,771 / 0.050 × (1−0.013) =			74,440	
현재가치율	0.9497	0.9019	0.8565	0.8134	0.7724	
시산가액			72,962			

※ 환원율 5.0%, 할인율 5.3%

2. 시산가액 비교 검토

	수익환원법 시산가액(백만)	연면적당 단가(원/m²)	원가법 시산가액(백만)	연면적당 단가(원/m²)
a 점포	83,942	4,537,405	72,642	3,926,595
b 점포	76,574	2,734,786	63,688	2,274,571
c 점포	72,962	1,696,791	57,414	1,335,209
합계	233,478	-	193,744	-

[문제 3] (20)

I. 공통 사항

1. 가격시점 : 수용재결일 2019.5.19. (법§67①)

2. 사업인정의제일 : 2018.05.24

3. 감정 사항 :

(1) 현실적 이용상황 기준 평가

토지보상법 제70조 제2항에 따른 가격시점 당시의 현실적인 이용상황을 고려하여 감정평가함.

(2) 사실상 사도 인지 예정공로 인지

시행규칙 제26조 제2항에서 규정한 사실상 사도 등으로 이용되었는지, 예정공로에 해당하는지 여부 등을 조회한 후 제시 의견에 따라 감정평가함.

> 시간의 흐름에 따라 변화되는 도면을 통해 구체적인 사실관계를 찾아내어 사실상 사도의 쟁점을 구체화 시킨 문제로서 시간의 양부 속에서 사실상 사도를 정확하게 정확하게 잡아내는 것이 쉽지 않은 문제였다.

[필자주1] 해당 토지가 도시가획시설(도로) 사업에 편입된 후 미분양 되어 도시철도에 편입된 경우 미지급 용지에 해당하는 지가 쟁점이 될 수 있으나 2017.10.31. 자 도면에서 편입 토지가 도시계획시설(도로)에서 제외되고 준공되어 미지급용지에 해당하지 않는 것으로 사료됨.

[필자주2] 공도 안에 있는 사유지가 미지급용지로 의뢰된 경우에는 의뢰자에게 그 토지가 도로로 편입 당시 이전부터 「토지보상법 시행규칙」제26조 제2항에서 규정한 사실상 사도 등으로 이용되었는지 여부 등을 조회한 후 제시 의견에 따라 감정평가함.

4. 적용공시지가 선택

사업인정 후 취득으로 사업인정 전 공시된 공시지가로서 재결 당시 공시된 공시지가 중 사업인정의제일과 가장 가까운 시점 공시된 〈2018.1.1.〉 적용

5. 비교표준지 선정

용도지역, 이용상황 등 동일/유사 본건 분할 전 토지(모지번) 기호 B 선정

※ 도시철도 저촉 배제 : 해당 공익사업에 따른 제한 배제(칙§23)

6. 시점수정치 : 1.09268

7. 지역요인 비교치 : 1.000

8. 그 밖의 요인 보정치 : 기호B, 2018.1.1. 기준 〈1.50〉

II. (물음 1) 피고 주장

1. 피고 주장 이용상황 : 사실상 사도 (건축허가권자가 지정한 도로) (수용재결 및 이의재결에서 1/3 이내로 평가)

2. 관련 법규 등 검토

① 토지보상법 시행규칙 제26조 제2항 제3호의 건축허가권자가 그 위치를
지정공고한 도로로서 사실상 사도에 해당함.

② 종전 도시계획시설 도로에서 제외되어 예정공로에 해당하지 아니함을
주장할 수도 있음.

3. 대상 토지 감정평가

(1) 개별요인 비교치 : $(1.18*0.3+0.7)×1.00×0.33$ $=0.348$

   ※ 도시철도 보정, 광대한면, 사실상사도 1/3 이내

(2) 감정평가액

   $1,500,000×1.09268×1.000×0.348×1.50=855,000$

   〈×19=16,245,000원〉

Ⅲ. (물음 2) 원고 주장

1. 피고 주장 이용상황 : 예정공로

(도시군관리계획 결정 후 부터 도로로 사용)

2. 관련 법규 등 검토

① 토지보상법 시행규칙 제26조 제2항 예외로서 도시군관리계획 결정 이
후 그 결정에 맞춰 도로로 변경하였으므로 "예정공로"에 해당

② 종전 도시계획시설 도로에서 제외되었으나 도로개설 시기 당시 유효한
도시계획시설 결정에 맞춰 도로로 사용하였으므로 예정공로를 기준으
로 이용상황을 결정

3. 대상 토지 감정평가

(1) 개별요인 비교치 : $1.18×0.91$ $≒1.074$

   ※ 도시철도 보정, 중로한면,

   ※ 예정공로는 공도의 평가방법을 준용하며 형상, 면적 등을 현재 분필된
      필지를 기준으로 볼 수 있음.

(2) 감정평가액

   $1,500,000×1.09268×1.000×1.074×1.50=2,640,000$

   〈×19=50,160,000원〉

[문제 4] (10)

I. 감정평가 개요

1. 가격시점 : 2020.09.19. (법§67①)

2. 근거규정 : 토지보상법 시행규칙 제47조 제3항

3. 영업손실 보상액

(1) 해당 시설 설치 등에 소요되는 기간의 영업이익

3년 평균 월 3,950,000원

※ 법인 영업으로 최소 영업이익 적용 없음.

(2) 해당 시설 설치에 통상 소요되는 비용

3,500,000 + 500,000 = 4,000,000

※ 발전기시설은 별도 지장물 목록에 포함

(3) 영업 축소에 따른 매각손실액 : 없음

(4) 보상액

3,950,000 + 4,000,000 = 7,950,000원

이전에 따른 휴업 보상액 25,000,000원 미만으로 시행규칙 제47조 제3항

단서에 해당하지 아니함.

제 32 회

문제 논점 분석 및 예시답안

2021년도 감정평가사 실무는 실무적인 이슈 보다는 일반적인 쟁점의 문제가 출제되었다. 문제1번은 기본적인 토지, 건물 복합부동산(업무용)에 대한 감정평가 시 사례의 선정 및 적용, 시산가에 조정 및 감정평가에 결정을 요구했다. 문제2번은 직선법에서 항상 문제되는 기대이율을 찾는 문제였다. 문제3은 토지 보상평가를 기본으로 그 밖의요인 보정과 개간비를(제세공과) 처리를 요구했다. 문제4번은 일부멸실에 대한 전체건축물의 보상이 출제되었다. 문제 자체의 기대이율도 평이한 수준으로 본다. 그러나, 문제1번의 자료의 양이 방대하고 문제2번의 기대이율의 구체적 산정, 문제3번의 그 밖의 요인보정과 개간비 부담이 있을 수 밖에 없었다. 결국 실전 시험에서 가장 중요한 것은 전략이다.

문제 1번에서 너무 많은 시간을 투자하였다면 문제 2번에서 세부적인 기대이율의 피악이 어려웠을 것이다. 그렇다고 해서 문제1번의 배점과 너0도 자체로 봤을 때는 정확성을 버리기 어려운 점이 있다. 이런 경우 1번에서 고득점을 노리고 비교적 자료 형태가 생소할 수 있는 2번을 가장 뒤로 넘기면서 3번과 4번의 안정적 득점 후 2번에서 약술의 처리를 우선시 한다면 비교적 좋은 점수를 받을 수 있는 전략이었다고 본다.

1. 문제1번 - 복합부동산 3방식

우선 비교표준지 및 사례의 선정 및 배제사유를 구체적으로 제시하여야한다. 과거에도 많은 사례를 제시하는 문제에서는 사례 선정 및 배제에 상당한 배점이 있었다. 답안 기술이 간략하더라도 구체성을 갖추어야 한다. 또한 건물 평가에서 증축과 부대설비의 세부적인 처리가 필요했다. 일괄 거래사례비교법에서는 오피스빌딩 자본수익률을 적용하고 연면적당 단가 비교가 필요했다. 일괄 수익환원법에서는 대상의 임대료를 배제하고 시장의 임대료를 적용하는 사유와 렌트프리의 처리에 주의를 했어야 한다. 또 한 일용(시장추출법)에서 사례를 선정하고 결정하는 노리를 구체성 있게 보여줄 필요가 있었다.

2. 문제2번 - 직선법(기대이율 산정)

2번은 제시된 종전 감정평가의 문제점을 기대이율에서 찾는 문제 있었다. 기대이율표에 대해 매년 변동하는 CD금리를 기준으로 결정되는 사항, 지역 여건과 대상의 상황 등을 고려하여야 하는 사항을 값이 이해하고 있어야 했다. 또 구체적으로 필요제경비를 기대이율에 포함하지 않도록 하는 감정 평가실무로 열(임대료 평가편)을 준의 깊게 숙지하고 있어야 한다.

물음2의 기대이율 결정에서는 제시된 <자료3>을 충분히 활용해야 한다. "임대료 수준", "토지 가격 상승(20%) 추세", "재산세 산정"자료를 합리적으로 해결할 수 있어야 했다. 임대료에는 필요제경비가 포함되므로 기대이율에는 필요제경비가 상승 추세를 시점수정 자료로 보아 매 기간 신규심임료를 산정해야 했다.

3. 문제3번 - 토지/개간비 보상평가

수용재결을 가격시점으로 하는 도로사업의 평이한 문제였다. 다만, 일련 번호 1번은 원칙적으로 현실의 이용상황"전"을 기준으로 평가하여야 하고, 일련번호 2번은 2개의 용도지역별 평균 단가를 산정하되, 지분(면적)에 유의하여야 한다. 아울러 그 밖의 요인 보정의 거래사례 등 선정에서

원칙적으로 적용공시지가 선택기준에 따라 사업인정의제일 이전 사례를 활용하도록 한 문제였다. 현업의 실무에서는 보상사례를 기준한 격차율을 거래사례의 단가수준으로 적정성을 검증하고 있지만 수험에서는 원칙적으로 적용공시지가 선택기준에 따라 선정하되 해당 쟁점이 문제화 되지 않았느지 여부를 잘 따져 볼 필요가 있다. 개간비 산정(가격시점 당시 개간비)은 큰 어려움은 없었으나 한도액 산정 및 토지소유자 보상금 결정과 관련된 쟁점을 놓치면 안되는 문제였다.

4. 문제4번 - 잔여건축물 보상평가

보수비 산정 시 소유자 제시 내역을 배제하는 것, 제조달원가 산정 시 부대설비 보정 단가 산정은 어려움이 없었다. 전체 물건가액으로 한도 비교는 기본적으로 이루어져야 한다.

【문제 1】(40)

I. 감정평가개요

1. 감정평가목적 : 일반거래 시가참조
2. 기준가치 : 시장가치
3. 대상물건 확정 : 토지·건물 복합부동산(오피스빌딩)
4. 기준시점 : 2021.8.7.

II. (물음 1) 개별물건기준 시산가액

1. 토지

(1) 공시지가기준법

1) 비교표준지 선정

① 선정기준(감칙 §14①1호)

인근지역에 있는 표준지 중에서 대상토지와 용도지역·이용상황·주변환경 등이 같거나 비슷한 표준지를 선정할 것. 다만, 인근지역에 적절한 표준지가 없는 경우에는 인근지역과 유사한 지역적 특성을 갖는 동일수급권 안의 유사지역에 있는 표준지를 선정할 수 있다.

② 비교표준지 선정 : 일반상업, 업무용, 일반업무지대 〈공#2〉선정

③ 제외사유 : #1 : 용도지역 상이, #3 : 주위환경 상이하여 제외

2) 시점수정치 : 상업지역 지가변동률(2021.1.1.-8.7)

$1.02645 \times (1 + 0.00420 \times 38/30)$ =1.03191

3) 지역요인비교치 : 인근지역 소재 =1.000

4) 개별요인비교치 : $1.05 \times 0.95 \times 1.02$ =1.017

5) 그 밖의 요인 보정치

① 사례 선정 : 평가목적 동일, 최근 평가사례 〈#나〉 선정

② 그 밖의 요인 보정치 =1.50

$$\frac{62,000,000 \times 1.02387^* \times 1 \times 1.00^{**}}{41,000,000} \times 1.03191 \times 1$$

* 시점수정치 : 상업지역 지가변동률(2021.3.1.-8.7.)

** 개별요인비교치 : (표준지/평가선례) : $1 \times 1.00 \times 1$

6) 시산가액

$41,000,000 \times 1.03191 \times 1.000 \times 1.017 \times 1.50$ =64,500,000원/㎡

(2) 거래사례비교법

1) 사례 선정

> 사례의 선정 및 배제사유를 구체적으로 제시하여야 한다. 과거에도 많은 사례를 제시하는 문제에서는 사례 선정 및 배제에 상당한 배점이 있었다. 답안 기술이 간략하더라도 구체성을 갖추어야 한다.

① 선정 기준

위치적, 물적 유사성이 있고 시점수정, 사정보정 등 비교 가능하며 합리적 배분법 적용이 가능한 거래사례 선정

② 거래사례 선정

일반상업, 업무용, 일반업무지대 내 노후화된 건물 소재(철거예정) 거래사례 <#2> 선정

③ 제외사유

#1: 이용상황 상이, #3: 사정보정 불가, #4: 주위환경 상이,

#5: 일체수익성 존재, #6: 구분건물 거래사례로 합리적 배분법 적용 곤란,

#7: 양도소득세 부담분 산정 불가로 제외

2) 시산가액

$$98,400,000,000 \times 1.02829^{*} \times 1 \times 1.020^{**} \times 1/1,600$$

$$= 64,500,000원/㎡$$

* 시점수정치(상업영지역 지가변동률 2021.2.1.-8.7.)

** 개별요인비교치 : $1 \times 1.00 \times 1.02$

(3) 토지가액 결정

감칙 §12에 따라 주된방법인 공시지가기준가액이 다른 방법(거래사례비교법)에 의한 시산가액으로 합리성이 인정되는 바, 주된 방법에 의한 시산가액으로 결정함.

<64,500,000 × 1,500=96,800,000,000원>

---

2. 건물(원가법)

(1) 개요

① 지상 9~10층 중축부분 구분평가

② 업무시설, 철근콘크리트조, 3급수

③ 부대시설

지하부분 : 전기시설, 소방시설, 승강기시설

지상부분 : 전기시설, 소방시설, 위생시설, 냉난방시설, 승강기시설

④ 감가수정은 정액법에 의함

(2) 건물가액

1) 지하(B1~B4, 각 950㎡)

① 재조달원가

$$1,200,000 + (10,000 + 10,000 + 30,000)$$

$$= 1,250,000원/㎡$$

② 지하부분 건물가액

$$1,250,000 \times 45/50$$

$$= 1,130,000원/㎡$$

<×950×4F = 4,290,000,000원>

2) 지상 기준부분(1~8F, 각 1,000㎡)

① 재조달원가

$$1,200,000 + (10,000 + 10,000 + 50,000 + 140,000 + 30,000)$$

$$= 1,440,000원/㎡$$

② 지상 기준부분 건물가액

1,440,000×45/50　=1,300,000원/㎡

〈×1,000×8F =10,400,000,000원〉

3) 지상 증축부분(9~10F, 각 1,000㎡)

1,440,000×45/48　= 1,350,000 원/㎡

〈1,350,000×1,000×2 =2,700,000,000원〉

4) 합계　=17,400,000,000원

3. 개별물건기준 시산가액 : 토지+건물　= 114,200,000,000원

Ⅲ. 일괄 거래사례비교법

일괄 거래사례비교법에서는 오피스빌딩 자본수익률을 적용하고 연면적당 단가 비교가 필요했다.

1. 사례 선정

(1) 선정 기준

위치적, 물적 유사성이 있고 시점수정, 사정보정 등 비교 가능하며 일체 비교가능한 거래사례 선정

(2) 사례 선정

일체 효용성 반영 가능한 복합부동산 사례 〈#5〉 선정

---

(3) 제외 사유

〈#6〉 구분건물로서 대상물건과 유형 상이하여 제외함. 기타 거래사례는 상기 토지 거래사례비교법과 동일한 사유로 제외함.

2. 시점수정 : S시 J구 오피스빌딩 자본수익률(20.10.1.~21.8.7.)

1.0046×1.0050×1.0054×(1+0.0054×38/91)　= 1.01736

3. 가치형성요인비교치 : 105/100×102/100×100/100　= 1.071

4. 시산가액

111,573,000,000×1×1.01736×1.071×1/14,700　=8,270,000원/㎡

〈×13,800 =114,100,000,000원〉

Ⅳ. 일괄수익환원법

일괄 수익환원법에서는 대상의 임대료를 배제하고 시장의 임대료를 적용하는 시유어 벤트프리의 처리에 주의를 했어야 한다. 또 환원율(시장추출법)에서 사례를 선정하고 결정하는 논리를 구체성 있게 보여 줄 필요가 있었다.

1. 개요

① 직접환원법에 의함

② 대상의 수익자료는 높은 공실률, 관계회사 임자자 등 사정개입된 바, 인근 지역의 표준적 임대 수준 기초하여 수익가액에 산정함.

③ 환원이율은 적정한 사례를 기준한 시장추출법에 의함

2. NOI

(1) 방침

전형적 공실률, 렌트프리 1개월 적용

(2) PGI

1) 보증금운용이익

$(470,000+350,000\times9)\times1,000㎡\times0.02$ = 72,400,000원

2) 월임대료(렌트프리 1개월)

$(47,000+35,000\times9)\times1,000㎡\times11月$ = 3,982,000,000원

3) 관리비수입

$14,000\times10F\times1,000㎡\times12月$ = 1,680,000,000원

4) 합계 = 5,734,400,000원

(3) EGI : PGI×(1-0.05) = 5,447,680,000원

(4) OE : 관리비수입의 65% = 1,092,000,000원

(5) NOI : EGI - OE = 4,355,680,000원

3. 환원율

(1) 사례 선정

일반상업지역, 업무시설, 복합부동산〈#101, #103〉 선정

(#102는 저가 임대 사정개입, #104 용도지역 상이로 제외)

(2) 사례 #101 기준 환원율

1) NOI

$7,420,400,000\times(1-0.05)-13,000\times13,000\times12月\times0.65$ = 5,731,180,000원

2) P : 법사가격 기준 = 180,000,000,000원

3) 환원율 : NOI/P = 3.2%

(3) 사례 #103 기준 환원율

1) NOI

$7,140,000,000\times(1-0.05)-14,000\times12,000\times12月\times0.65$ = 5,472,600,000원

2) P = 132,960,000,000원

3) 환원율 : NOI/P = 4.1%

(4) 환원율 결정

사례 #101은 경매평가에 의한 법사가격의 성격, 유지권 행사 등의 사정개입을 고려하여 가격의 왜곡이 초래할 수 있는 바, 정상 매매사례인 사례 #103을 기준한 환원율로 결정함

〈4%〉

4. 시산가액 : NOI/환원율

= 108,900,000,000원

V. 시산가액 조정 및 감정평가액 결정

1. 각 방식별 시산가액
- 개별물건기준 : 114,200,000,000원
- 일괄거래사례비교법 : 114,100,000,000원
- 일괄수익환원법 : 108,900,000,000원

2. 감정평가목적 : 일반거래 시가참고

3. 지역분석
인근지역 업무시설의 공실률 증가 등이 사유로 수익성이 악화되는 상태임.

4. 개별분석
대상물건은 인근지역의 전형적 공실률보다 높은 수준으로 공실 및 저가 임대
등이 사정이 존재하는 바, 수익성에 기초한 가치산정의 합리성이 비교적
낮음.

5. 각 평가방법의 유용성 및 한계
(1) 개별물건기준
별상 주된 방식으로서 토지·건물 각각의 평가방식에 의한 합리적 가액의
합산액으로서 법적 타당성이 있으나, 복합부동산 특히 오피스빌딩의 일체
거래관행을 반영하지 못함.

(2) 일괄 거래사례비교법
인근지역의 일체 거래관행 및 수익성, 시장성 등을 고려할 수 있는 시장증
거에 있는 방식이나, 가치형성요인비교 등의 과정에서 주관개입 소지 존재함.

(3) 일괄 수익환원법
지역·개별분석 결과 인근지역의 수익성 악화로 수익성에 기초한 가치산정
방식의 합리성이 결여됨. 그로 인해 산정된 시산가액이 일괄 효용을 반영
하지 못하는 개별물건기준 시산가액 수준을 하회하는 등 타당성이 떨어짐.

6. 감정평가액 결정
(1) 결정근거
감칙§12① 및 §7①에 따른 주된방법(개별물건기준)에 의한 시산가액을 감
칙 §12② 및 §7②에 따른 다른 방법(일괄거래사례비교법, 일괄수익환원법)
에 의한 시산가액으로서 그 합리성을 검토함. 그 결과 개별물건기준 시산가
액과 일괄 거래사례비교법에 의한 시산가액은 상호 유사하여 양자의 합리
성이 인정되나, 일괄수익환원법에 의한 시산가액은 상기 서술한 사유로 다
소 낮게 산정되어 그 합리성이 없다고 판단된다. 따라서 개별 주된 방법과
오피스빌딩의 시장 거래관행 유지한 반영에 의한 일괄 거래사례비교법에 의한
시산가액을 기준으로 최종 감정평가액을 결정함.

(2) 감정평가액 결정 :

〈114,000,000,000원〉

【문제 2】 (30)

I. (물음 1) 피고 주장 타당성 및 그 근거

1. 피고주장 타당성 : 인정

피고의 감정평가된 임대료가 높다는 주장은 인근 지역 내 시장의 임대료 수준에 비해 높게 평가되어 인정됨.

2. 그 이유

기대이율표에 대해 매년 변동하는 CD금리를 기준으로 결정되는 사항, 지역여건과 대상의 상황 등을 고려하여야 하는 사항을 깊이 이해하고 있어야 했다. 또 구체적으로 필요제경비를 기대이율에 포함하지 않도록 하는 감정평가실무내용을 주의 깊게 숙지하고 있어야 한다.

(1) 매년 동일한 기대이율 적용

기대이율표는 매년 변동되어 CD금리에 연동되어 변동성이 있고 구체적으로 지역여건이나 해당 토지 상황등을 고려하여 그 율의 증감을 조정하여야 함.

(2) 인근 시장 상황 고려(임대차 계약사본)

재감정 신청 증빙자료인 임대자 계약서 계약서 사본의 임대료 수준에 비추어 연간 임대료 평균1,582만원으로 다소 고가 평가됨.
※ 공인중개사 사실확인서 사본 : 제시된 임대료 수준 대비 고가 평가되었으나 "사실확인서"의 적법성 및 객관성"의 한계가 있고 대상 토지의 "규모와 상이"한 한계가 있음.

(3) 필요제경비의 처리 불명확

토지의 필요제경비(제산세등)를 기대이율에 포함하여 평가한 것은 적정성을 인정하기 어려움.

II. (물음 2) 기대이율 결정

1. 고려사항

① 인근 지역여건 및 대상 토지상황 고려
② 연도별 기대이율 결정
③ 필요제경비는 별도 산정함 (기대이율에 불포함)

물음2의 기대이율 결정에서는 제시된 <자료3>을 충분히 활용해야 한다. "임대료 수준", "토지 가격 상승(20%) 추세", "제산세 산정"자료를 합리적으로 해결할 수 있어야 했다. 임대료에는 필요제경비가 포함되므로 기대이율 결정시 해당 비율을 공제하여야 했고, 토지가격 상승 추세를 시점수정치로 보아 매 기간 신규설정임

2. 기대이율 결정

(1) 임대사례 기준 임대료 비율

1) 2018.5.1. 기준 : 4,500 / 900,000 = 0.005
2) 2019.5.1. 기준 : 4,500×1.06667 / 956,000 = 0.005
  ※ 시점수정치 : 1+0.2*1/3
3) 2020.5.1. 기준 : 4,500×1.13333/1,016,000 = 0.005
  ※ 시점수정치 : 1+0.2*2/3

(2) 임대료 비율 적정성 검토

① 임대료 수준

2021.5월 이후 임대료 @5,400원/㎡은 산정기간 (기준시점) 이후로 배제

② 기초가액

2018.5이후 2021.4월 까지 토지가격 상승 20%을 고려 할 때 산정기간

(2020.5.1.)까지 기초가격에는 적정히 반영됨

③ 임대차 계약서 기준
- 2018.5.1. 기준 : 9,000,000 / 1,486,800,000 = 0.006
- 2019.5.1. 기준 : 9,000,000 / 1,579,312,000 = 0.0057
- 2020.5.1. 기준 : 9,000,000 / 1,678,432,000 = 0.0054

수준으로 상기 와 다소 차이가 있으나 피고의 증빙 자료의 성격에 따른 차이임.

(3) 필요제경비 비율

1) 필요제경비 (=개별공시지가 × 0.7 × 재산세율 × 1.2)
- 2018.5.1. 기준 : 360,000 × 0.7 × 0.0007 × 1.2 = 211
- 2019.5.1. 기준 : 382,000 × 0.7 × 0.0007 × 1.2 = 224
- 2020.5.1. 기준 : 406,000 × 0.7 × 0.0007 × 1.2 = 238

2) 필요제경비 비율 (필요제경비 / 기초가액)
- 2018.5.1. 기준 : 211 / 900,000 = 0.0002
- 2019.5.1. 기준 : 224 / 956,000 = 0.0002
- 2020.5.1. 기준 : 238 / 1,016,000 = 0.0002

(4) 기대이율 결정
- 2018.5.1. 기준 : 0.005 - 0.0002 = 0.0048(0.48%)
- 2019.5.1. 기준 : 0.005 - 0.0002 = 0.0048(0.48%)
- 2020.5.1. 기준 : 0.005 - 0.0002 = 0.0048(0.48%)

Ⅲ. (물음 3) 연도별 적산임료

1. 산식 : 기초가액 × 기대이율 + 필요제경비

2. 적산임료

(1) 2018.5.1. ~ 2019.4.30.

900,000 × 0.48% + 211 = @ 4,530

⟨×1,652 = 7,483,560⟩

(2) 2019.5.1. ~ 2020.4.30.

956,000 × 0.48% + 224 = @ 4,810

⟨×1,652 = 7,946,120⟩

(3) 2020.5.1. ~ 2021.4.30.

1,016,000 × 0.48% + 238 = @ 5,110

⟨×1,652 = 8,441,720⟩

3) 필요제경비 결정 시

필요제경비에 대한 세부기준 및 추정의 어려움으로 필요제경비를 기대이율에 포함하여 감정평가하는 경우가 많으나 감정평가시 부정확한 결론이 도출될 개연성이 있는 바, 별도로 필요제경비를 산출할 필요가 있다

Ⅳ. (물음 4) 자산별의 장단점 및 유의사항

1. 장점

① 기초가액과 기대이율에 착안하는 방법으로 비교적 이론적이다.

② 임대사례 포착이 어려운 부동산에 효과적으로 적용할 수 있다.

2. 단점

① 경기변동이 심한 지역에서 적용이 어렵다.

② 수익을 목적으로 하는 부동산에 활용의 한계가 있다.

③ 기대이율 및 필요제경비 산정시 주관 개입의 우려가 있다

3. 유의 사항

1) 기초가액 결정 시

기초가액 결정 시 용익가치를 기초가액으로 결정하되 객관적이고 신뢰성 있게 용익가치를 구할 수 없는 경우에는 시장가치를 기준하여 기초가액을 구한다

2) 기대이율 결정 시

기초가액을 시장가치 또는 용익 가치로 구한 경우 각각의 의미에 맞는 기대이율을 적용할 수 있다

시장상황 등의 급격한 변동 등에 따라 시장이자율과의 상관성이 불규칙 또는 불균형하게 나타날 수 있으므로 감정평가시점의 시장상황에 맞는 적절한 방법을 적용하여 기 대이율을 결정한다.

[문제 3] (20)

Ⅰ. 평가개요

1. 평가목적 : 이의재결평가 정당보상액 산정

2. 가격시점 : 수용재결일 2021.04.01. (법§67①)

3. 사업인정의제일 : 2020.10.02

4. 쟁점 사항 :

(1) 현실적 이용상황 기준 평가

토지보상법 제70조 제2항에 따른 가격시점 당시의 현실적인 이용상황을 고려하여 감정평가함.

(2) 개간비 및 개간지의 보상방법

「토지보상법 시행규칙」제27조 제1항에 따라 국유지등을 적법하게 개간 한자가 점유하고 있는 경우 개간에 소요된 비용을 보상하되 취득하는 토지 의 보상액은 "개간후 토지가격에서 개간비를 뺀금액으로 보상함.

(3) 둘 이상의 용도지역에 속한 토지의 보상방법

「토지보상법 시행규칙」제20조 및 토보침 제26조 제1항 등에 근거 "각 용 도지역 부분의 위치·형상·이용상황, 그 밖에 다른 용도지역 부분에 미치는 영향 등을 고려하여 면적비율에 따른 평균가액" 으로 보상함.

4. 적용공시지가 선택 :

사업인정 후 취득으로 사업인정 전 공시된 공시지가로서 제결 당시 공시된 공시지가 중 사업인정고시일과 가장 가까운 시점 공시된 〈2020.01.01.〉 적용

5. 비교표준지 선정

(1) 일련번호 #1

용도지역, 개간 후 현황이용(田)이 동일/유사한 〈#B〉선정

(2) 일련번호 #2

- 자연녹지(60%) : 용도지역, 자연림 동일/유사한 〈#E〉선정
- 보전녹지(40%) : 용도지역, 자연림 동일/유사한 〈#D〉선정

6. 그 밖의 요인 사례선정 등

그 밖의 요인 보정의 거래사례 등 선정에서 원칙적으로 적용공시지가 선택기준에 따라 사업인정의제일 이전 사례를 활용하도록 한 문제이다. 현업의 실무에서는 보상사례를 기준한 격차율을 가메사례의 단가수준으로 적정성을 검증하고 있지만 수험에서는 원칙적으로 적용공시지가 선택기준에 따라 선정하되 해당 쟁점이 문 제로 되지 않았는지 여부를 잘 따져 볼 필요가 있다.

1) 보정의 필요성 및 근거

감칙 제14조 제2항 제5호 및 국토교통부 유권해석 및 대법원 판례 등의 취지에 따라 대상토지의 인근지역 또는 동일수급권내 유사지역의 가치형 성요인이 유사한 정상적인 거래사례 또는 평가사례 등을 고려하여 인근지 역의 지가수준 및 지가균형 등을 반영하기 위해 필요

2) 선정요건 (토보침 제17조)

① 용도지역등 공법상 제한이 같거나 비슷할 것

② 현실적인 이용상황 등이 같거나 비슷할 것

③ 주위환경 등이 같거나 비슷할 것

④ 적용공시지가의 선택기준에 적합할 것

⑤ 거래사례는 부동산 거래 신고 등에 관한 법률」에 따라 신고된 것으로서 정상적인 거래로 인정되거나 사정보정이 가능한 것일 것

2) 선정

상기 선정기준에 부합하되, ① 당해 사업에 따른 가치변동 등여부의 확인이 불가능하거나 ② 거래사례 등이 인근에 소재하여 당해사업에 따른 개발이익 등이 반영될 가능성이 큰 바 "적용공시지가의 선택기준"과 동일한 평가사레를 선정

- #B : 〈#ㅁ〉, - #D : 〈#ㄹ〉, - #E : 〈#ㅅ〉 선정

II. 필지별 단가 산정

1. 일련번호 #1

1) 비교표준지 단가 @120,000

2) 시점수정치 (2020.01.01.~2021.04.01. 녹지)

$1.02972 \times 1.00282 \times 1.00221 \times 1.00235 \times (1+0.00310 \times 1/30) = 1.03745$

3) 지역요인 1.000

4) 개별요인 1.050

5) 그 밖의 요인 보정치

① 격차율 산정

$$\frac{399,360,000 \times 1.02406^{1)} \times 0.85 \div 1560}{120,000 \times 1.03745} = 1.783$$

1) 시 (2020.07.31.~2021.04.01. 녹지)

$(1+0.00363*1/31)*\sim*(1+0.00310*1/30)$

② 실거래가 등에 따른 격차율 검증

최근 인근의 자연녹지지역내 협의보상사례의 가격수준 등을 분석시 표준지의 그 밖의 요인 보정치와 합리성 인정   〈1.78〉 결정

6) 단가 산정

$@120,000 \times 1.03745 \times 1.000 \times 1.050 \times 1.78$ = @232,680원/㎡

2. 일련번호 #2

1) 용도지역별 단가

(1) 용도지역별 형상 등은 동일한 것으로 가정함.

(2) 자연녹지지역

① 비교표준지 단가   @15,000

② 시점수정치   1.03745

③ 지역요인   1.000

④ 개별요인   1.080

⑤ 그 밖의 요인 보정치

a. 격차율 산정

$$\frac{75,000 \times 1.01800^{1)} \times 0.90}{35,000 \times 1.03745} = 1.892$$

1) 시 (2020.09.01.~2021.04.01. 녹지)

$1.00280 \times 1.00223 \times 1.00223 \times 1.00312 \times 1.00282 \times 1.00221$

$\times 1.00235 \times (1+0.00310 \times 1/30)$

b. 실거래가 등에 따른 격차율 검증

최근 인근의 자연녹지지역내 거래사례의 가격수준 등을 분석시 표준지의

그 밖의 요인 보정치와 합리성 인정 〈1.89〉 결정

⑤ 산정단가

$35,000 \times 1.03745 \times 1.000 \times 1.080 \times 1.89$ = @74,120원/㎡

Ⅲ. 지장물 보상액 – 개간비 보상액

1. 개간비: 가격시점 현재 기준 300,000,000원

2. 한도액 검토

1) 개간전 토지가액

(1) 개간지 이용상황 임야 기준, 자연녹지지내 〈표준지 #E〉 선정

(2) 개간전 토지가액

$15,000 \times 1.03745 \times 1.000 \times 1.15 \times 4.70$ = @84,110원/㎡

---

⑤ 그 밖의 요인 보정치

a. 격차율 산정

$$\frac{412,500,000^{1)} \times 1.02405^{2)} \times 0.65 \div 3750}{15,000 \times 1.03745} = 4.705$$

1) 사례정상가액 : 562,500,000 - 500,000*300

2) 시 (2020.07.01.~2021.04.01. 녹지)

$1.00363 \times 1.00230 \times 1.00280 \times 1.00223 \times 1.00223 \times 1.00312$

$\times 1.00282 \times 1.00221 \times 1.00221 \times (1+0.00310 \times 1/30)$

b. 실거래가 등에 따른 격차율 검증

최근 인근의 자연녹지지역내 제남자본사례의 가격수준 등을 분석시

표준지의 그 밖의 요인 보정치와 합리성 인정 〈4.70〉 결정

⑥ 단가 산정

$15,000 \times 1.03745 \times 1.000 \times 1.10 \times 4.70$ = @84,450원/㎡

(3) 보전녹지지역

① 비교표준지 단가 @35,000

② 시점수정치 1.03745

③ 개별요인 1.080

2) 한도액

(@232,680 - @84,110) × 3000   = 445,710,000원

3. 개간비 보상액

상기 한도액 검토 결과 당해 제시된 개간비는 적정수준으로 사료됨.

∴ 300,000,000원 결정

개간비 산정(가격시점 당시 가간비)은 큰 어려움은 없었으나 한도액 산정 및 토지소유자 보상금 결정과 관련된 쟁점을 놓치면 안되는 문제였다.

IV. 토지보상액

1. 일련번호 #1

@232,680 × 3000 - 300,000,000   = 398,040,000원

2. 일련번호 #2

1) 용도지역별 평균단가

84,450 × 0.6 + 74,120 × 0.4   = @80,320원/㎡

2) 보상액 : @80,320 × 5,000 × 1/2   = 200,800,000원

[필자주] 용도지역별 면적의 부재로 평균단가로 산정하였음

일련번호 2번은 2개의 용도지역에 걸쳐있어, 지분(편입면적)에 유의하여야 한다.

【문제 4】 (10)

I. 감정평가 개요

1. 가격시점 : 2021.8.7. (법§68②)

2. 평가개요

토지보상법 §75-2 및 동법 시행규칙 §35②에 근거 일부편입 건물의 보상평가

II. 편입 부분 보상액

1. 재조달원가

1,060,000 + (20,000 + 50,000 × 0.8 + 6배만 × 2/200)   = 1,180,000원/㎡

2. 건물단가

1,180,000 × 30/45   = 787,000원/㎡

3. 편입부분 보상액

787,000 × 6   = 4,722,000원

Ⅲ. 잔여부분

1. 보수비 : 시장의 전형적 수준 기준

$(800,000 \times 23.79 + 1,300,000 + 1,000,000 + 3,000,000) \times 1.2$

$= 29,198,000원$

2. 잔여부분 건물가액

$787,000 \times 197㎡$

$= 152,678,000원$

3. 결정

보수비가 잔여부분 건물가액 하회하여 보수비로 결정

Ⅳ. 보상평가액 (편입부분 + 보수비)

33,920,000원

■ 저자약력 ■

· 김 사 왕

- 제일감정평가법인 본사 이사
- 한국감정평가사협회 감정평가기준위원회 간사
- 국방부 국유재산자문 위원
- 국토교통부 부동산조사평가협의회 위원
- 국토교통부 중앙토지수용위원회 검토평가사
- 국토교통부 중앙토지수용위원회 아카데미 강사
- SH공사 보상자문 위원
- 하우패스감정평가학원 실무강사

〈편저〉
· 플러스 감정평가실무연습 입문·중급
· 감정평가실무 분석

· 김 승 연

- 하나감정평가법인 이사
- 한국감정평가사협회 미래위원회 위원
- 하우패스감정평가학원 실무강사

· 황 현 아

- 제31회 감정평가사
- 성균관대학교 한문교육학과
- 하우패스감정평가학원 실무강사

[제5판]
PLUS 기출 감정평가실무연습 Ⅱ (해답편)

2009년 7월 14일 초판 발행
2012년 2월 9일 2판 발행
2016년 10월 18일 3판 발행
2019년 11월 6일 4판 발행
2021년 11월 18일 5판 1쇄 발행

저 자 / 김사왕 · 김승연 · 황현아

발행인 / 이 진 근
발행자 / **회 경 사**
　　　　서울시 구로구 디지털로33길 11, 1008호
　　　　(구로동 에이스테크노타워 8차)
전 화 / (02)2025-7840, 7841 FAX/(02) 2025-7842
등 록 / 1993년 8월 17일 제16-447호
홈페이지 http://www.macc.co.kr
e-mail/macc7@macc.co.kr

세트가 41,000원

ISBN 978-89-6044-237-5 14320
ISBN 978-89-6044-235-1 14320(전2권)